Muskelketten 3

Manuelle Therapie als Vorbereitung auf weitere Behandlungen Bewegungstherapie

des Bandscheibenvorfalls ohne Operation
der Beschwerden nach einer Wirbelsäulenoperation
der Skoliose ohne Korsett und Operation

www.spiralstabilization.com

Methode
Spiralstabilisation der Wirbelsäule

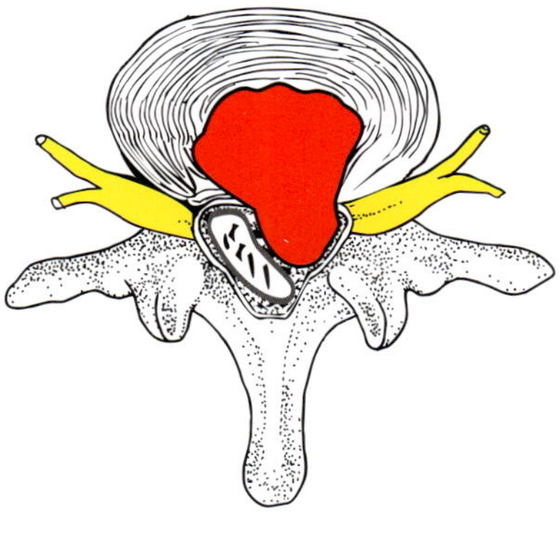

SMíšek System
Dr. med. Richard Smíšek
Dr. med. Kateřina Smíšková
Dr. med. Zuzana Smíšková

Herausgegeben von Dr. med. Richard Smíšek
in December 2019
ISBN: 978-80-88267-31-7

SPIRALE MUSKELKETTEN
STABILISATION DER BEWEGUNG

SA - serratus anterior
PM - pectoralis major

TR - trapezius
LD - latisimus dorsi

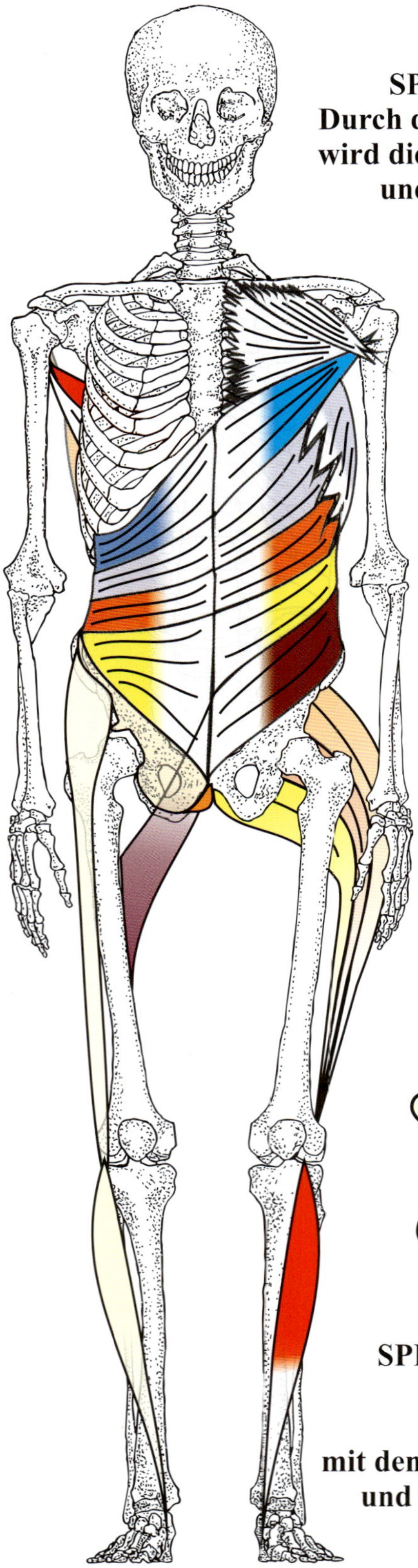

SPIRALE MUSKELKETTEN
Durch die Aktivierung der Muskelketten wird die Wirbelsäule nach oben gestreckt und dies führt zur Regeneration der Bandscheiben

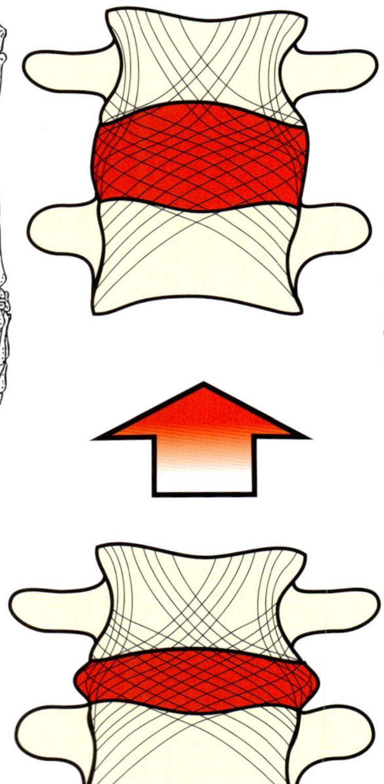

SPIRALEN MUSKELKETTEN
Bandscheibenfasern sind in der Konstruktion mit den spiralen Muskelketten baugleich und verlaufen in gleicher Richtung

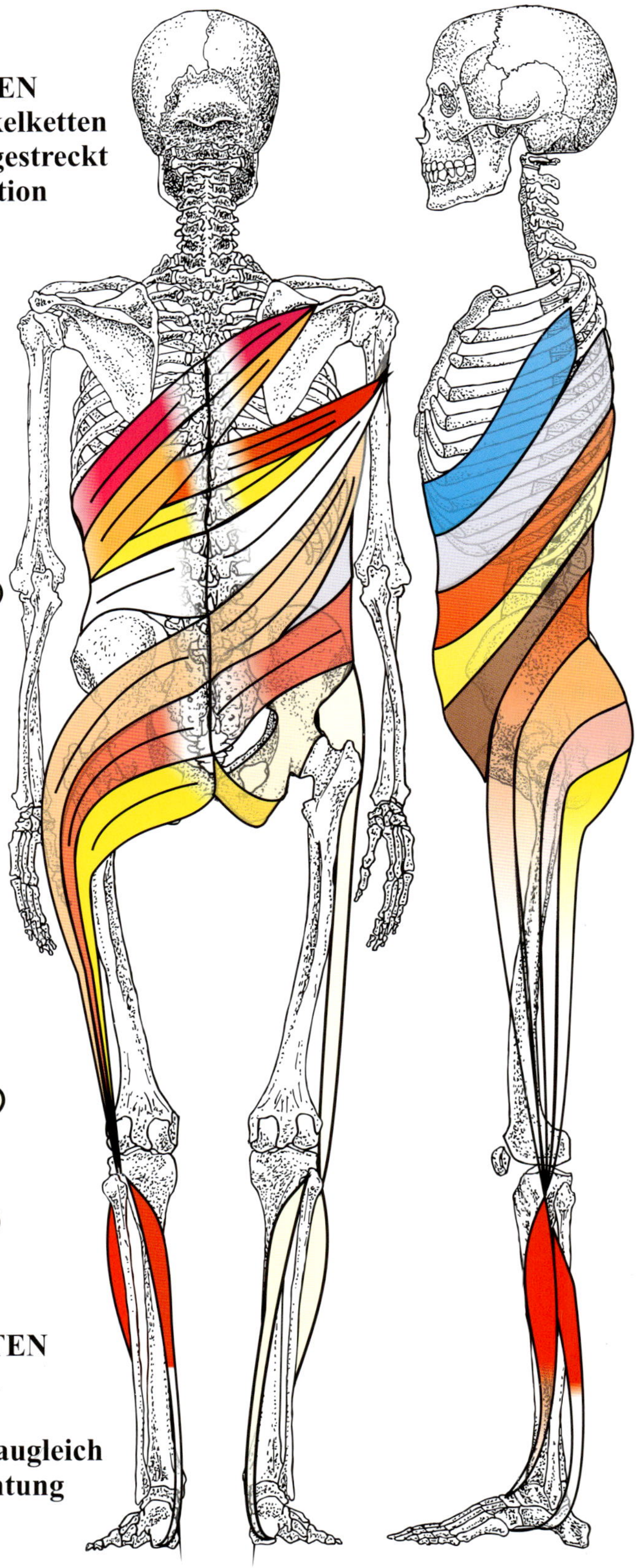

VERTIKALE MUSKELKETTEN
STABILISATION DER RUHEPOSITION

RA - rectus abdominis
IP - iliopsoas

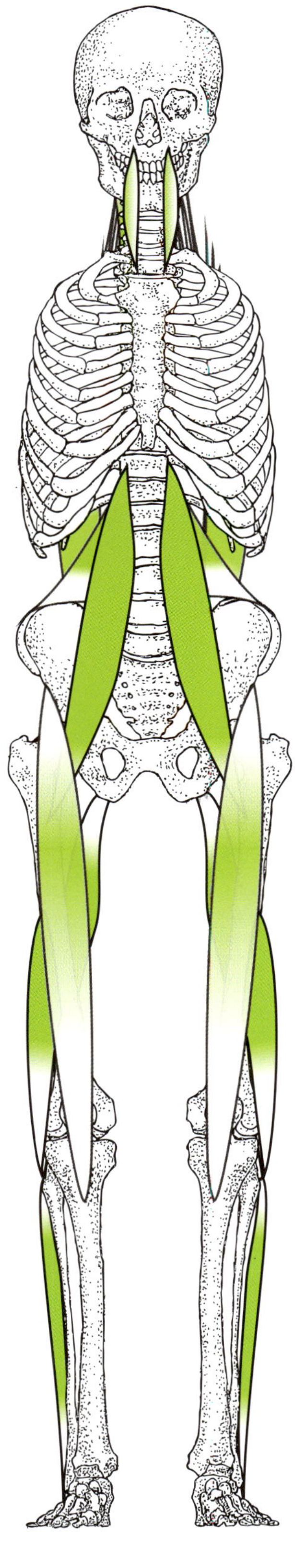

VERTIKALE MUSKELKETTEN
die Wirbelsäule wird durch die Aktivität der Vertikalen nach unten gedrückt und dies führt zur Degeneration der Bandscheiben

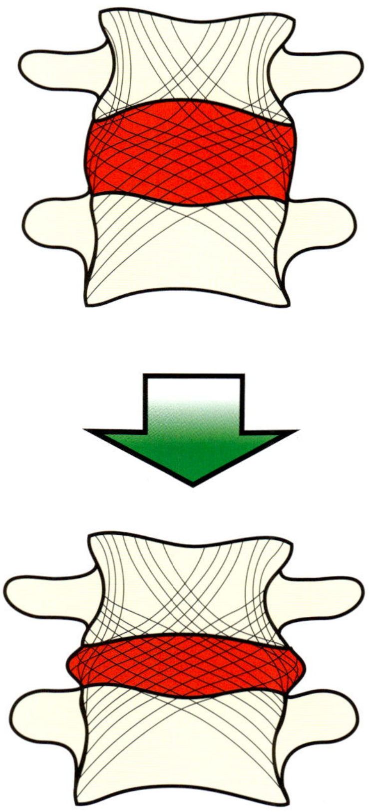

VERTIKALE MUSKEKETTEN
und Fasern des Anulus Fibrosus verlaufen in einer völlig anderen Richtung

ES - erector spinae
QL - quadratus lumborum

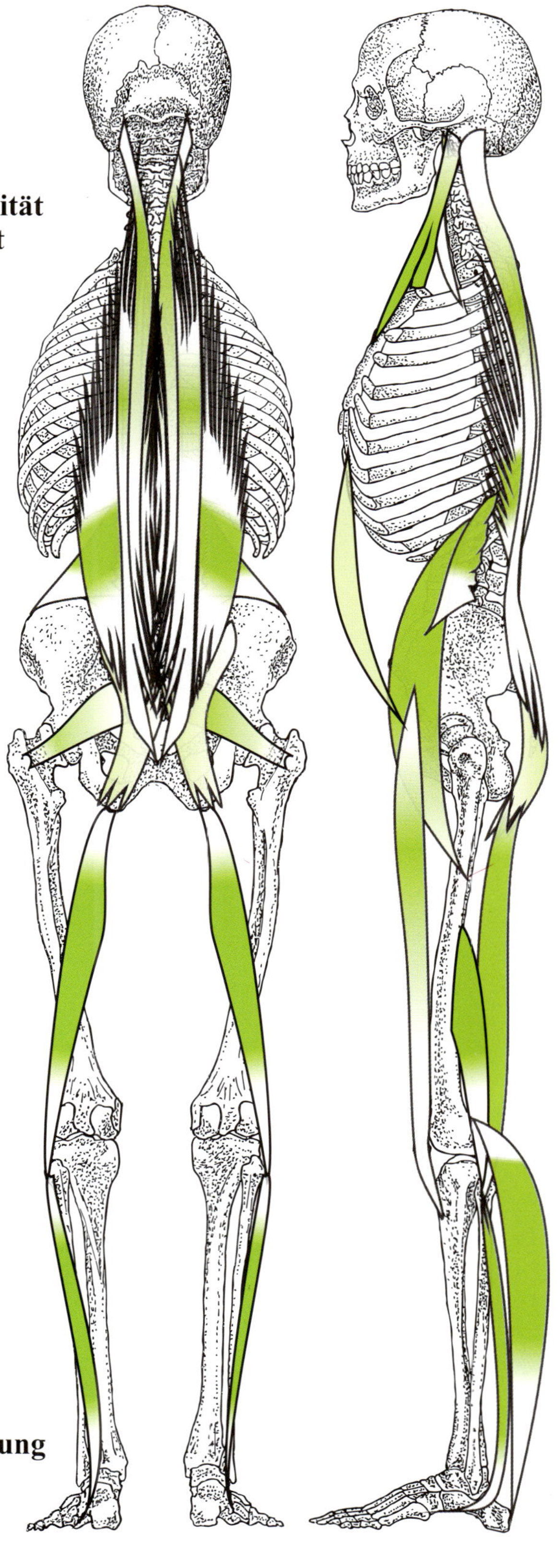

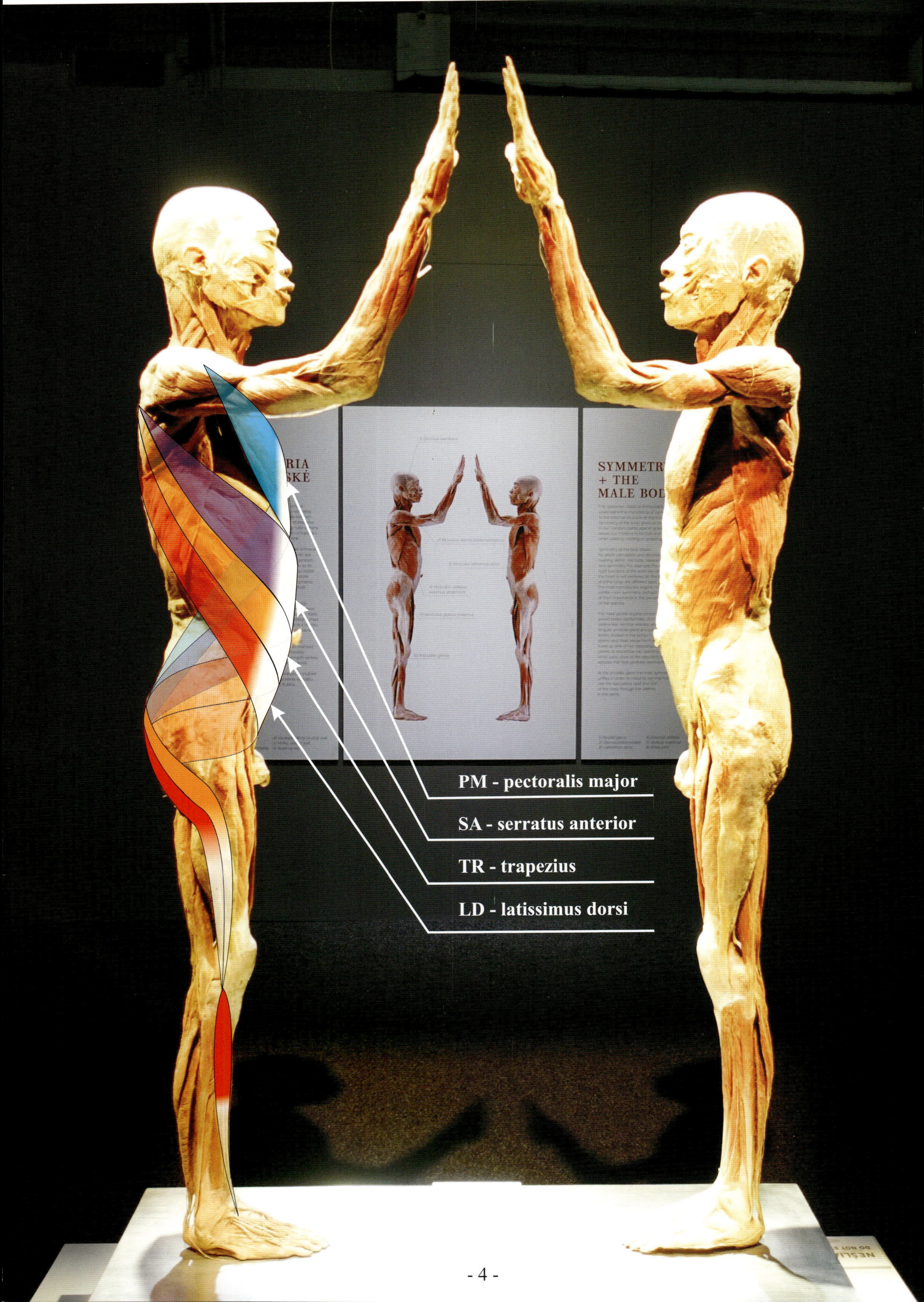
PM - pectoralis major
SA - serratus anterior
TR - trapezius
LD - latissimus dorsi

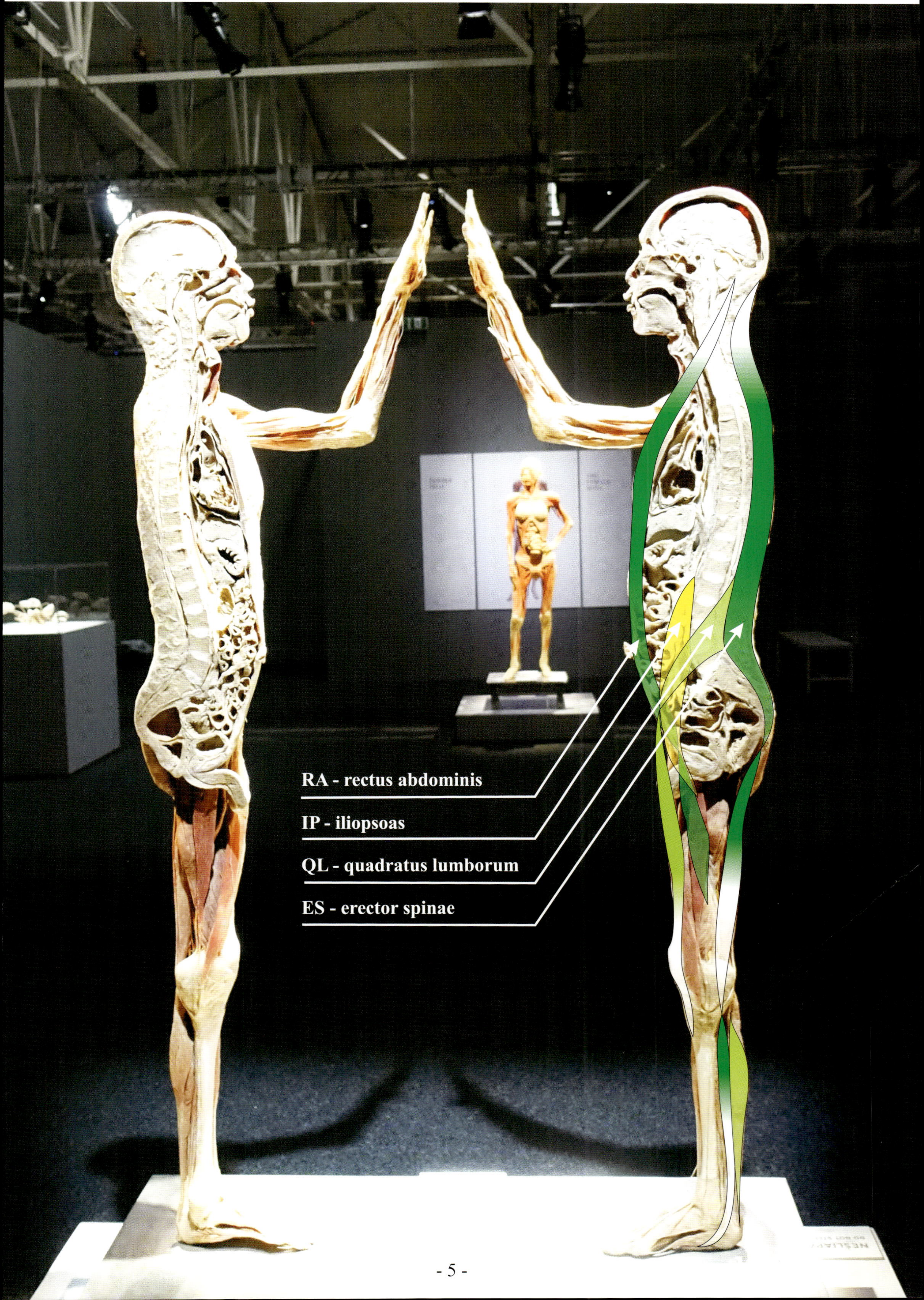
RA - rectus abdominis
IP - iliopsoas
QL - quadratus lumborum
ES - erector spinae

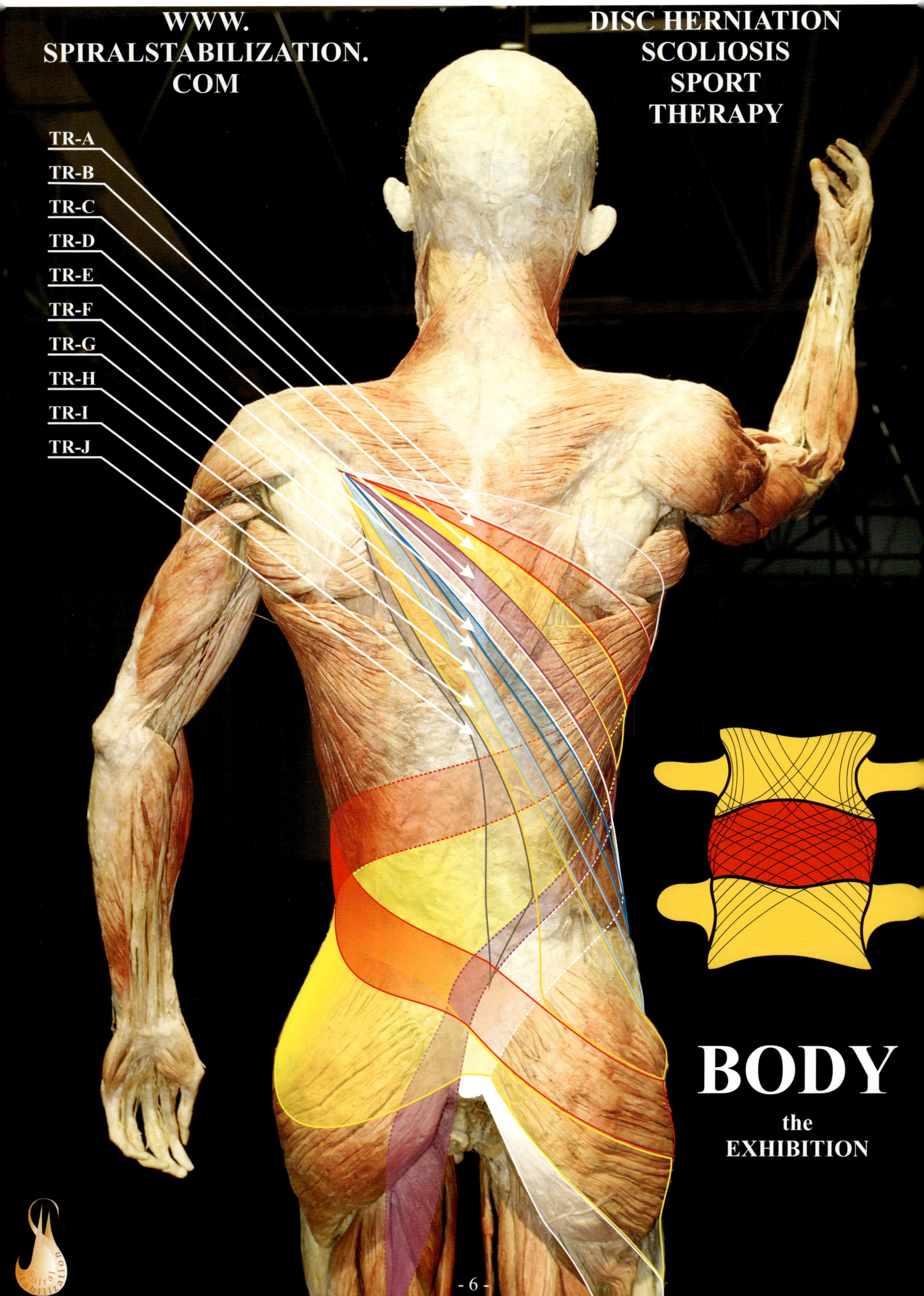
WWW.
SPIRALSTABILIZATION.
COM
DISC HERNIATION
SCOLIOSIS
SPORT
THERAPY
TR-A
TR-B
TR-C
TR-D
TR-E
TR-F
TR-G
TR-H
TR-I
TR-J
BODY
the
EXHIBITION
spiral stabilization

TR - TRAPEZIUS

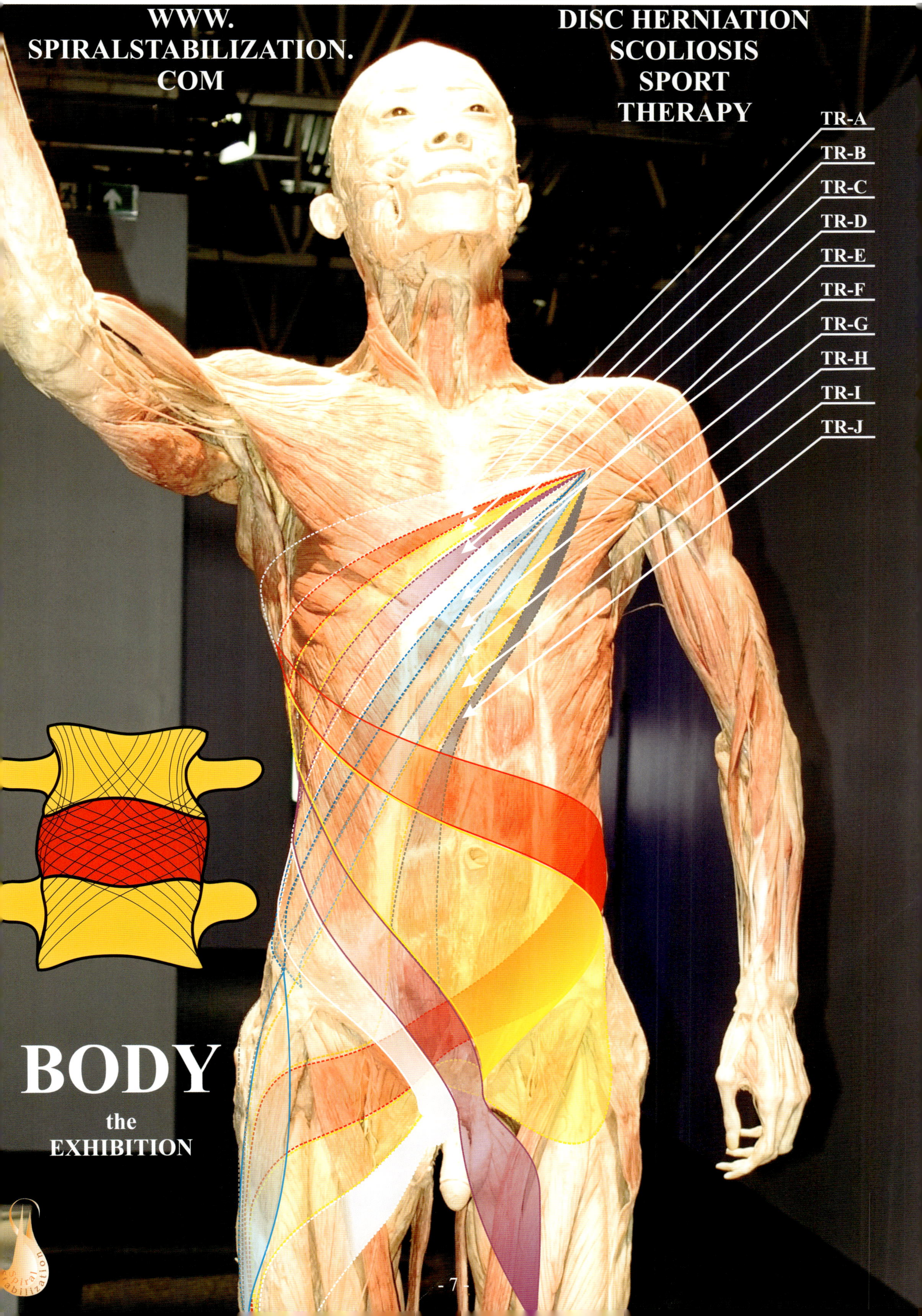

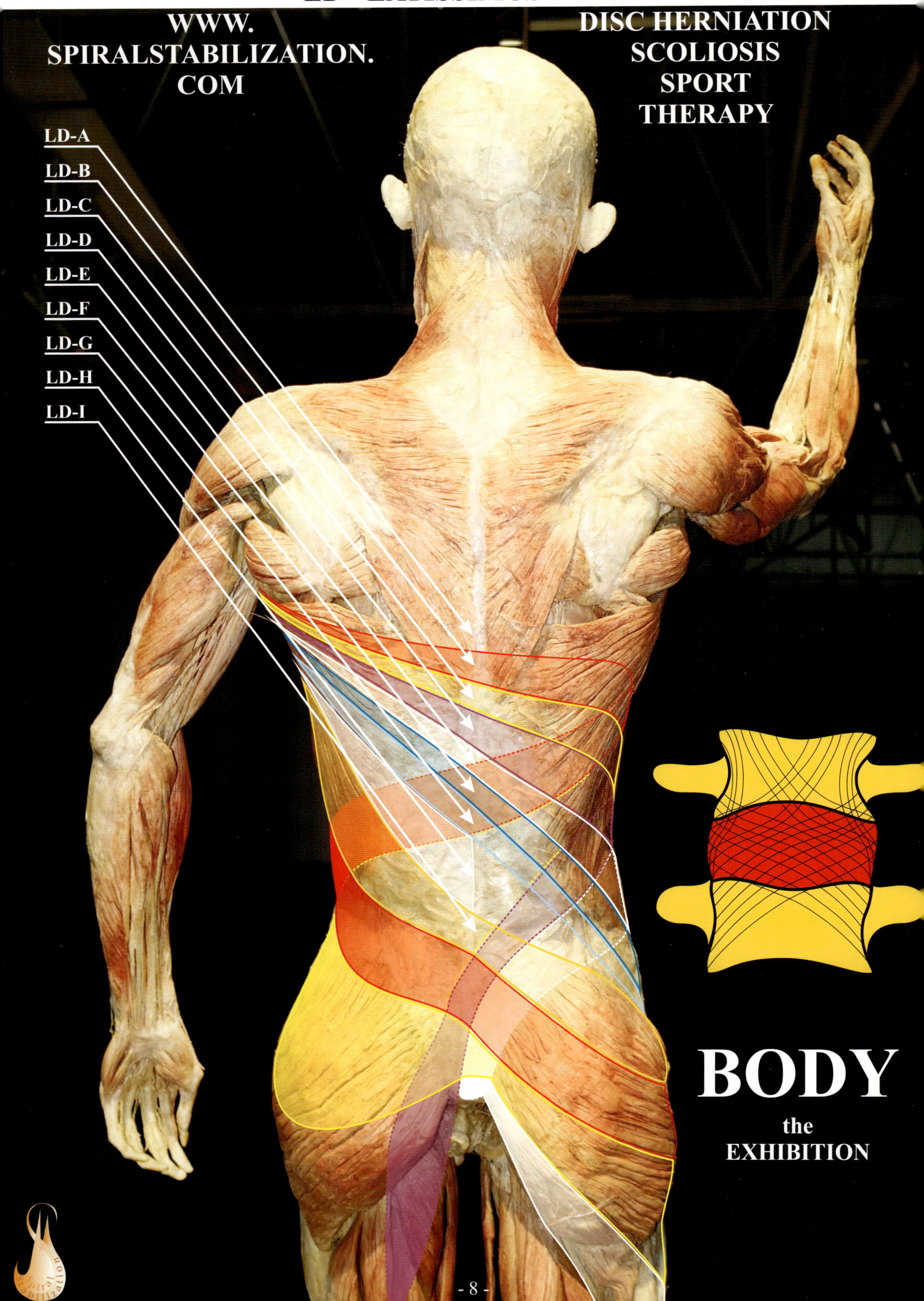
WWW.
SPIRALSTABILIZATION.
COM
DISC HERNIATION
SCOLIOSIS
SPORT
THERAPY
LD-A
LD-B
LD-C
LD-D
LD-E
LD-F
LD-G
LD-H
LD-I
BODY
the
EXHIBITION

LD - LATISSIMUS DORSI

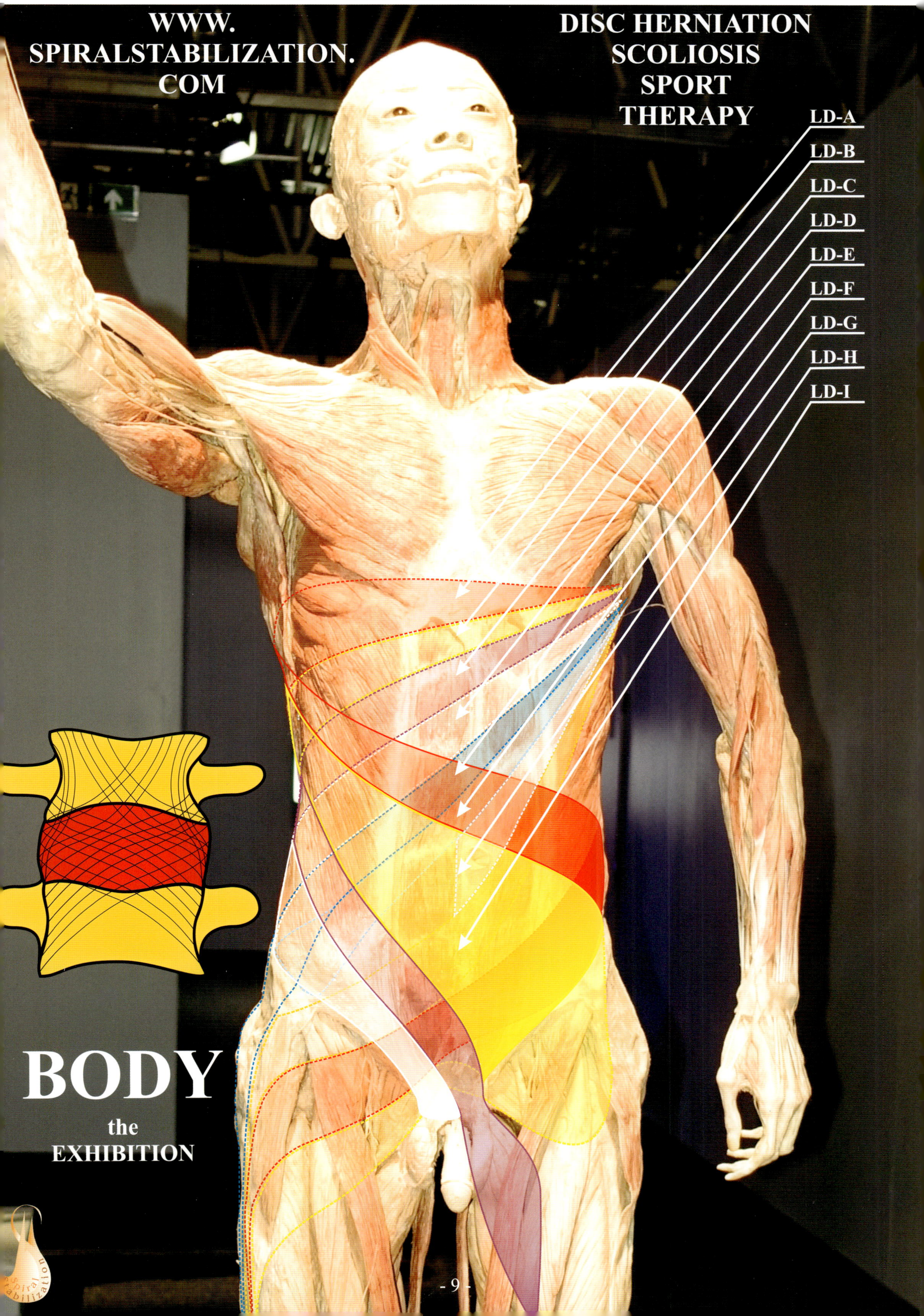

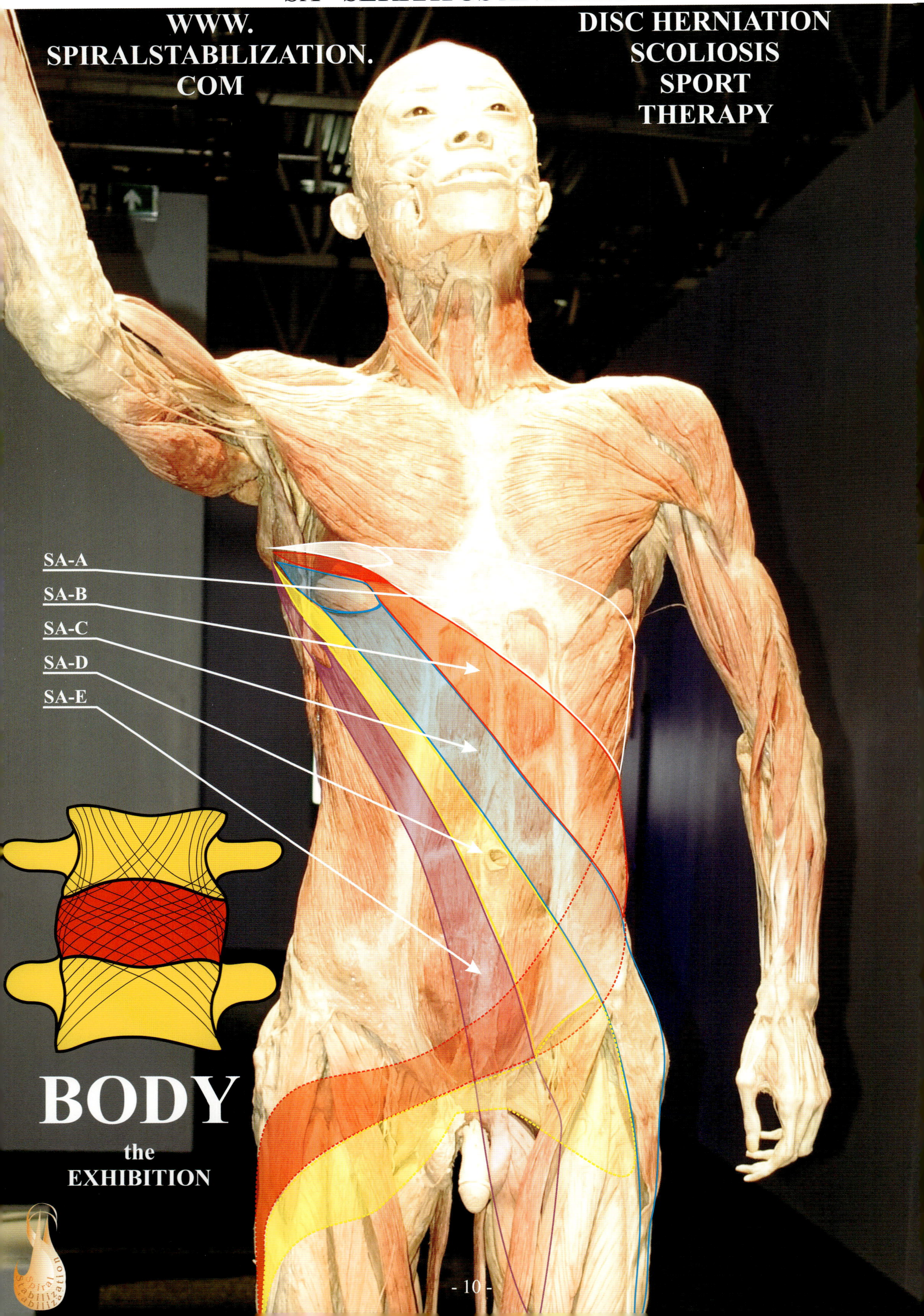
WWW.
SPIRALSTABILIZATION.
COM
DISC HERNIATION
SCOLIOSIS
SPORT
THERAPY
SA-A
SA-B
SA-C
SA-D
SA-E
BODY
the
EXHIBITION

SA - SERRATUS ANTERIOR

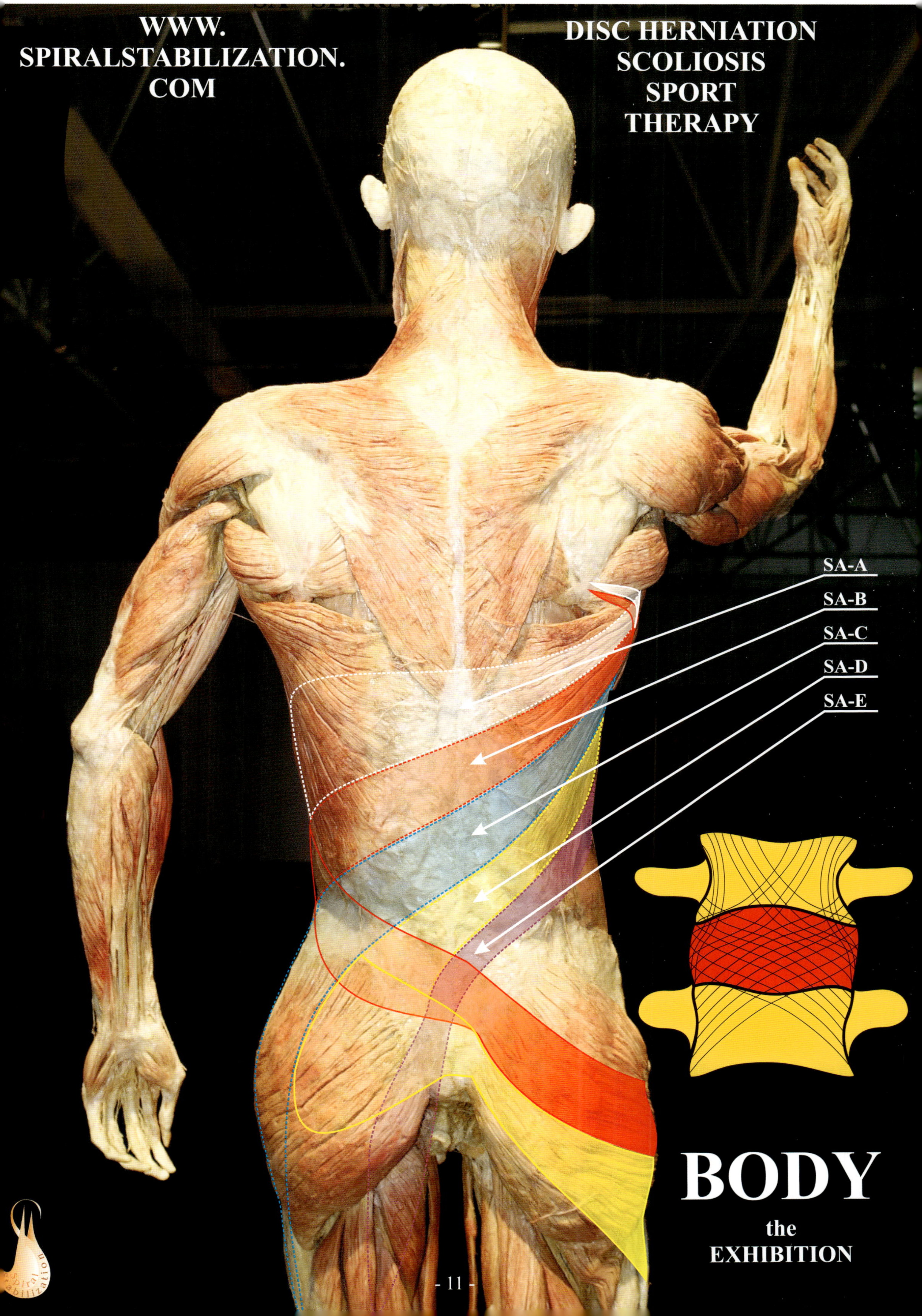

PM - PECTORALIS MAJOR

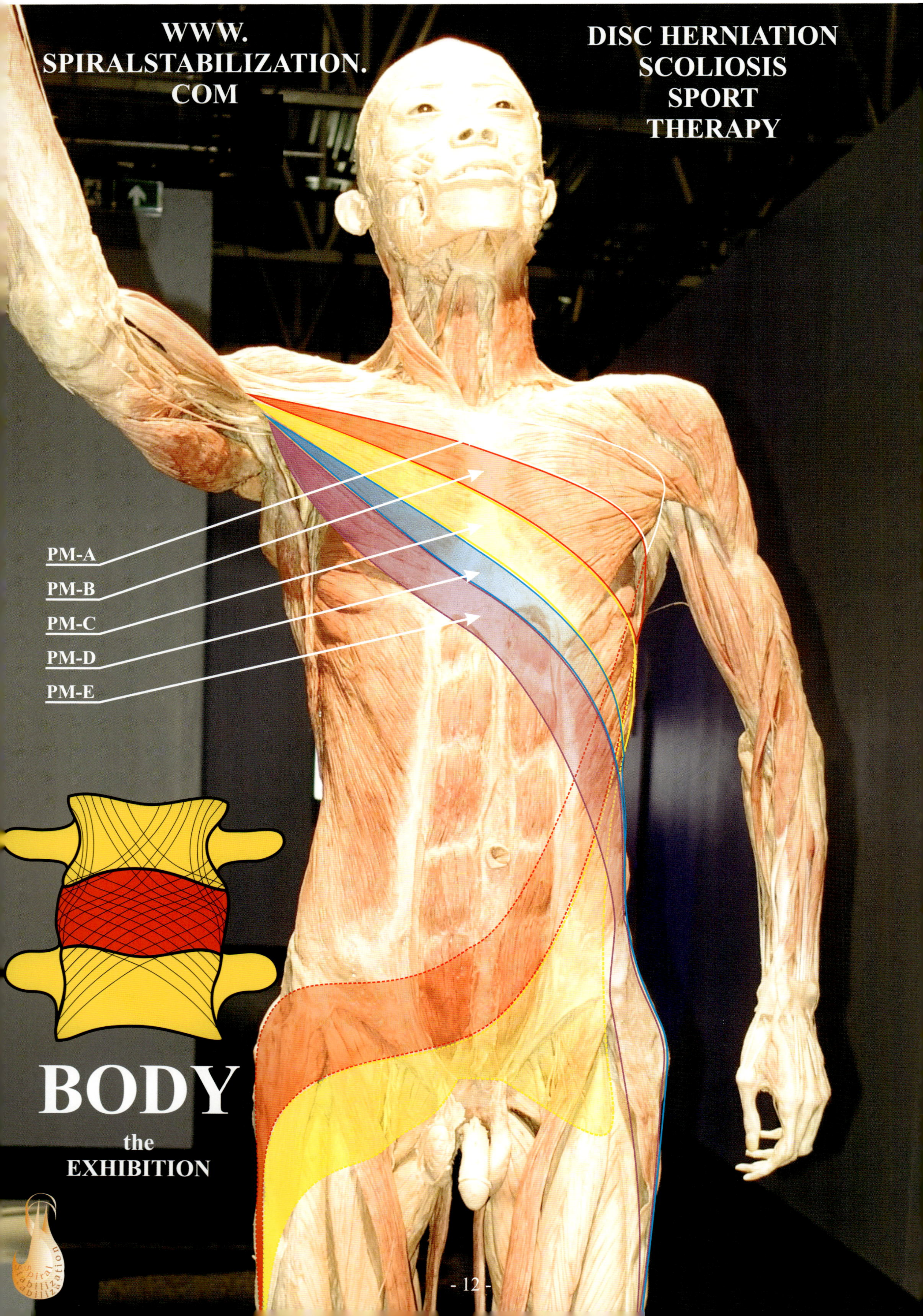

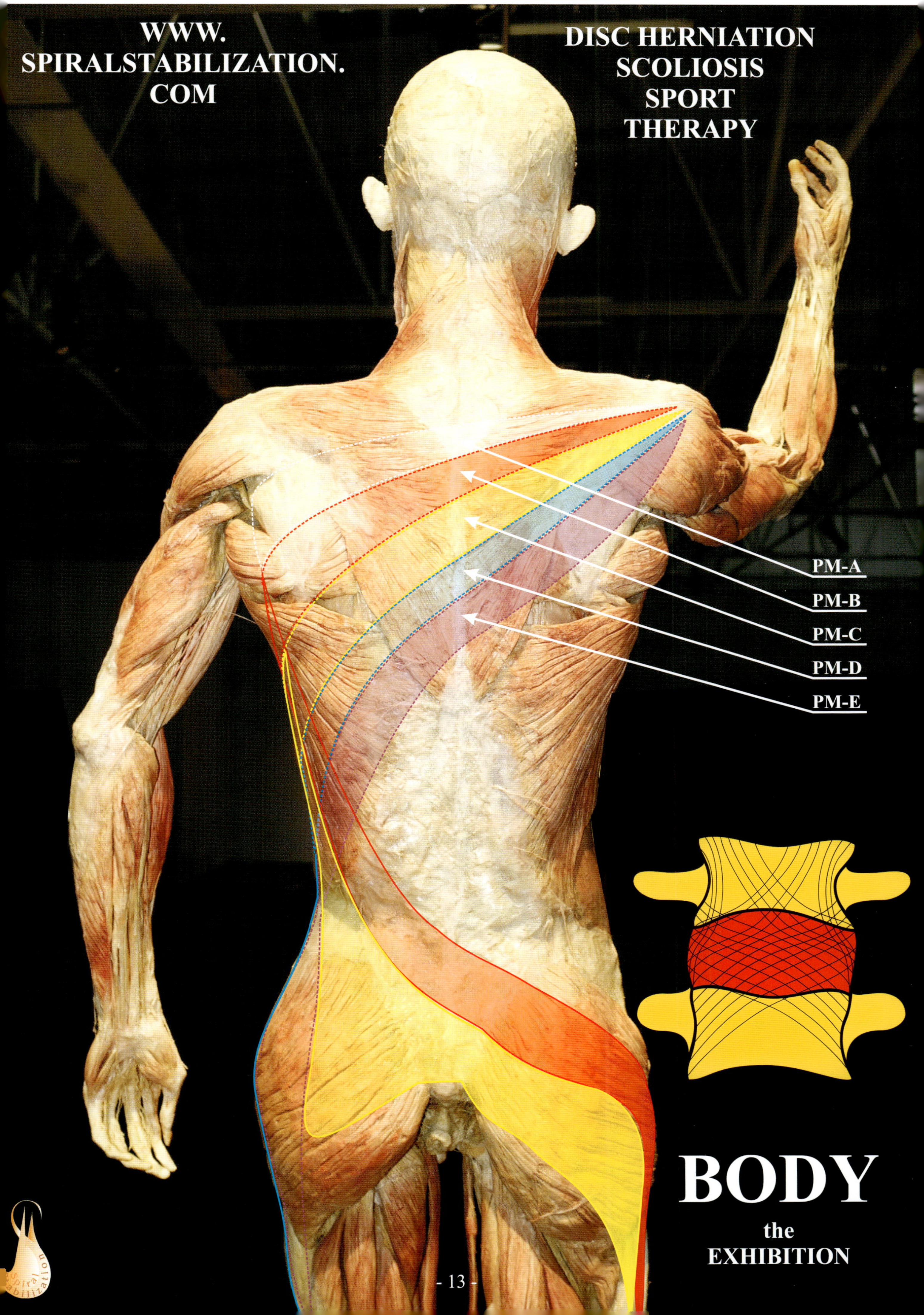
WWW.
SPIRALSTABILIZATION.
COM
DISC HERNIATION
SCOLIOSIS
SPORT
THERAPY
PM-A
PM-B
PM-C
PM-D
PM-E
BODY
the
EXHIBITION

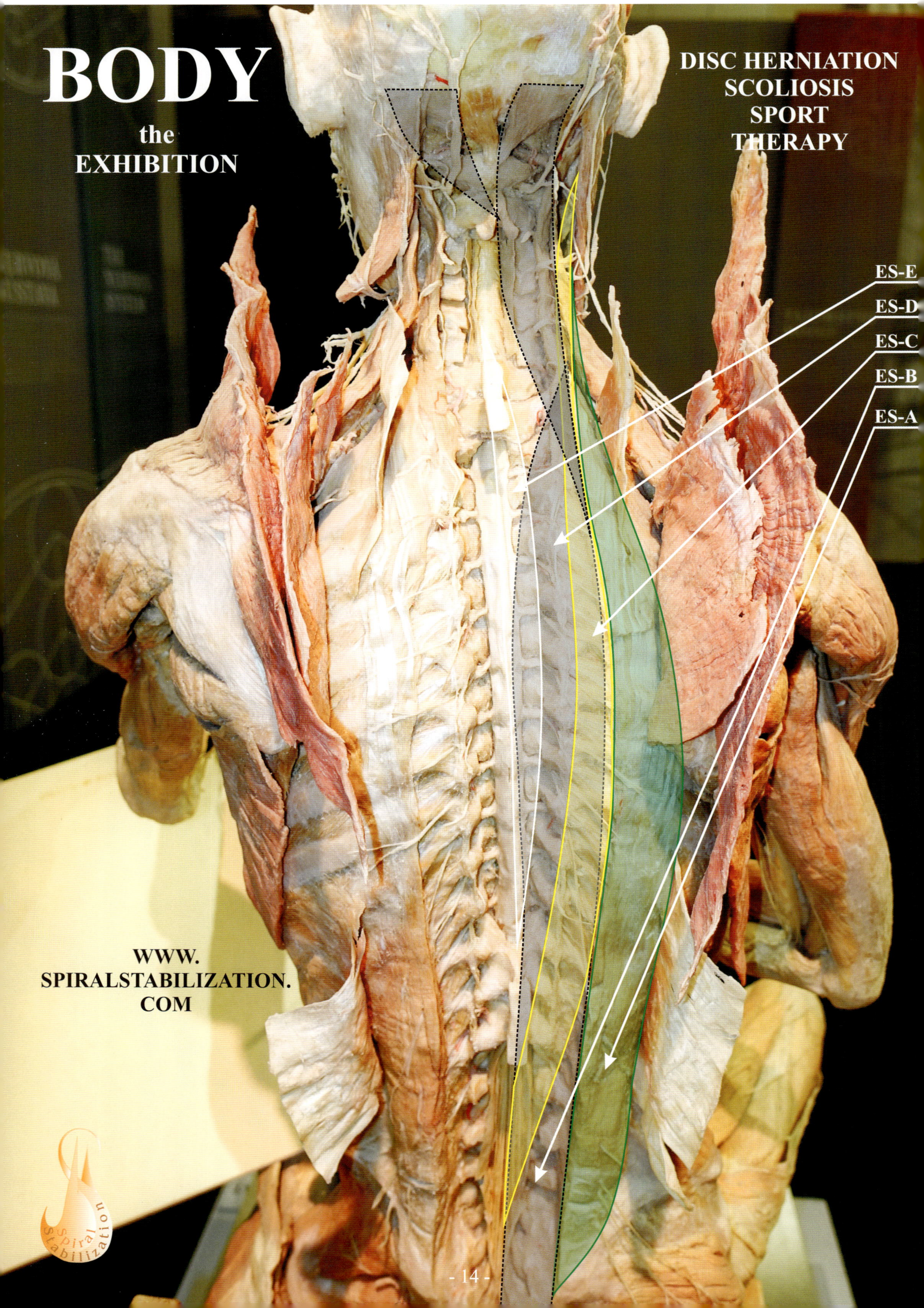
BODY
the
EXHIBITION
DISC HERNIATION
SCOLIOSIS
SPORT
THERAPY
ES-E
ES-D
ES-C
ES-B
ES-A
WWW.
SPIRALSTABILIZATION.
COM
Spiral Stabilization

QL - QUADRATUS LUMBORUM

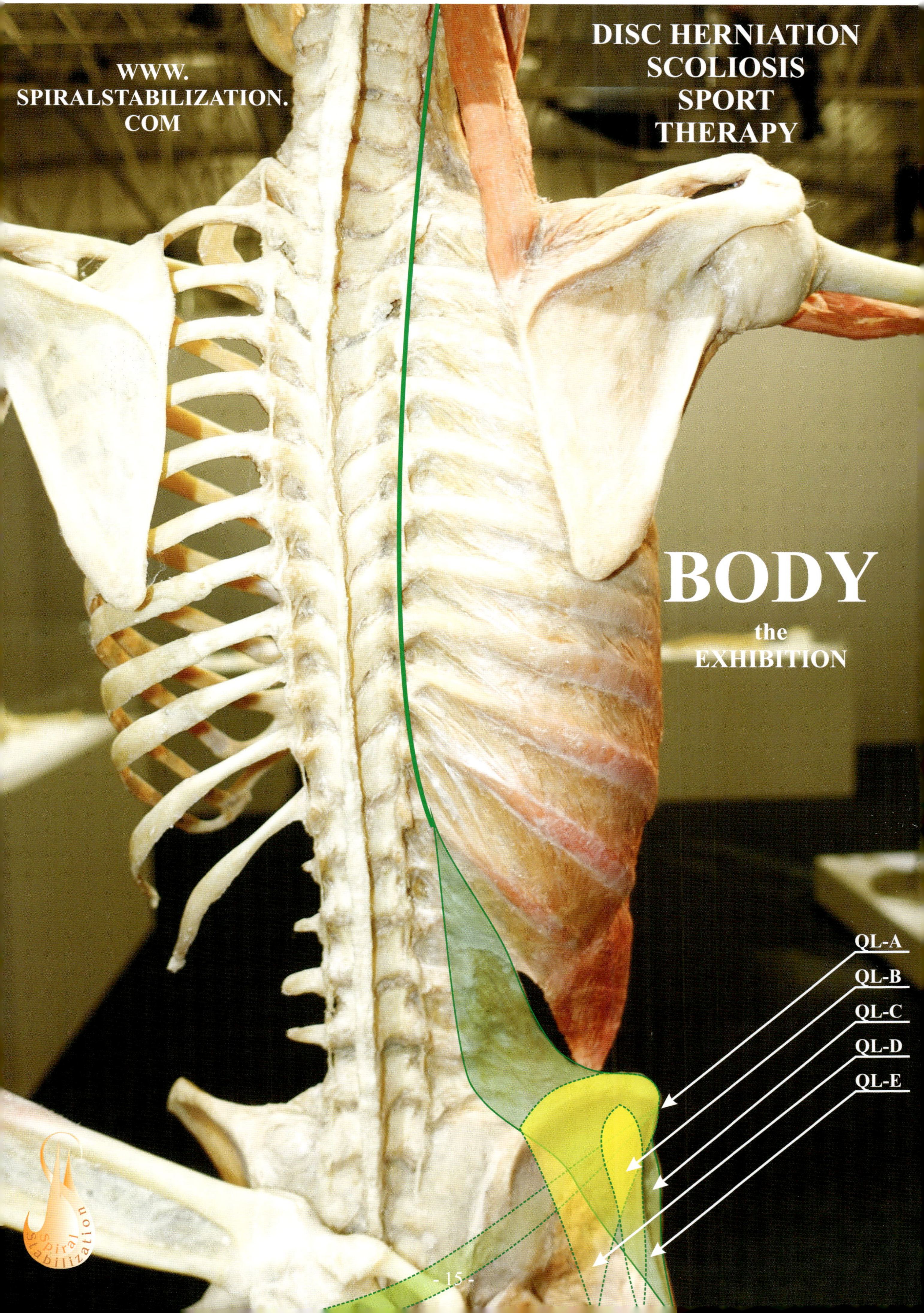

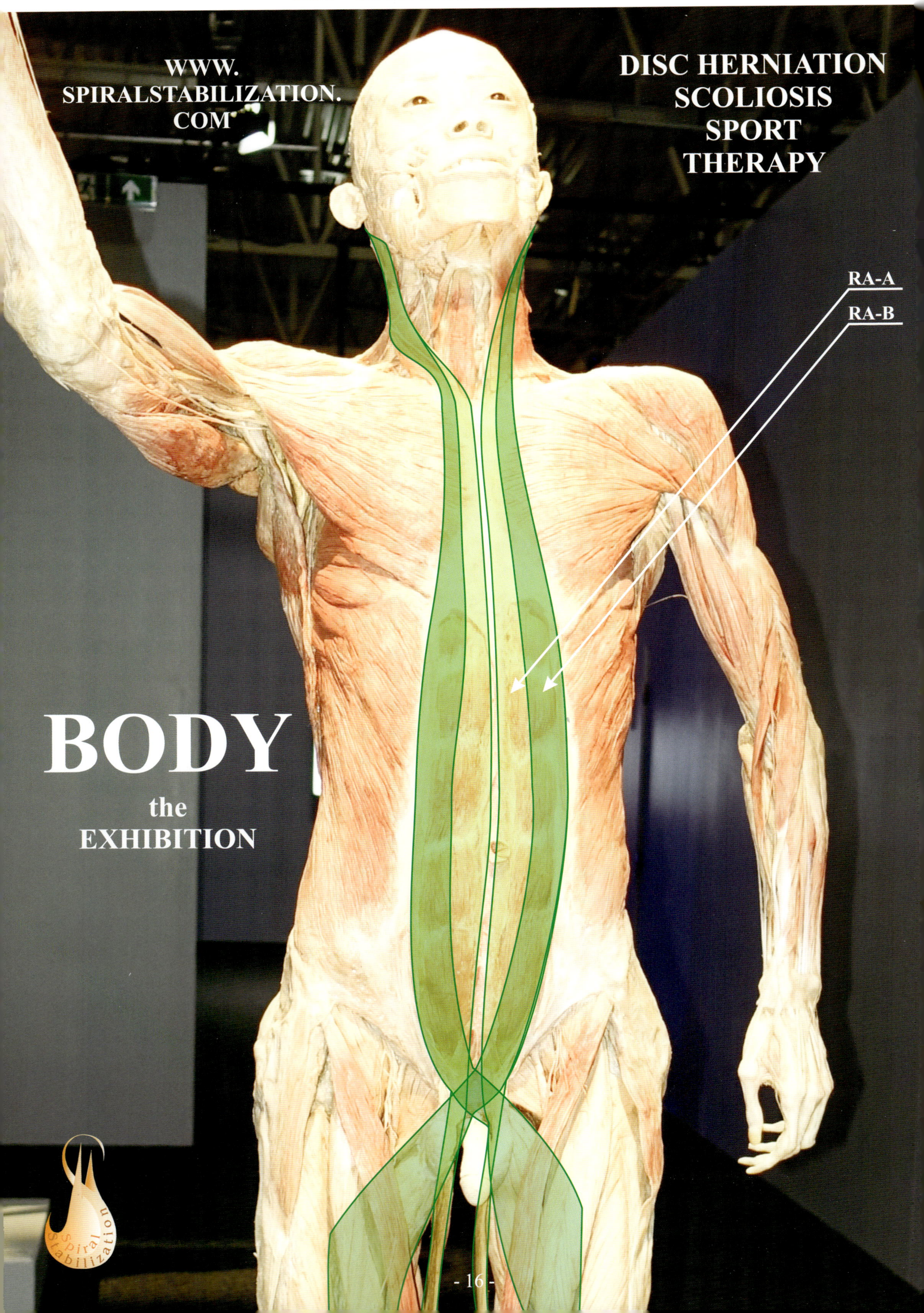
WWW.
SPIRALSTABILIZATION.
COM
DISC HERNIATION
SCOLIOSIS
SPORT
THERAPY
RA-A
RA-B
BODY
the
EXHIBITION
Spiral
Stabilization

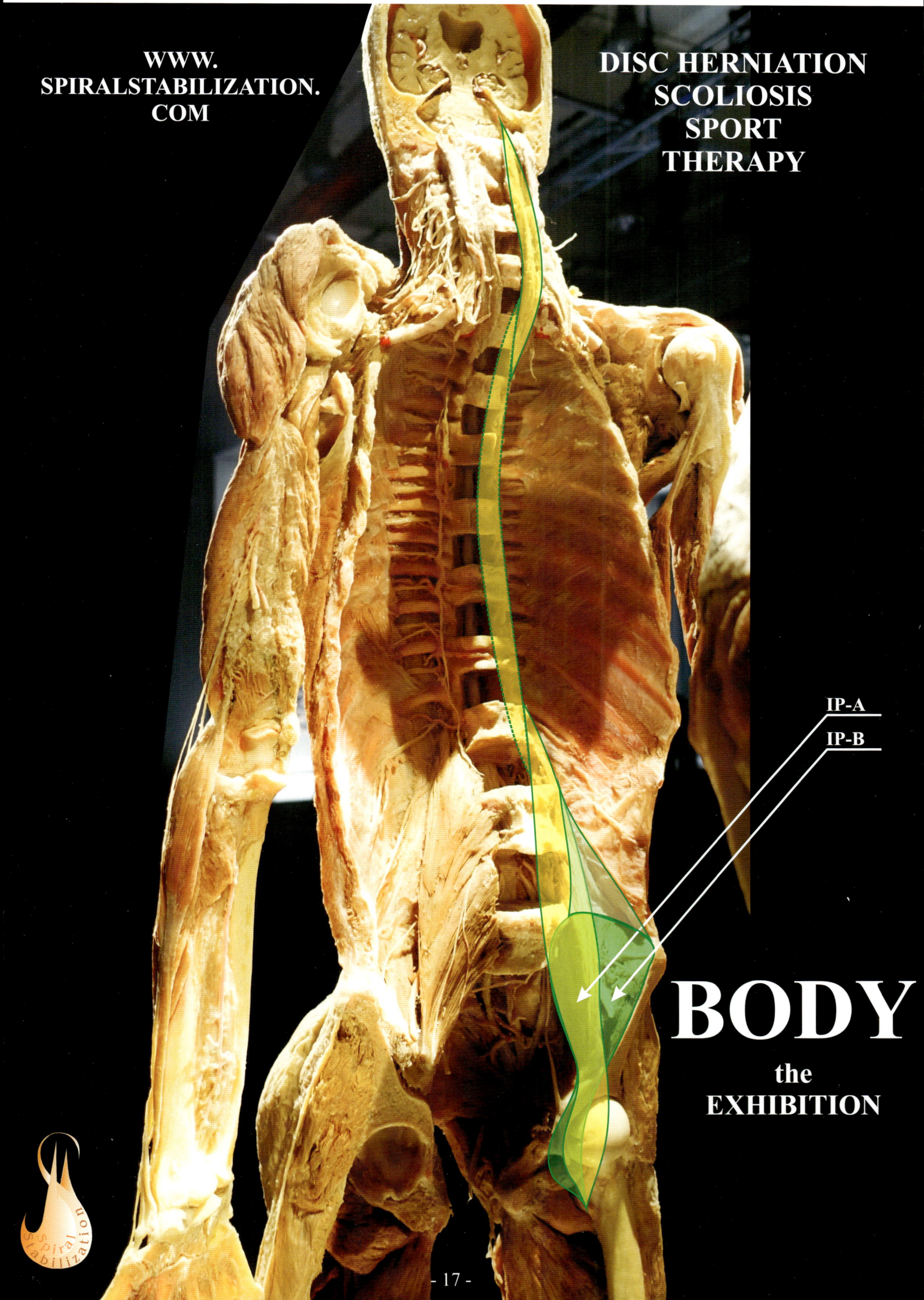
WWW.
SPIRALSTABILIZATION.
COM
DISC HERNIATION
SCOLIOSIS
SPORT
THERAPY
IP-A
IP-B
BODY
the
EXHIBITION

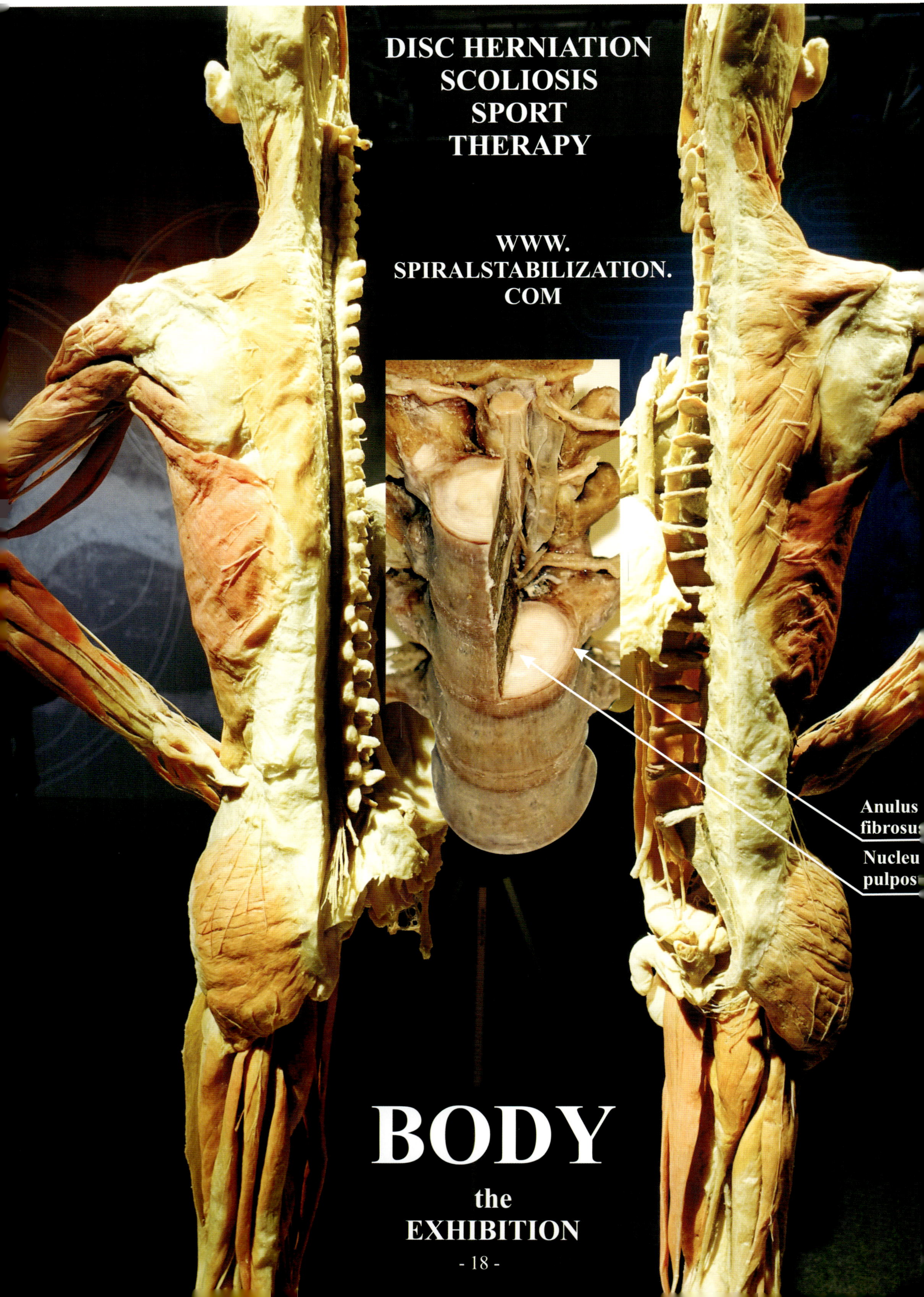
DISC HERNIATION
SCOLIOSIS
SPORT
THERAPY
WWW.
SPIRALSTABILIZATION.
COM
Anulus
fibrosus
Nucleu
pulpos
BODY
the
EXHIBITION

SCHRÄGE BAUCHMUSKELN UND FASERN DES ANULUS FIBROSUS SIND BAUGLEICH UND VERLAUFEN IN GLEICHER RICHTUNG

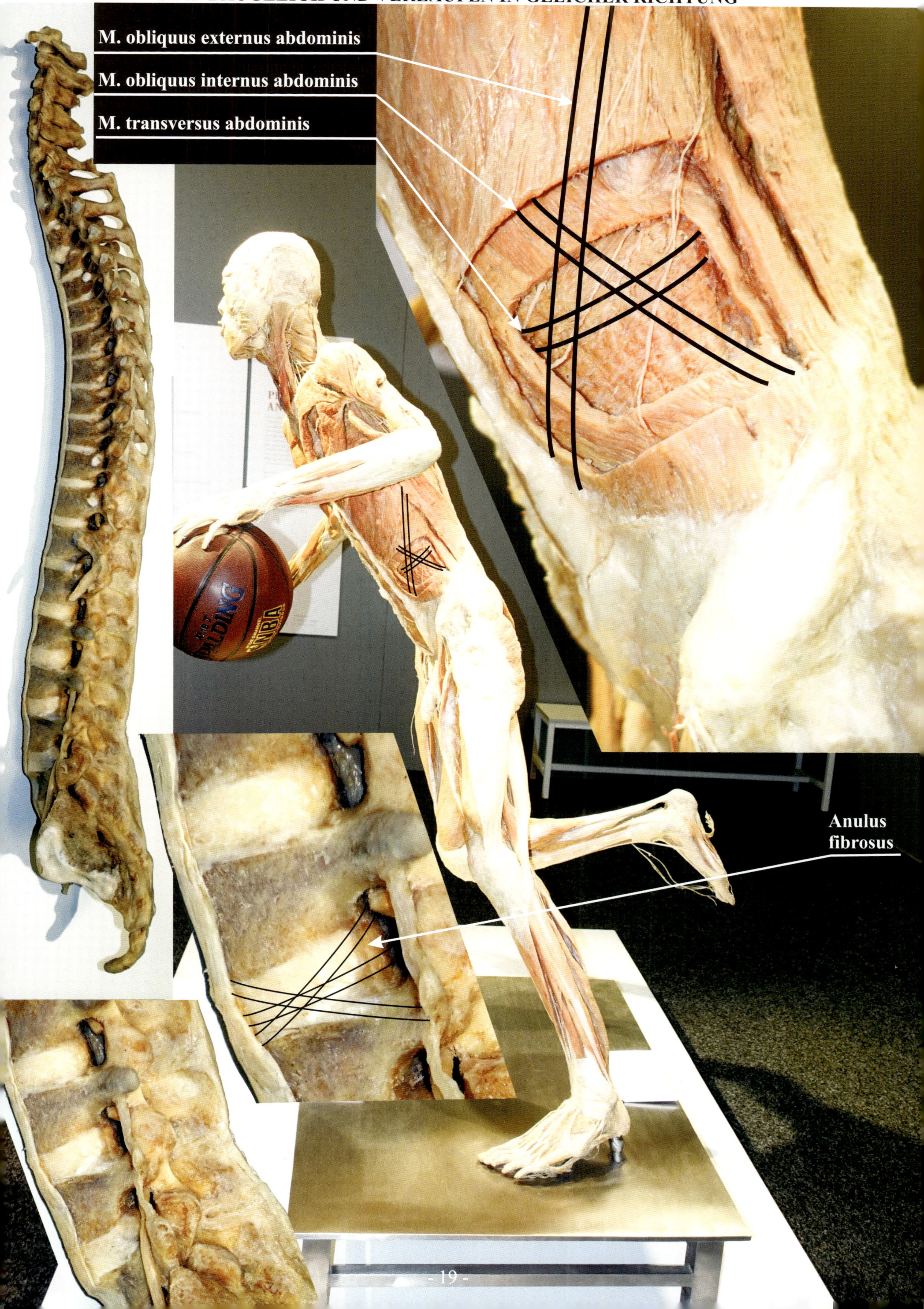

URSACHE DER RÜCKENSCHMERZEN — THERAPIE DER RÜCKENSCHMERZEN

Anspannung der Vertikalen | Abschwächung der Spiralen | Entspannung der Vertikalen | Kräftigung der Spiralen

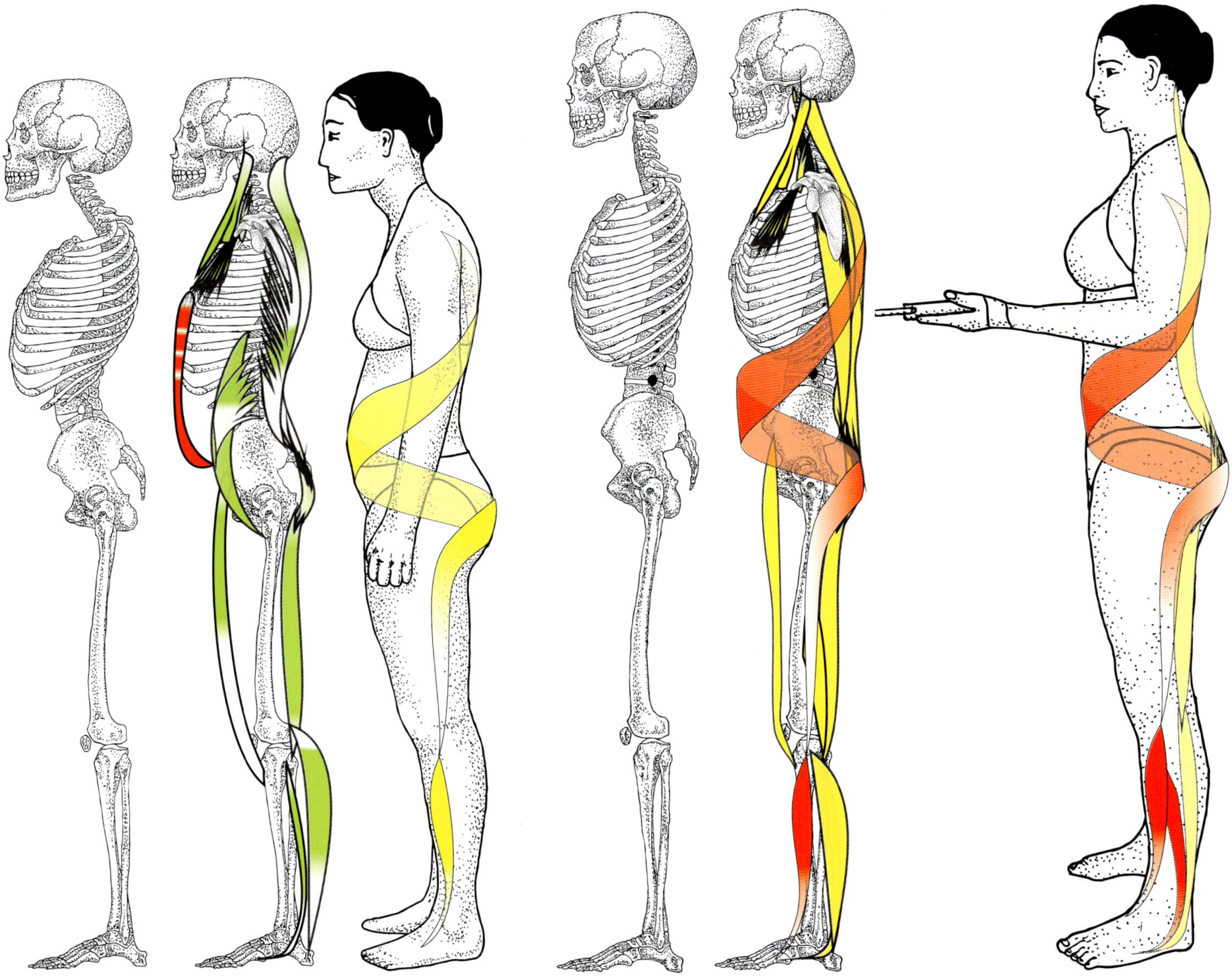

Der Weg zur Gesundheit

Allgemein:

- Wiederherstellung der Funktion von Agonisten und Aktivierung der spiralen Muskelketten (funktionelle Verknüpfung der Muskel während der Bewegung).
- Inhibition (Hemmung) des Antagonisten.
- Erhöhung des Bewegungsumfangs, bis zur Erreichung des physiologischen Bewegungsumfangs der für das Gehen benötigt wird.
- Der richtige Gang.
- Integration als Einbindung in die Bewegungsabläufe des täglichen Lebens - das Lebensstil.

Konkret:

- Einschalten der schrägen Bauchmuskeln und des queren Bauchmuskels durch die Aktivierung der spiralen Muskelketten. Stabilisation der Körpermitte.
- Aktivierung der TR - trapezius und LD - latissimus dorsi Muskelketten im vollen Umfang.
- Dehnung der in reziproken Inhibition entspannten Muskeln der vorderen und oberen Muskelgruppe des Schultergürtels.
- Entspannung der paravertebralen Muskeln durch die reziproke Inhibition und ihre folgende Dehnung.
- Einschalten des M. gluteus maximus durch die Aktivierung der spiralen Muskelketten.
- Dehnung der, in reziproken Inhibition entspannten Muskeln der vorderen Muskelgruppe des Beckengürtels.
- Einübung der Koordination und Stabilisation des Gangs. Stabilisation durch TR - trapezius, LD - latissimus dorsi, SA - serratus anterior und PM - pectoralis major Muskelketten.
- Der richtig stabilisierte und koordinierte Gang.
- Integration als Einbindung in die Bewegungsabläufe des täglichen Lebens - das Lebensstil.

Beispiele von Bandscheibenschäden

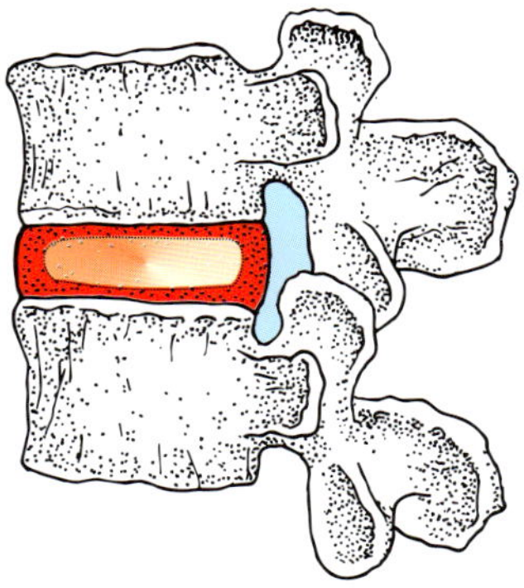

Gesunde Zwischenwirbelscheibe

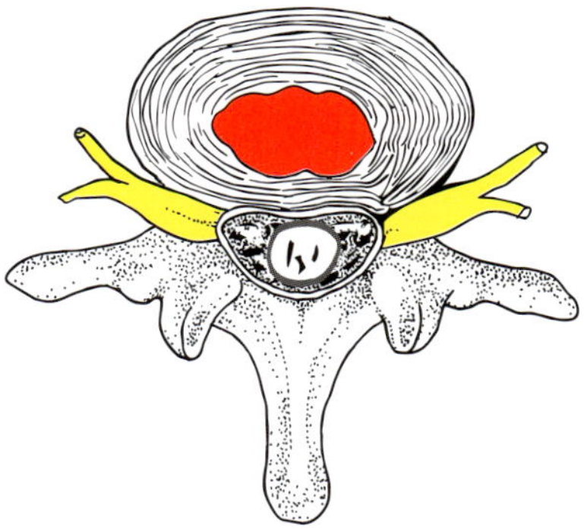

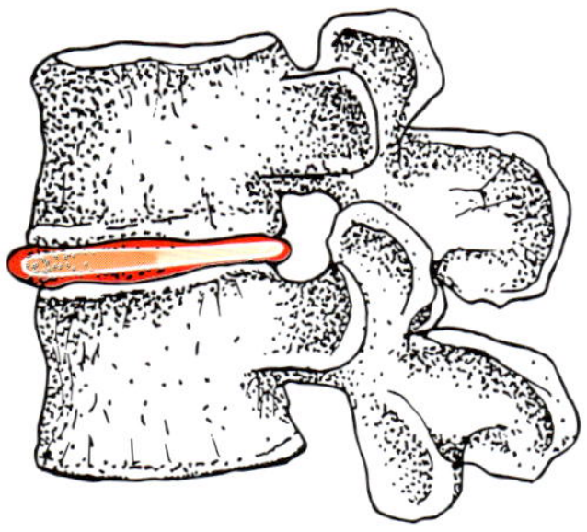

Zirkuläre Protrusion der degenerierten Bandscheibe

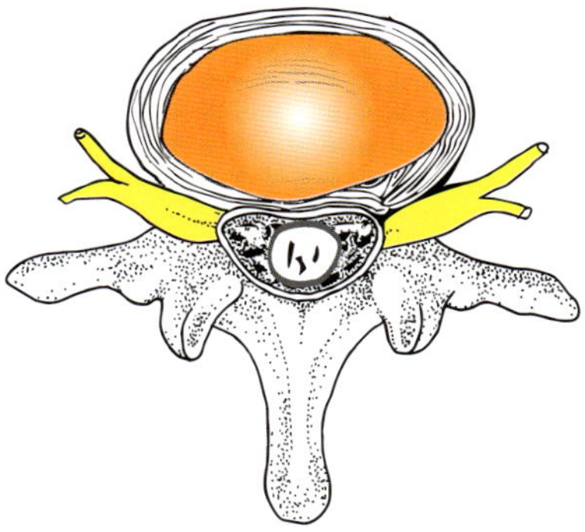

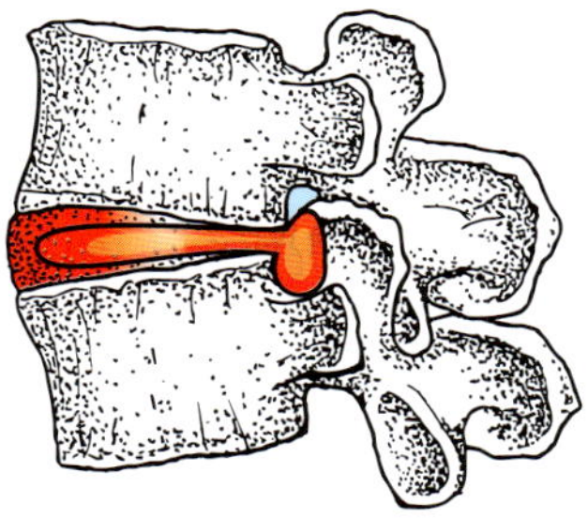

Foraminaler Bandscheibenvorfall

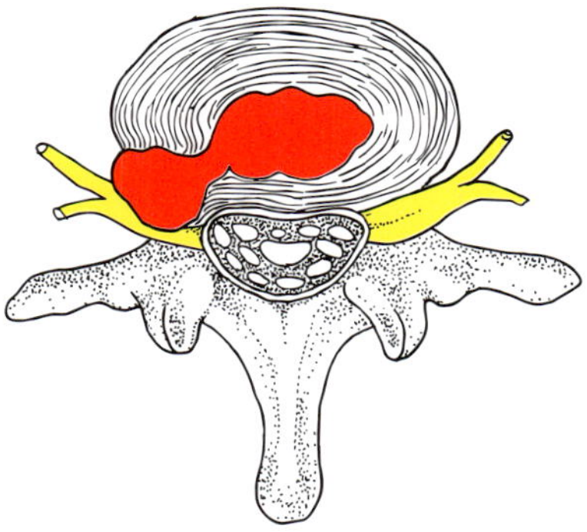

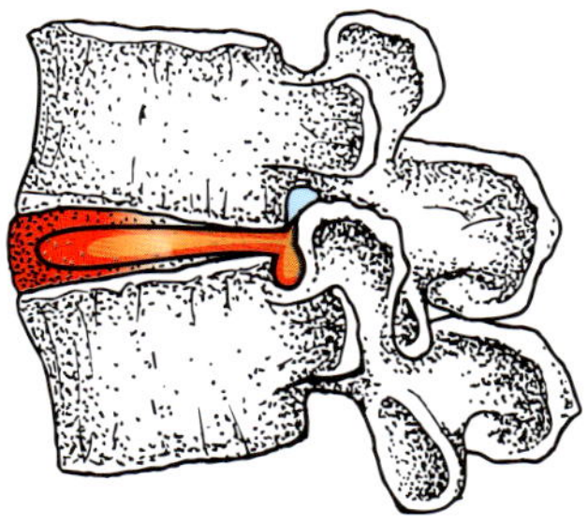

Dorsolateraler Bandscheibenvorfall

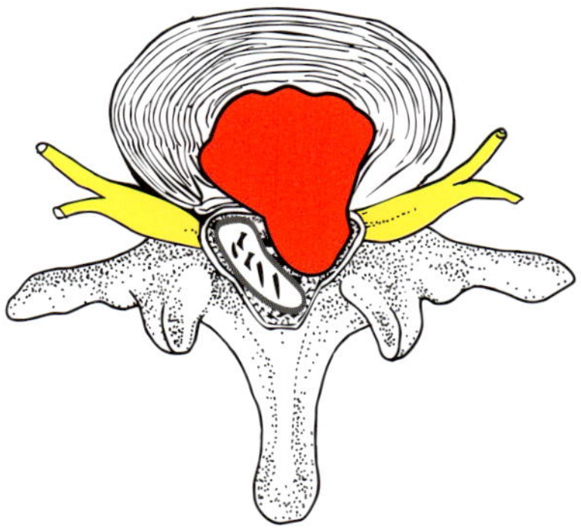

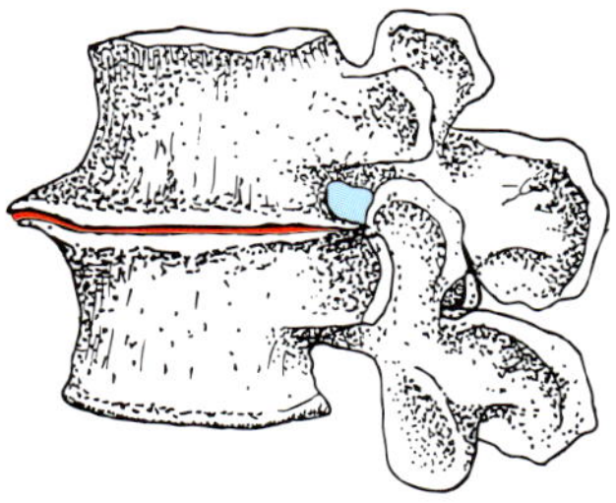

Spondylose
Spondylarthrose
Spinalstenose

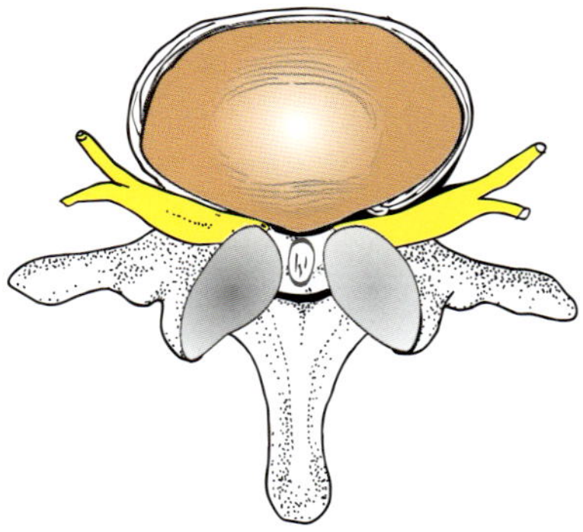

Inhalt:

Autor von plastinierten Präparate, der menschlichen Körper - SILICONE SPECIMENS ist
Prof. Dr. Hong-Jin Sui
CEO of Dalian Hoffen Bio-technique Co. Ltd,
No. 36, Guangyuan Str., Lushun
Economic Developing Zone,
Dalian, 116052, China

Wir bedanken uns herzlich bei dem H. Prof. Dr. Med. Sui für die erteilte Erlaubnis,
die bereits veröffentlichten Aufnahmen publizieren zu dürfen.

Ausstellung der SILICON SPECIMENES
kann angeschaut werden in:

BODY THE EXHIBITION
REAL BODIES THE EXHIBITION
www.hoffen.com.cn
sales@hoffen.com.cn
T:(+86-411)39361999-6315

oder im MYSTERY OF LIFE MUSEUM in Dalian
Culture Exhibition Square, Jinshitan, Dalian, LN P. R. CHINA Postcode: 116650
www.shengmingaomi.com

MANUELLE TECHNIKEN UND ÜBUNGEN NACH DER MUSKELANALYSE

Bandscheibenvorfall im Lendenbereich

Akute Phase

Manuelle Techniken

Hauptprinzipien der Behandlung:
- Entspannung der Muskeln,
die die Wirbelsäule zusammendrücken
- reine Traktion der Wirbelsäule

Kontraindizierte - verbotene Techniken:
- Flexionstechniken
- Techniken zur Muskeldehnung
- Rotationstechniken
- Lateralflexion Techniken
- Manipulation mit Impuls
- Mobilisationstechniken

M. iliocostalis lumborum (Darmbein-Rippenmuskel - Lendenteil) - Massage, Entspannung, passive Streckung

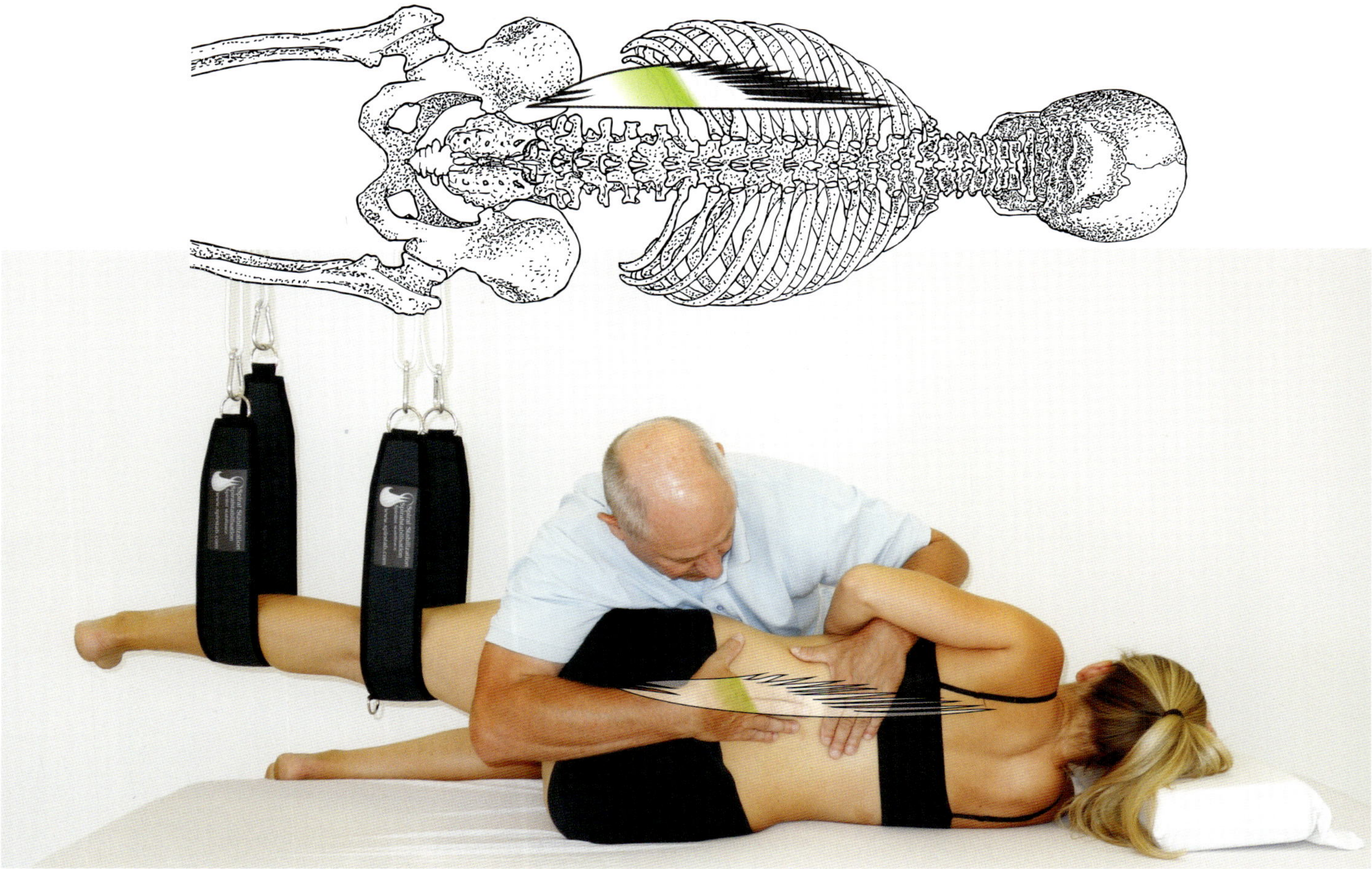

M. longissimus thoracis (längster Muskel des Brustkorbs) - Massage, Entspannung, passive Streckung

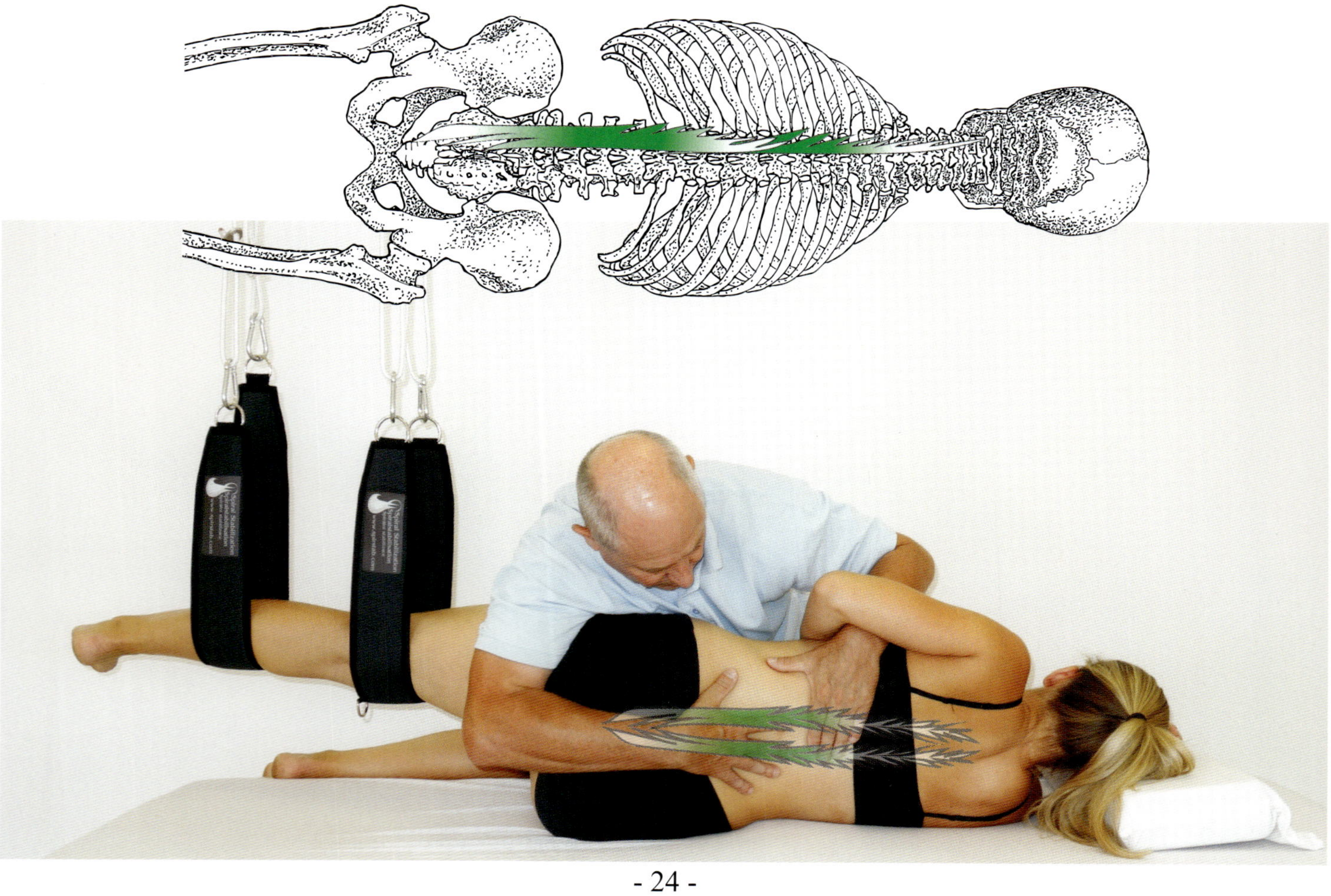

M. quadratus lumborum (quadratischer Lendenmuskel) - Massage, Entspannung, passive Streckung

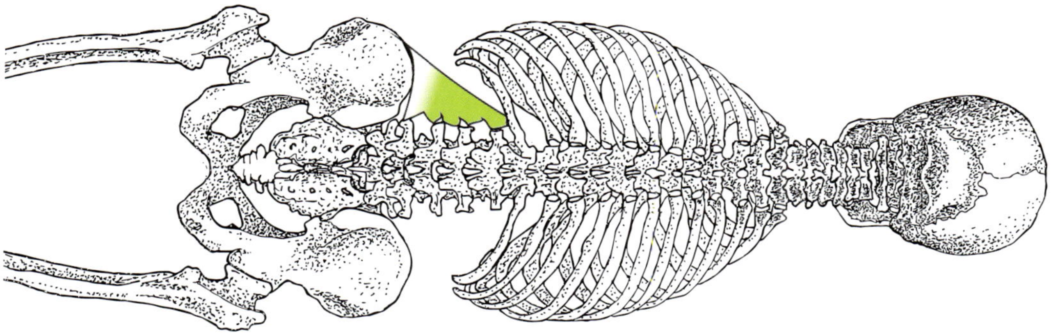

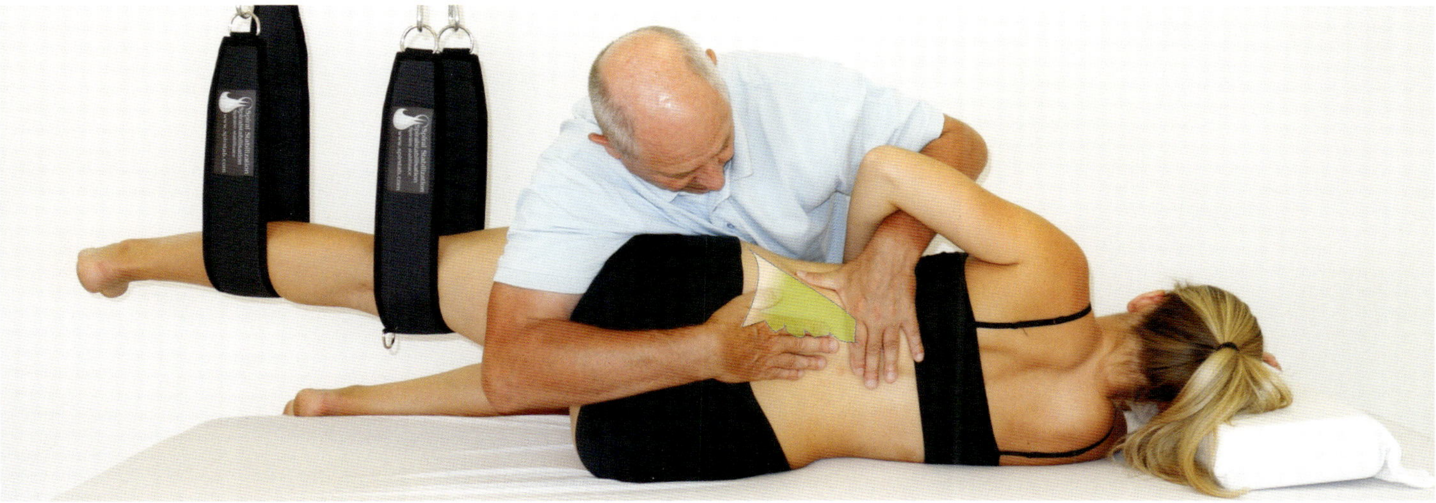

M. multifidus (vielgeteilter Muskel) - Massage, Entspannung, passive Streckung

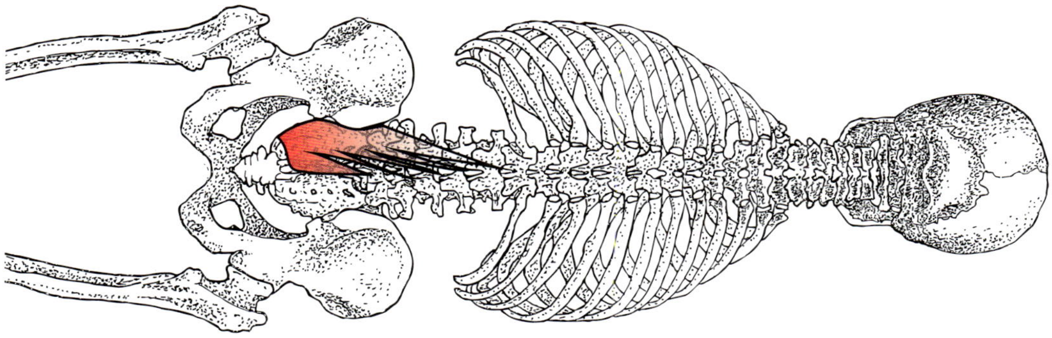

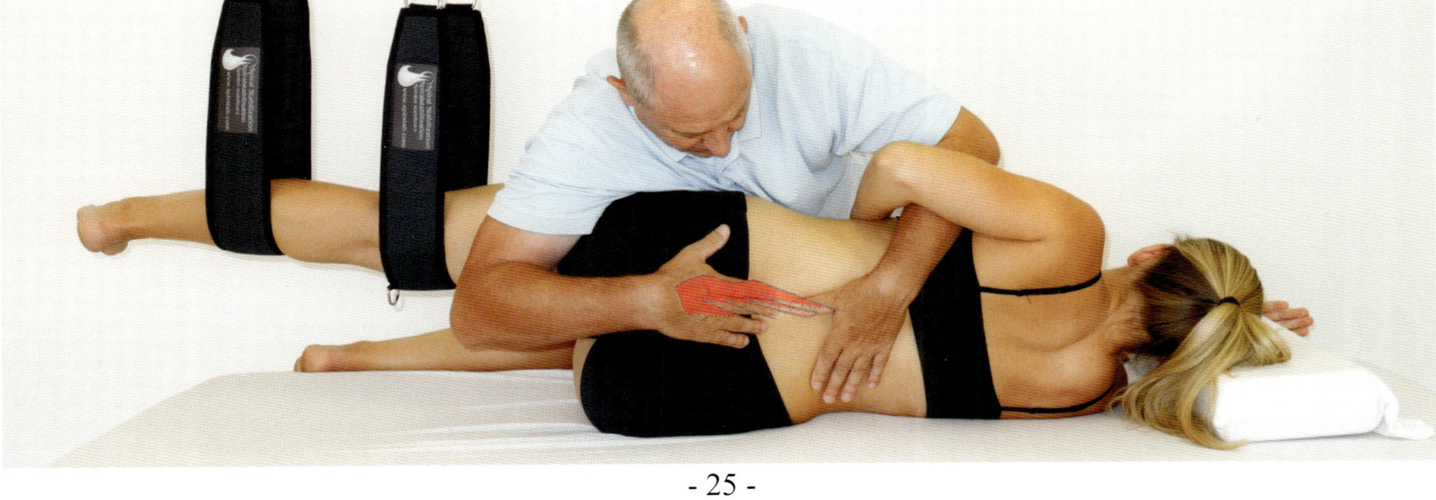

다빈치아카데미
부장 함상용
서울시 은평구 증산동
223-28 DMC자이 2단지 상가 205호

Education partner in Korea
Davinch Academy
General Manager: Sangyong Ham
No.205, 2 complex, DMC XI, 223-28,
Jeungsan-dong, Eunpyeong-gu, Seoul, Korea
Hamsand@empas.com
www.davinchxt.com
Phone: 0082-10-2581-7456

MANUELLE TECHNIKEN UND ÜBUNGEN NACH DER MUSKELANALYSE

Bandscheibenvorfall im Lendenbereich

Akute Phase

Übungen

Hauptprinzipien:

- Aktivierung der Muskeln, die die Wirbelsäule nach oben strecken
- reine Traktion der Wirbelsäule

Kontraindizierte - verbotene Übungen:

- Übungen, die die Wirbelsäule zusammendrücken
- Flexionsübungen
- Dehnübungen
- Rotationsübungen
- Lateralflexion Übungen
- Mobilisationsübungen

Übung 1 - Grundausführung

Im Stehen auf beiden Beinen, das Seil mit beiden Arme nach hinten ziehen.

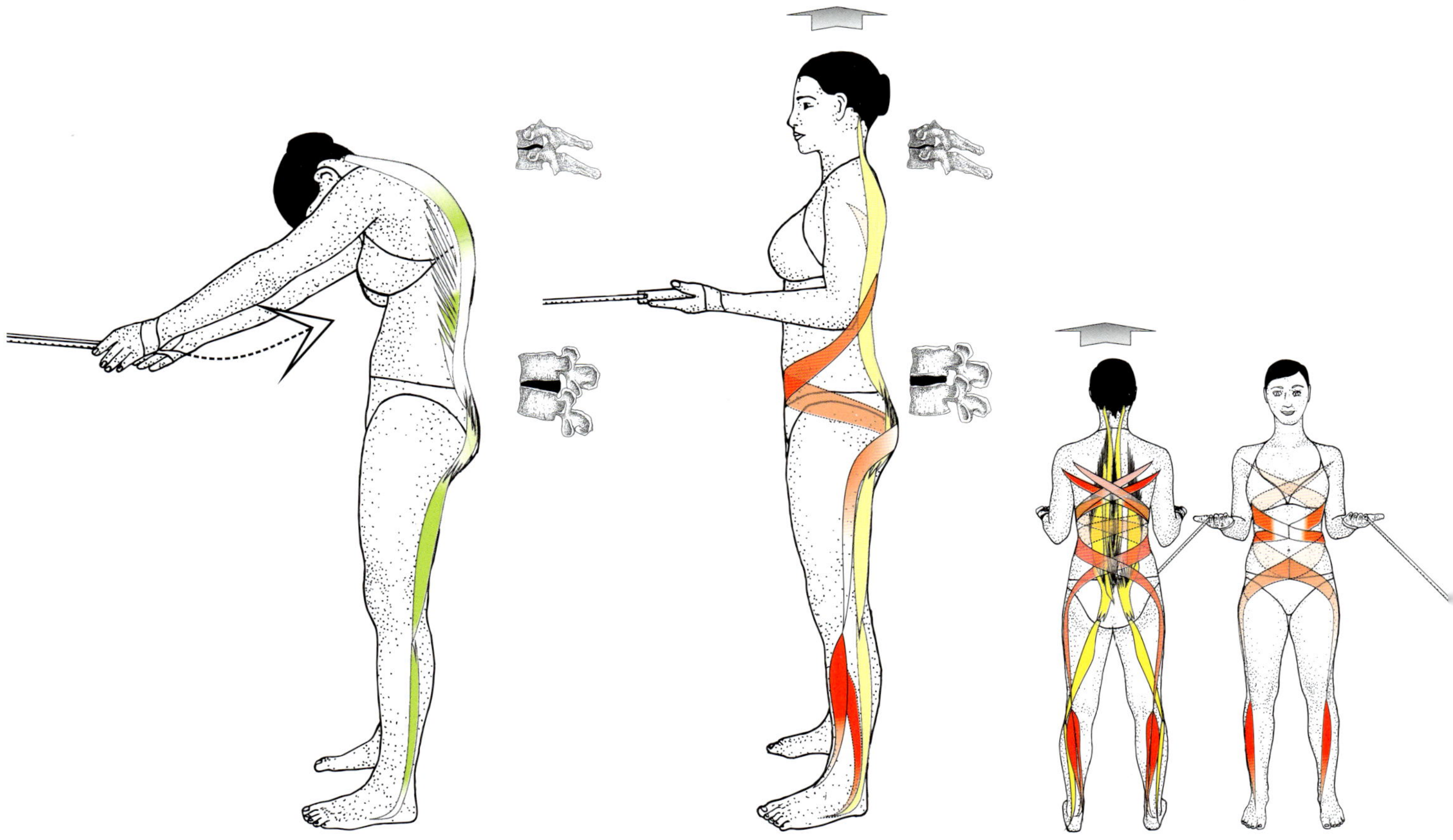

Stabilisation TR, LD

Übung 2 - Grundausführung

Im Stehen auf beiden Beinen, das Seil mit einem Arm zur Seite ziehen.

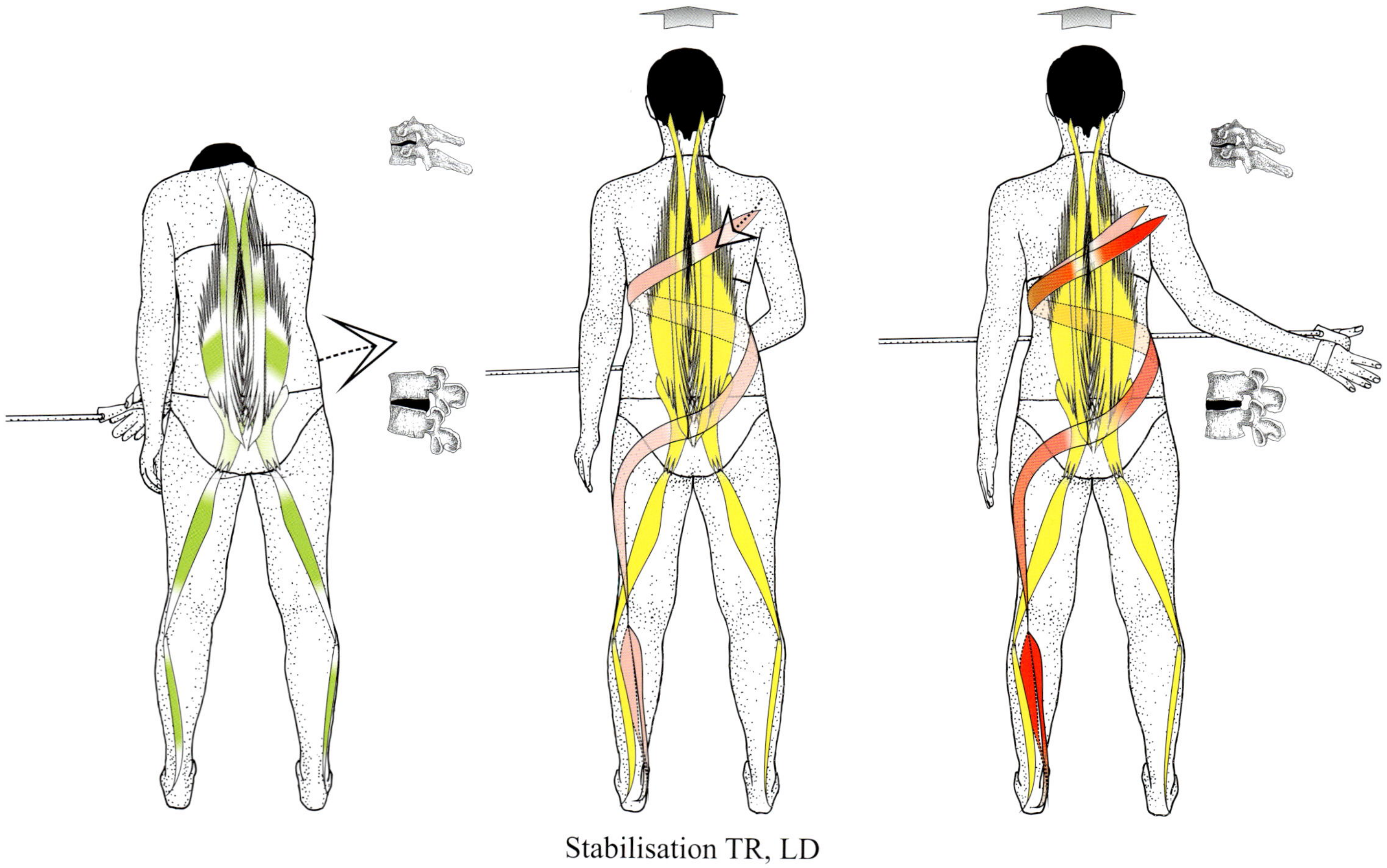

Stabilisation TR, LD

MANUELLE TECHNIKEN UND ÜBUNGEN NACH DER MUSKELANALYSE

Bandscheibenvorfall im Lendenbereich

Subakute Phase

Übungen

Hauptprinzipien:

- Traktion der Wirbelsäule
- mäßige Dehnung, der durch die reziproke Inhibition gehemmten paravertebralen Muskeln.

Kontraindizierte - verbotene Übungen:

- Übungen, die die Wirbelsäule zusammendrücken
- Extensionsübungen
- Rotationsübungen
- Lateroflexion Übungen

Übung 3 - Grundausführung

Im Stehen auf beiden Beinen, die Arme nach hinten öffnen, die Schulterblätter zueinander ziehen.

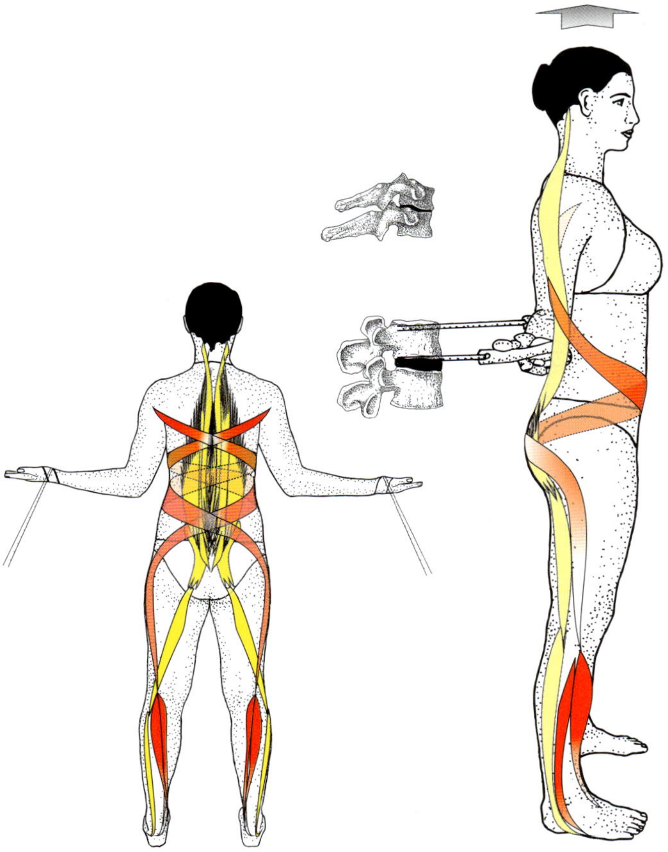

Stabilisation TR, LD

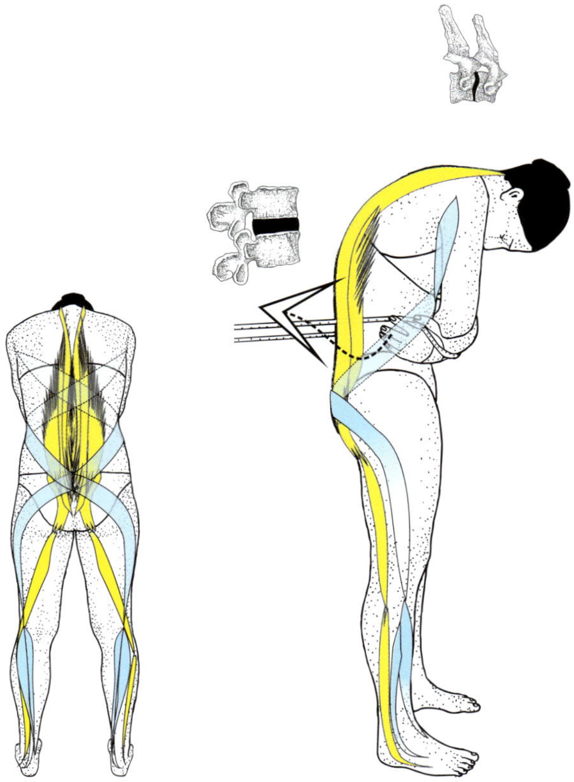

Stabilisation PM

Übung 4 - Grundausführung

Auf beiden Knien die Arme nach hinten öffnen, die Schulterblätter zusammenziehen und das Becken nach vorn drücken.

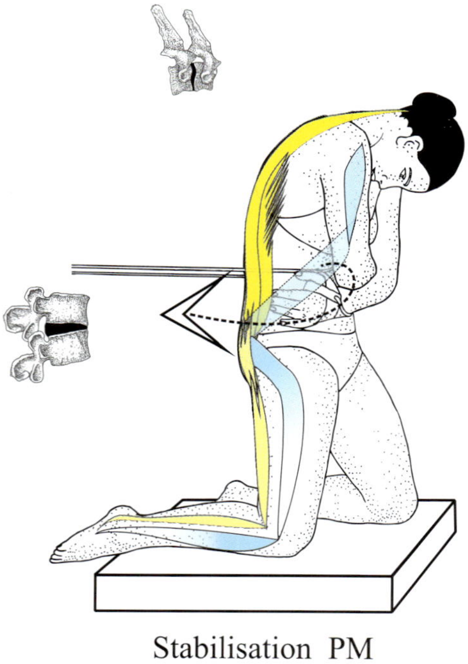

Stabilisation PM

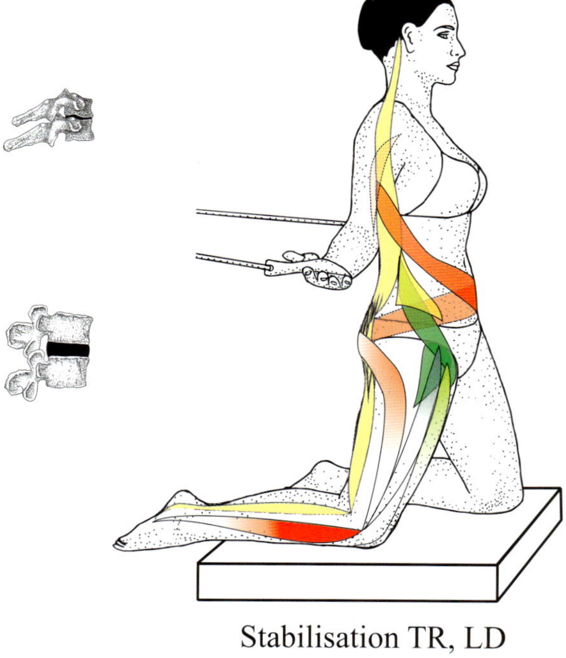

Stabilisation TR, LD

MANUELLE TECHNIKEN UND ÜBUNGEN NACH DER MUSKELANALYSE

Bandscheibenvorfall im Lendenbereich

Rekonvaleszenzphase

Übungen

Hauptprinzipien:

- Traktion der Wirbelsäule
- deutliche Dehnung der durch die reziproke Inhibition gehemmten paravertebralen Muskeln.

Kontraindizierte - verbotene Übungen:

- Übungen, die die Wirbelsäule zusammendrücken
- Extensionsübungen
- Rotationsübungen
- Lateralflexion Übungen

Übung 1 - Ausführung für Fortgeschrittene

Ein Bein steht vorn auf dem Step, das Seil mit beiden Armen nach hinten ziehen.

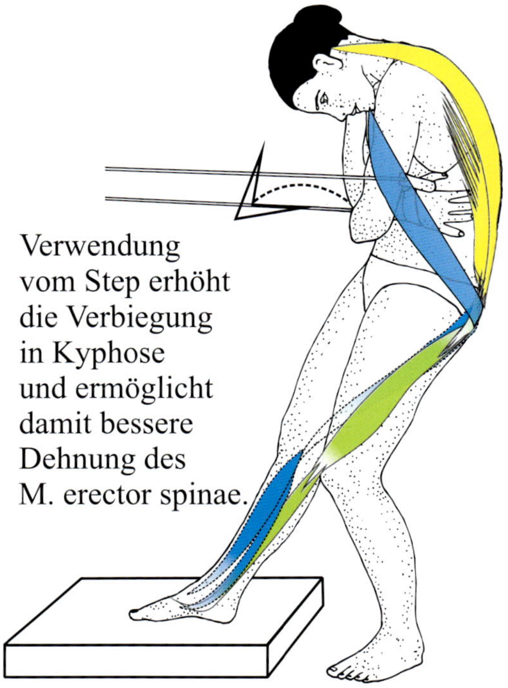

Verwendung vom Step erhöht die Verbiegung in Kyphose und ermöglicht damit bessere Dehnung des M. erector spinae.

Stabilisation PM

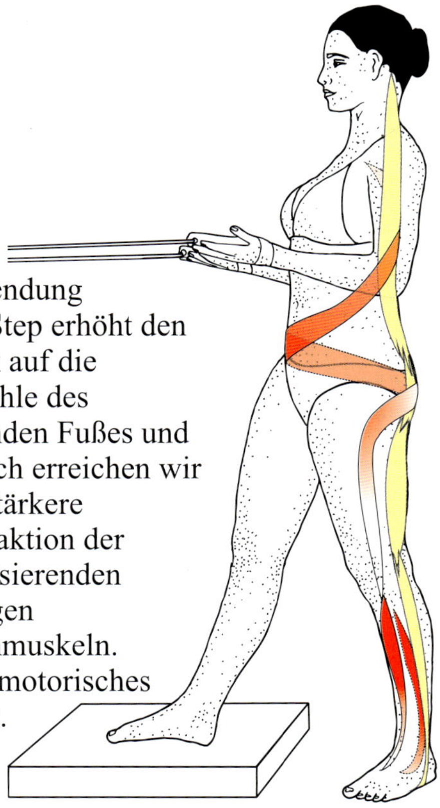

Verwendung vom Step erhöht den Druck auf die Fußsohle des stehenden Fußes und dadurch erreichen wir eine stärkere Kontraktion der stabilisierenden schrägen Bauchmuskeln. Sensomotorisches Effekt.

Stabilisation TR, LD

Übung 2 - Ausführung für Fortgeschrittene

Ein Bein bleibt vorn auf dem Step, das Seil mit einem Arm zur Seite ziehen.

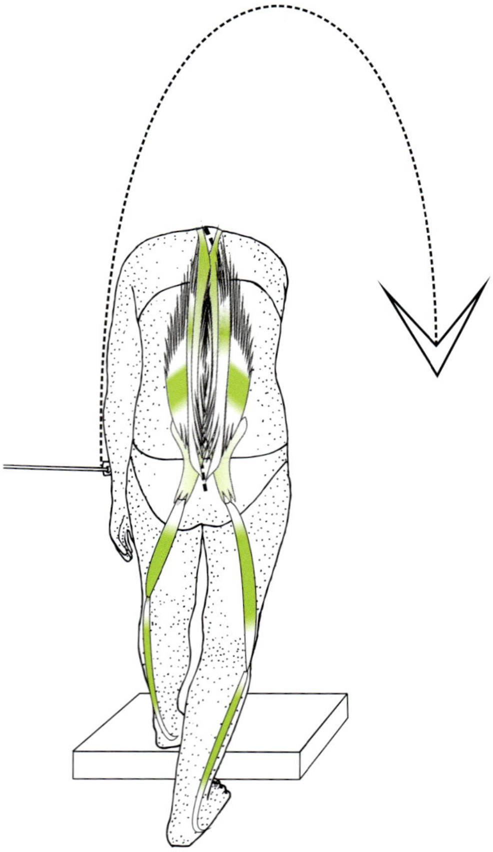

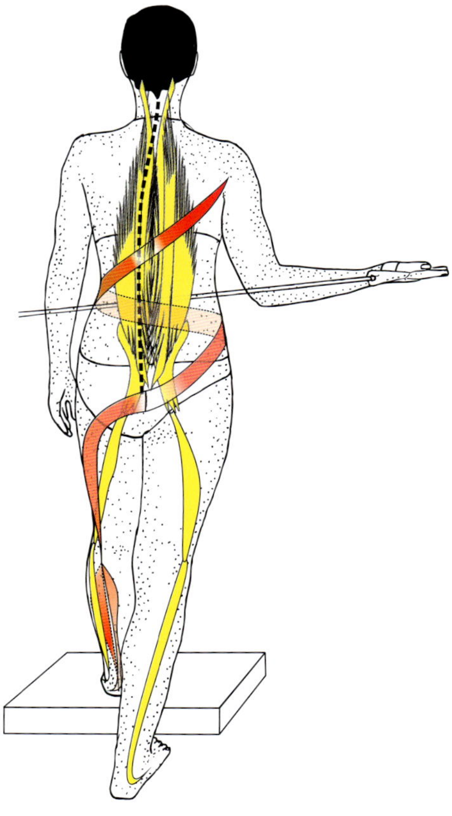

Stabilisation TR, LD

Übung 3 - Ausführung für Fortgeschrittene

**Ein Bein steht vorn auf dem Step,
die Arme nach hinten öffnen und die Schulterblätter zueinander ziehen.**

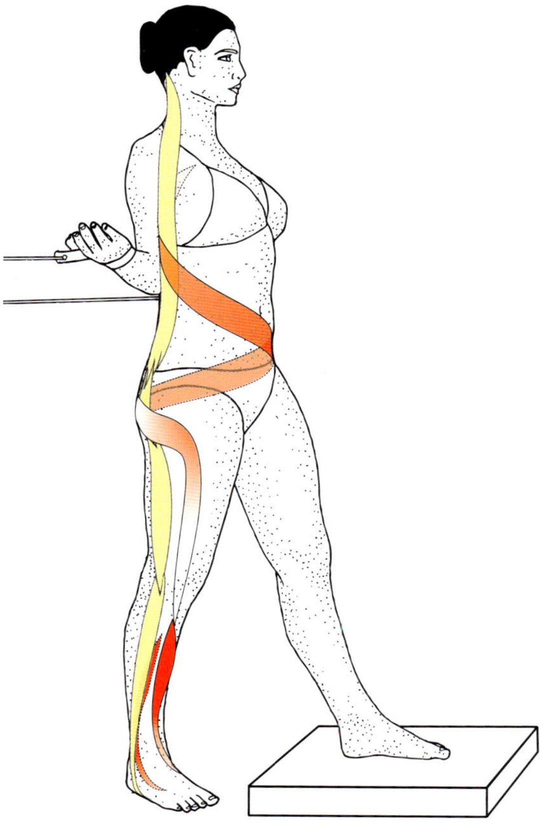

Stabilisation TR, LD

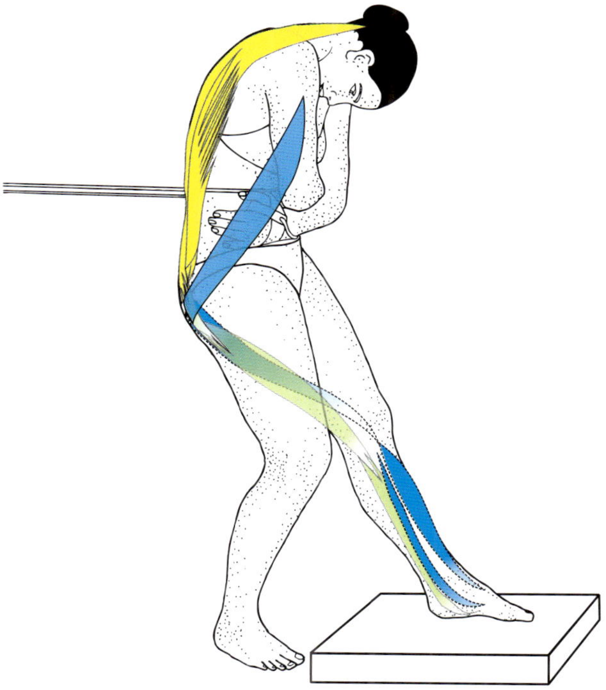

Stabilisation PM

Übung 4 - Ausführung für Fortgeschrittene

**Im Knien mit nach vorn gestrecktem Bein, die Arme nach hinten öffnen,
Schulterblätter zueinander ziehen, das Becken nach vorn drücken.**

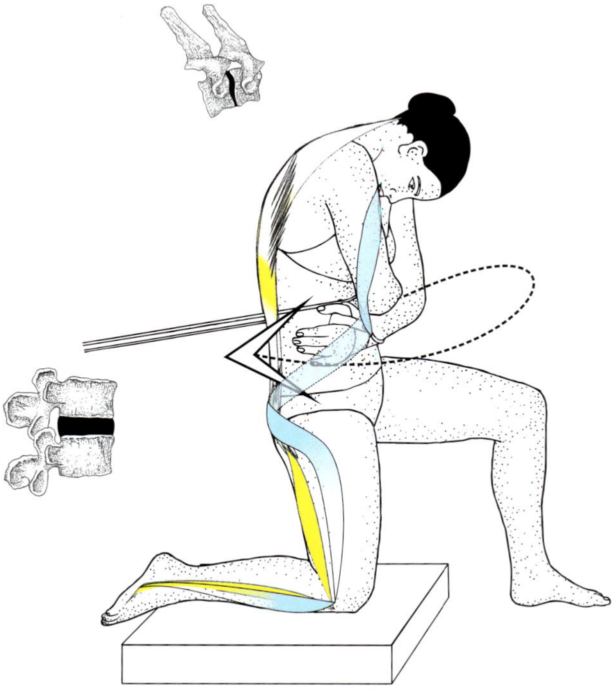

Stabilisation PM

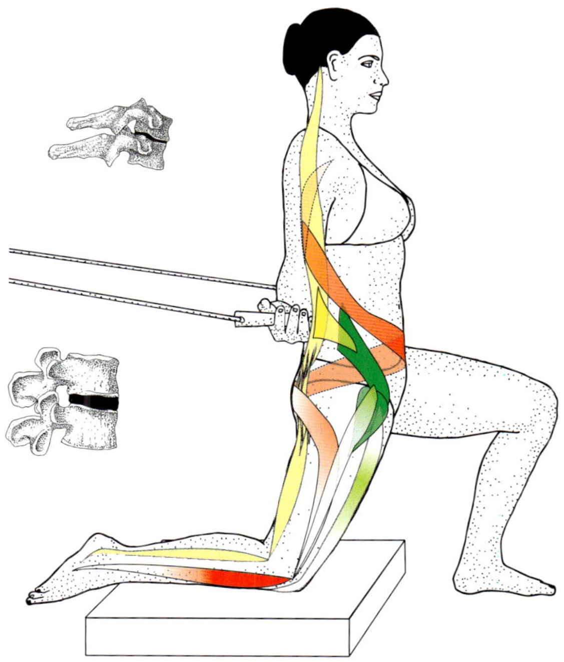

Stabilisation TR, LD

Übung 11 - Ausführung für Fortgeschrittene

Im Stehen auf einem Bein, der Arm hält sich an der Balletstange fest, doppelte Extension - Streckung des Arms in der Schulter und des gegenüberliegenden Beins in der Hüfte.

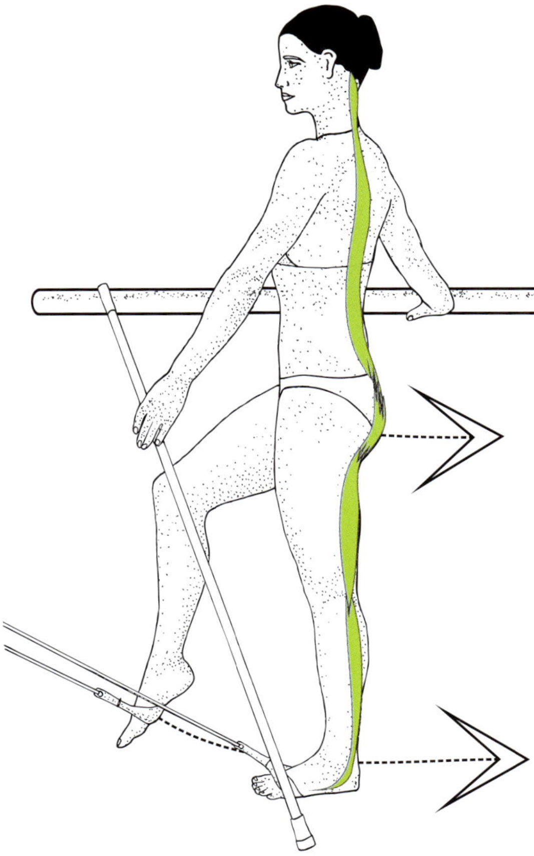

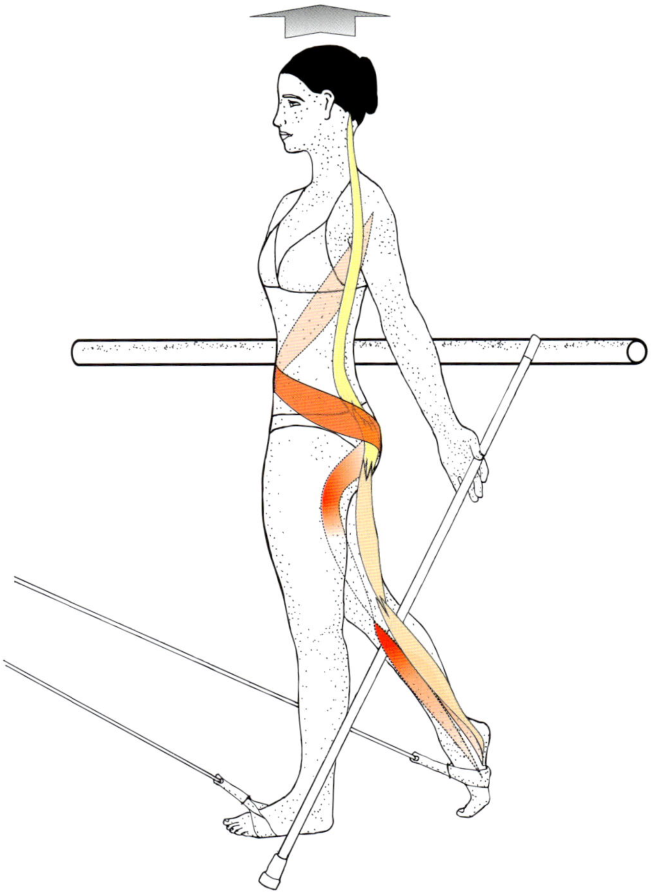

MANUELLE TECHNIKEN UND ÜBUNGEN NACH DER MUSKELANALYSE

Bandscheibenvorfall im Lendenbereich

Resorptionsphase

Übungen

Hauptprinzipien:

- Traktion der Wirbelsäule
- deutliche Dehnung der durch die reziproke Inhibition gehemmten paravertebralen Muskeln.
- Die Wirbelsäule wird nach oben gestreckt und gleichzeitig rotiert.

Kontraindizierte - verbotene Übungen:

- Übungen, die die Wirbelsäule zusammendrücken
- Extensionsübungen

Spiral stabilisierter Gang

<u>Übung 1 - Ausführung für Fortgeschrittene mit Rotation</u>

**Ein Bein bleibt vorn auf dem Step,
das Seil mit einem Arm nach hinten ziehen, Rotation des Rumpfs.**

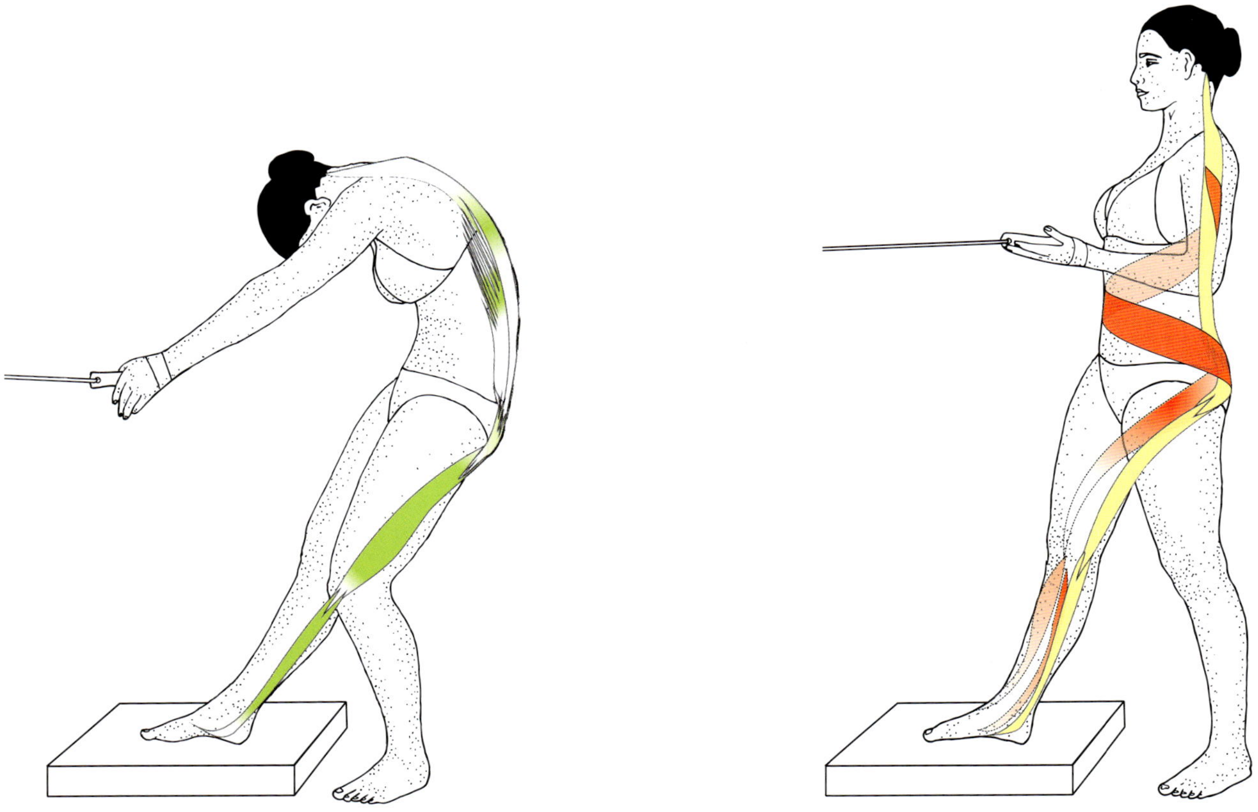

Stabilisation TR, LD

<u>Übung 2 - Ausführung für Fortgeschrittene mit Rotation</u>

**Ein Bein bleibt vorn auf dem Step, das Seil mit einem Arm zur Seite
und schräg nach hinten unten ziehen, Rotation des Rumpfs.**

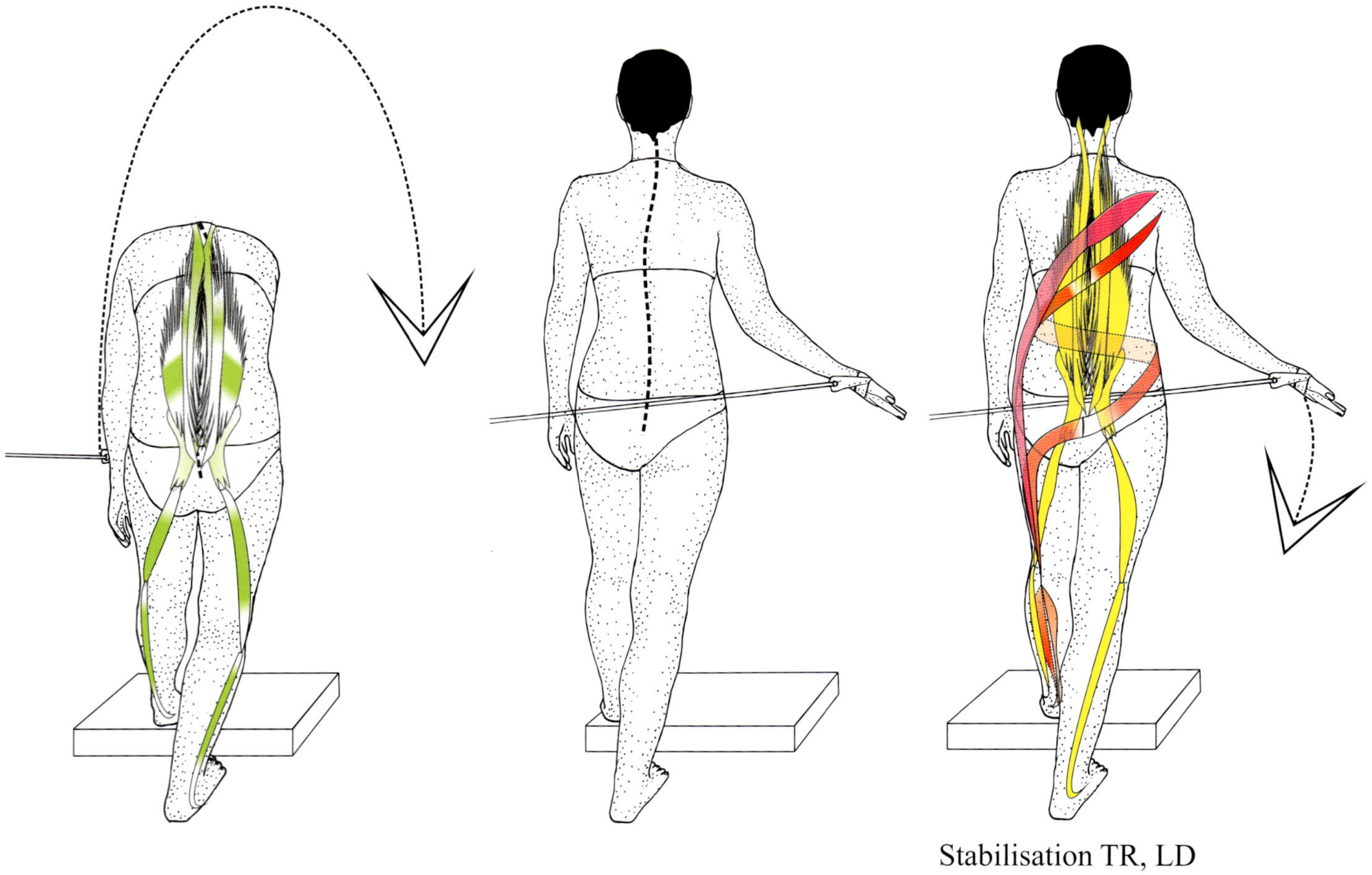

Stabilisation TR, LD

Übung 6 - Ausführung für Fortgeschrittene mit Rotation

Ein Bein steht auf dem Step, der Arm beschreibt die Kreise nach vorn, Rotation des Rumpfs.

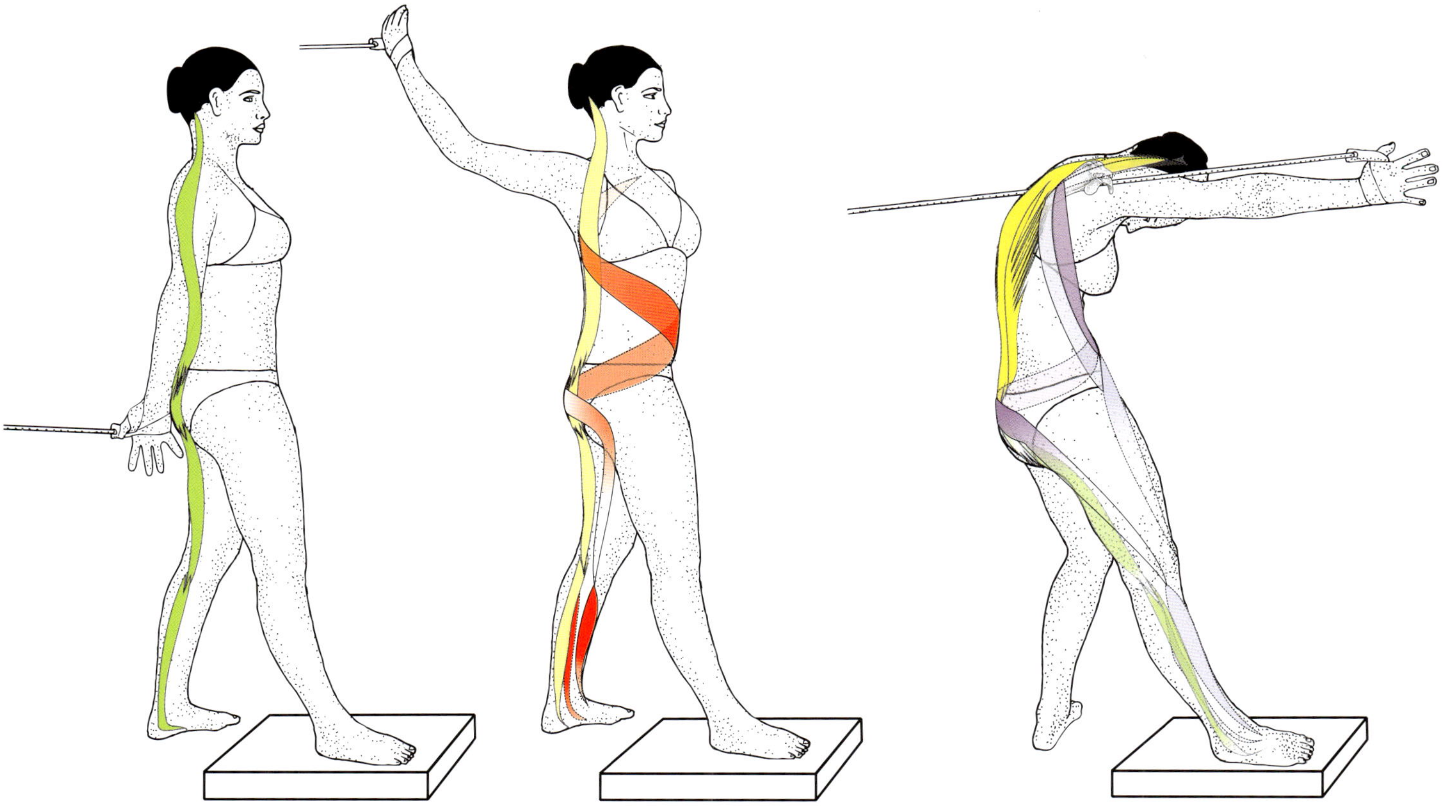

Stabilisation TR, LD

Stabilisation SA

Übung 10 - Ausführung für Fortgeschrittene mit Rotation

Ein Bein steht vorn auf dem Step, das Seil wird mit einem Arm nach vorn zur Bauchmitte geführt. Rotation des Rumpfs.

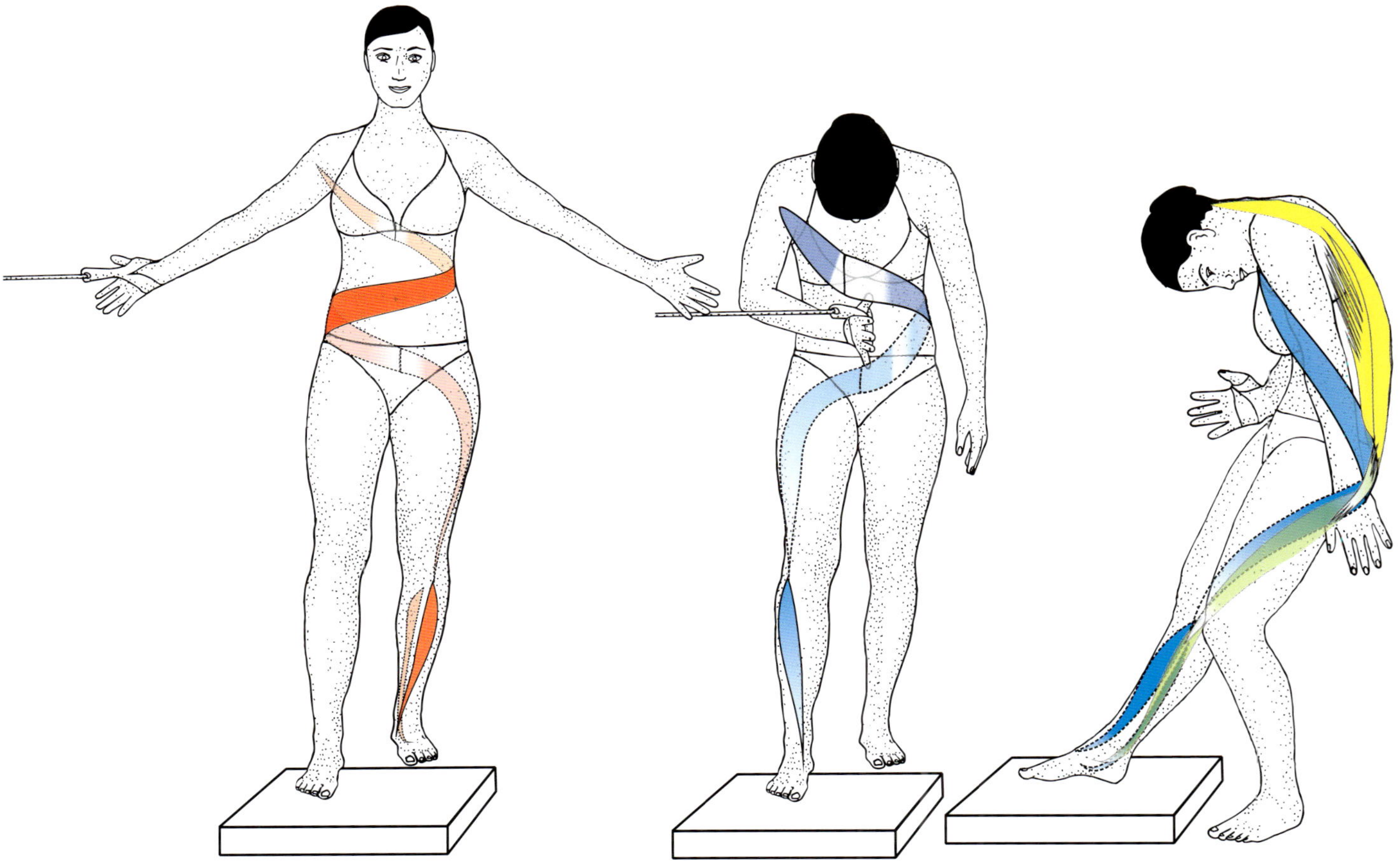

Stabilisation TR, LD

Stabilisation PM

Übung 11 - Ausführung für Fortgeschrittene mit Rotation

Die wechselnde Extension zwischen beiden Armen wird vom Wechsel des Standbeins begleitet - wir treten von einem Bein aufs andere, Rotation des Rumpfs.

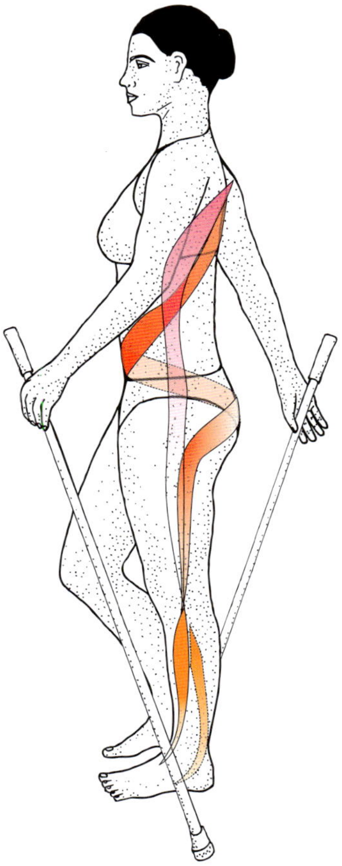

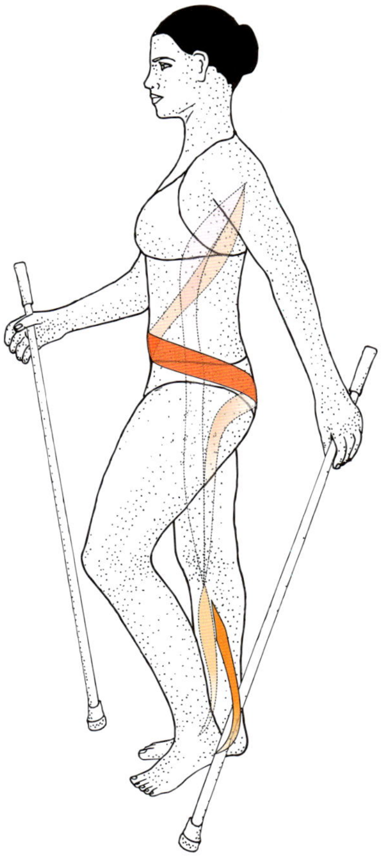

Übung 11 - Ausführung für Fortgeschrittene mit Rotation

Stand auf einem Bein, mit Stöcken, die als bewegliche Stütze dienen.
Doppelte Extension - Streckung des Arms in der Schulter und des gegenüberliegenden Beins in der Hüfte mit folgender Gegenrotation des Becken und des Rumpfs.

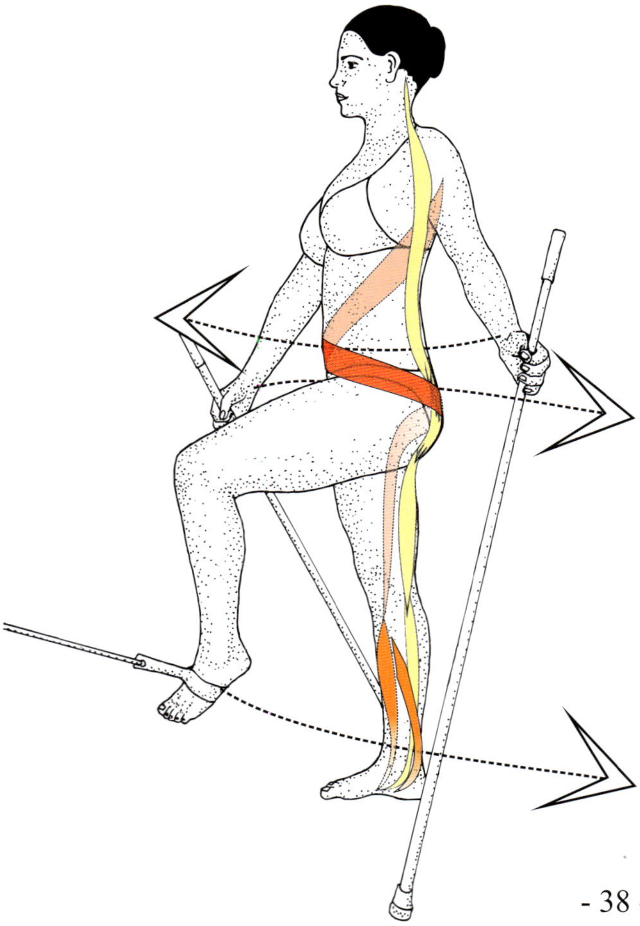

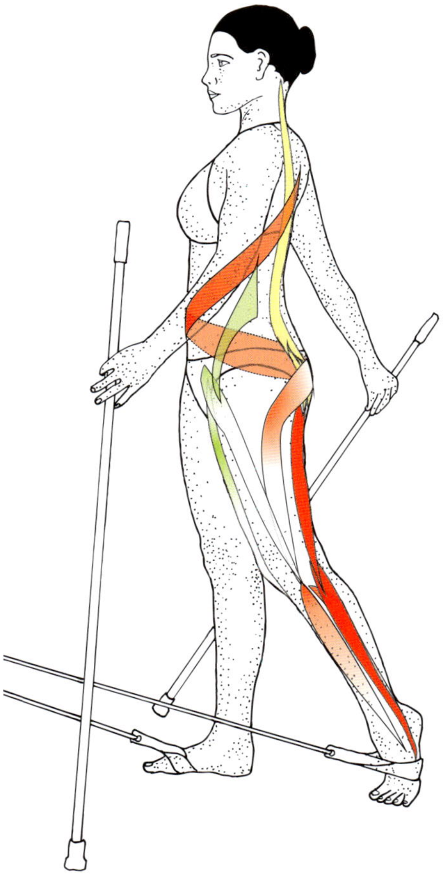

Spiral stabilisierter Gang mit Gegenrotation des Beckens und des Rumpfs

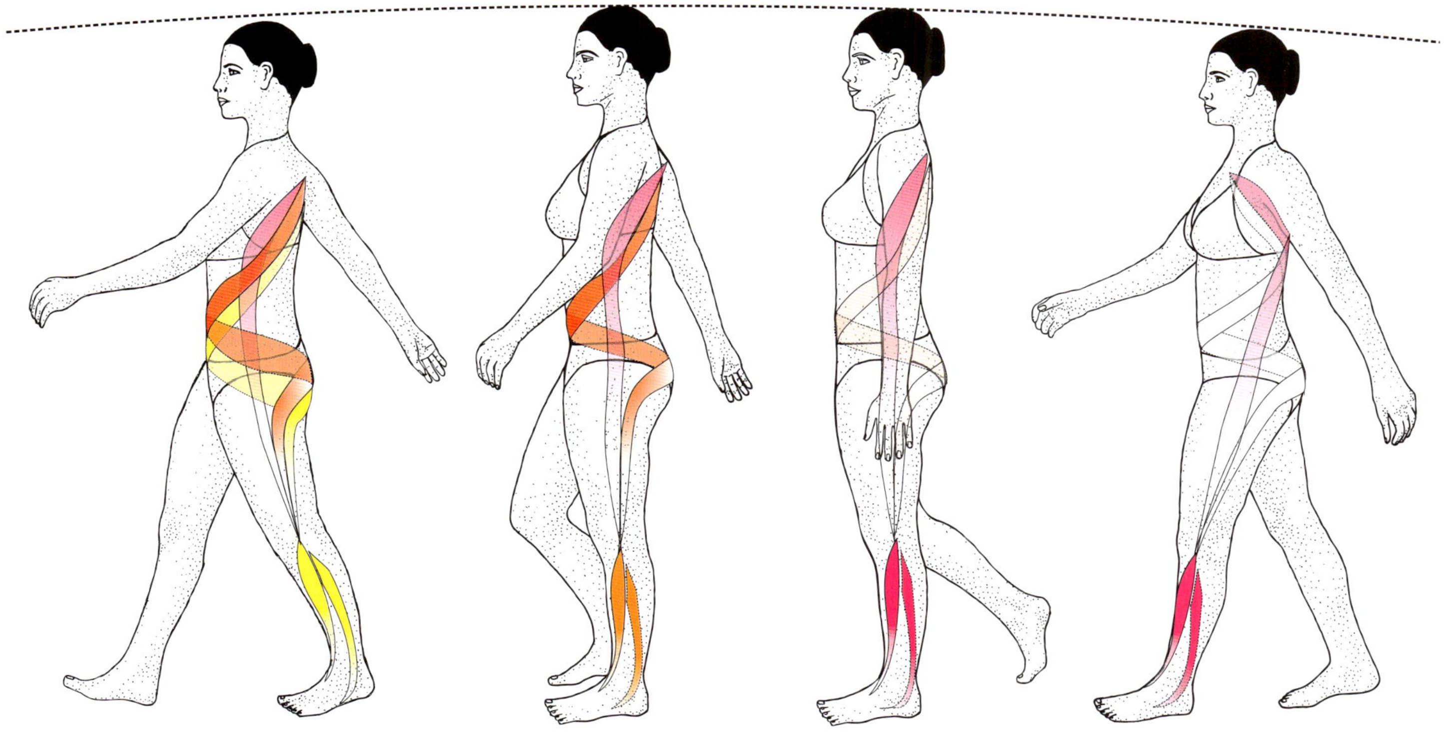

Stabilisation
TR-C, D, LD-B, C

Stabilisation
TR-C, LD-B

Stabilisation
TR-B, LD-A

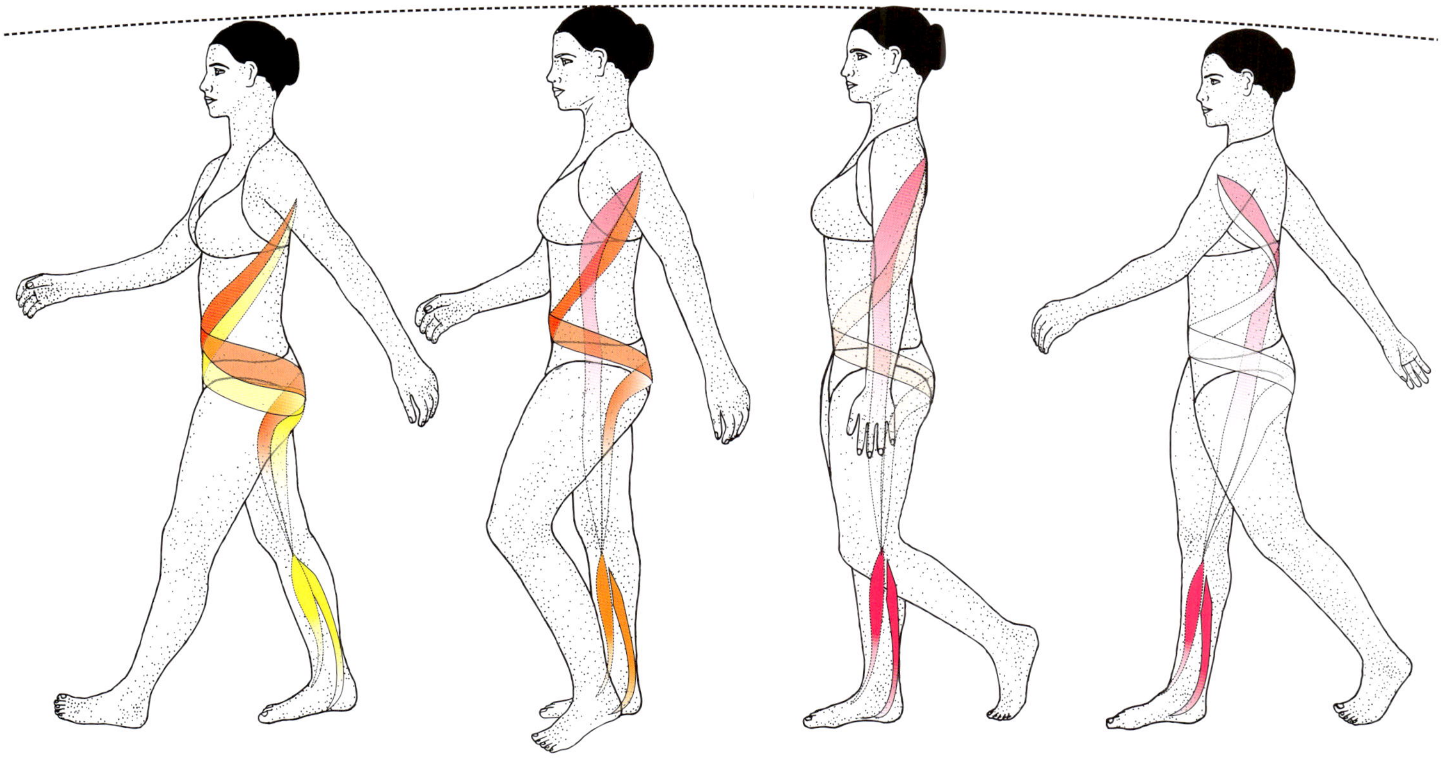

Einige Beispiele von erfolgreichen Behandlungen des Bandscheibenvorfalls im Lendenbereich

Beispiel einer erfolgreichen Behandlung des Bandscheibenvorfalls L3/4

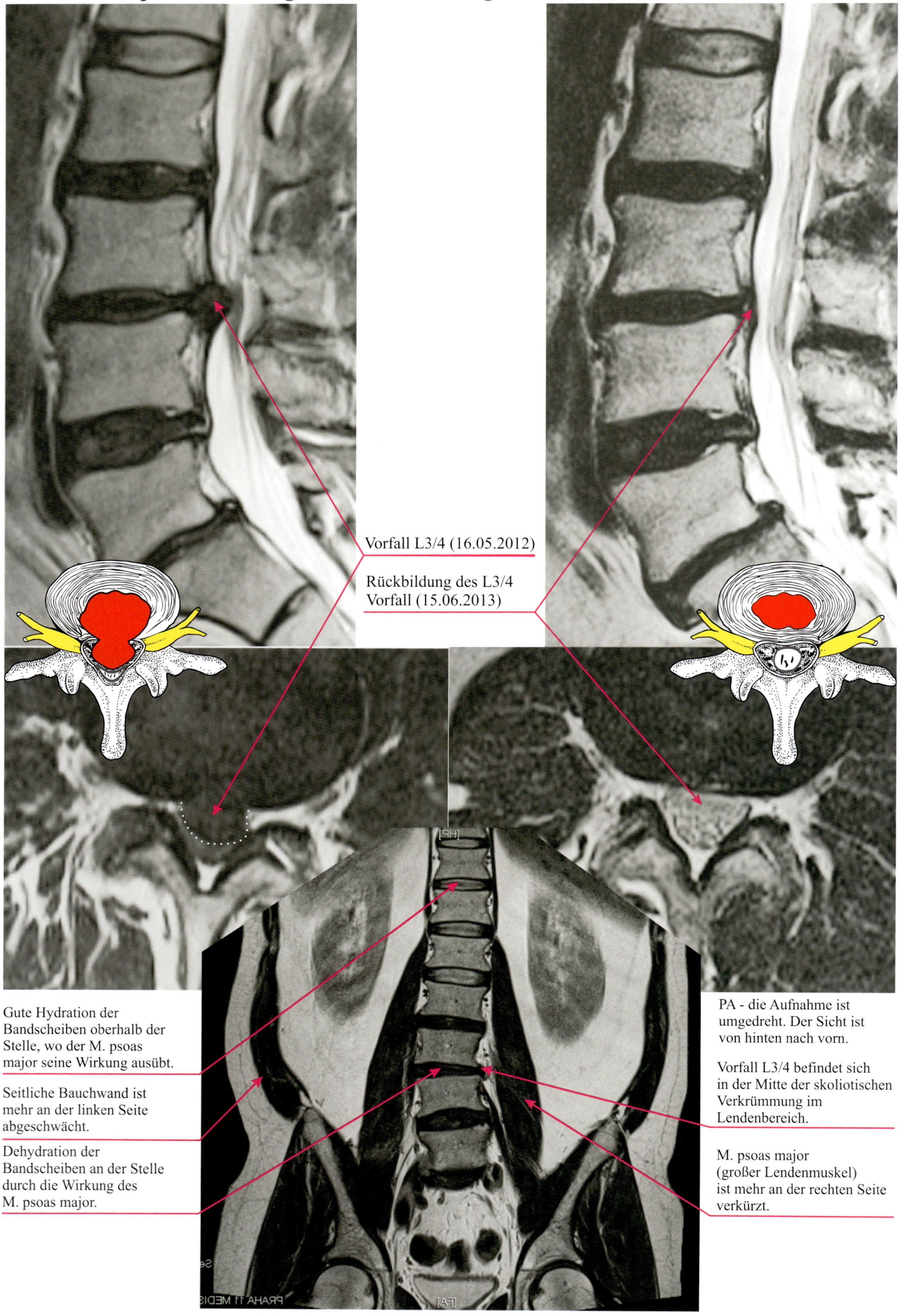

Beispiel einer erfolgreichen Behandlung des Bandscheibenvorfalls L3/4

Stabilisation der seitlichen Bauchwand

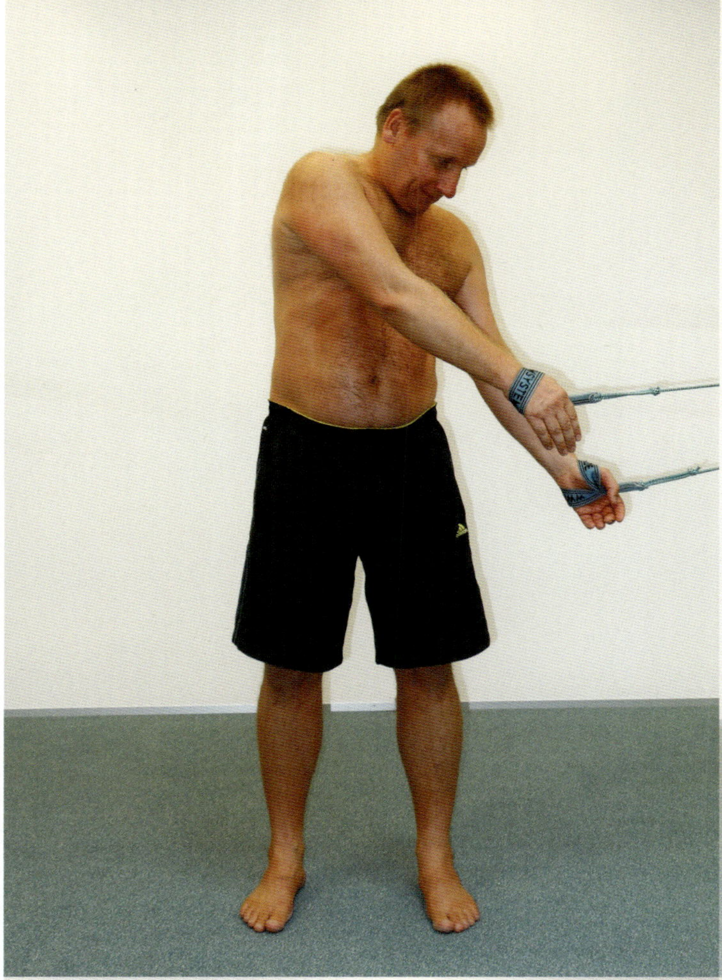

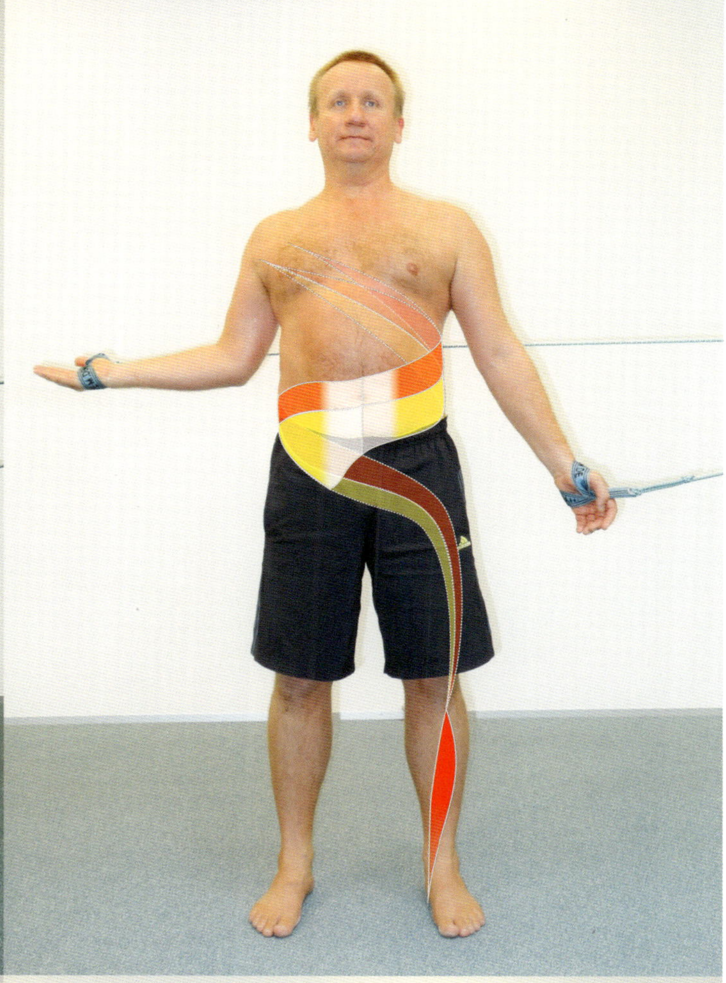

Streckung des M. iliopsoas, M. rectus femoris, M. tensor fasciae latae durch die Aktivität der TR und LD Muskelketten, die den Körper auch gleichzeitig stabilisieren.

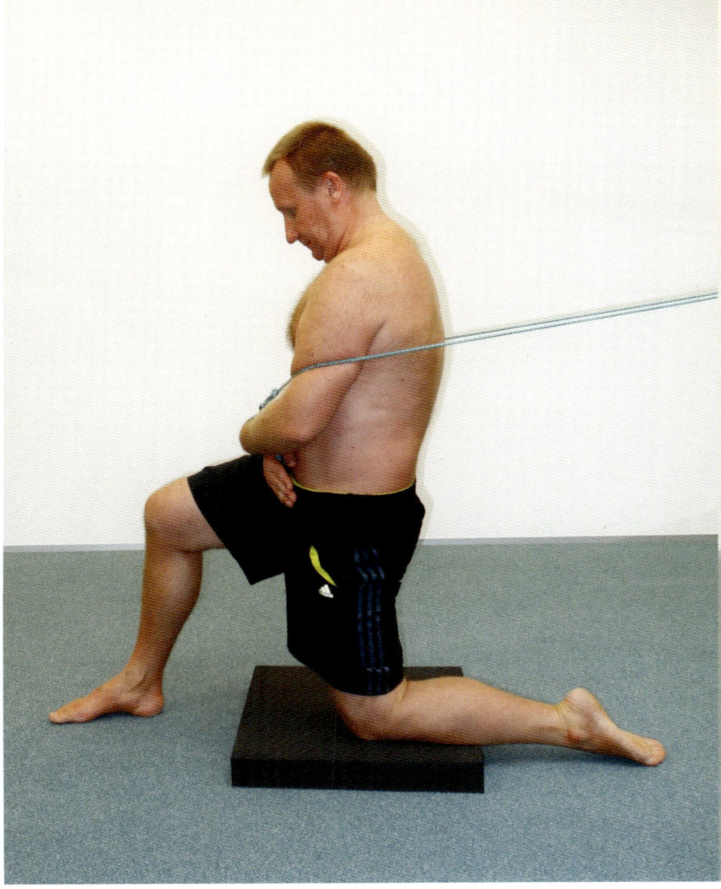

Beispiel einer erfolgreichen Behandlung des Bandscheibenvorfalls L4/5

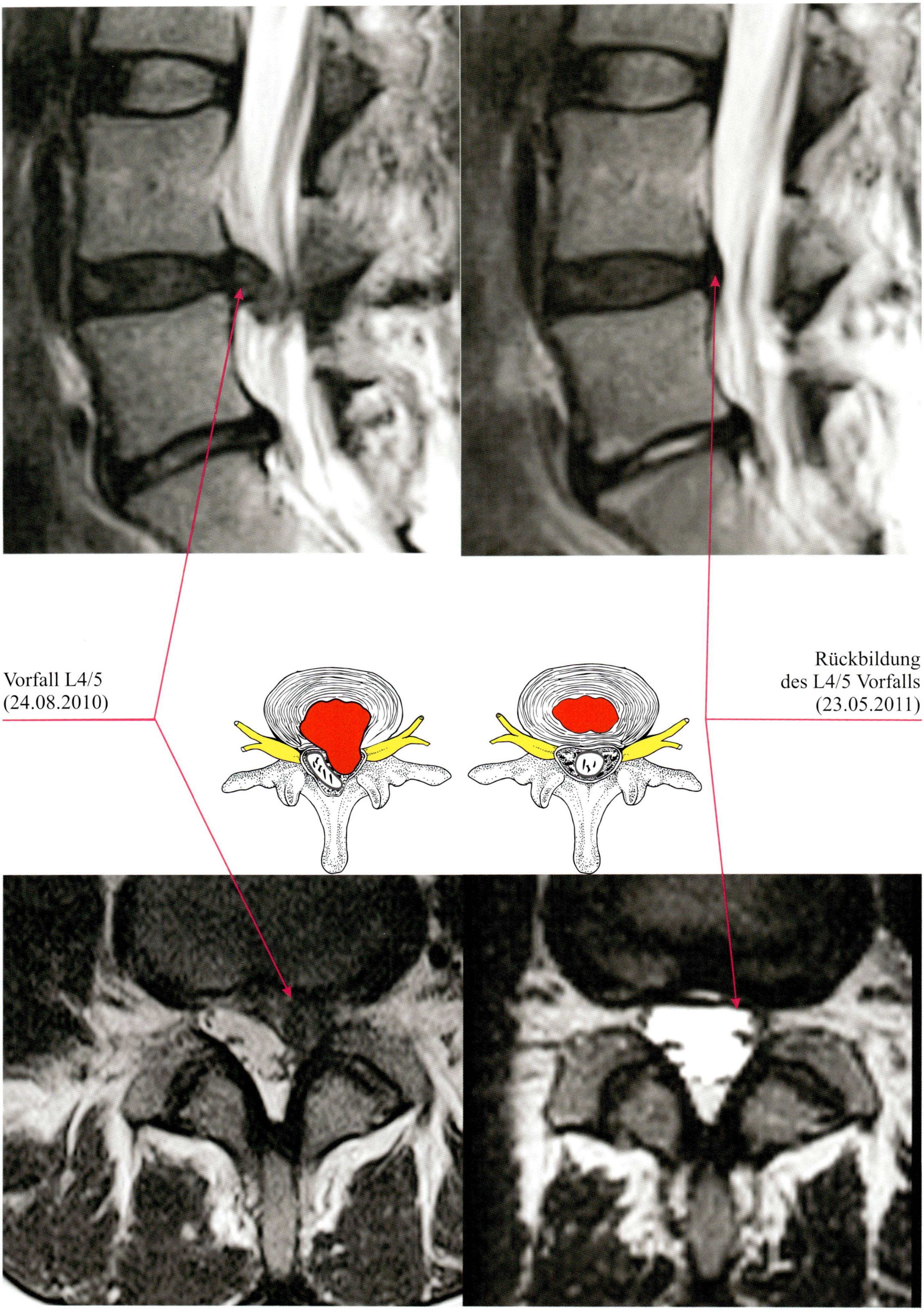

Beispiel einer erfolgreichen Behandlung des Bandscheibenvorfalls L4/5

Stabilisation der Bauchwand durch die TR, LD Spirale

Streckung des M. iliopsoas, durch die Aktivität der TR und LD Muskelketten, die den Körper auch gleichzeitig stabilisieren

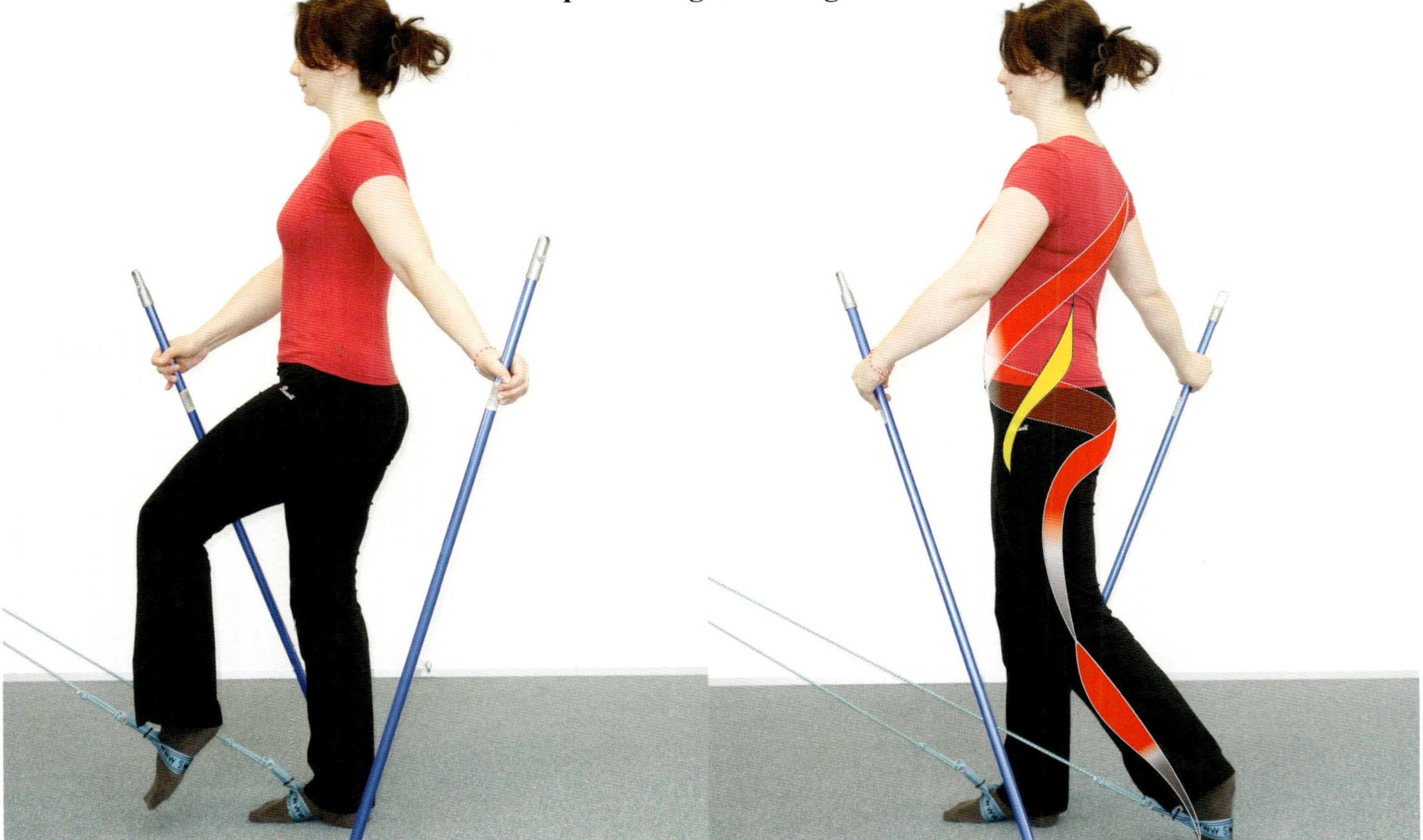

Beispiel einer erfolgreichen Behandlung des Bandscheibenvorfalls L5/S1

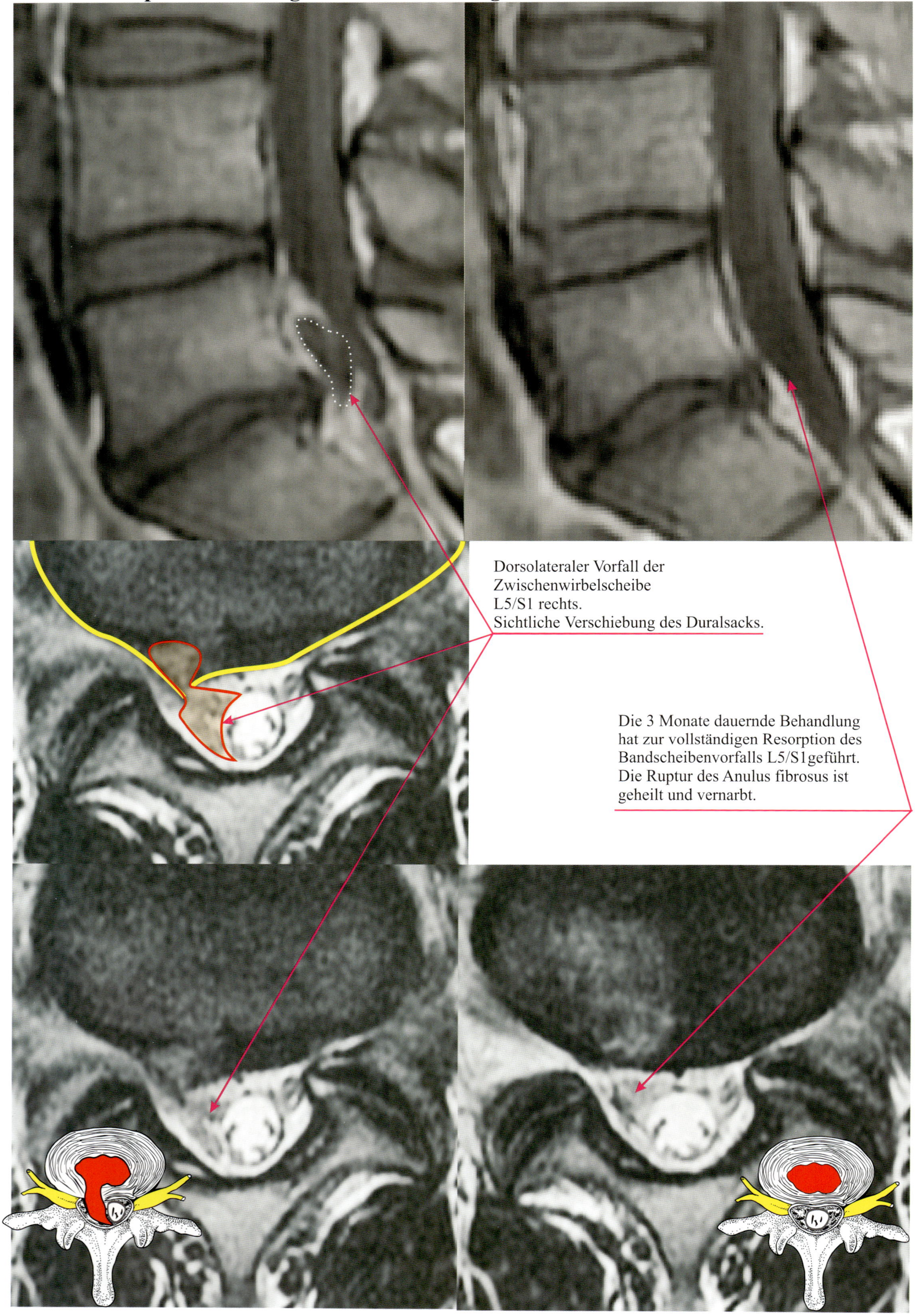

Beispiel einer erfolgreichen Behandlung des Bandscheibenvorfalls L5/S1

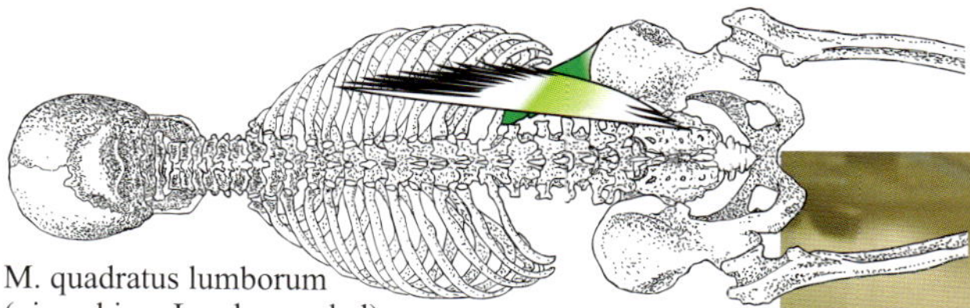

M. quadratus lumborum
(viereckiger Lendenmuskel)

M. iliocostalis lumborum
(Darmbein-Rippenmuskel - Lendenteil)

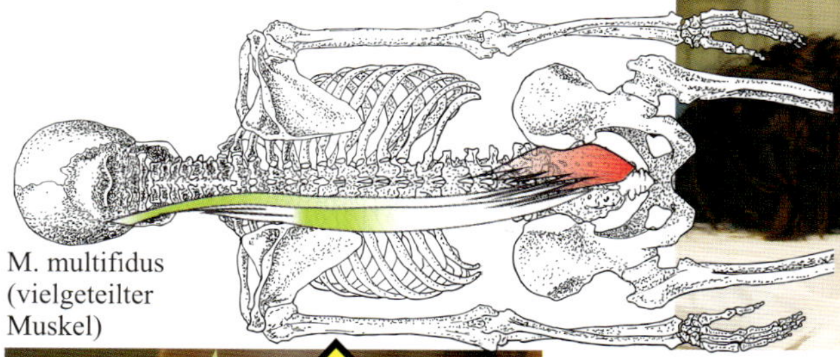

M. multifidus
(vielgeteilter
Muskel)

Dehnung der paravertebralen Muskeln und der Wirbelsäule.

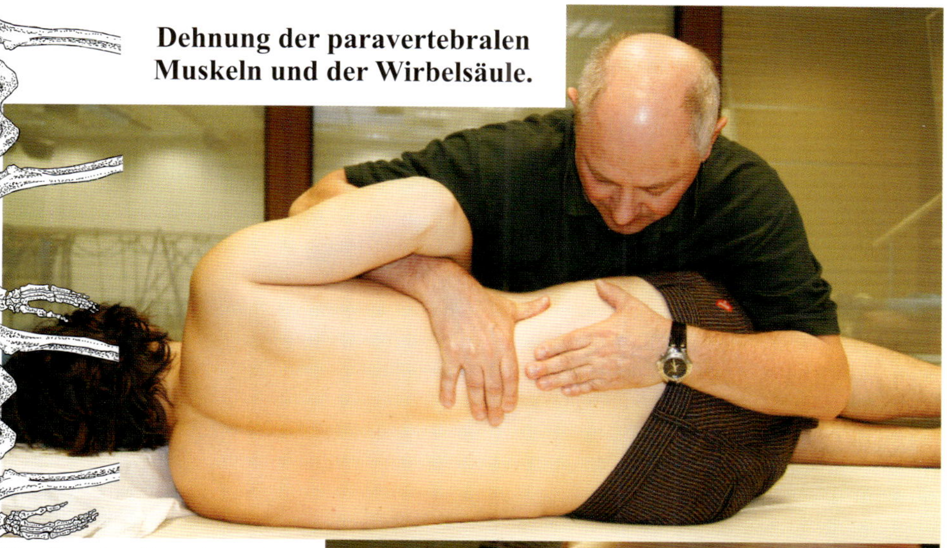

Stabilisation der Bauchwand. Phänomen der Verschmälerung des Körperumfangs.

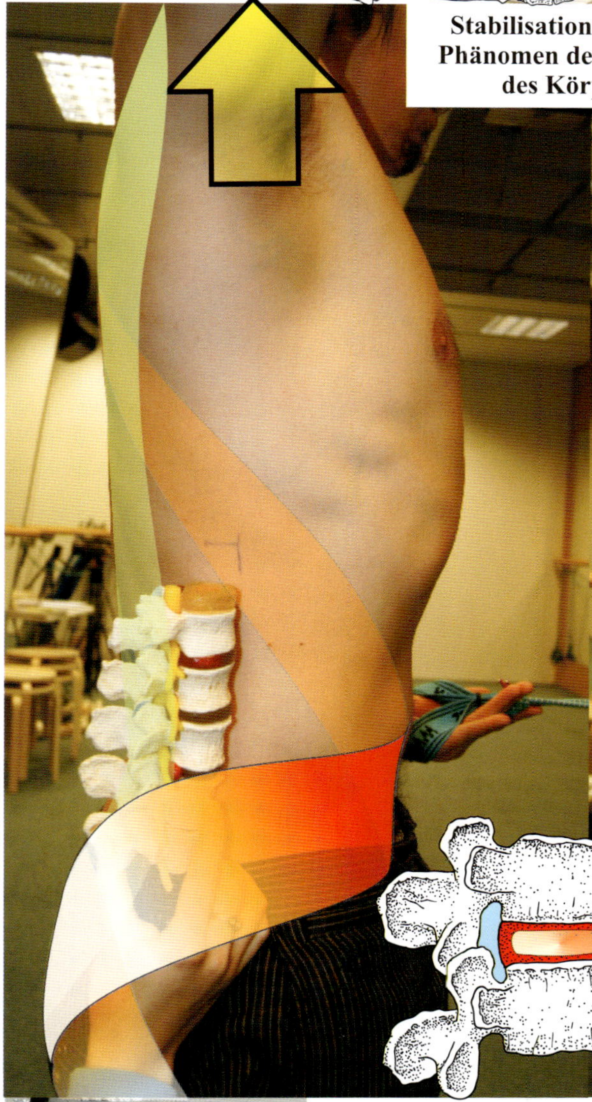

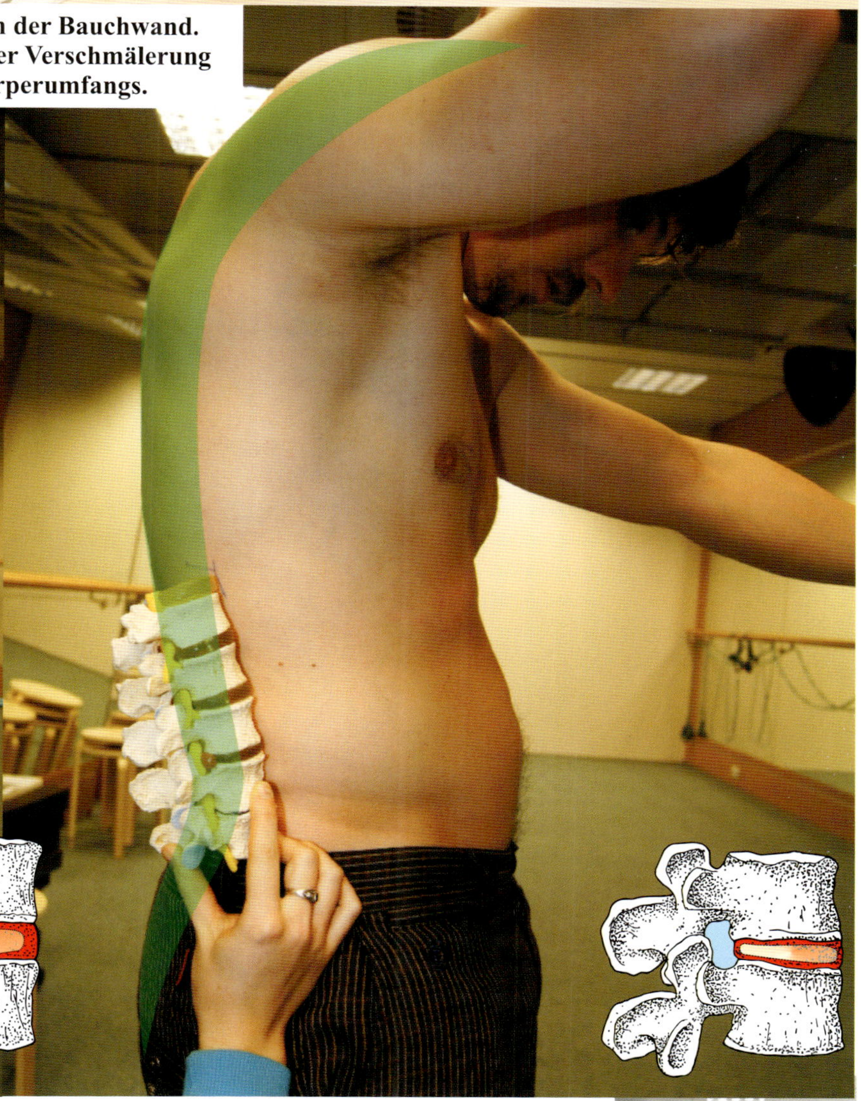

Beispiel einer erfolgreichen Behandlung des Bandscheibenvorfalls L5/S1

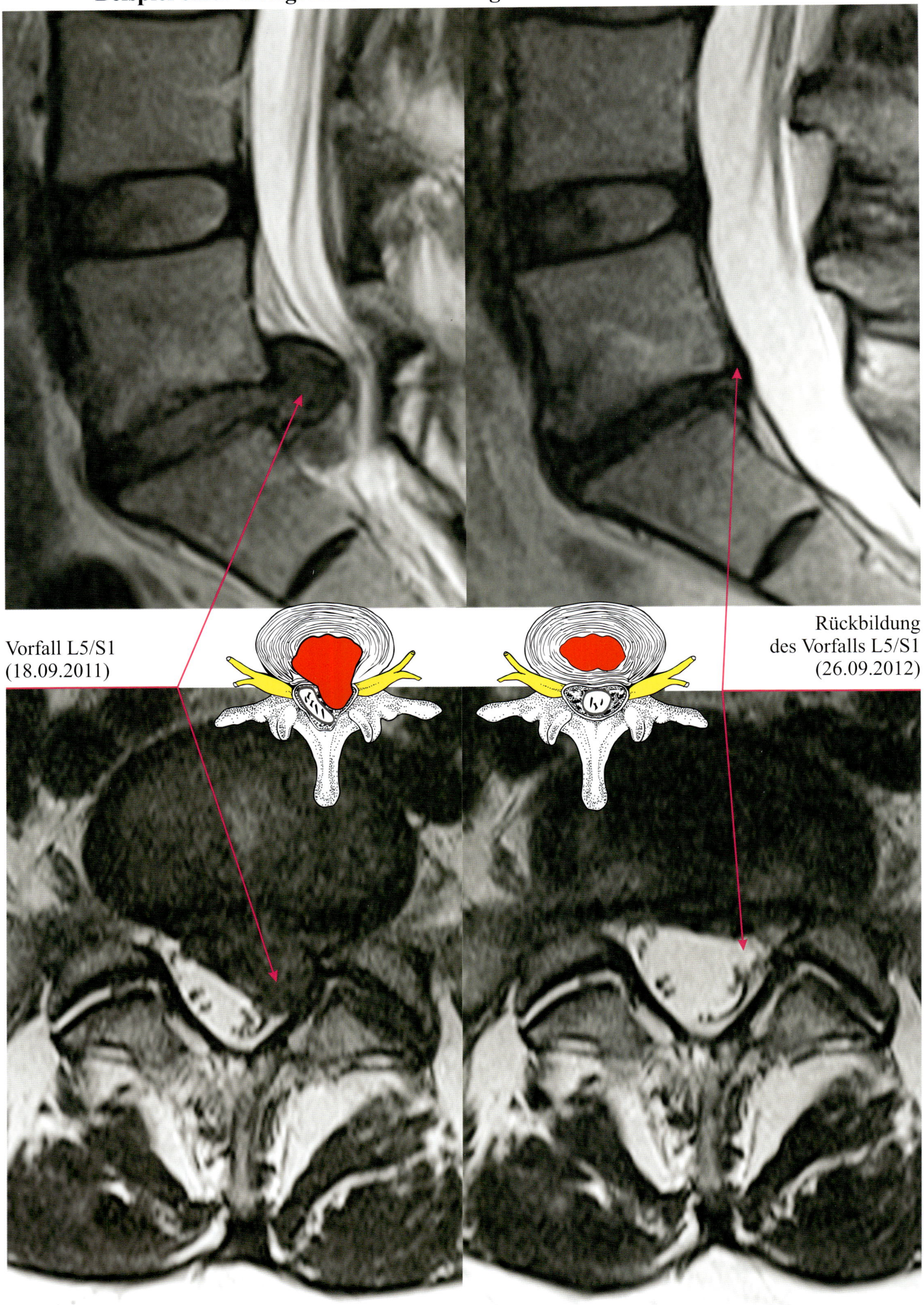

Beispiel der erfolgreichen Behandlung des Bandscheibenvorfalls L5/S1

Verlust an Muskelmasse der paravertebralen Muskeln bei einem Bandscheibenvorfall L5/S1

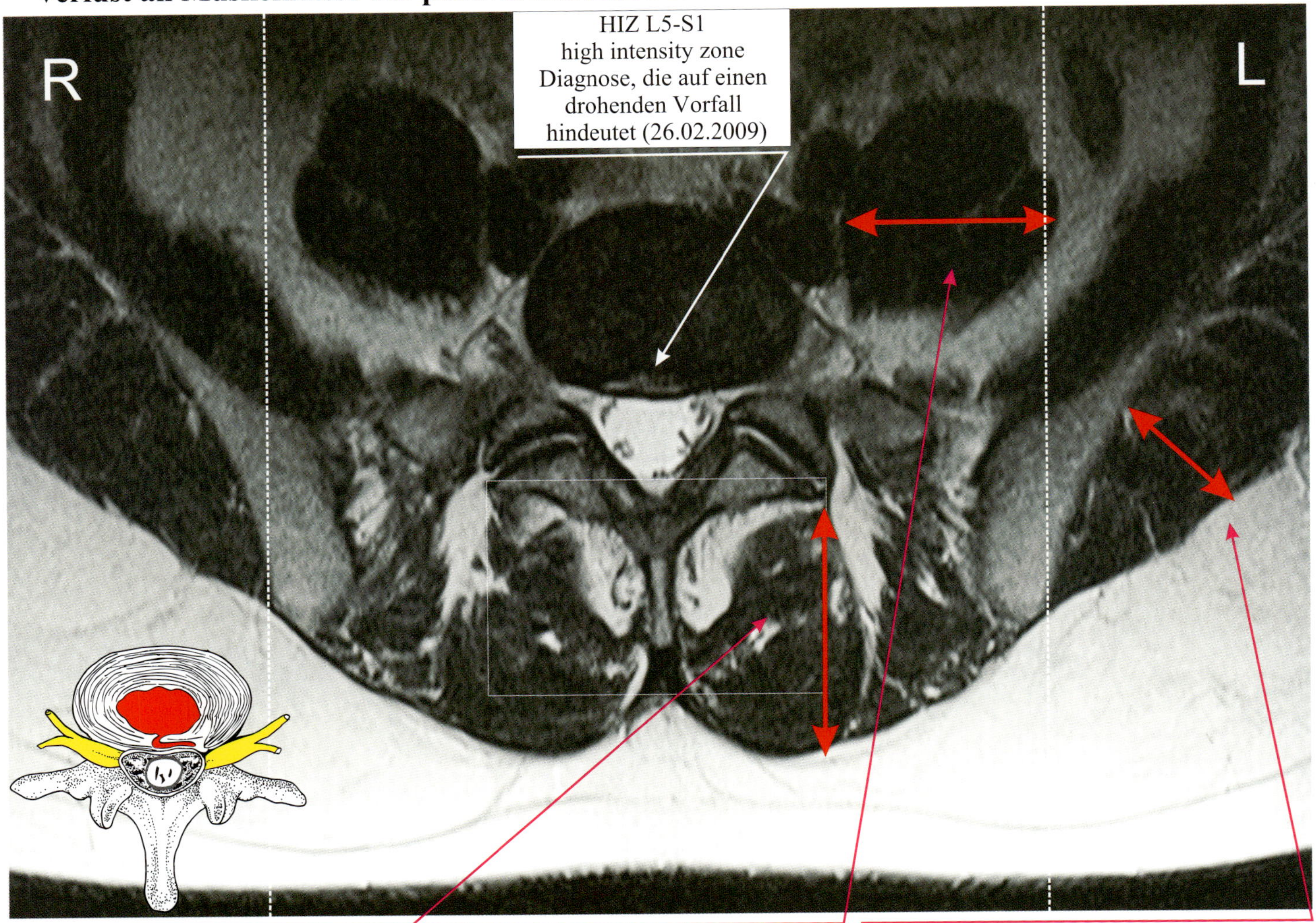

Beidseitige Atrophie des M. multifidus (18.09.2011)

Beidseitige Atrophie des M. psoas major (18.09.2011)

Atrophie des M. gluteus maximus links (18.09.2011)

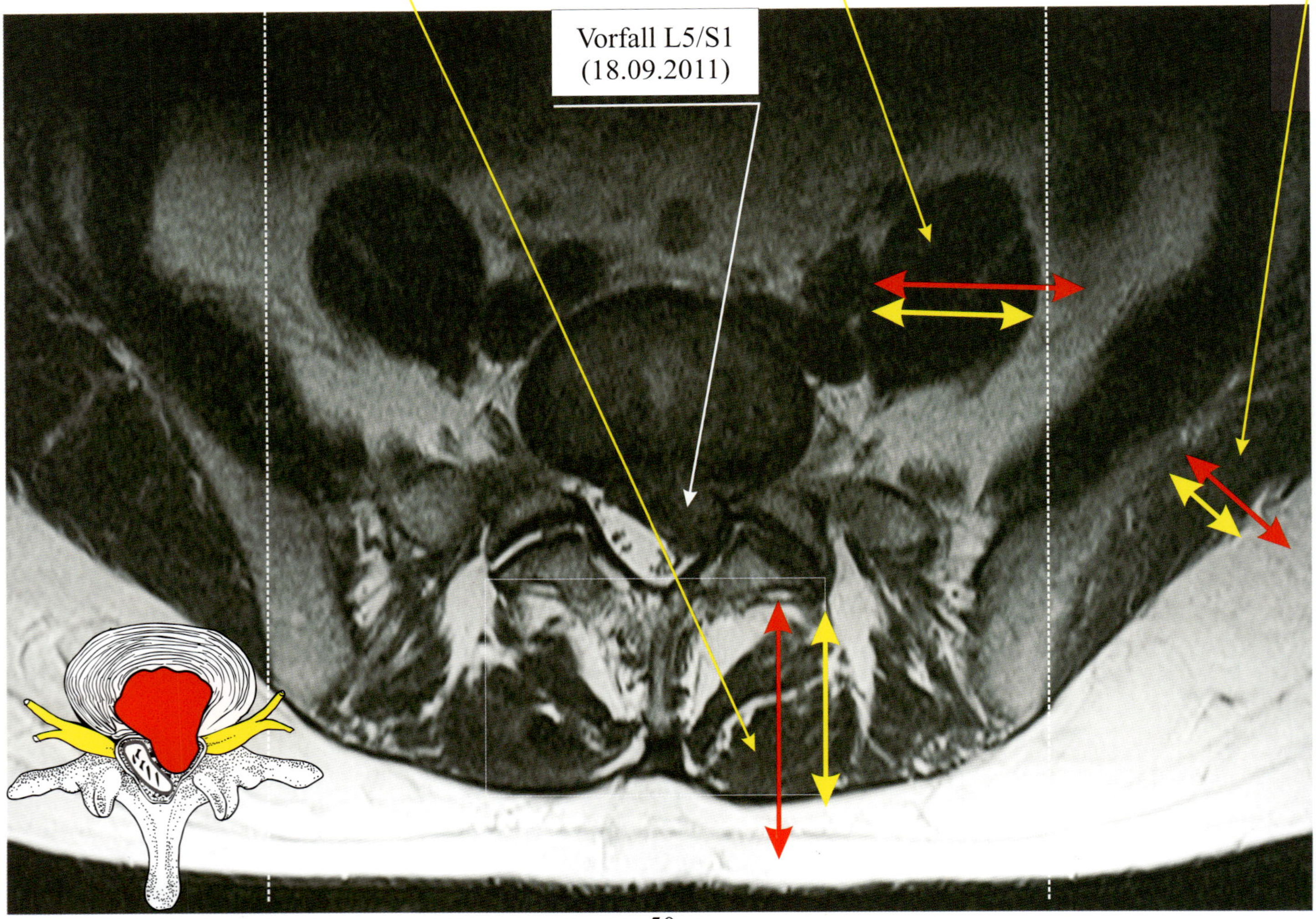

Beispiel einer erfolgreichen Behandlung des Bandscheibenvorfalls L5/S1

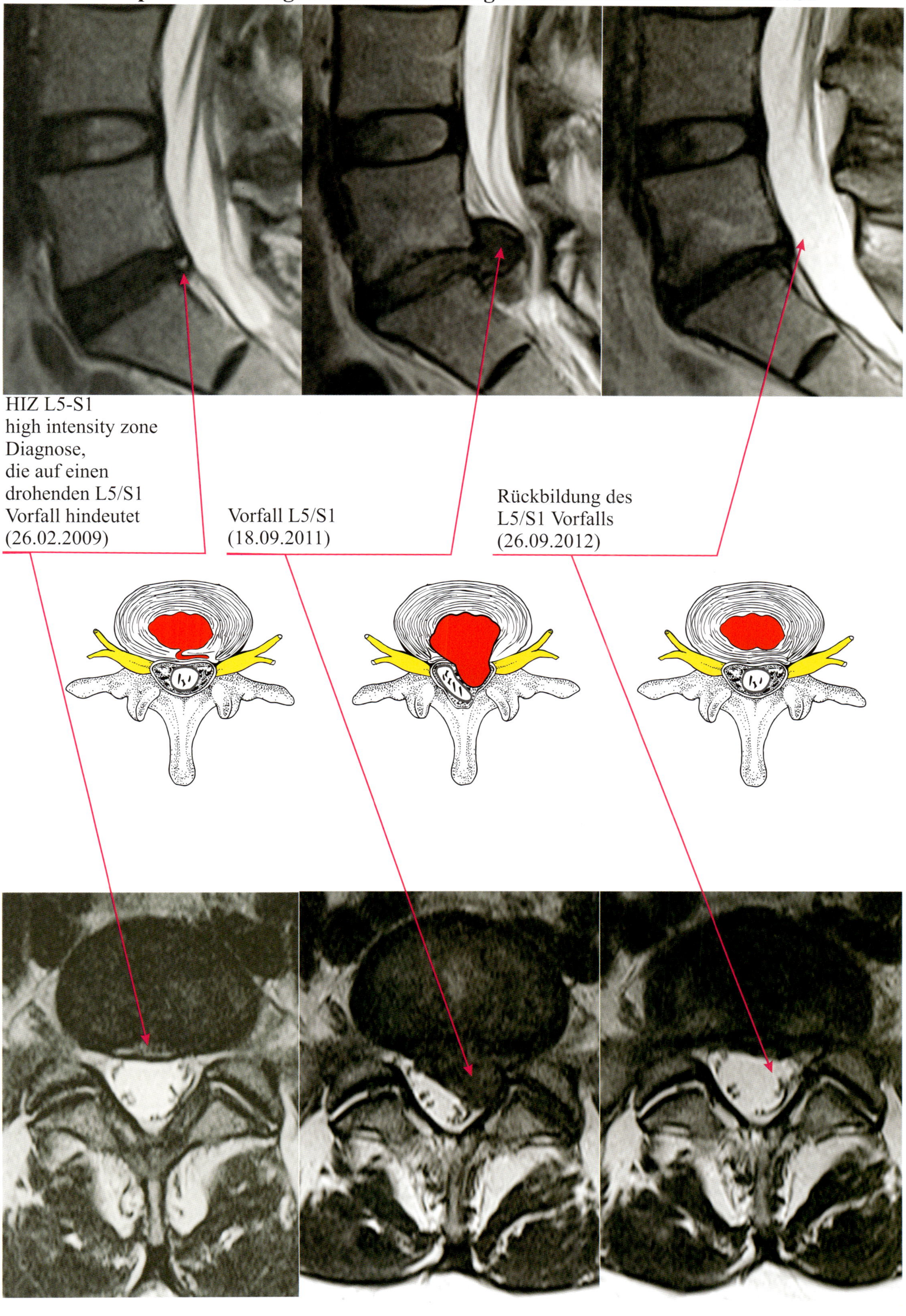

HIZ - Diagnose, die auf einen drohenden L5/S1Bandscheibenvorfall hindeutet

Um einen Bandscheibenvorfall vorbeugen oder verhindern zu können sollte HIZ sofort intensiv behandelt werden!!!
HIZ wird häufig unter der unspezifischen Lumbago - Diagnose versteckt!!!

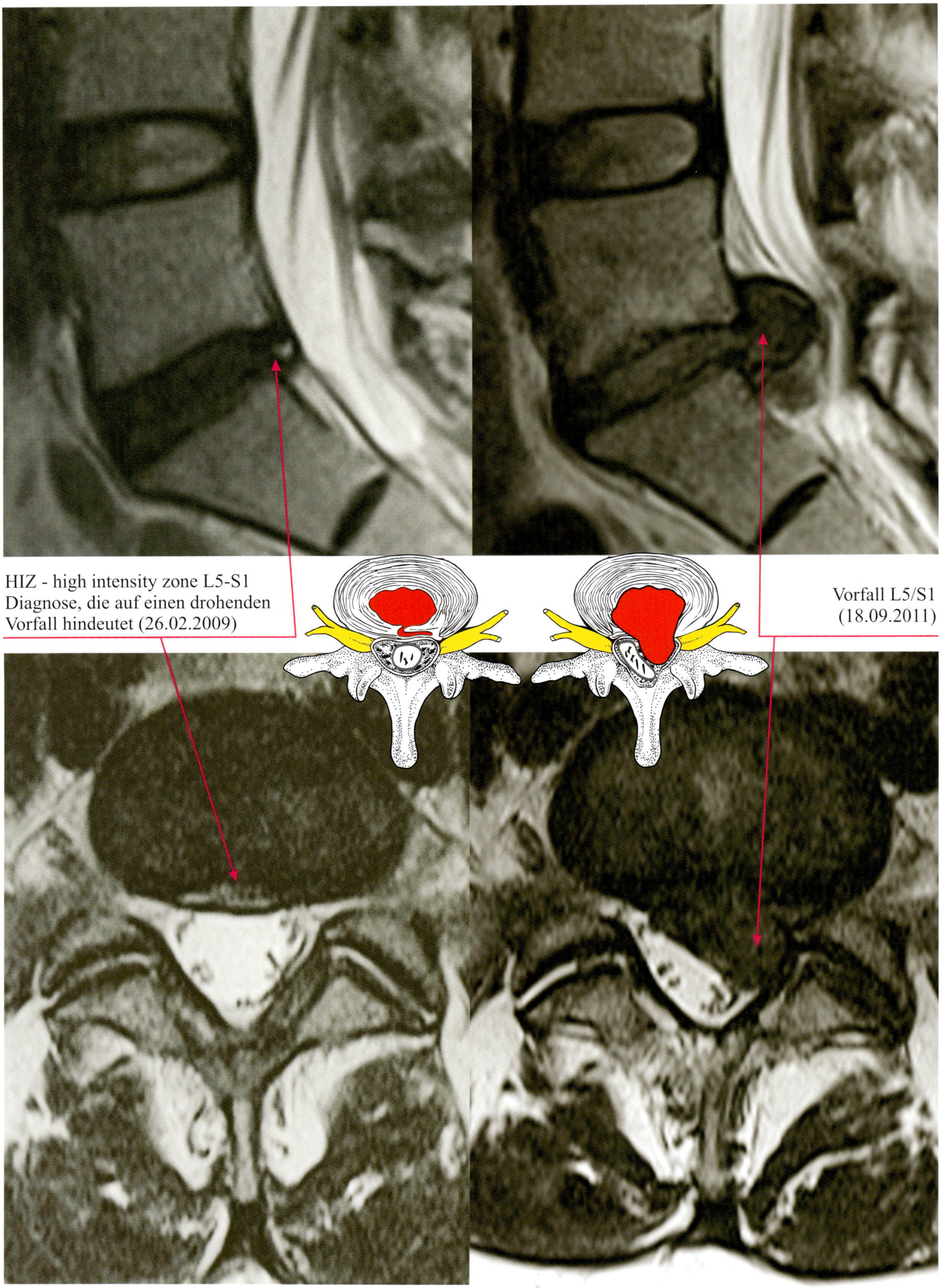

Die Untersuchung der Muskeln in Ruhe und in Bewegung

DIE UNTERSUCHUNG DER MUSKELN IN DER SPANNUNG UND ABSCHWÄCHUNG

WWW.SPIRALSTABILIZATION.COM

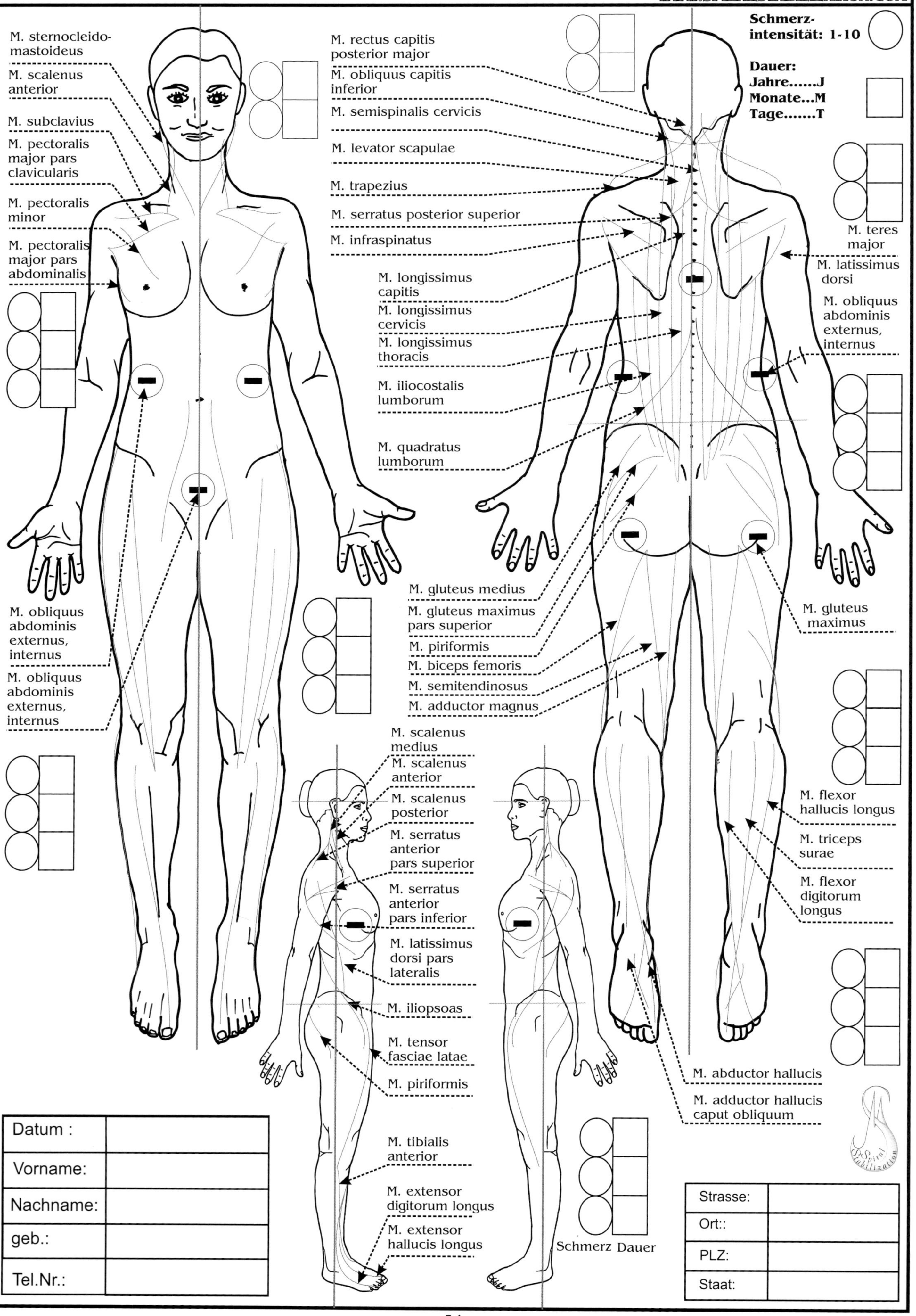

Datum :	
Vorname:	
Nachname:	
geb.:	
Tel.Nr.:	

Strasse:	
Ort::	
PLZ:	
Staat:	

SCHMERZ, MUSKELANSPANNUNG, MUSKELABSCHWÄCHUNG, TAUBHEITSGEFÜHL, VERLUST DER BEWEGLICHKEIT, FORMÄNDERUNG

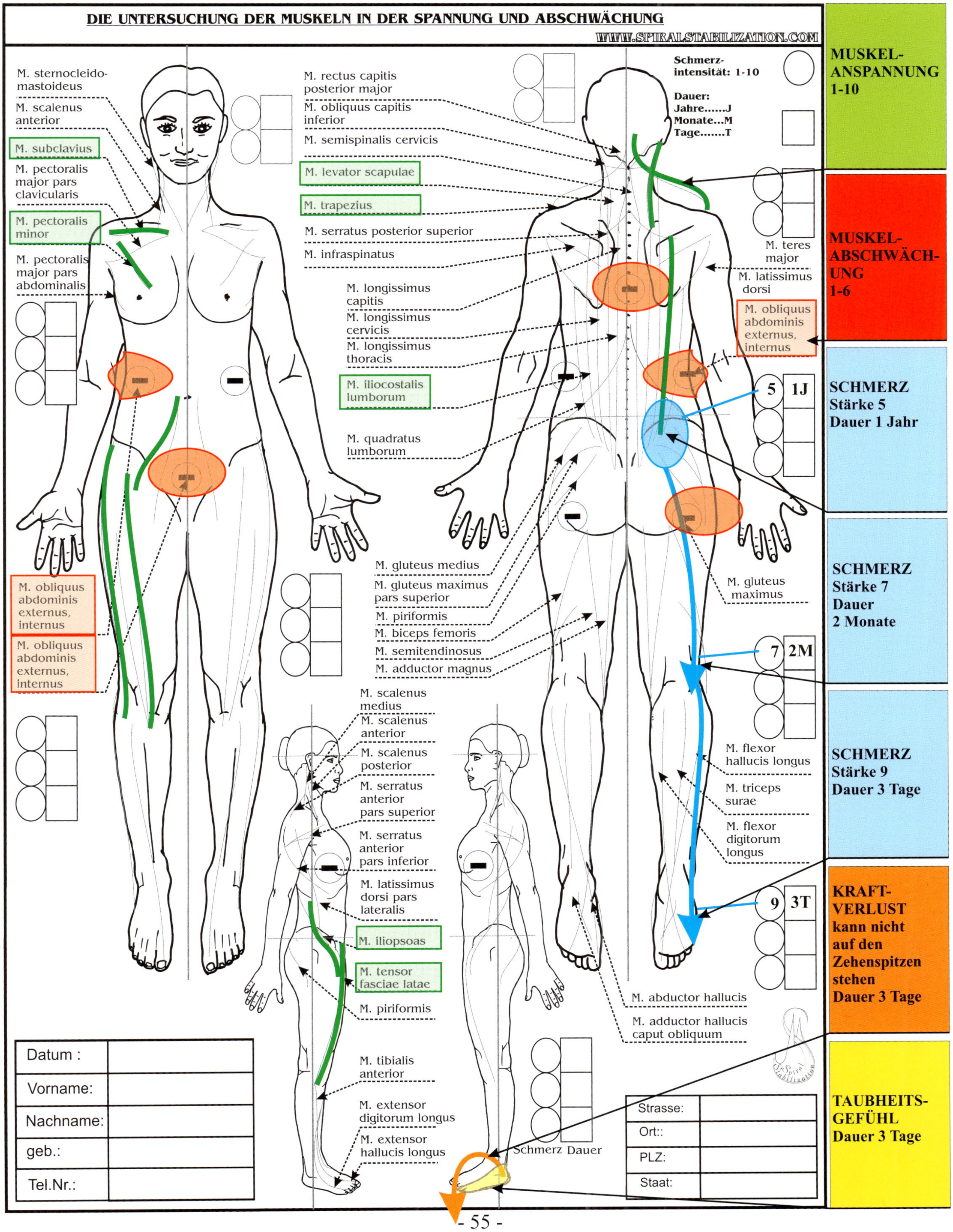

DIE UNTERSUCHUNG DER EXTENSION

DIE EXTENSION (Bewegung des Arms nach hinten) IM **SCHULTERGÜRTEL**

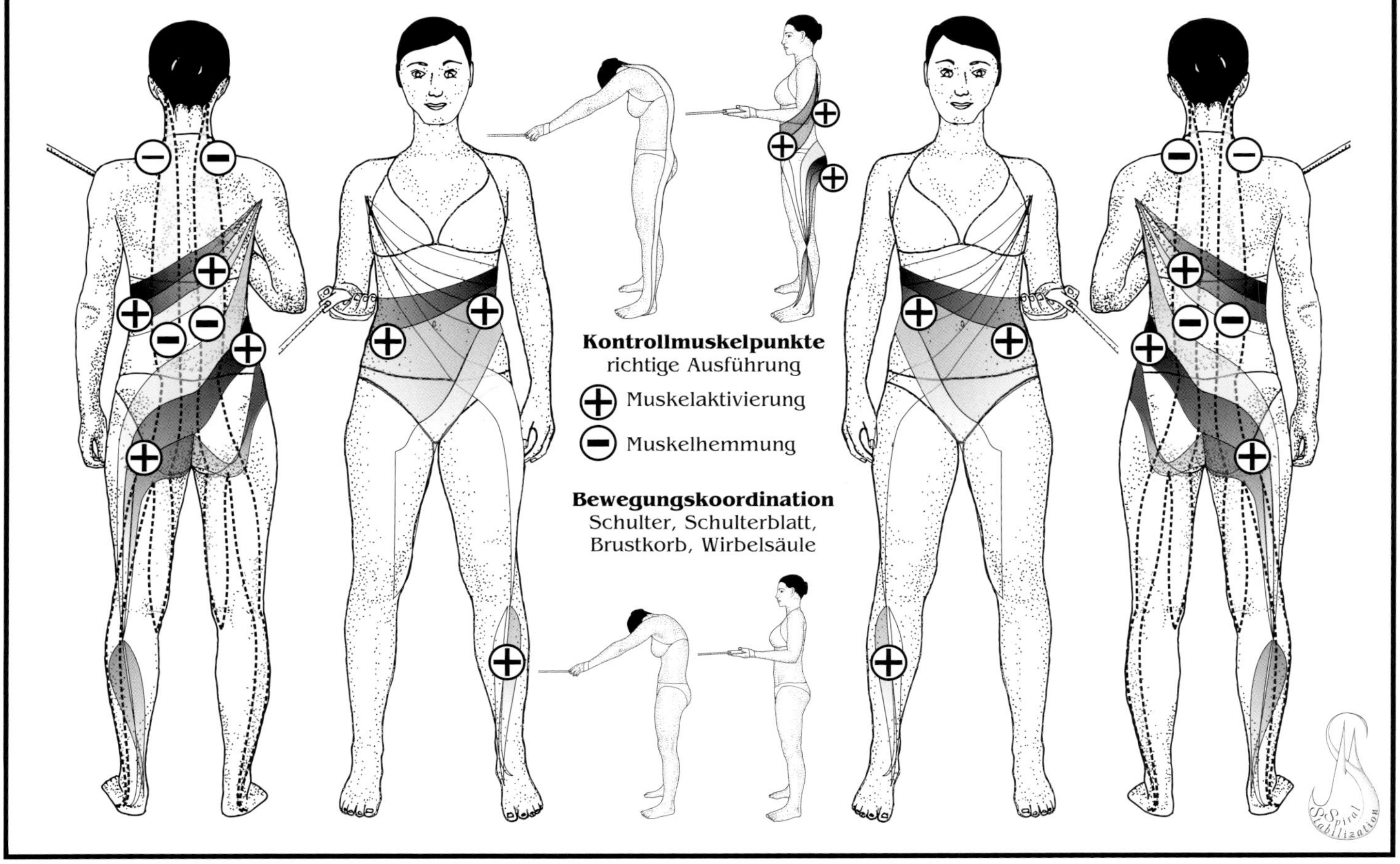

Spiralstabilisation
der Wirbelsäule

DIE UNTERSUCHUNG DER EXTENSION

WWW.
SPIRALSTABILIZATION.COM

DIE EXTENSION (Bewegung des Arms und des Beins nach hinten) IM **SCHULTERGÜRTEL** UND **BECKENGÜRTEL**

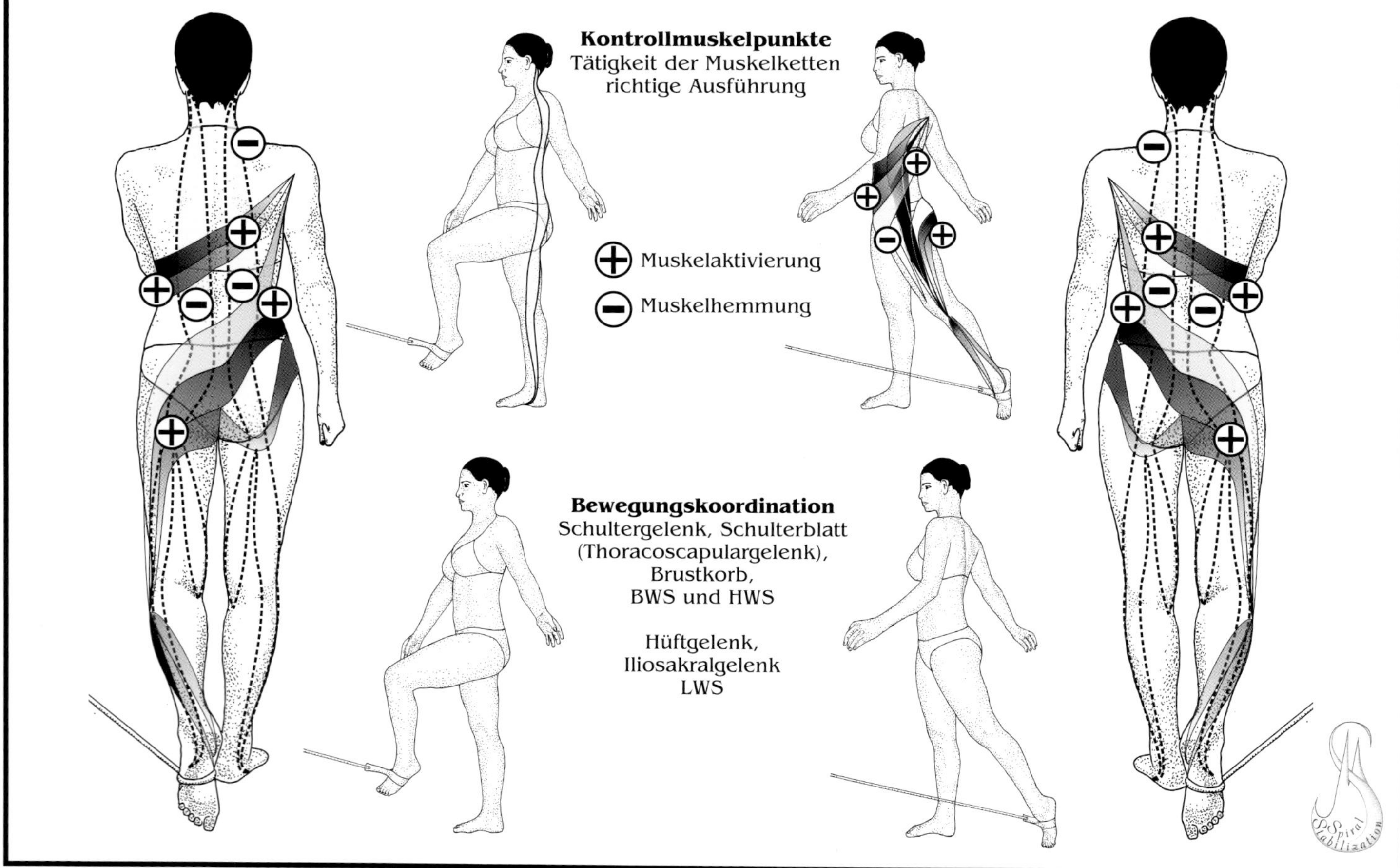

Spiralstabilisation der Wirbelsäule

DIE UNTERSUCHUNG DER EXTENSION

WWW.SPIRALSTABILIZATION.COM

DIE EXTENSION (Bewegung des Arms nach hinten) IM **SCHULTERGÜRTEL**

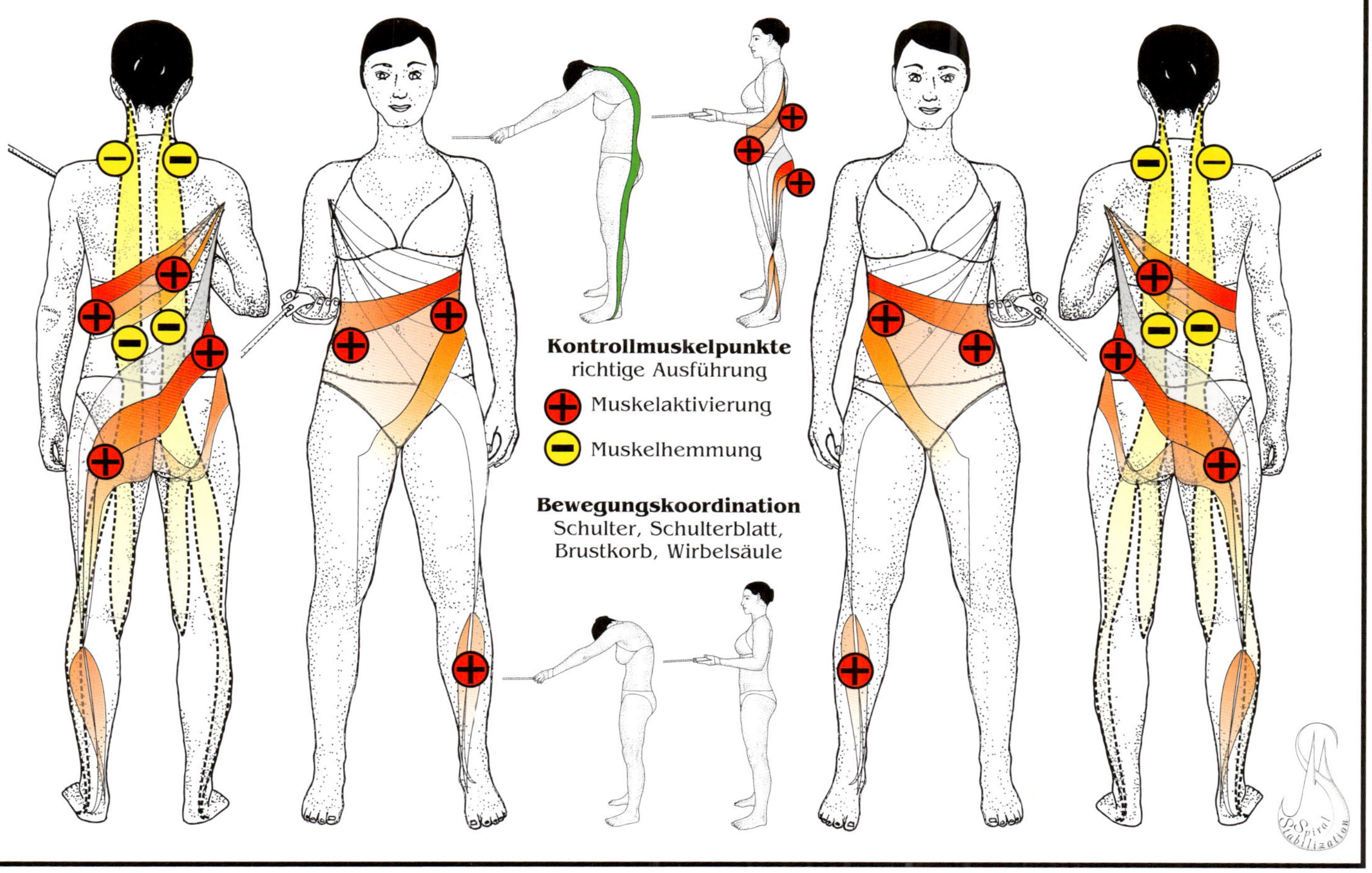

Spiralstabilisation der Wirbelsäule

DIE UNTERSUCHUNG DER EXTENSION

WWW.SPIRALSTABILIZATION.COM

DIE EXTENSION (Bewegung des Arms und des Beins nach hinten) IM **SCHULTERGÜRTEL** UND **BECKENGÜRTEL**

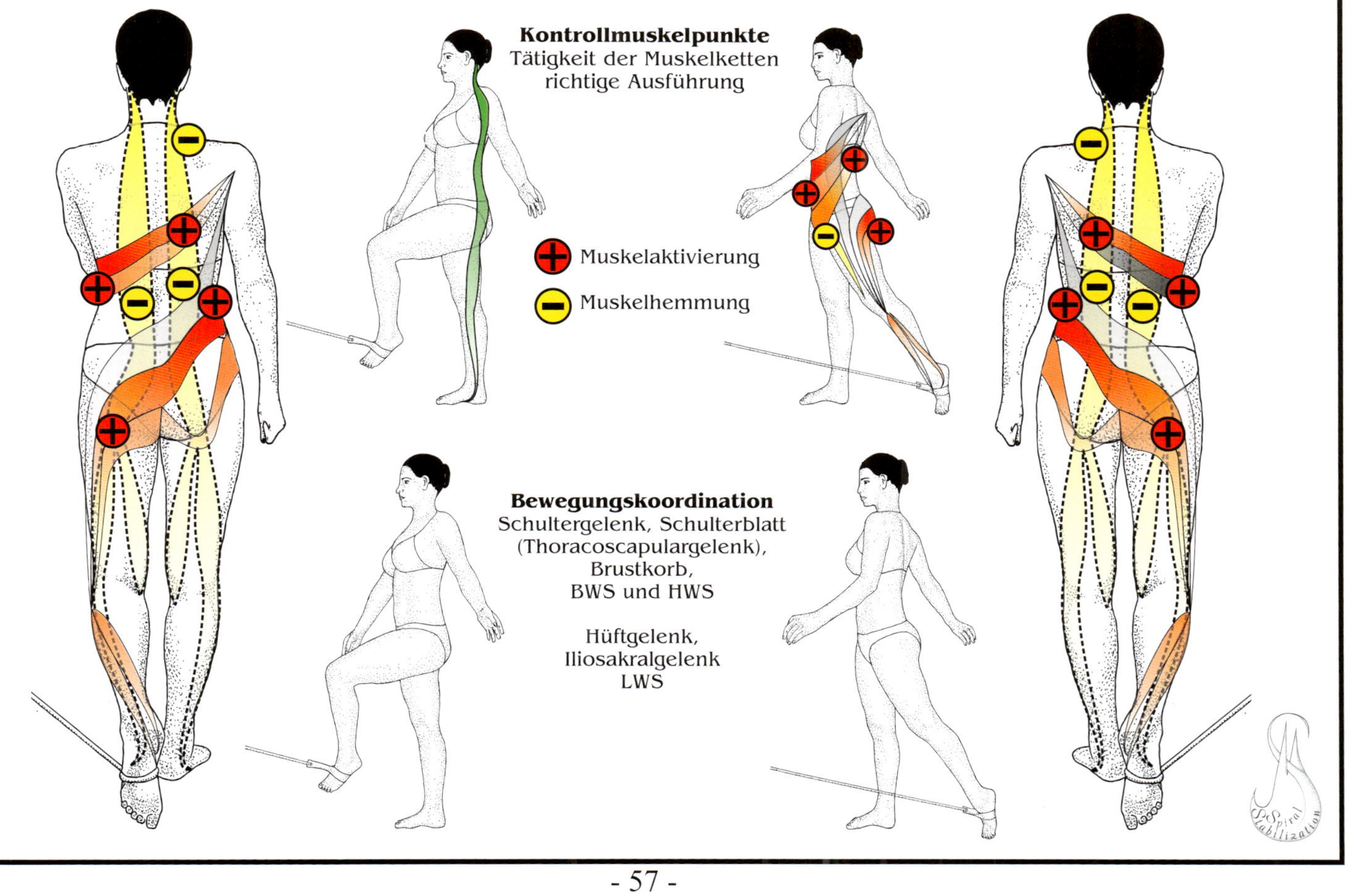

MSYST

MANUELLE TECHNIKEN UND ÜBUNGEN NACH DER MUSKELANALYSE

Rumpf und Becken
paravertebrale Muskeln
hintere, untere Muskelgruppe

Muskeln, die zur Anspannung
und zur Verkürzung neigen:

M. erector spinae (Rückenstrecker, Wirbelsäulenaufrichter)
M. iliocostalis (Darmbein-Rippenmuskel)
M. longissimus thoracis (längster Muskel des Brustkorbs)
M. longissimus cervicis (längster Muskel des Halses)
M. longissimus capitis (längster Muskel des Kopfes)
M. quadratus lumborum (viereckiger Lendenmuskel)
M. multifidus (vielgeteilter Muskel)

M. erector spinae (Rückenstrecker, Wirbelsäulenaufrichter)

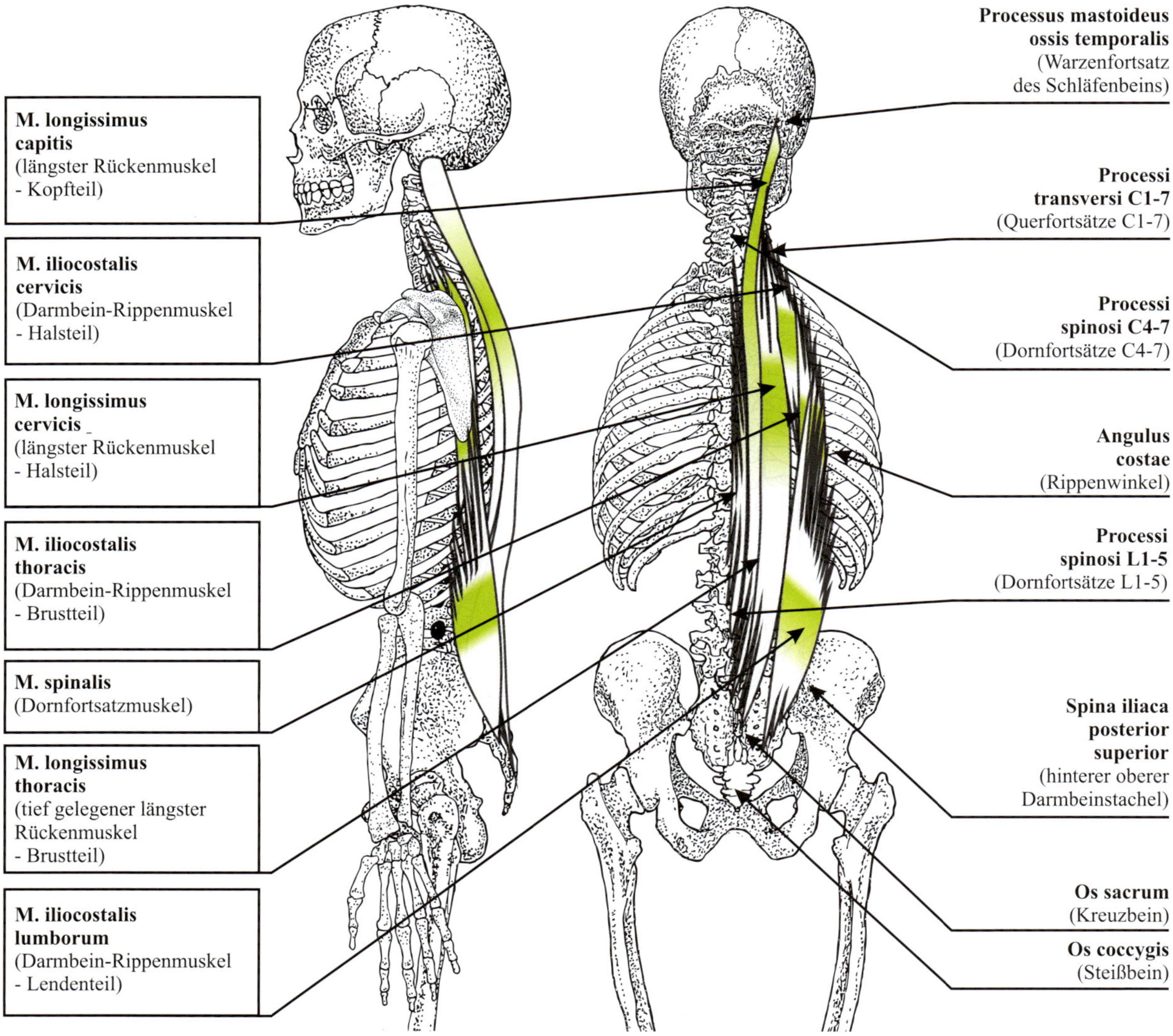

Muskeln mit, Tendenz zur **Anspannung** und zur **Verkürzung.**

Diese Muskeln müssen **entspannt** und **gedehnt** werden.

M. erector spinae (Rückenstrecker, Wirbelsäulenaufrichter)

Teile des M. erector spinae:
- **M. iliocostalis** (Darmbein-Rippenmuskel)
  - **M. iliocostalis lumborum** (Darmbein-Rippenmuskel - Lendenteil)
  - **M. iliocostalis thoracis** (Darmbein-Rippenmuskel - Brustteil)
  - **M. iliocostalis cervicis** (Darmbein-Rippenmuskel - Halsteil)
- **M. longissimus** (längster Rückenmuskel)
  - **M. longissimus thoracis** (längster Rückenmuskel - Brustteil)
  - **M. longissimus cervicis** (längster Rückenmuskel - Halsteil)
  - **M. longissimus capitis** (längster Rückenmuskel - Kopfteil)
- **M. spinalis** (Dornfortsatzmuskel)

M. iliocostalis (Darmbein-Rippenmuskel)

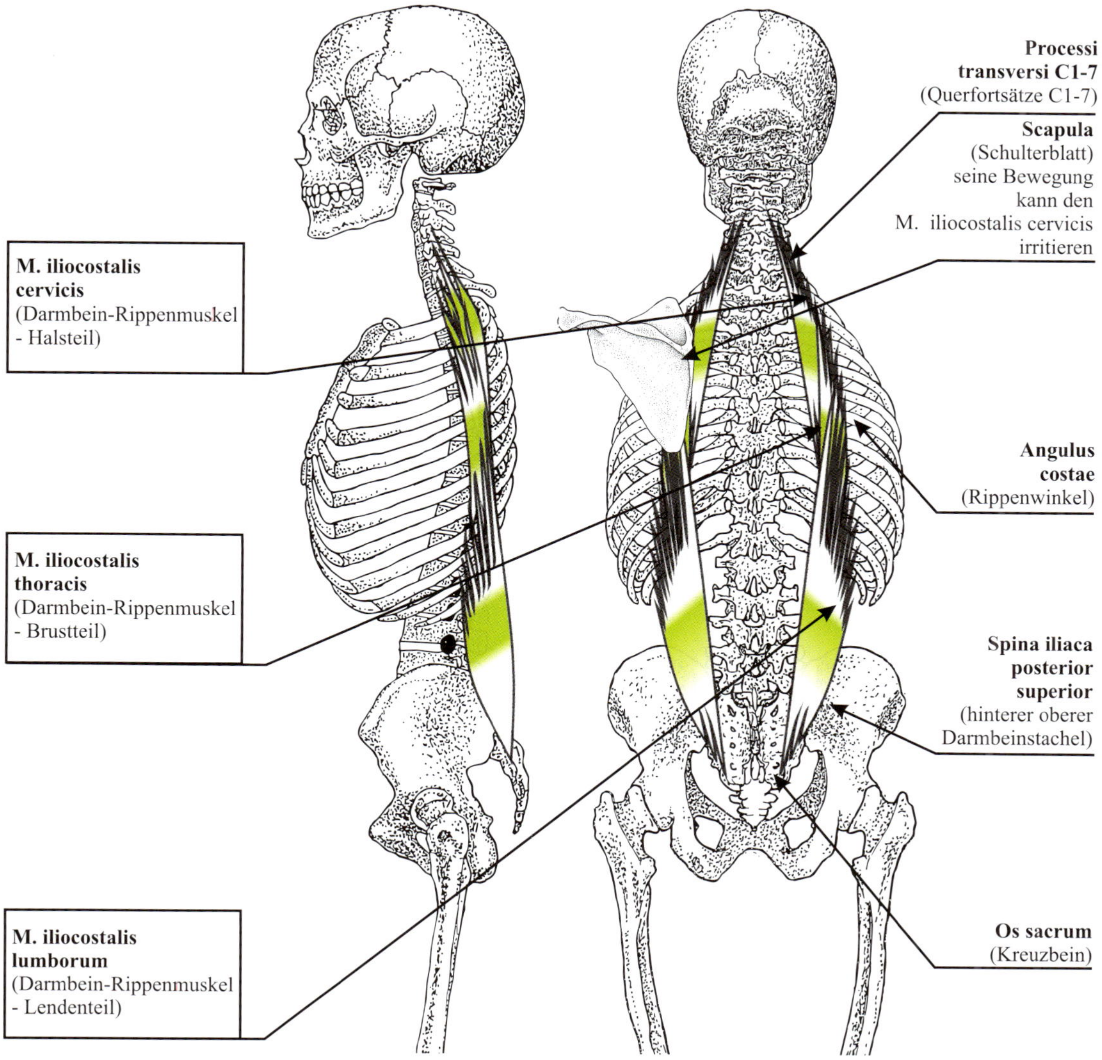

Muskeln mit Tendenz zur **Anspannung** und zur **Verkürzung.**

Diese Muskeln müssen **entspannt** und **gedehnt** werden.

M. iliocostalis (Darmbein-Rippenmuskel)

Funktion des gesamten Muskels:
- Extension - der vorgeneigte Rumpf wieder aufrichten (beidseitige Kontraktion)
- Lateralflexion (Seitwärtsneigung), (einseitige Kontraktion)

Innervation:
- laterale Äste der rr. dorsales der Spinalnerven C8-L1

M. iliocostalis lumborum (Darmbein-Rippenmuskel - Lendenteil)

Ursprung:
- crista iliaca (Darmbeinkamm)
- spina iliaca posterior superior (hinterer oberer Darmbeinstachel)
- os sacrum (Kreuzbein)

Ansatz:
- 6.-12. angulus costae (Rippenwinkel)

M. iliocostalis thoracis (Darmbein-Rippenmuskel - Brustteil)

Ursprung:
- 7.-12. angulus costae (Rippenwinkel)

Ansatz:
- 1.-6. angulus costae (Rippenwinkel)

M. iliocostalis cervicis (Darmbein-Rippenmuskel - Halsteil)

Ursprung:
- 3.-7. angulus costae (Rippenwinkel)

Ansatz:
- processi transversi (Querfortsätze) C4-C6

Vertikale Muskelkette **ES - erector spinae** (Rückenstrecker, Wirbelsäulenaufrichter)

Die ES Muskelkette aktiviert sich während der Ruheposition und stabilisiert sie.

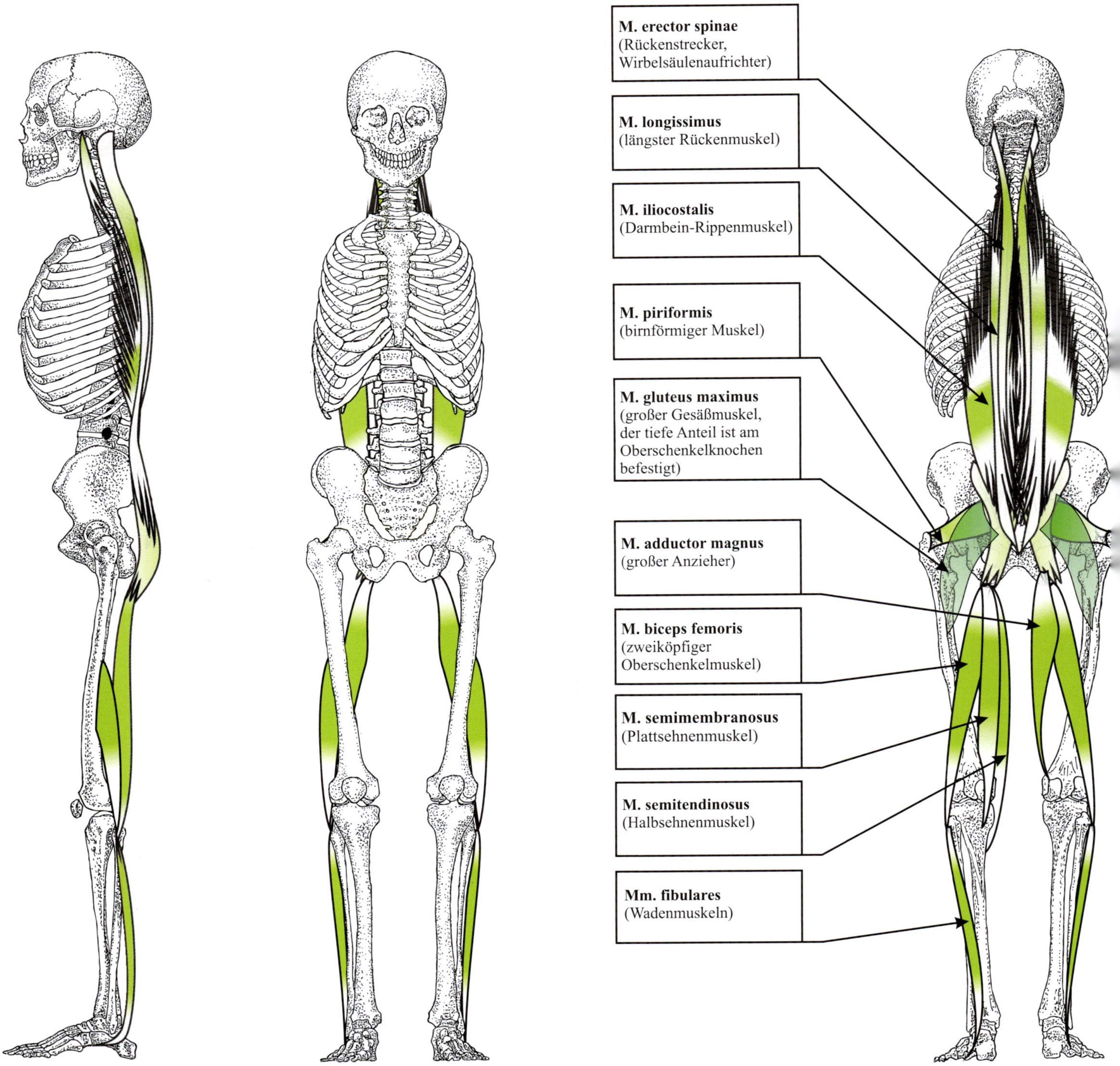

Manuelle Techniken in Seitenlage

M. iliocostalis lumborum (Darmbein-Rippenmuskel, Lendenteil) - Massage, Entspannung, passive Dehnung

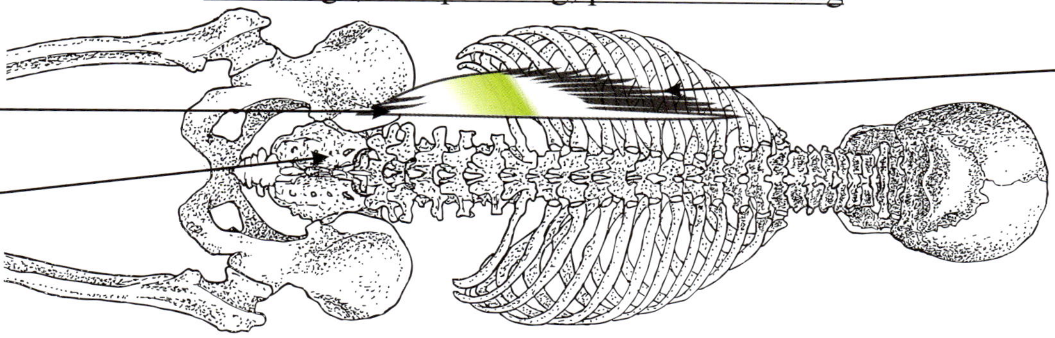

Ausgangsposition

Der Rumpf des Patienten wird durch die Hand, deren Finger die Dornfortsätze der Wirbelknochen überschreiten kranial (in Richtung Kopf) stabilisiert. Der Unterarm bildet die Körperoberfläche nach und der Arm gleicht die Position des Brustkorbs aus.

Das Becken wird von vorn durch den Brustkorb des Therapeuten der sich am Oberschenkel des Patienten abstützt stabilisiert.
Die Achselhöhle des Therapeuten bildet die Oberfläche des Beckens von oben nach und der Unterarm ruht auf dem Kreuzbein.
Die Finger werden ganz sanft auf die Oberfläche des M. iliocostalis lumborum aufgelegt. Wenn der kleine Finger des Therapeuten an den tastbaren Spitzen der Dornfortsätze der Wirbelknochen liegt, findet der Mittelfinger die Anspannung TP - trigger point der Muskelfasern, die in Richtung Schulterblatt verlaufen. Die Finger dürfen nicht gebeugt werden. Der Patient atmet ein.

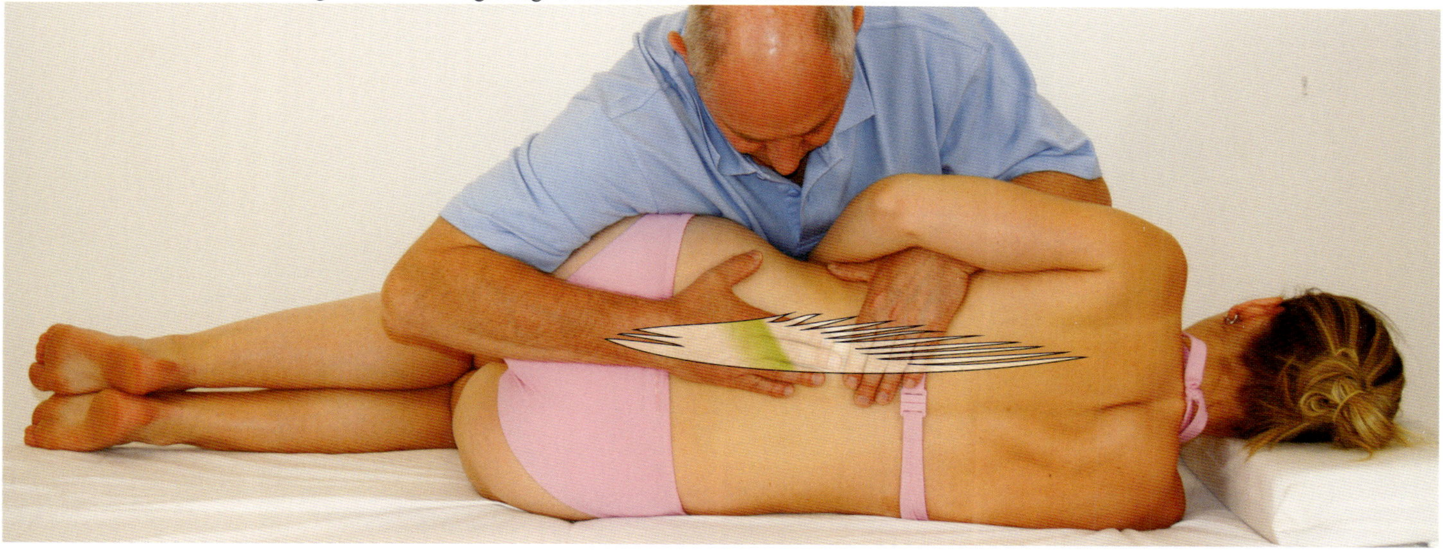

Ausführung

Kranialer Arm (näher dem Kopf) stabilisiert und bleibt an der gleichen Stelle - punctum fixum. Der Therapeut überträgt sein Körpergewicht auf das Becken des Patienten und zieht es gleichmäßig kaudal - punctum mobile. Das Ziehen des Beckens kann er durch das vollständige Strecken seines linken Beins noch verstärken. Das Becken des Patienten darf nicht rotieren und auch nicht nach vorn oder nach hinten kippen.
Der M. ilocostalis lumborum wird durch das kaudale Ziehen (in Richtung Beine) massiert.
Der Patient atmet langsam aus, die Dehnung wird kurz gelockert und 6x hintereinander wiederholt.
Nachdem die Behandlungstechnik beendet worden ist, warten wir jedesmal ca. 3 sec.

PIR - postisometrische Relaxation (Entspannung des Muskels, erfolgt nach seiner vorherigen Aktivierung). Die erreichte Dehnung wird gehalten.
Der Patient atmet ein und der, im Brustkorb entstehende Gegendruck, führt zur Anspannung seiner Muskeln.
Beim folgenden Ausatmen entspannen sich die Muskeln wieder und dies ermöglicht eine weitere Dehnung. Mit Hilfe dieser Technik werden die Bandscheiben gedehnt, die Zwischenwirbelgelenke auseinandergezogen und die Foramina geöffnet. Diese Technik wird 3x wiederholt.

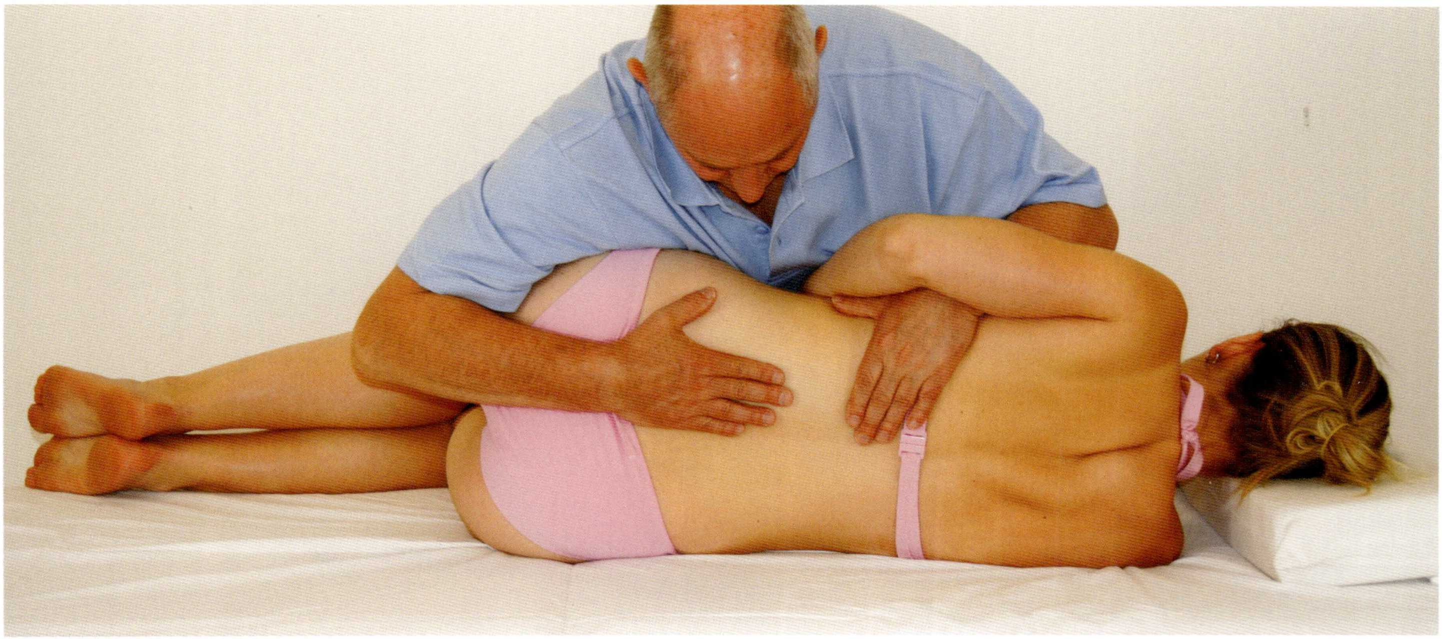

Manuelle Techniken in Seitenlage mit Lagerung im Schlingentisch

M. iliocostalis lumborum (Darmbein-Rippenmuskel - Lendenteil) - Massage, Entspannung, passive Dehnung

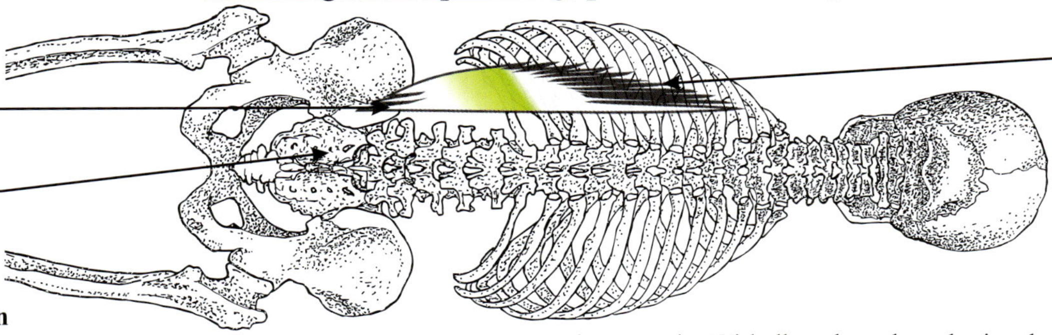

Ausgangsposition

Der Rumpf des Patienten wird durch die Hand, deren Finger die Dornfortsätze der Wirbelknochen überschreiten kranial (in Richtung Kopf) stabilisiert. Der Unterarm bildet die Körperoberfläche nach und der Arm gleicht die Position des Brustkorbs aus.

Das Becken wird von vorn durch den Brustkorb des Therapeuten, der sich am Oberschenkel des Patienten abstützt, stabilisiert. Die Achselhöhle des Therapeuten bildet die Oberfläche des Beckens von oben nach, und der Unterarm ruht auf dem Kreuzbein. Die Finger werden ganz sanft auf die Oberfläche des M. iliocostalis lumborum aufgelegt. Wenn der kleine Finger des Therapeuten an den tastbaren Spitzen der Dornfortsätze der Wirbelknochen liegt, findet der Mittelfinger die Anspannung - TP der Muskelfasern, die in Richtung Schulterblatt verlaufen. Die Finger dürfen nicht gebeugt werden. Der Patient atmet ein.

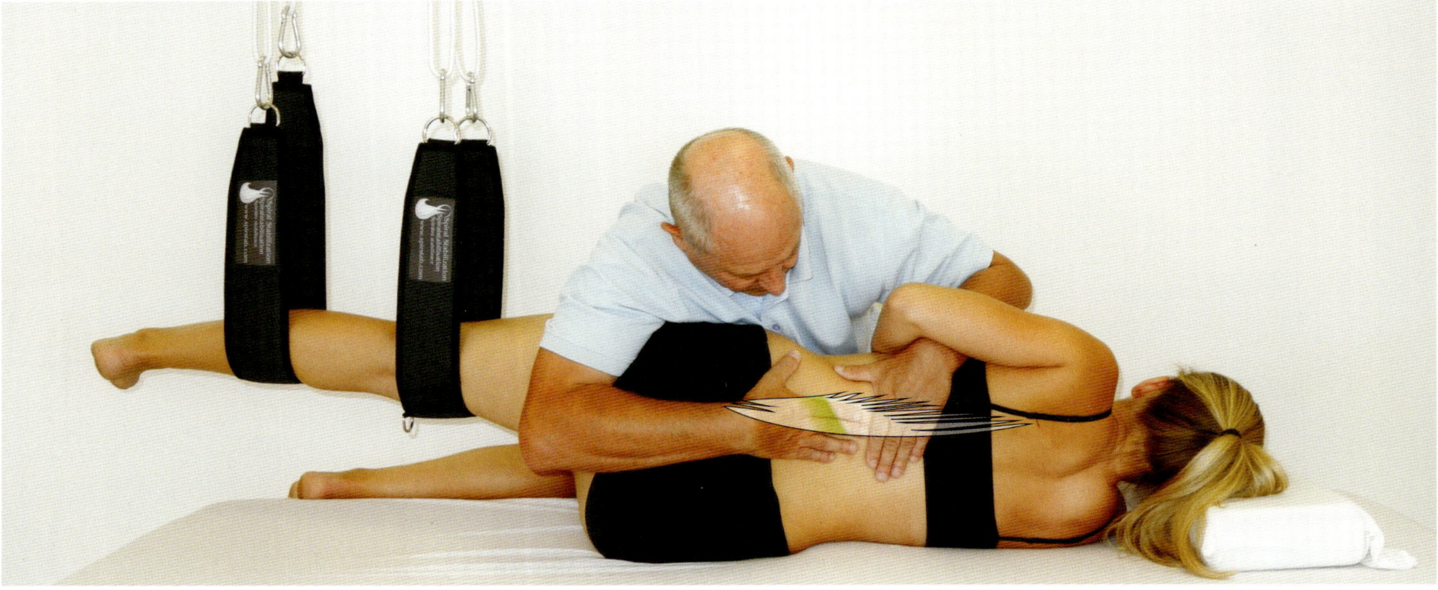

Ausführung

Kranialer Arm (näher dem Kopf) stabilisiert und bleibt an der gleichen Stelle - punctum fixum.
Der Therapeut überträgt sein Körpergewicht auf das Becken des Patienten und zieht es gleichmäßig kaudal - punctum mobile. Das Ziehen des Beckens kann er durch das vollständige Strecken seines linken Beins noch verstärken. Das Becken des Patienten darf nicht rotieren und auch nicht nach vorn oder nach hinten kippen. Der M. ilocostalis lumborum wird durch das kaudale Ziehen (in Richtung Beine) massiert. Die Dehnung wird kurz gelockert und 6x hintereinander wiederholt. Nachdem die Behandlungstechnik beendet worden ist, warten wir jedesmal ca. 3 sec.

PIR. Der Patient atmet ein und der, im Brustkorb entstehende Gegendruck, führt zur Anspannung seiner Muskeln.
Beim folgenden Ausatmen entspannen sich die Muskeln wieder und dies ermöglicht eine weitere Dehnung. Mit Hilfe dieser Technik werden die Bandscheiben gedehnt, die Zwischenwirbelgelenke auseinandergezogen und die Foramina geöffnet. Diese Technik wird 3x wiederholt.

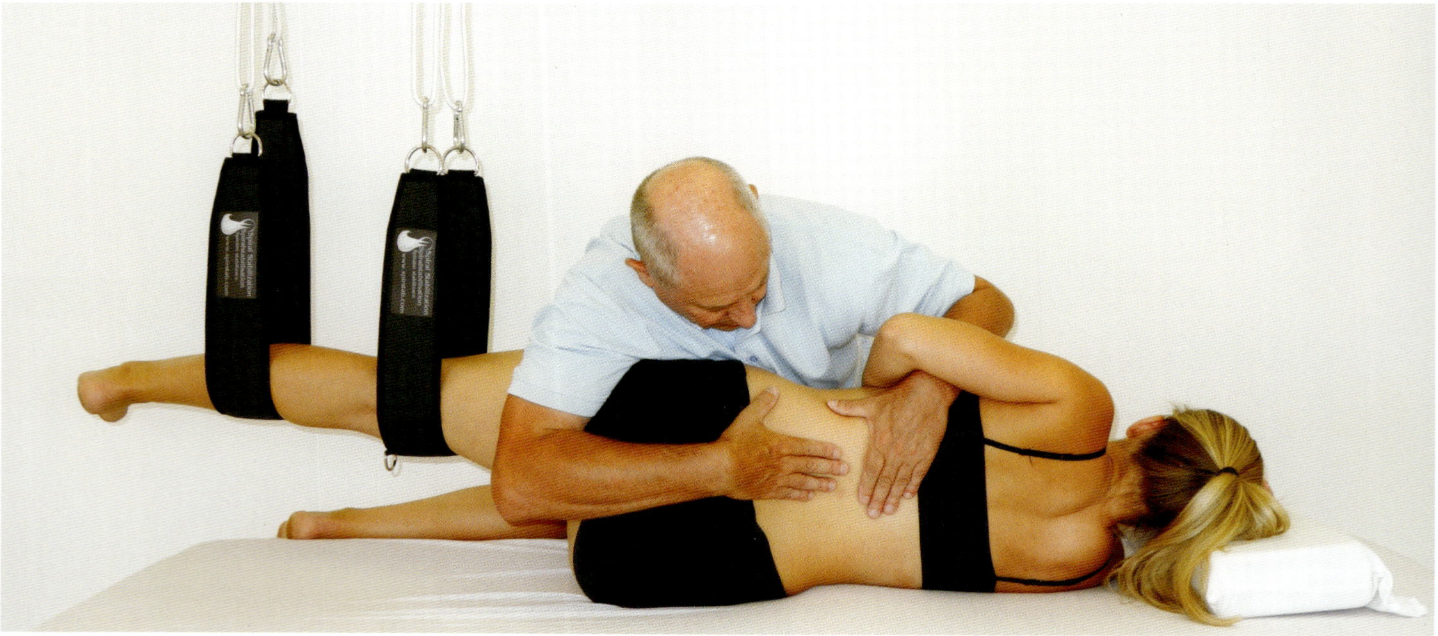

Manuelle Techniken in Seitenlage mit Lagerung im Schlingentisch
M. iliocostalis lumborum (Darmbein-Rippenmuskel - Lendenteil) - Massage, Entspannung, passive Dehnung

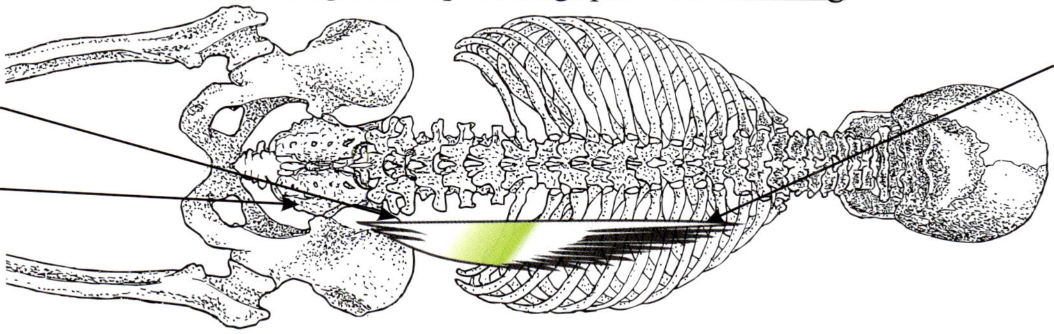

Ausgangsposition

Der Rumpf des Patienten wird durch die Hand, deren Finger die Dornfortsätze der Wirbelknochen kranial (in Richtung Kopf) überschreiten, stabilisiert. Der Unterarm bildet die Körperoberfläche nach und der Arm gleicht die Position des Brustkorbs aus.

Das Becken wird von vorn durch den Brustkorb des Therapeuten, der sich am Oberschenkel des Patienten abstützt, stabilisiert.
Die Achselhöhle des Therapeuten bildet die Oberfläche des Beckens von oben nach, und der Unterarm ruht auf dem Kreuzbein.
Die Finger werden ganz sanft auf die Oberfläche des M. iliocostalis lumborum aufgelegt. Der Mittelfinger findet die Anspannung - TP der Muskelfasern, die in Richtung Schulterblatt verlaufen. Die Finger dürfen nicht gebeugt werden. Der Patient atmet ein.

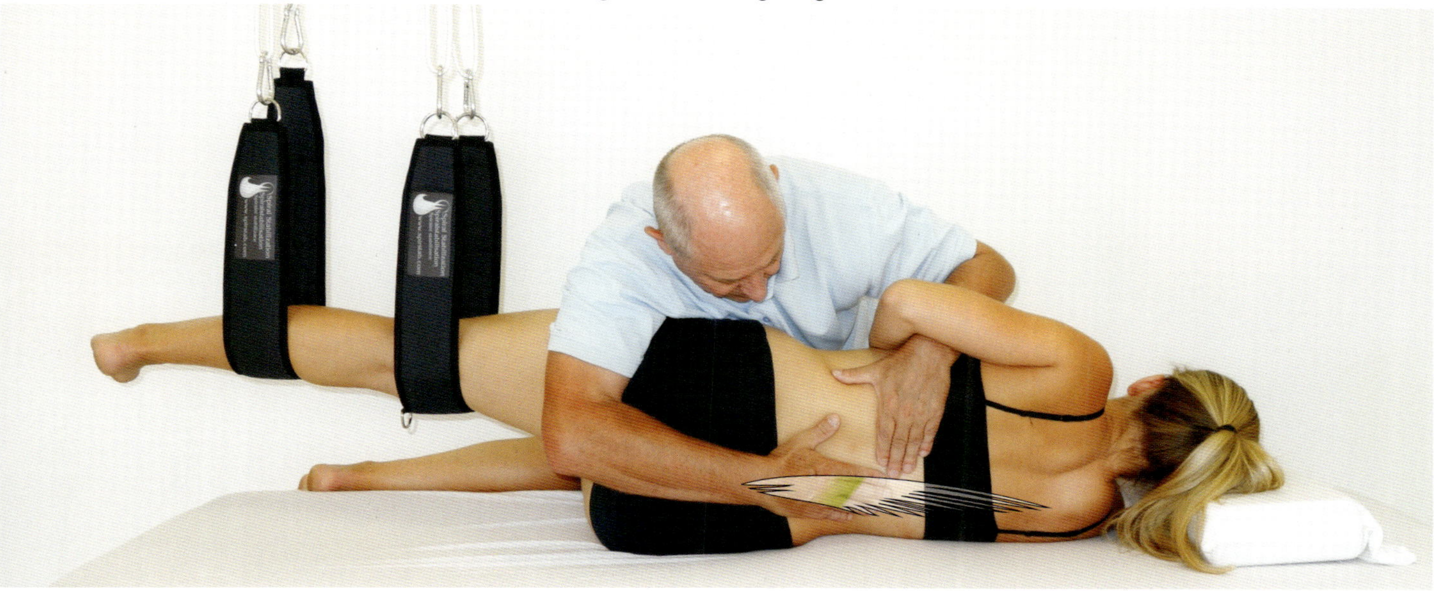

Ausführung

Kranialer Arm (näher dem Kopf) stabilisiert und bleibt an der gleichen Stelle - punctum fixum.
Der Therapeut überträgt sein Körpergewicht auf das Becken des Patienten und zieht es gleichmäßig kaudal - punctum mobile, das Ziehen des Beckens kann er durch das vollständige Strecken seines linken Beins noch verstärken. Das Becken des Patienten darf nicht rotieren und auch nicht nach vorn oder nach hinten kippen. Der M. ilocostalis lumborum wird durch das kaudale Ziehen (in Richtung Beine) massiert.
Der Patient atmet langsam aus, die Dehnung wird kurz gelockert und 6x hintereinander wiederholt. Nachdem die Behandlungstechnik beendet worden ist, warten wir jedesmal ca. 3 sec.

PIR - Die erreichte Dehnung wird gehalten. Der Patient atmet ein und, der im Brustkorb entstehende Gegendruck, führt zur Anspannung seiner Muskeln. Beim folgenden Ausatmen entspannen sich die Muskeln wieder und dies ermöglicht eine weitere Dehnung. Mit Hilfe dieser Technik werden die Bandscheiben gedehnt, die Zwischenwirbelgelenke auseinandergezogen und die Foramina geöffnet. Diese Technik wird 3x wiederholt.

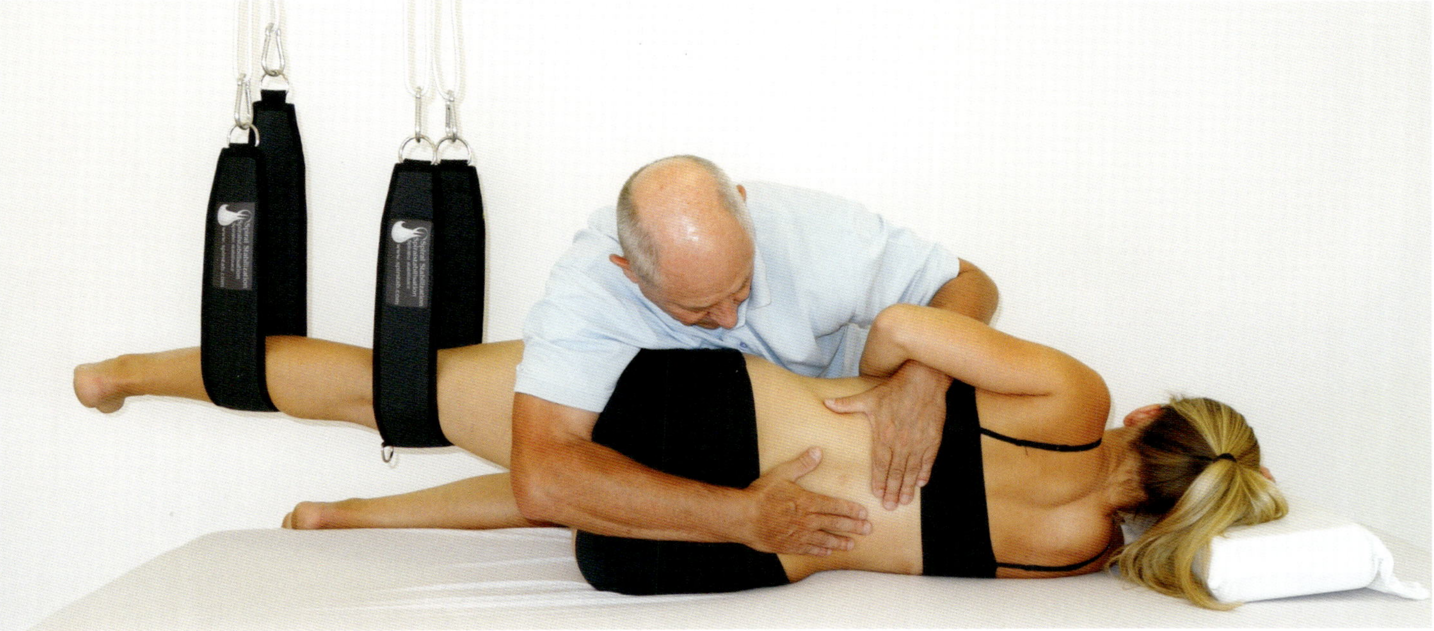

Manuelle Techniken in Seitenlage mit Lagerung im Schlingentisch
M. iliocostalis lumborum (Darmbein-Rippenmuskel - Lendenteil) - Massage, Entspannung, passive Dehnung

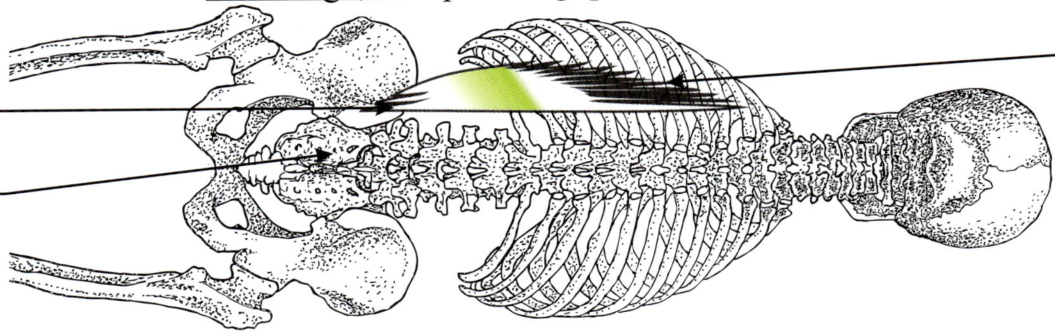

Ausgangsposition

Der Therapeut kniet hinter dem Patienten, sein Knie zeigt in Richtung Kopf und er stabilisiert das Becken des Patienten von hinten mit Hilfe des eigenen Oberschenkels und des Beckens. Der Patient befindet sich in einer Kyphosehaltung (langgezogener nach vorn gerichteten Bogen).

Die linke Handfläche des Therapeuten stabilisiert die unteren Rippen und die Finger stützen das Sternum (Brustbein) ab. Der linke Daumen liegt entlang der 10. Rippe und die rechte Hand fährt dorsal entlang der 10. Rippe in Richtung Wirbelsäule. Der Dornfortsatz des 10. Brustwirbelkörpers ist in der Mitte der Handfläche und der Daumen stützt die Rippe ab. Der Patient atmet ein.

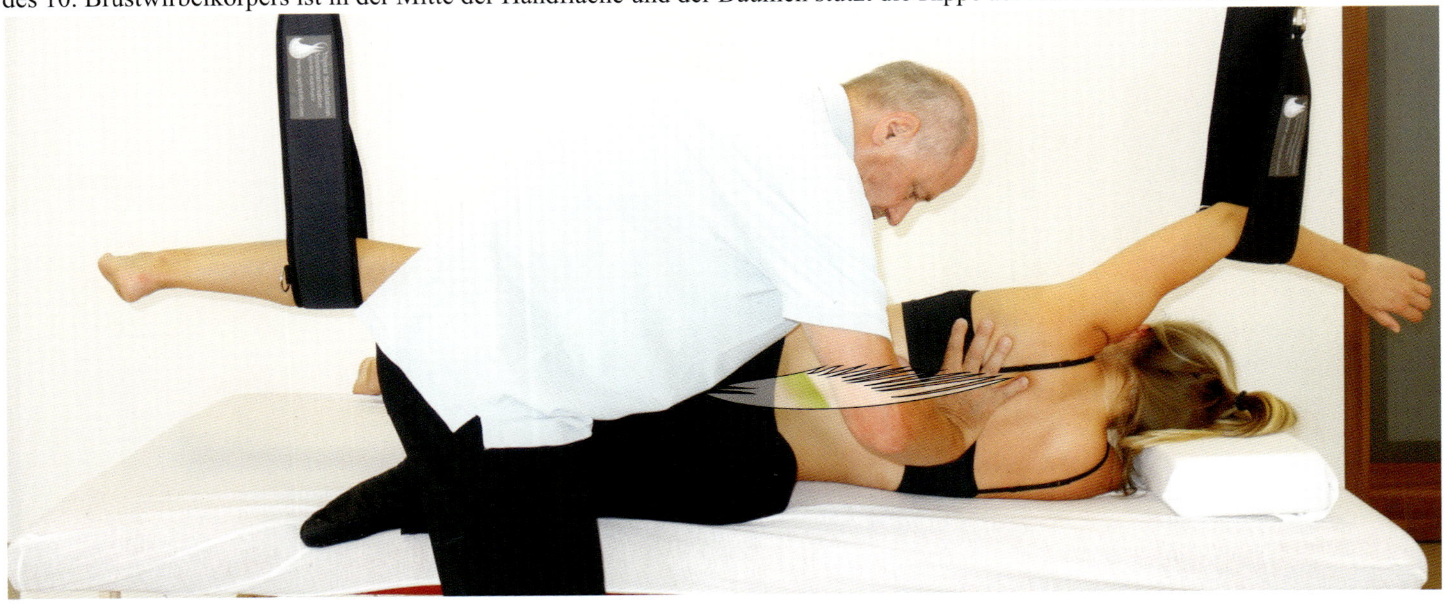

Ausführung

Die beiden Arme und auch der Rumpf des Therapeuten führen die 10. Rippe des Patienten erstmal dorsal (zum Rücken hin und dann kranial (in Richtung Kopf). Der Patient atmet langsam aus. Die Dehnung wird kurz gelockert und 6x hintereinander wiederholt. Nachdem die Behandlungstechnik beendet worden ist warten wir jedesmal ca. 3 sec.

PIR. Die erreichte Dehnung wird gehalten. Der Patient atmet ein und, der im Brustkorb entstehende Gegendruck, führt zur Anspannung seiner Muskeln. Beim folgenden Ausatmen entspannen sich die Muskeln wieder und dies ermöglicht eine weitere Dehnung. Mit Hilfe dieser Technik wird der M. iliocostalis gedehnt und die Rippen werden mobilisiert. Diese Technik wiederholen wir an allen Rippen.

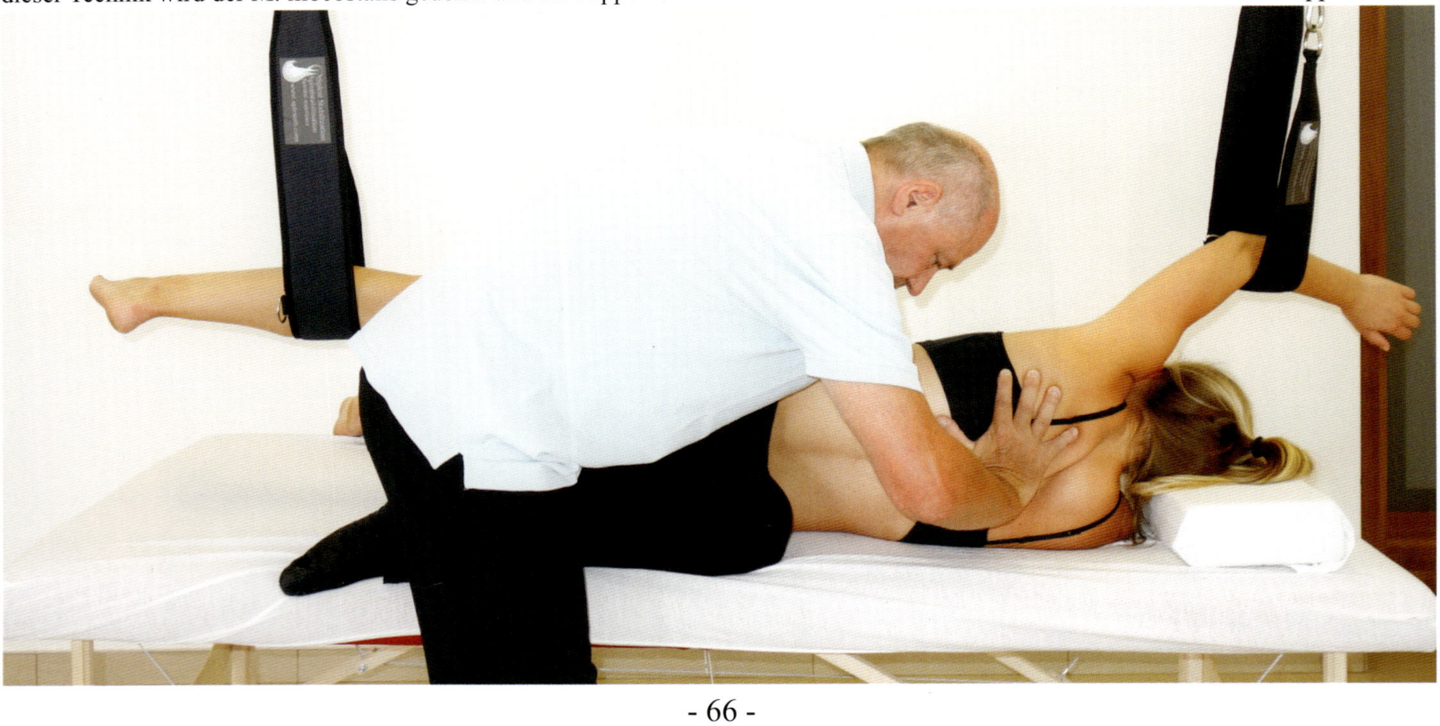

M. longissimus thoracis (längster Rückenmuskel - Brustteil)

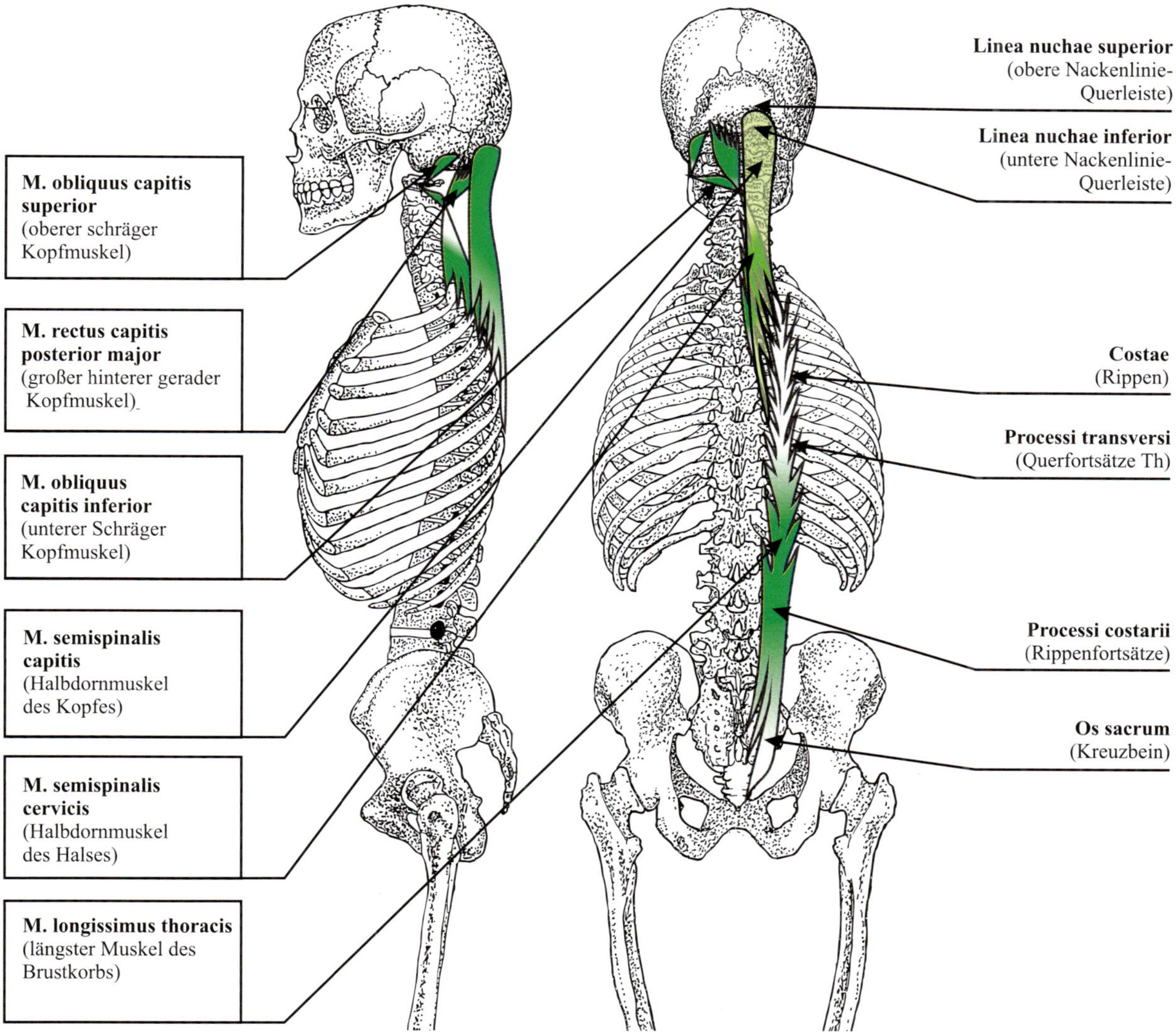

Muskeln mit Tendenz zur **Anspannung** und zur **Verkürzung**. Diese Muskel müssen **entspannt** und **gedehnt** werden.

M. longissimus (längster Rückenmuskel)
M. longissimus thoracis (längster Rückenmuskel des Bruskorbs), der Muskel liegt in der tiefen Schicht bei der Wirbelsäule

Ursprung:
- os sacrum (Kreuzbein)
- processi spinosi L1-5 (Dornfortsätze)
- processi transversi Th6-12 (Querfortsätze)

Ansatz:
- laterale Zipfel - 2.-12. Rippe nahe der Wirbelsäule
- mediale Zipfel - processi transversi (Querfortsätze) Th2-12

Funktion:
- Extension des Rumpfs der vorgeneigte Rumpf wieder aufrichten (beidseitige Kontraktion)
- lateral Flexion (Seitwärtsneigung), (einseitige Kontraktion)

Manuelle Techniken in Seitenlage mit Lagerung im Schlingentisch
M. longissimus thoracis (längster Rückenmuskel, Brustteil) - Massage, Entspannung, passive Dehnung

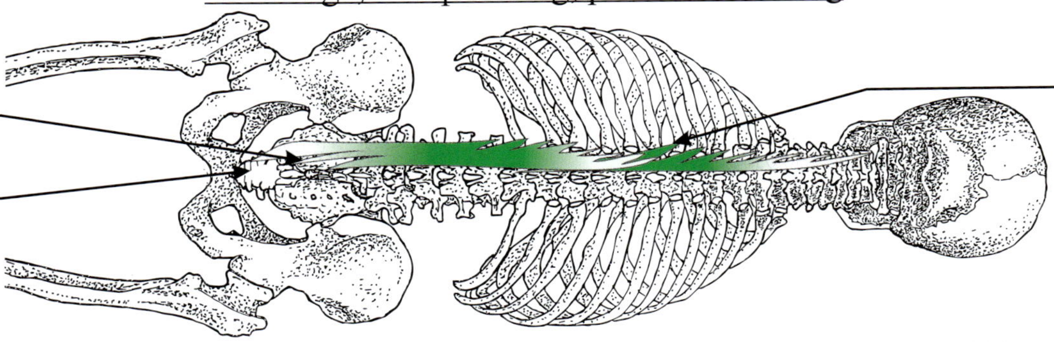

Ausgangsposition

Der Rumpf des Patienten wird mit der Hand deren Finger die Dornfortsätze der Wirbelkörper überschreiten kranial stabilisiert. Der Unterarm bildet die Körperoberfläche nach und der Arm gleicht die Position des Brustkorbs aus.

Das Becken wird von vorn durch den Brustkorb des Therapeuten, der sich am Oberschenkel des Patienten abstützt, stabilisiert. Die Achselhöhle des Therapeuten bildet die Oberfläche des Beckens von oben nach, und der Unterarm liegt auf dem Kreuzbein. Die Finger werden ganz sanft auf die Oberfläche des M. longissimus thoracis und beidseitig der processi spinosi aufgelegt, dürfen aber keinen Druck auf die Dornfortsätze ausüben und dürfen nicht gebeugt werden. Der Patient atmet ein.

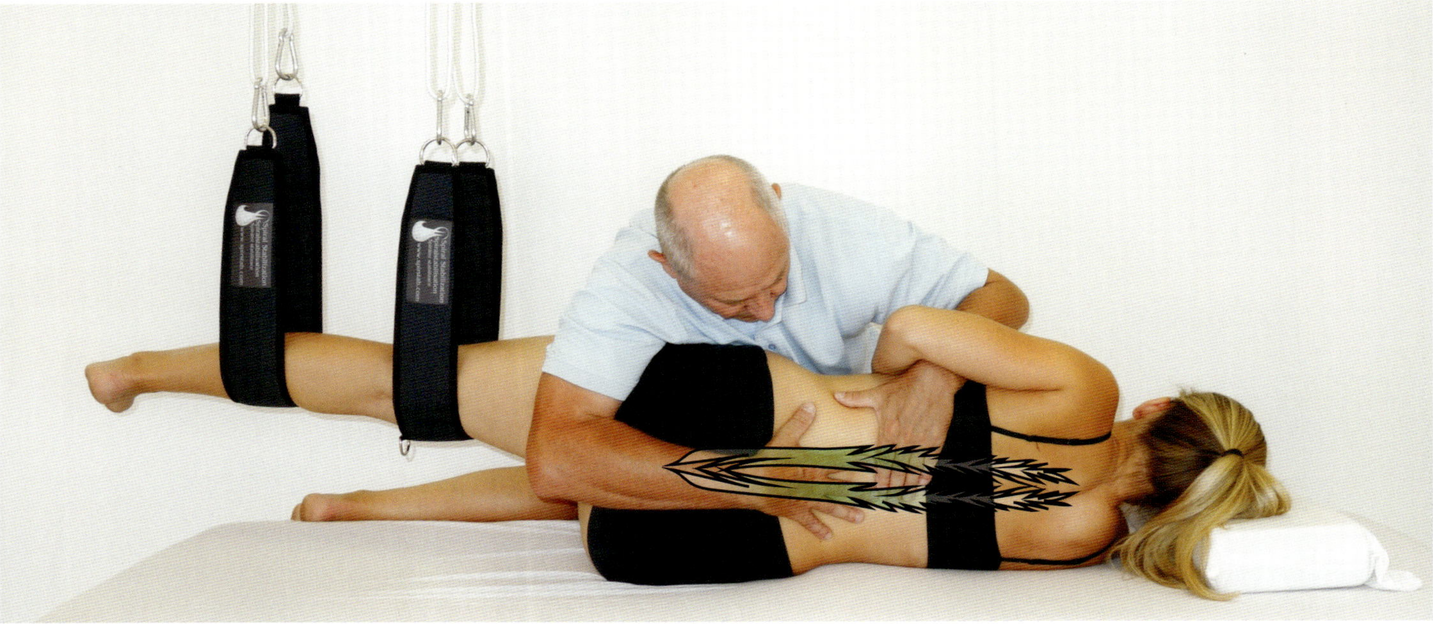

Ausführung

Kranialer (oberer) Arm des Therapeuten stabilisiert die Rippen und die Dornfortsätze, der Brustkorb des Patienten bleibt unbewegt an der gleichen Stelle - punctum fixum. Der Therapeut überträgt sein Körpergewicht auf das Becken des Patienten und zieht es gleichmäßig kaudal - punctum mobile, das Ziehen des Beckens kann er durch das vollständige Strecken seines linken Beins noch verstärken. Das Becken des Patienten darf nicht rotieren und auch nicht nach vorn oder nach hinten kippen. Der M. longissimus thoracis wird durch das kaudale Ziehen (in Richtung Beine) massiert. Der Patient atmet langsam aus, die Dehnung wird kurz gelockert und 6x hintereinander wiederholt. Nachdem die Behandlungstechnik beendet worden ist, warten wir jedesmal ca. 3 sec.

PIR. Die erreichte Dehnung wird gehalten. Der Patient atmet ein und, der im Brustkorb entstehende Gegendruck, führt zur Anspannung seiner Muskeln. Beim folgenden Ausatmen entspannen sich die Muskeln wieder und dies ermöglicht eine weitere Dehnung. Mit Hilfe dieser Technik werden die Bandscheiben gedehnt, die Zwischenwirbelgelenke auseinandergezogen und die Foramina geöffnet. Diese Technik wird 3x wiederholt.

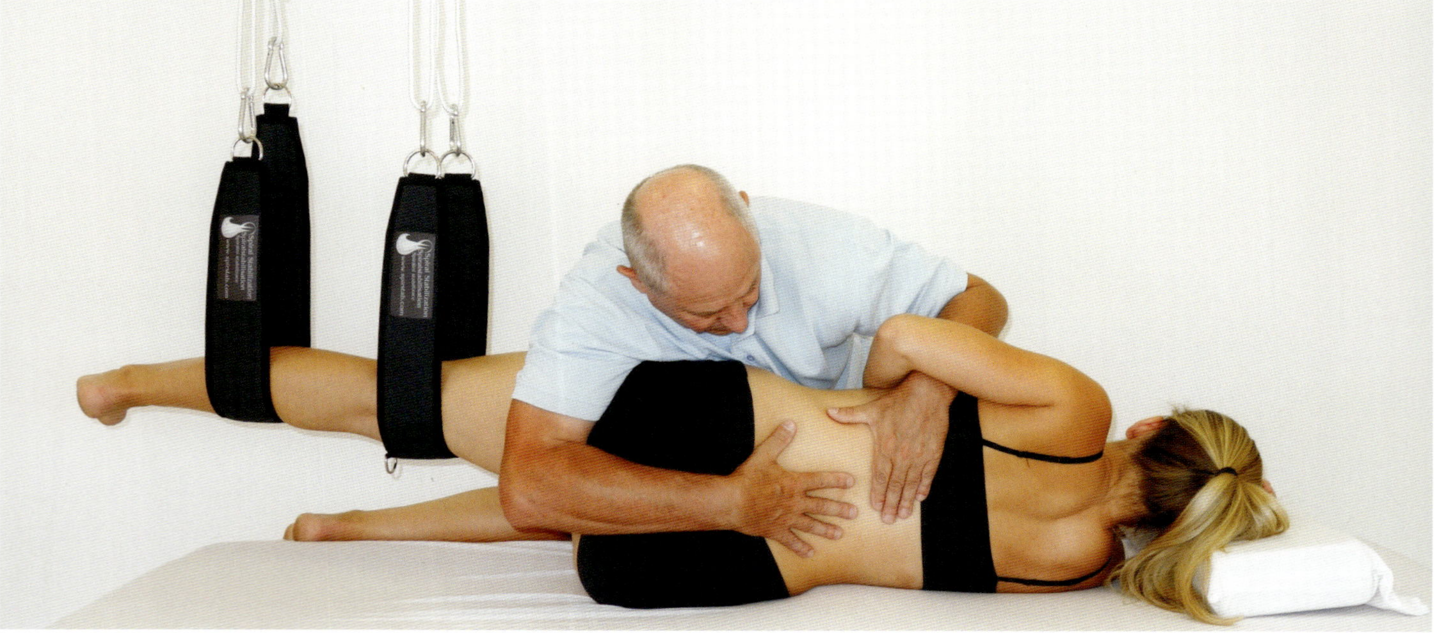

M. quadratus lumborum (viereckiger Lendenmuskel), **M. iliacus** (Darmbeinmuskel)

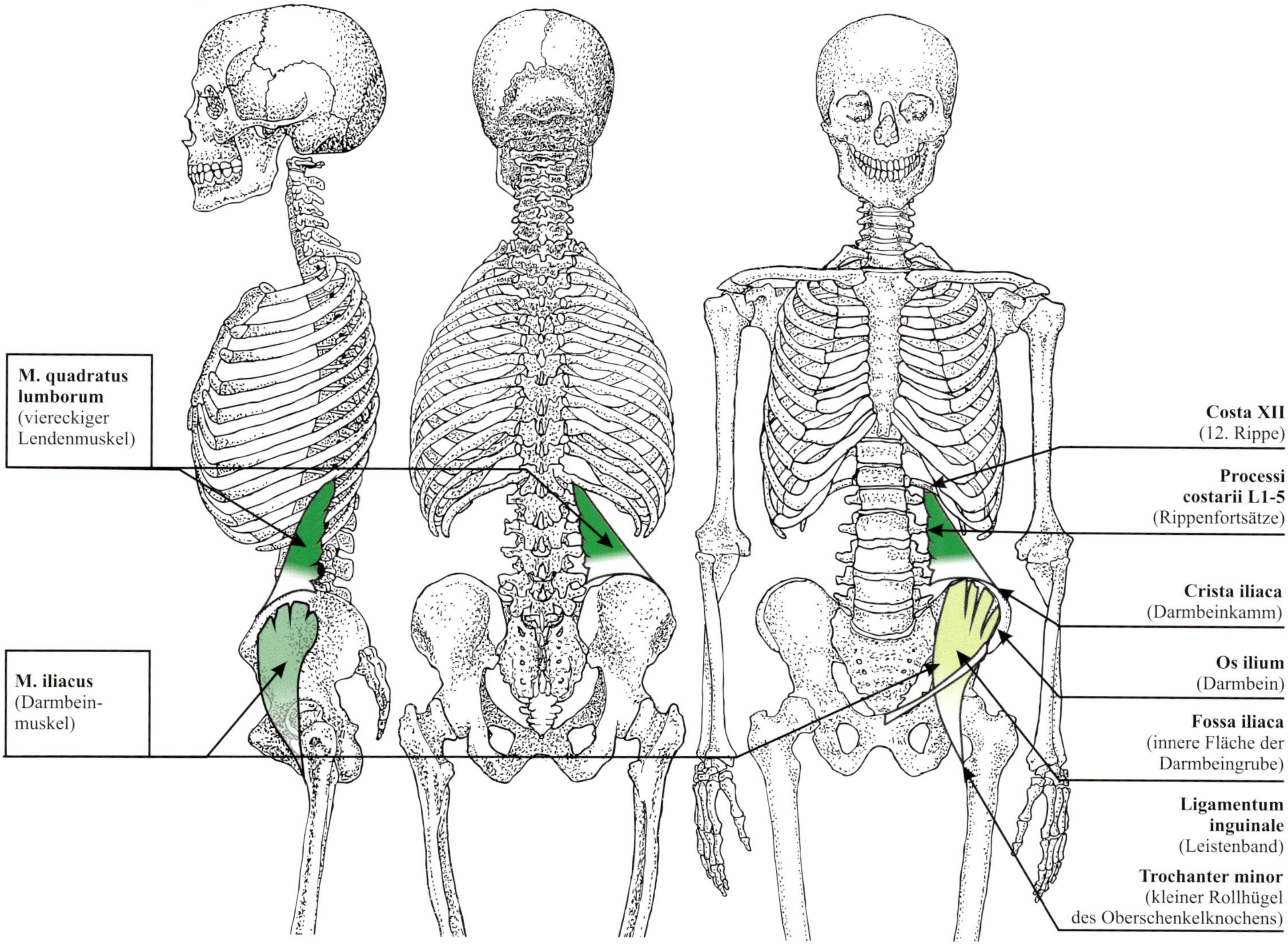

M. quadratus lumborum
(viereckiger Lendenmuskel)
Ursprung:
- crista iliaca, labium int.
- lig. iliolumbale

Ansatz:
- costa XII. (12. Rippe)
- processi costarii L1-5

Funktion: - Lendenwirbelsäule:
- beidseitige Aktivität
- Extension (Streckung) der Lendenwirbelsäule
- fixiert 12. Rippe beim Einatmen
- bildet LWS - Lordose
- einseitige Aktivität
- Lateralflexion (Seitwärtsneigung) der Lendenwirbelsäule

Innervation:
- n. subcostalis - n. intercostalis XII
- plexus lumbalis

M. iliacus (Darmbeinmuskel)
Ursprung:
- fossa iliaca

Ansatz:
- trochanter minor

Funktion:
- Hüftgelenk
- Flexion (Beugung) des Hüftgelenks
- äußere Rotation des Oberschenkels
- Wirbelsäule
- Ventralflexion (Beugung nach vorn)
- mühsame Aufrichtung kann eine Hyperlordose verursachen
- Aufrichtung des Rumpfs aus der Rückenlage

Innervation:
- n. femoralis (L2-4)
- gerade Äste plexus lumbalis (Lendennervengeflecht)

Muskeln mit Tendenz zur **Anspannung** und zur Verkürzung. Diese Muskel müssen **entspannt** und **gedehnt** werden.

Entspannung 

Dehnung 

Kräftigung 

Stabilisation 

Muskelketten

vertikale Muskelkette **QL - quadratus lumborum** (viereckiger Lendenmuskel)

Muskelkette QL wird während der Ruheposition aktiviert.

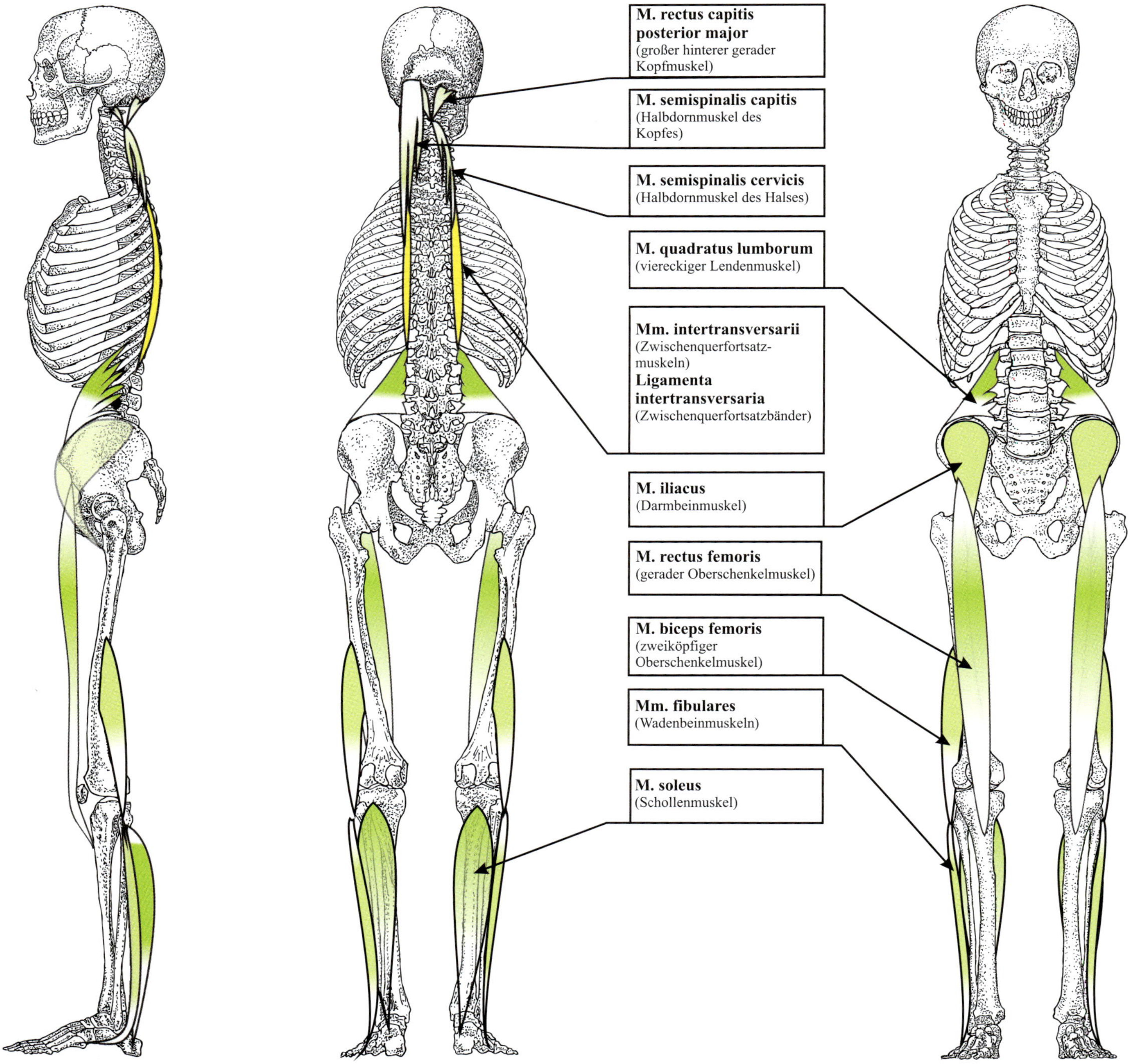

Manuelle Techniken in Seitenlage

M. quadratus lumborum (viereckiger Lendenmuskel) - Massage, Entspannung, passive Dehnung

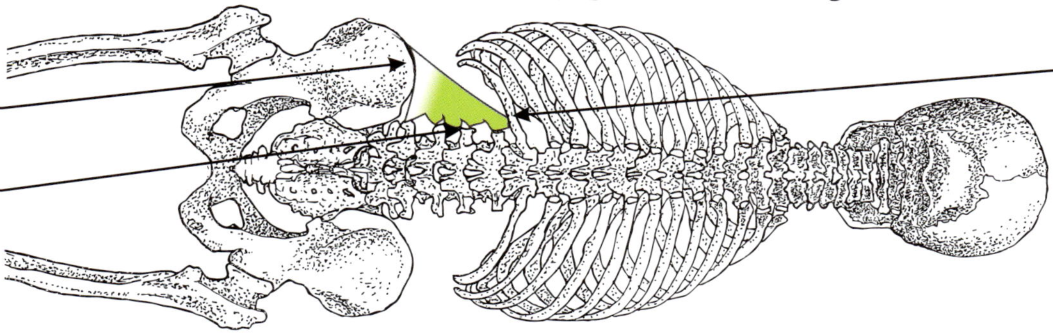

Ausgangsposition

Kaudale Stabilisation. Das Becken wird von vorn durch den Brustkorb des Therapeuten, der sich am Oberschenkel des Patienten abstützt, stabilisiert. Die Achselhöhle des Therapeuten bildet die Oberfläche des Beckens von oben nach, und der Unterarm des rechten Arms ruht auf dem Kreuzbein. Die Finger werden ganz sanft auf die Oberfläche des M. iliocostalis aufgelegt und dürfen nicht gebeugt werden. Der Patient atmet ein.

Die linke Hand wird von vorn mit gestrecktem Daumen unter die crista iliaca geführt, haftet mit ganzem Tenar an der Körperoberfläche und bewegt sich langsam kranial und medial bis sie mit der Handfläche die Rippen erreicht hat.

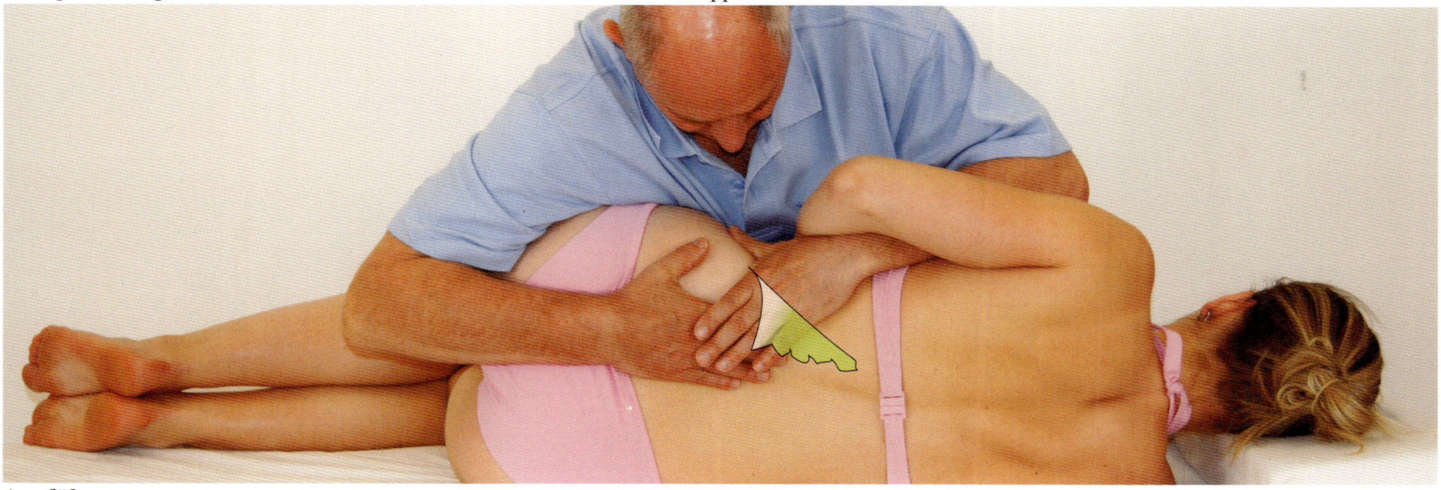

Ausführung

Kranialer (oberer) Arm stabilisiert der Rumpf des Patienten, bleibt immer an der gleichen Stelle und stützt sich an den Rippen ab - punctum fixum. Der Therapeut überträgt sein Körpergewicht auf das Becken des Patienten und zieht es gleichmäßig kaudal - punctum mobile.
Das Ziehen des Beckens kann er durch das vollständige Strecken seines linken Beins noch verstärken.
Das Becken des Patienten darf nicht rotieren und auch nicht nach vorn oder nach hinten kippen. Der linke Daumen liegt am M. quadratus lumborum, der durch die kaudale Bewegung massiert wird. Der Daumen darf nicht gebeugt werden. Der Patient atmet langsam aus, die Dehnung wird kurz gelockert und 6x hintereinander wiederholt. Nachdem die Behandlungstechnik beendet worden ist, warten wir jedesmal ca. 3 sec.

PIR - Die erreichte Dehnung wird gehalten. Der Patient atmet ein und, der im Brustkorb entstehende Gegendruck, führt zur Anspannung seiner Muskeln. Beim folgenden Ausatmen entspannen sich die Muskeln wieder und dies ermöglicht eine weitere Dehnung. Mit Hilfe dieser Technik werden die Bandscheiben gedehnt, die Zwischenwirbelgelenke auseinandergezogen und die Foramina geöffnet. Diese Technik wird 3x wiederholt.

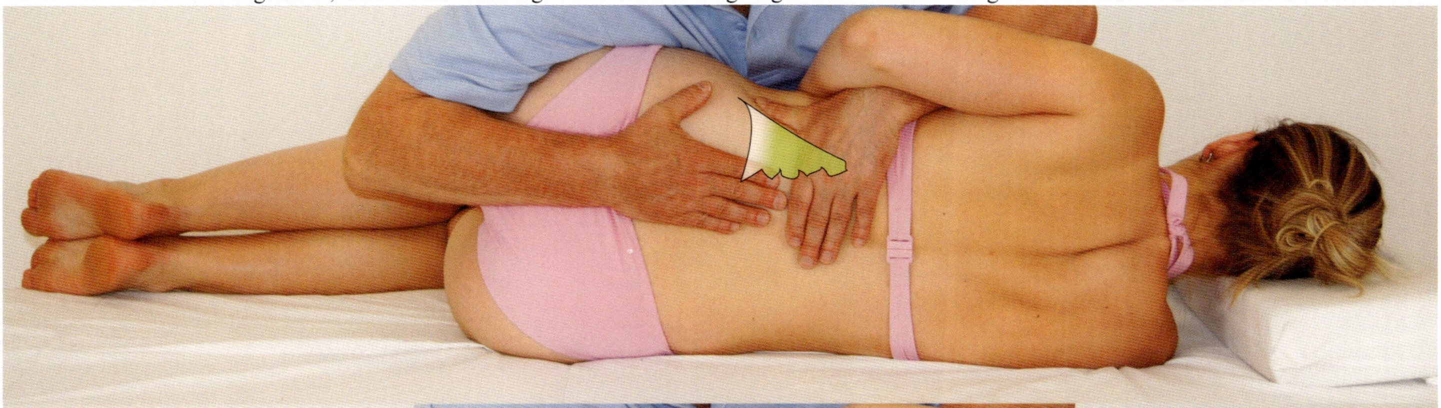

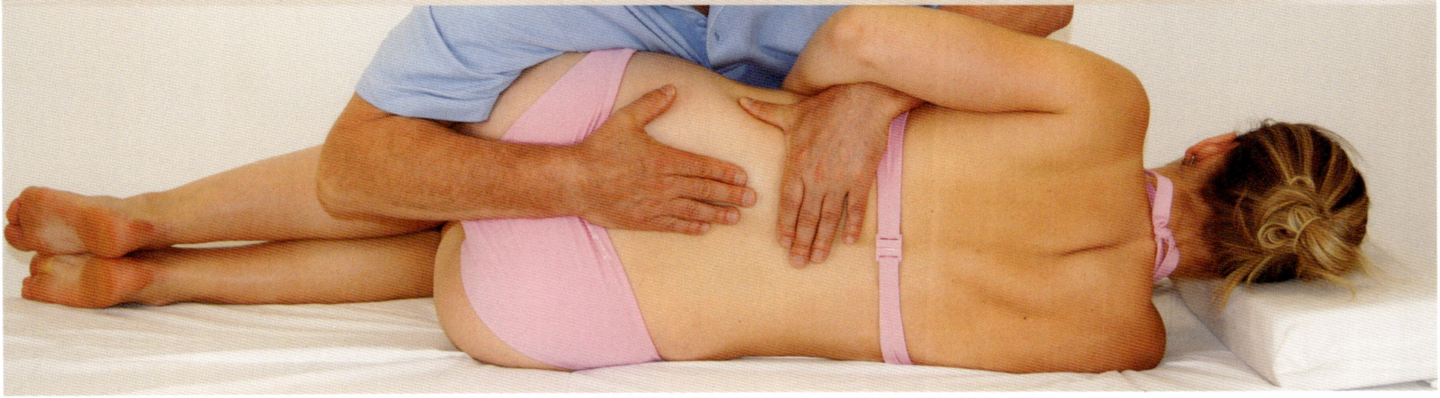

M. quadratus lumborum (viereckiger Lendenmuskel)
- Massage, Entspannung, passive Dehnung

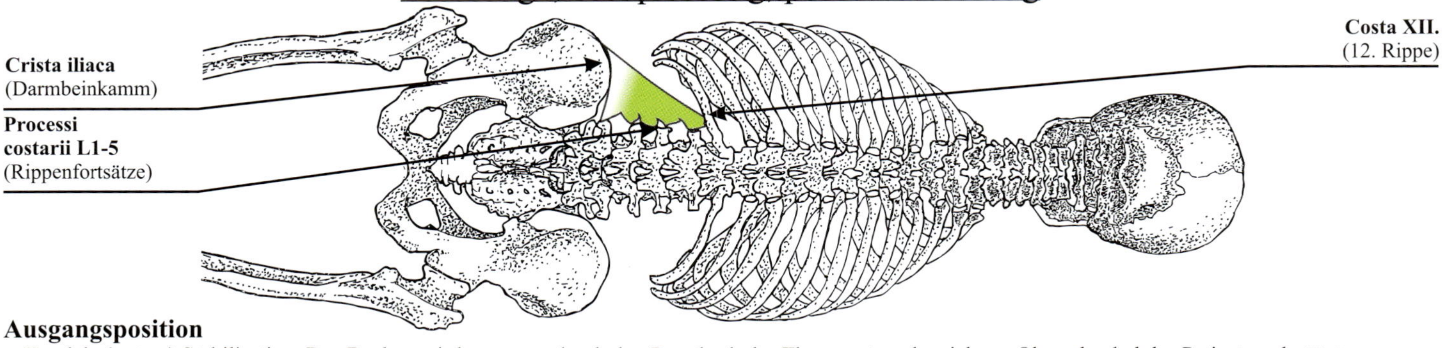

Ausgangsposition

Kaudale (untere) Stabilisation. Das Becken wird von vorn durch den Brustkorb des Therapeuten, der sich am Oberschenkel des Patienten abstützt, stabilisiert. Die Achselhöhle des Therapeuten passt sich der Oberfläche des Beckens an und der Unterarm des rechten Arms liegt auf dem Kreuzbein. Die Finger werden ganz sanft auf die Oberfläche des M. iliocostalis aufgelegt und dürfen nicht gebeugt werden. Der Patient atmet ein.

Die linke Hand wird von vorn mit gestrecktem Daumen unter die crista iliaca geführt, haftet mit ganzem Thenar an der Körperoberfläche und bewegt sich langsam kranial und medial bis sie mit der Handfläche die Rippen erreicht hat. Die linke Hand wird von vorn mit gestrecktem Daumen unter die crista iliaca geführt, haftet mit ganzem Thenar an der Körperoberfläche und bewegt sich langsam kranial und medial bis sie mir der Handfläche die Rippen erreicht hat.

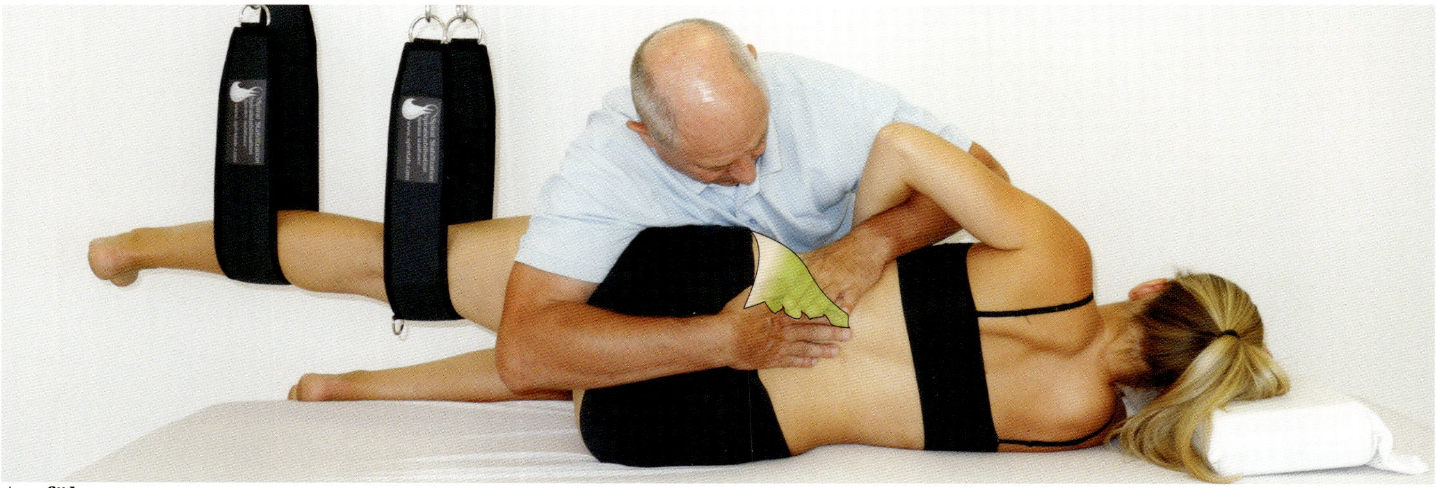

Ausführung

Kranialer (oberer) linker Arm des Therapeuten stabilisiert den Rumpf des Patienten, bleibt immer an der gleichen Stelle und stützt sich an den Rippen ab - punctum fixum. Der Therapeut überträgt sein Körpergewicht auf das Becken des Patienten und zieht es gleichmäßig kaudal - punctum mobile. Das Ziehen des Beckens kann er durch das vollständige Strecken seines linken Beins noch verstärken. Das Becken des Patienten darf nicht rotieren und auch nicht nach vorn oder nach hinten kippen. Der linke Daumen liegt am M. quadratus lumborum, der durch die kaudale Bewegung massiert wird. Der Daumen darf nicht gebeugt werden. Die Dehnung wird kurz gelockert und 6x hintereinander wiederholt.
Nachdem die Behandlungstechnik beendet worden ist warten wir jedesmal ca. 3 sec.

PIR. Die erreichte Dehnung wird gehalten. Der Patient atmet ein und, der im Brustkorb entstehende Gegendruck, führt zur Anspannung seiner Muskeln. Beim folgenden Ausatmen entspannen sich die Muskeln wieder und dies ermöglicht eine weitere Dehnung. Mit Hilfe dieser Technik werden die Bandscheiben gedehnt, die Zwischenwirbelgelenke auseinandergezogen und die Foramina geöffnet. Diese Technik wird 3x wiederholt.

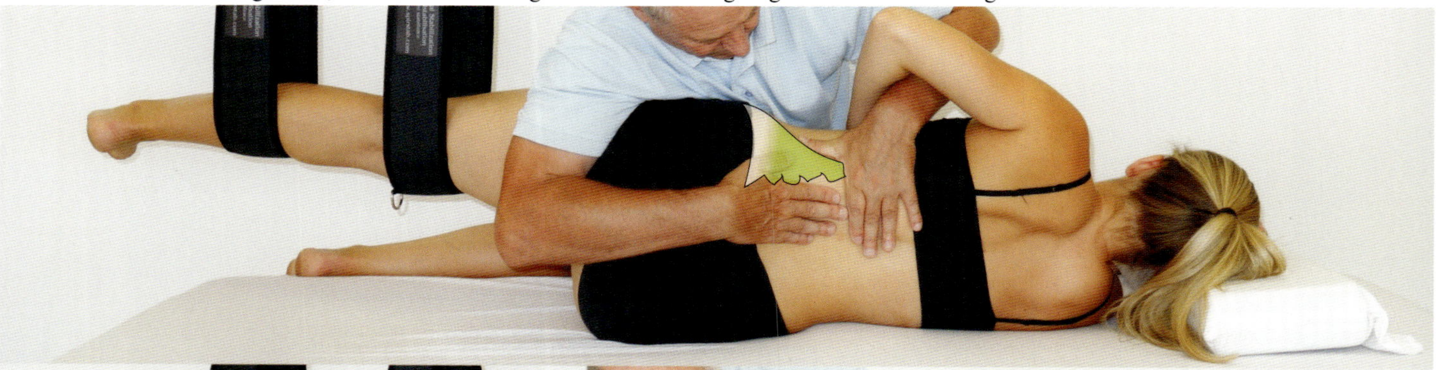

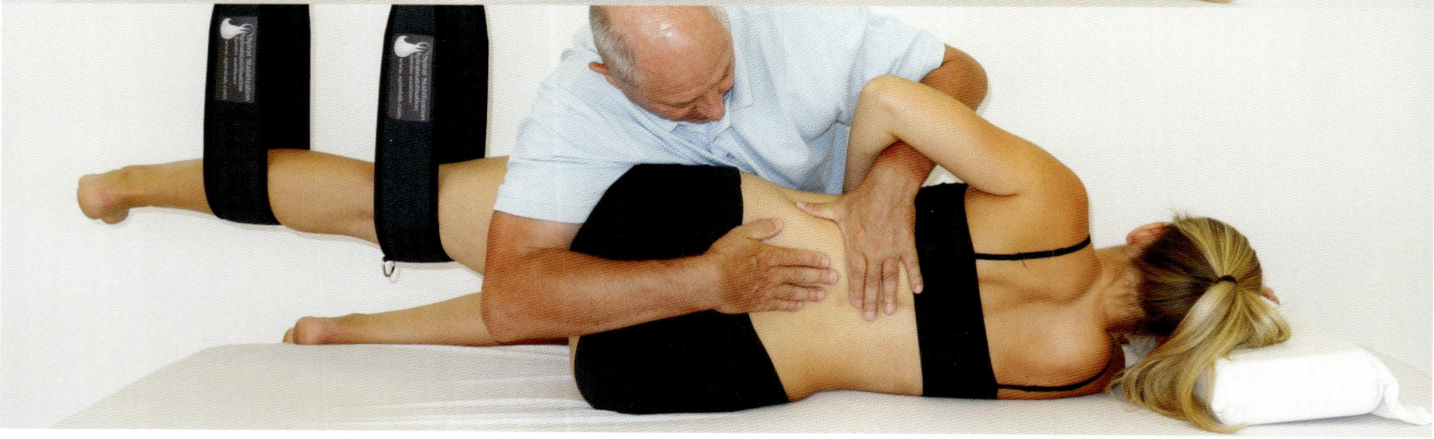

M. longissimus capitis, cervicis (längster Rückenmuskel - Kopf- und Halsteil), M. multifidus (vielgeteilter Muskel)

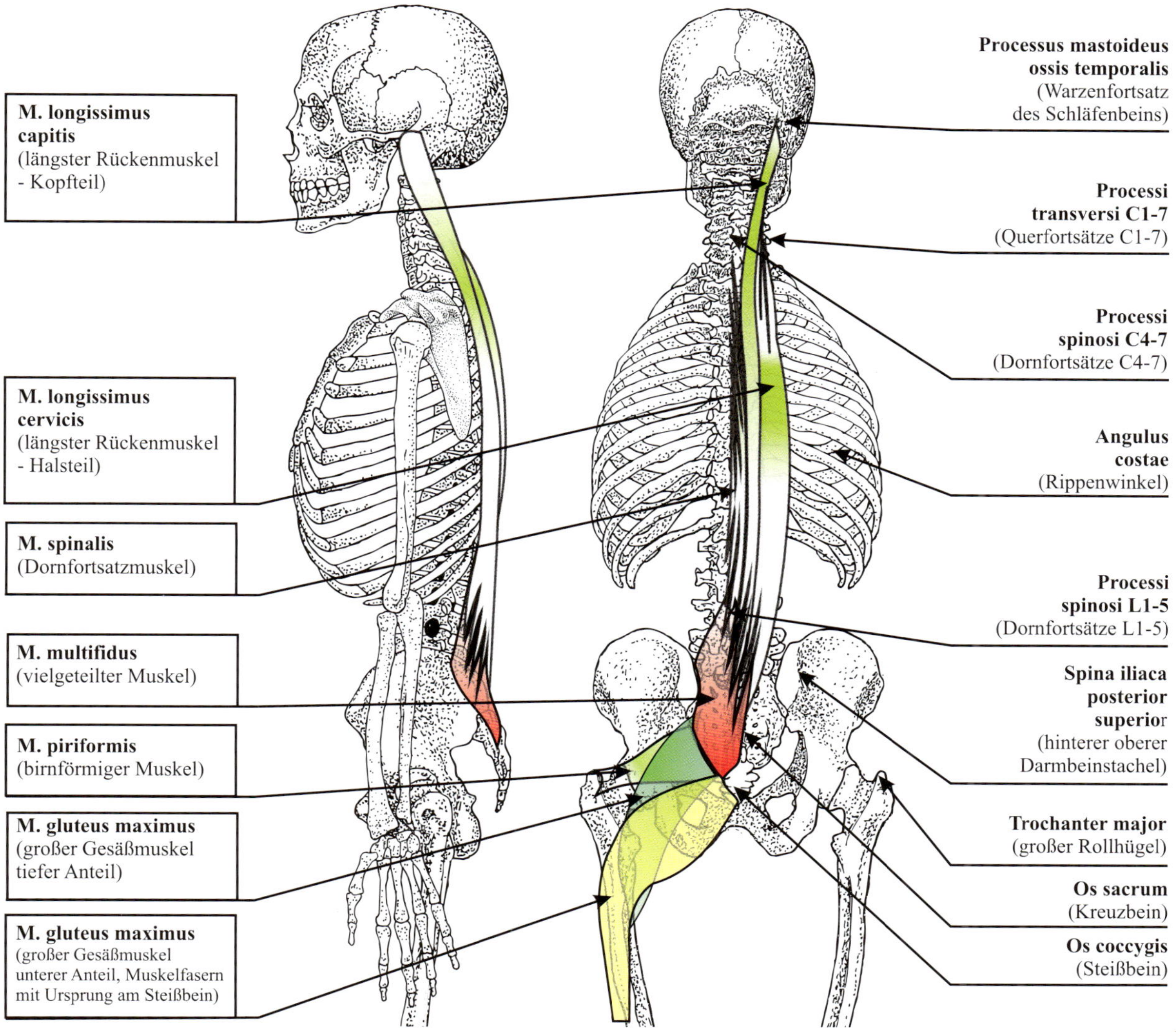

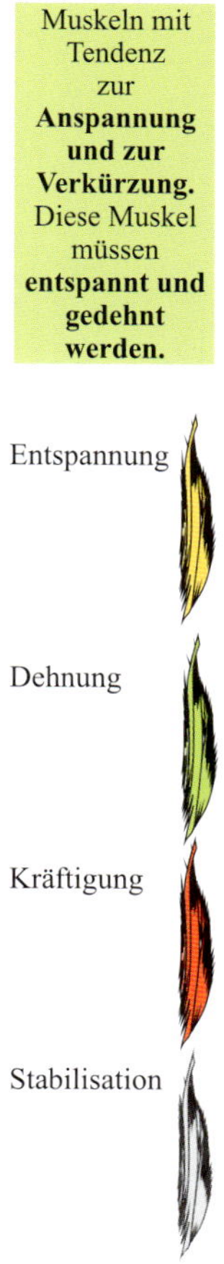

M. longissimus (längster Rückenmuskel)
M. longissimus cervicis
(längster Rückenmuskel - Halsteil)
Ursprung:
- os sacrum (Kreuzbein)
- processi spinosi L4, 5 (Dornfortsätze)
Ansatz:
- processi transversi C2-5 (Querfortsätze)

M. longissimus capitis
(längster Rückenmuskel - Kopfteil)
Ursprung:
- processi spinosi L1-3
Ansatz:
- processus mastoideus (Warzenfortsatz)
Funktion:
- Extension des Kopfes (Aufrichtung und Rückbeuge), (beidseitige Kontraktion)
- Rotation (einseitige Kontraktion)
- Vorbeuge zu gleichen Seiten (einseitige Kontraktion)
Innervation:
- laterale Äste der rr. dorsales der Spinalnerven C1-L5

M. spinalis (Dornfortsatzmuskel)
Ursprung:
- processi spinosi L1-5 (Dornfortsätze)
Ansatz:
- processi spinosi Th2-5, C4-7 (Dornfortsätze)
Funktion:
- Extension des Rumpfs (beidseitige Kontraktion),
- Lateralflexion (einseitige Kontraktion)
Innervation:
- laterale Äste der rr. dorsales der Spinalnerven C8-L1

Mm. multifidi (vielgeteilte Muskeln)
Ursprung:
- processi transversi L, Th, C2
- os sacrum
Ansatz:
- processi spinosi Th2-5, C4-7
Funktion:
  - beidseitige Kontraktion
- Extension des Rumpfs
  - einseitige Kontraktion
- Lateralflexion zur gleichen Seite
- Rotation zur kontralateralen Seite
Innervation:
- rr. dorsales der Spinalnerven (C-L)

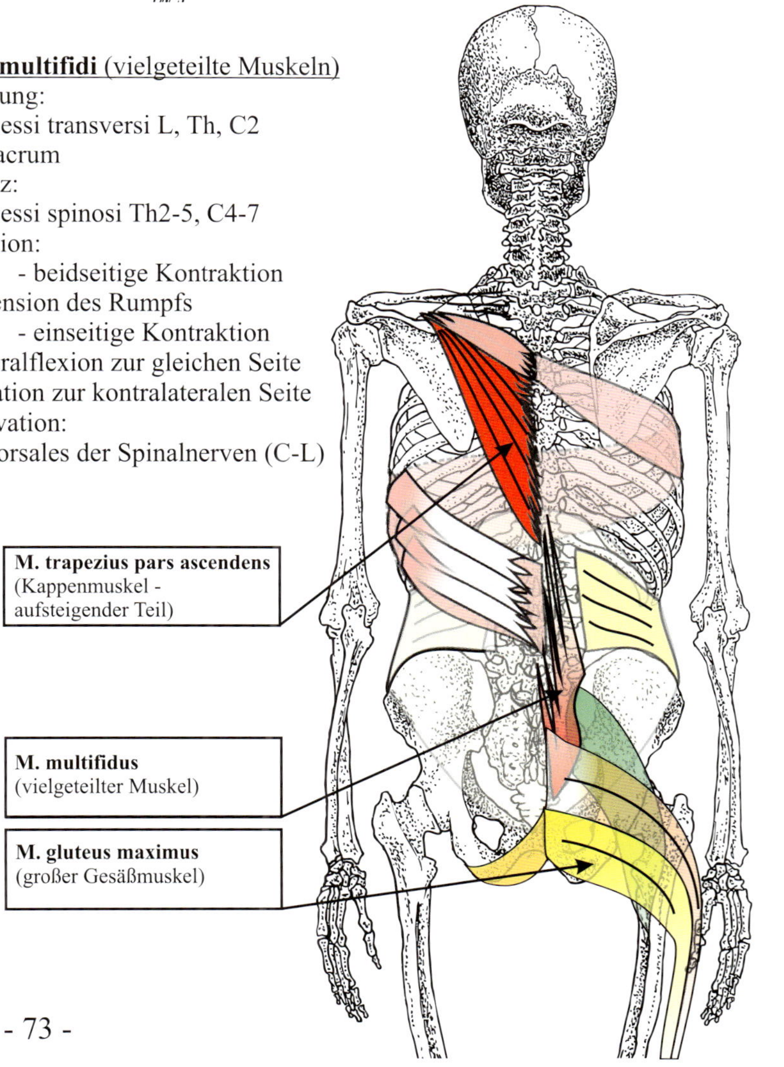

M. multifidus (vielgeteilter Muskel) - Massage, Entspannung, passive Dehnung

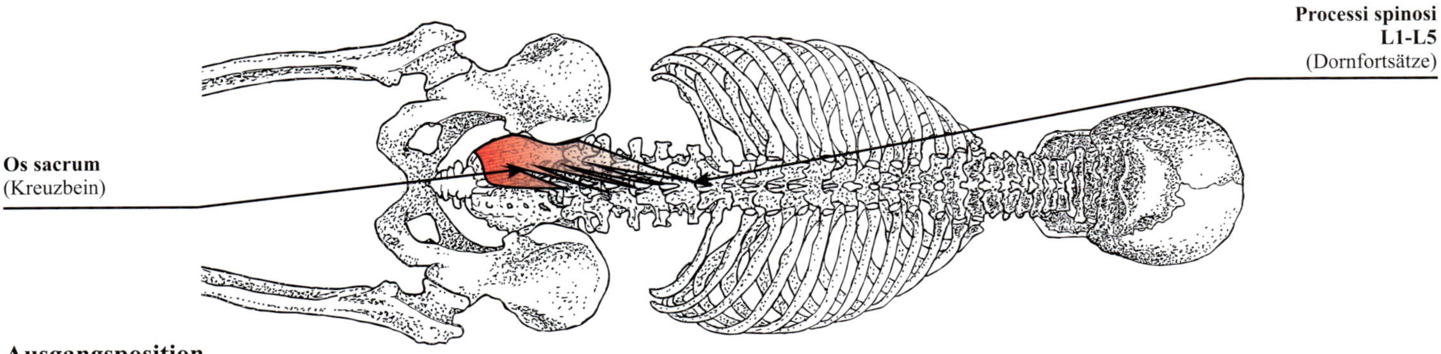

Ausgangsposition

Kraniale (obere) Stabilisation. Die linke Hand des Therapeuten stützt sich seitlich mit dem Daumen am processus spinosus L5 und flächig mit gesamtem Thenar (Handfläche) an den höheren Dornfortsätzen ab.

Kaudale (untere) Stabilstabilisation. Das Becken wird von vorn durch den Brustkorb des Therapeuten, der sich am Oberschenkel des Patienten abstützt, stabilisiert. Die Achselhöhle des Therapeuten passt sich am Oberfläche des Beckens von oben an und der Unterarm des rechten Arms liegt auf dem Kreuzbein. Die Finger werden ganz sanft auf die Oberfläche des M. multifidus aufgelegt. Der Mittelfinger drückt seitlich auf den kaudalen procesus spinosus (Dornfortsatz). Die Finger dürfen nicht gebeugt werden. Der Patient atmet ein.

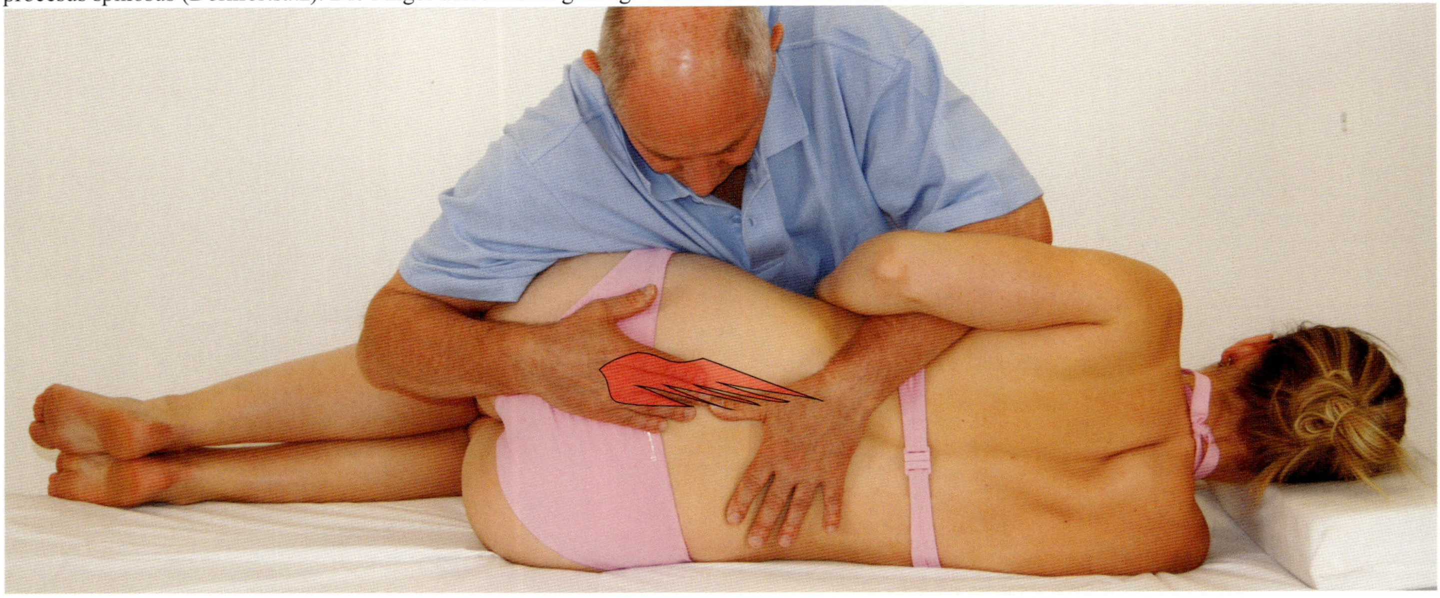

Ausführung

Kranialer linker Arm stabilisiert und bleibt an der Stelle - punctum fixum. Der Therapeut überträgt sein Körpergewicht auf das Becken des Patienten und zieht es gleichmäßig kaudal - punctum mobile. Das Ziehen des Beckens kann er durch das vollständige Strecken seines linken Beins noch verstärken. Das Becken des Patienten darf nicht rotieren und auch nicht nach vorn oder nach hinten kippen. Durch das kaudale Ziehen des Beckens wird der M. multifidus massiert. Erstmal ziehen wir das L5/S1 Segment auseinander und gleich danach gleichen wir die Lordose durch eine sanfte Flexion leicht aus. Der Patient atmet langsam aus, die Dehnung wird kurz gelockert und 6x hintereinander wiederholt.
Nachdem die Behandlungstechnik beendet worden ist warten wir jedesmal ca. 3 sec.

PIR. Die erreichte Dehnung wird gehalten. Der Patient atmet ein und, der im Brustkorb entstehende Gegendruck, führt zur Anspannung seiner Muskeln. Beim folgenden Ausatmen entspannen sich die Muskeln wieder und dies ermöglicht eine weitere Dehnung. Diese gezielte Technik kann nur eine bestimmte Bandscheibe dehnen, die Zwischenwirbelgelenke auseinanderziehen, die Foramina öffnen und sollte 3x wiederholt werden.

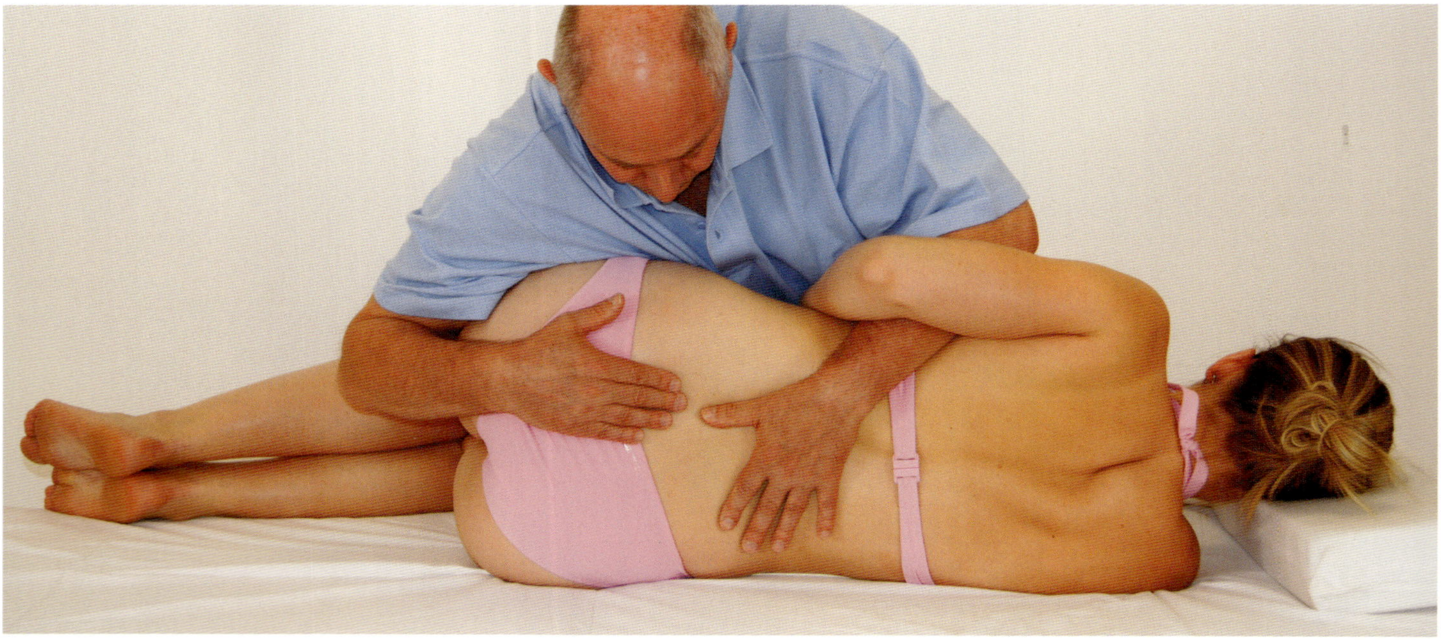

M. multifidus (vielgeteilter Muskel) - Massage, Entspannung, passive Dehnung

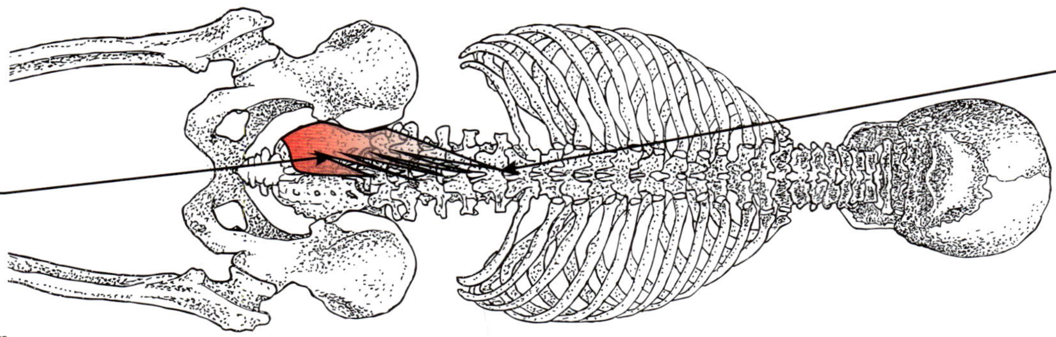

Ausgangsposition

Kraniale (obere) Stabilisation. Die linke Hand des Therapeuten stützt sich seitlich mit dem Daumen am processus spinosus L5 und flächig mit gesamtem Thenar (Handfläche) an die höheren Dornfortsätzen ab.

Kaudale (untere) Stabilstabilisation. Das Becken wird von vorn durch den Brustkorb des Therapeuten, der sich am Oberschenkel des Patienten abstützt, stabilisiert. Die Achselhöhle des Therapeuten passt sich der Oberfläche des Beckens von oben an, der rechte Unterarm ruht auf dem Kreuzbein und die Finger werden ganz sanft auf die Oberfläche des M. multifidus aufgelegt. Der Mittelfinger drückt von der Seite auf das os sacrum (Kreuzbein). Die Finger des Therapeuten dürfen nicht gebeugt werden. Der Patient atmet ein.

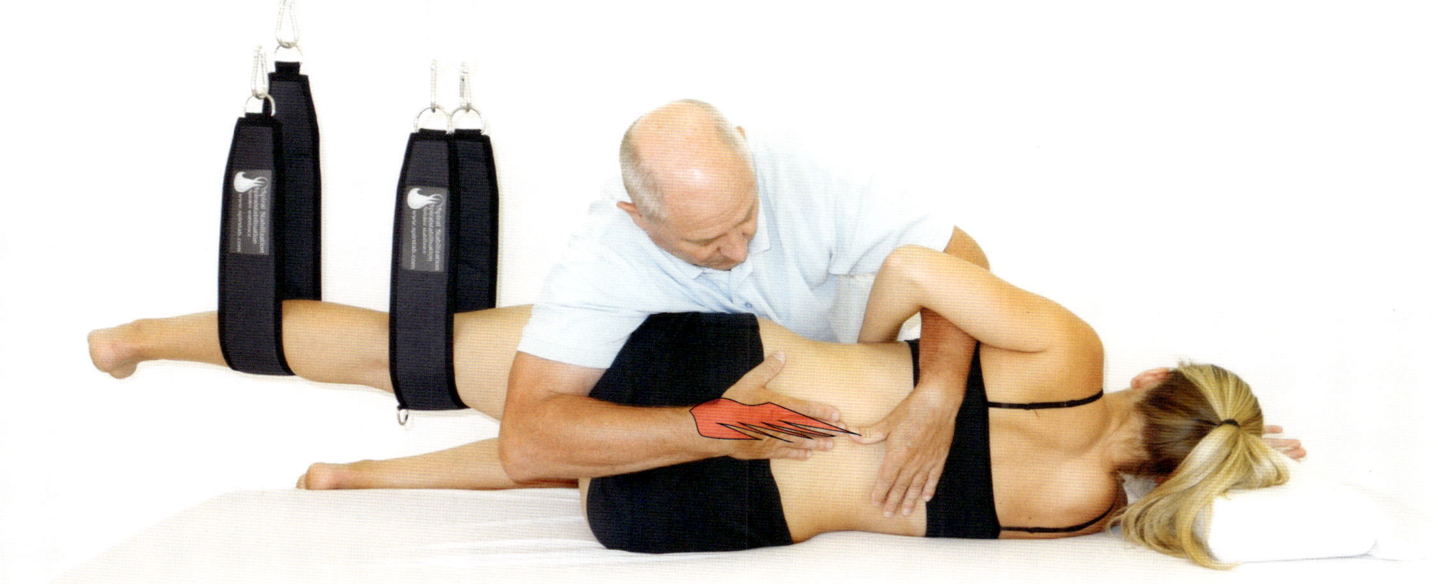

Ausführung

Kranialer linker Arm stabilisiert und bleibt an der Stelle - punctum fixum. Der Therapeut überträgt sein Körpergewicht auf das Becken des Patienten und zieht es gleichmäßig kaudal - punctum mobile. Das Ziehen des Beckens kann er durch das vollständige Strecken seines linken Beins noch verstärken. Das Becken des Patienten darf nicht rotieren und auch nicht nach vorn oder nach hinten kippen. Durch das kaudale Ziehen des Beckens wird der M. multifidus massiert. Erstmal ziehen wir das L5/S1 Segment auseinander, und gleich danach gleichen wir die Lordose durch eine sanfte Flexion leicht aus. Der Patient atmet langsam aus, die Dehnung wird kurz gelockert und 6x hintereinander wiederholt.
Nachdem die Behandlungstechnik beendet worden ist, warten wir jedesmal ca. 3 sec.

PIR. Die erreichte Dehnung wird gehalten. Der Patient atmet ein und, der im Brustkorb entstehende Gegendruck, führt zur Anspannung seiner Muskeln. Beim folgenden Ausatmen entspannen sich die Muskeln wieder und dies ermöglicht eine weitere Dehnung. Diese gezielte Technik kann nur eine bestimmte Bandscheibe dehnen, die Zwischenwirbelgelenke auseinanderziehen, die Foramina öffnen und sollte 3x wiederholt werden.

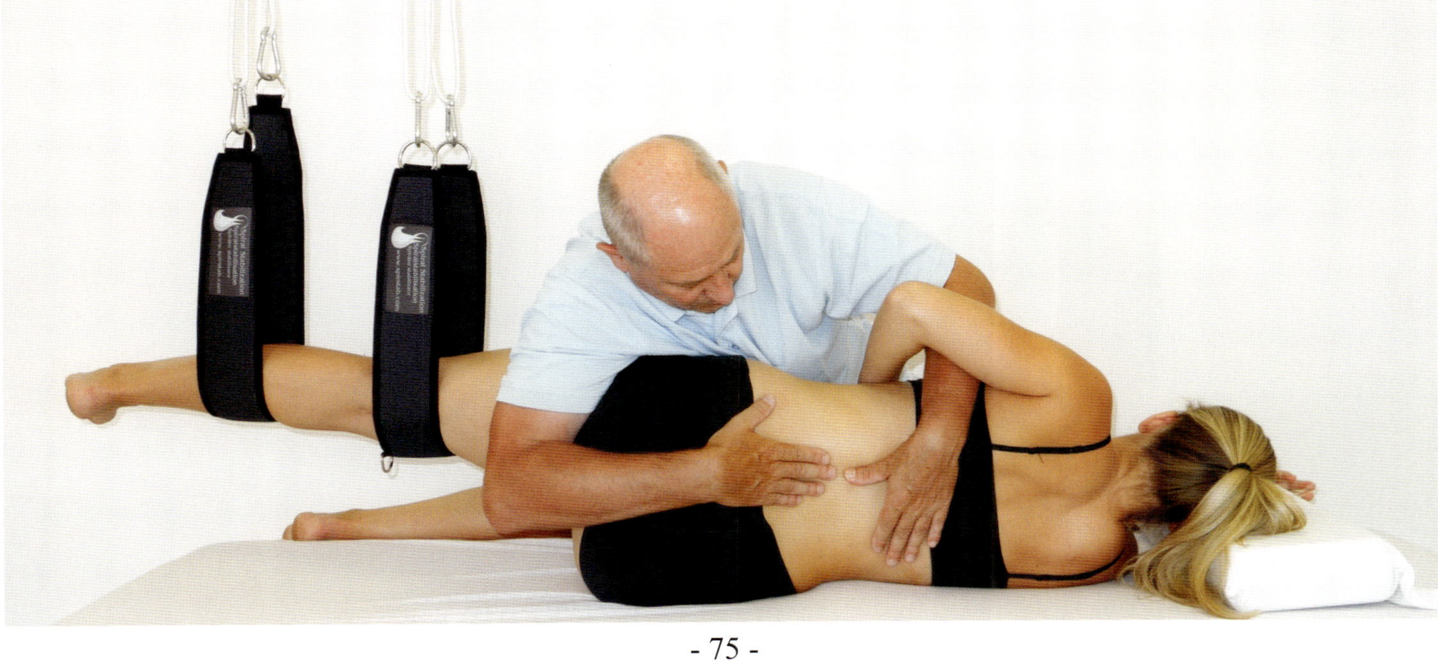

M. multifidus (vielgeteilter Muskel) - Massage, Entspannung, passive Dehnung

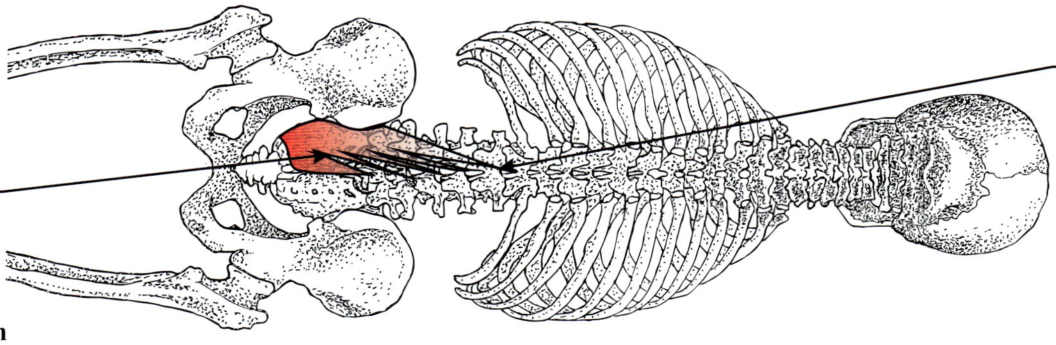

Ausgangsposition

Kraniale (obere) Stabilisation. Die linke Hand des Therapeuten stützt sich seitlich mit dem Daumen am processus spinosus L5 und flächig mit gesamtem Thenar (Handfläche) an den höheren Dornfortsätzen ab. Kaudale (untere) Stabilstabilisation. Das Becken wird von vorn durch den Brustkorb des Therapeuten, der sich am Oberschenkel des Patienten abstützt, stabilisiert. Die Achselhöhle des Therapeuten passt sich der Oberfläche des Beckens von oben an, der rechte Unterarm ruht auf dem Kreuzbein und die Finger werden ganz sanft auf die Oberfläche des M. multifidus aufgelegt. Der Mittelfinger drückt von der Seite auf das os sacrum (Kreuzbein). Die Finger des Therapeuten dürfen nicht gebeugt werden. Der Patient atmet ein.

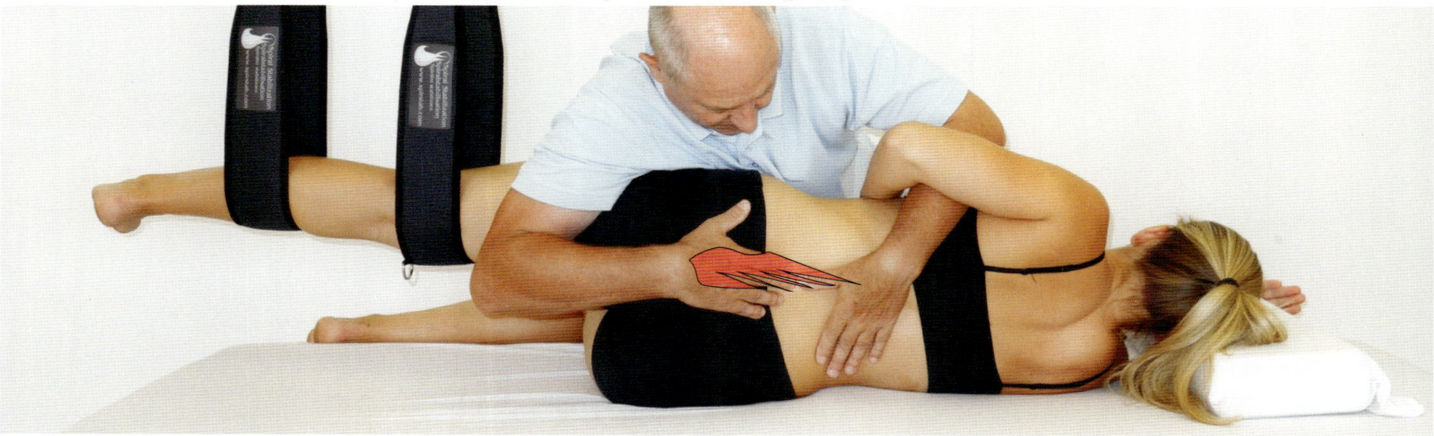

Ausführung

Kranialer linker Arm stabilisiert die Brustwibelsäule und bleibt an der Stelle - punctum fixum. Der Therapeut überträgt sein Körpergewicht auf das Becken des Patienten und zieht es gleichmäßig kaudal - punctum mobile. Das Ziehen des Beckens kann er durch das vollständige Strecken seines linken Beins noch verstärken. Das Becken des Patienten darf nicht rotieren und auch nicht nach vorn oder nach hinten kippen. Durch das kaudale Ziehen des Beckens wird der M. multifidus massiert. Der Patient atmet langsam aus, die Dehnung wird kurz gelockert und 6x hintereinander wiederholt. Nachdem die Behandlungstechnik beendet worden ist, warten wir jedesmal ca. 3 sec.

PIR. Die erreichte Dehnung wird gehalten. Der Patient atmet ein und, der im Brustkorb entstehende Gegendruck, führt zur Anspannung seiner Muskeln. Beim folgenden Ausatmen entspannen sich die Muskeln wieder und dies ermöglicht eine weitere Dehnung. Die Technik sollte 3x wiederholt werden. Diese gezielte Technik kann nur eine bestimmte Bandscheibe dehnen, die Zwischenwirbelgelenke auseinanderziehen, die Foramina öffnen und sollte 3x wiederholt werden.

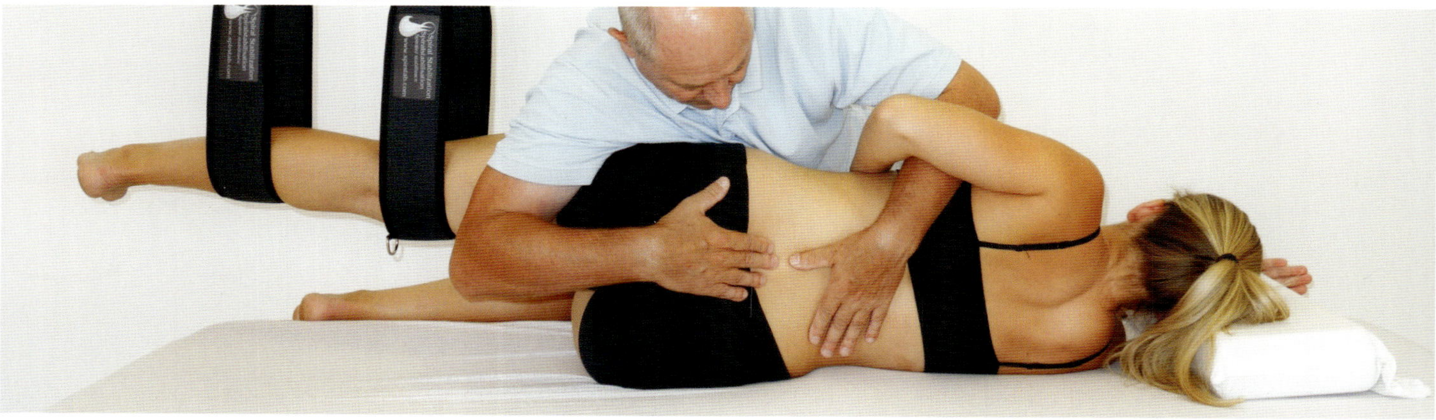

Ausführung - Zuerst zieht der Therapeut das Segment L5/S1 auseinander, und dann wird er die Lordose ganz leicht durch eine sanfte Flexion ausgleichen.

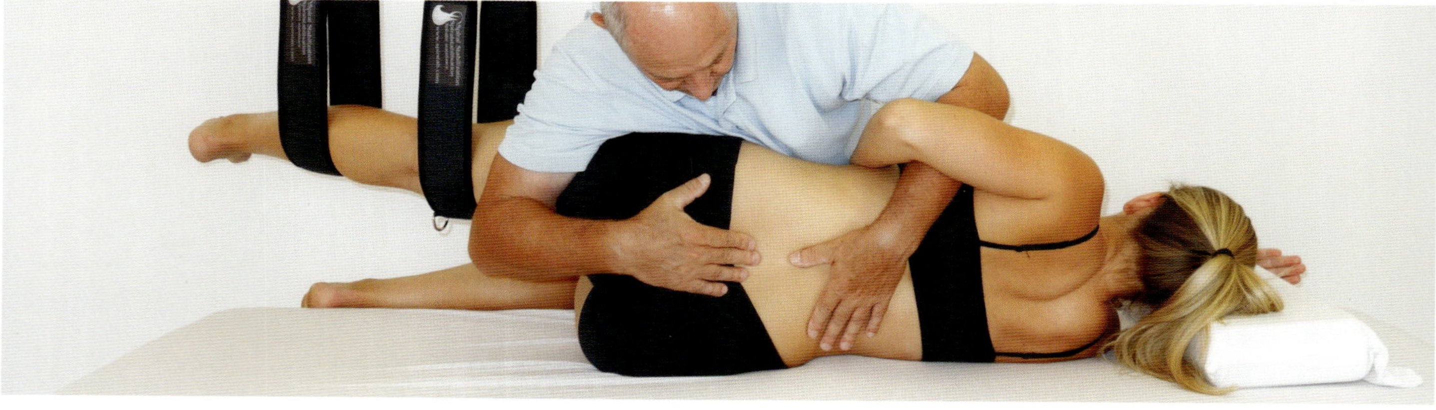

M. multifidus (vielgeteilter Muskel) - Massage, Entspannung, passive Dehnung

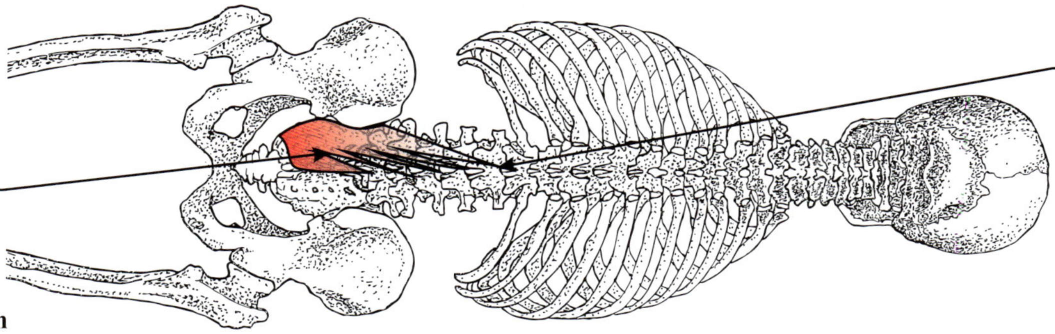

Ausgangsposition

Der Therapeut kniet hinter dem Patienten in Richtung seines Beckens und stabilisiert es von hinten mit Hilfe des eigenen Beckens und des Oberschenkels. Der Patient wird zur Körperachse ausgeglichen. Die rechte Handfläche des Therapeuten stabilisiert das Becken vorn und die SIAS - spina iliaca anterior superior (vorderer oberer Darmbeinstachel) liegt in der Mitte der Handinnenfläche. Die linke Hand des Therapeuten ruht auf dem Sitzhöcker. Der Patient atmet ein.

Ausführung

Das Becken wird kaudal (in Richtung Beine) geschoben. Der Patient atmet langsam aus, die Dehnung wird kurz gelockert und 6x hintereinander wiederholt. Nachdem die Behandlungstechnik beendet worden ist, warten wir jedesmal ca. 3 sec.

PIR. Die erreichte Dehnung wird gehalten. Der Patient atmet ein und, der im Brustkorb entstehende Gegendruck, führt zur Anspannung seiner Muskeln. Beim folgenden Ausatmen entspannen sich die Muskeln wieder und dies ermöglicht eine weitere Dehnung.

Die Technik sollte 3x wiederholt werden. Sie dient vor allem zur Dehnung des M. iliocostalis, M. quadratus lumborum und der Lendenwirbelsäule.

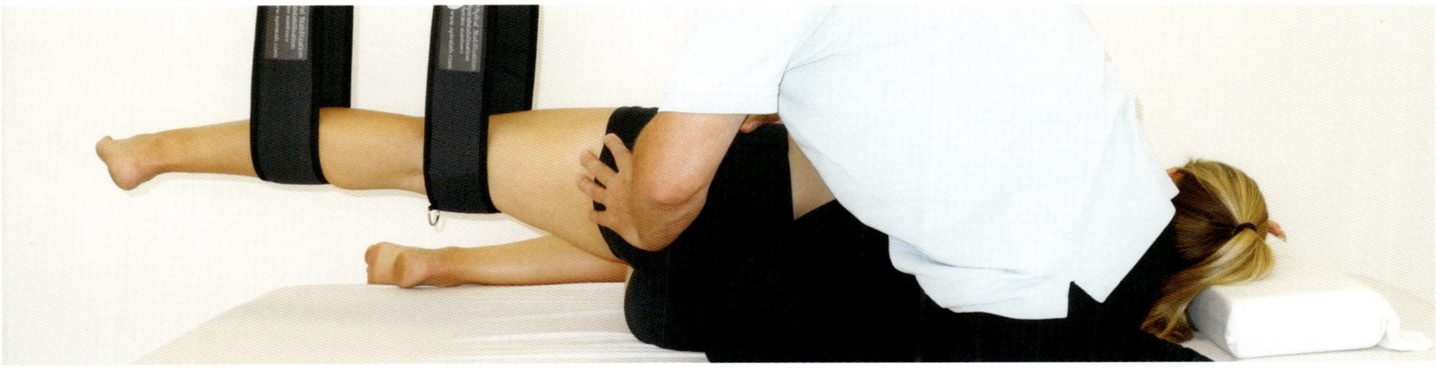

Ausführung

Der Therapeut drückt den unteren Teil des Beckens nach vorn, sodass er das gesamte Becken des Patienten rotieren kann. Die Bewegungsachse ist im Hüftgelenk.

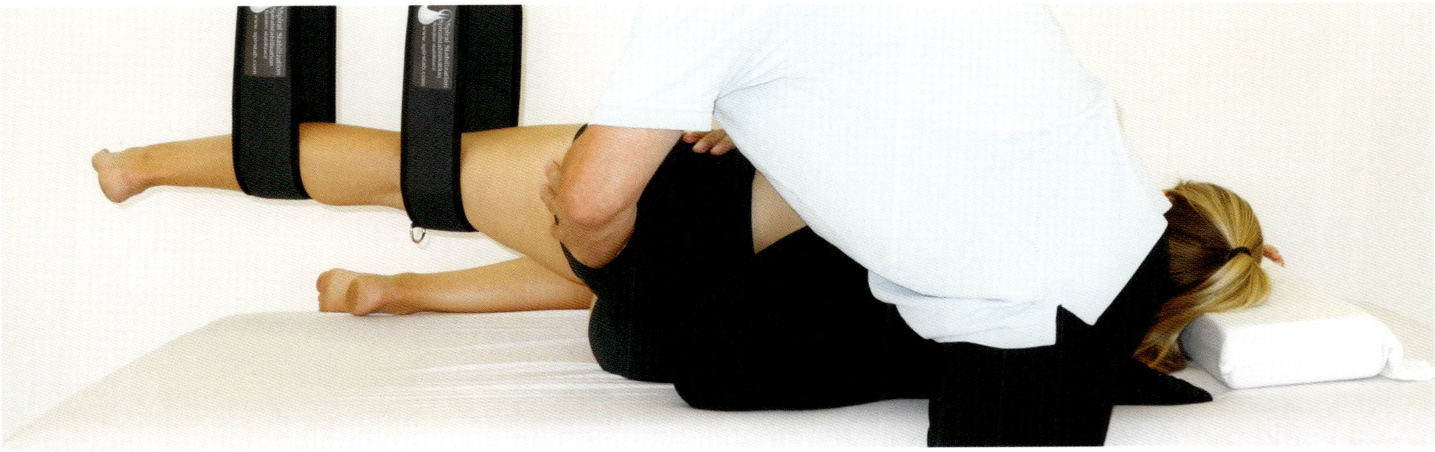

M. erector spinae (Rückenstrecker), M. quadratus lumborum (viereckiger Lendenmuskel), M. multifidus (vielgeteilter Muskel) - passive Dehnung

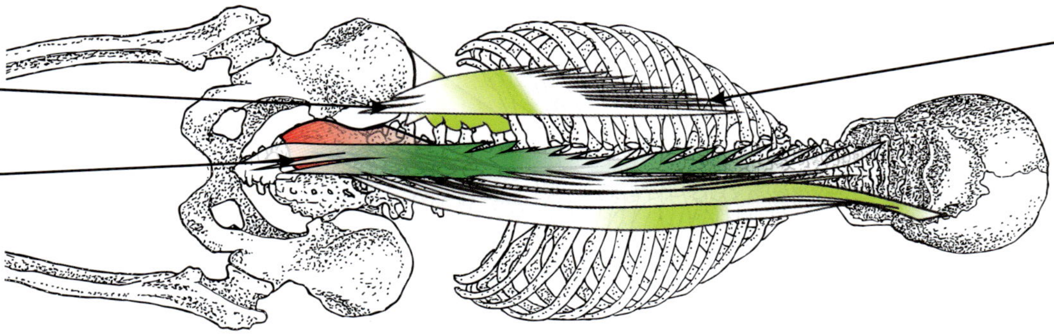

Ausgangsposition

Der Therapeut kniet hinter dem Patient in Richtung seines Kopfes und stabilisiert es von hinten mit Hilfe des eigenen Beckens und des Oberschenkels. Der Patient ist in Kyphosehaltung (nach vorn gerichteter langgezogener Bogen).

Die linke Hand des Therapeuten stabilisiert mit ihrer Innenfläche die unteren Rippen und die Finger stützen das Sternum (Brustbein). Der linke Daumen ruht entlang der 10. Rippe und die rechte Hand gleitet entlang der 10. Rippe dorsal zur Wirbelsäule. Der Dornfortsatz des 10. Wirbels ist in der Mitte der Handfläche, der Daumen stützt die Rippe und der Patient atmet ein.

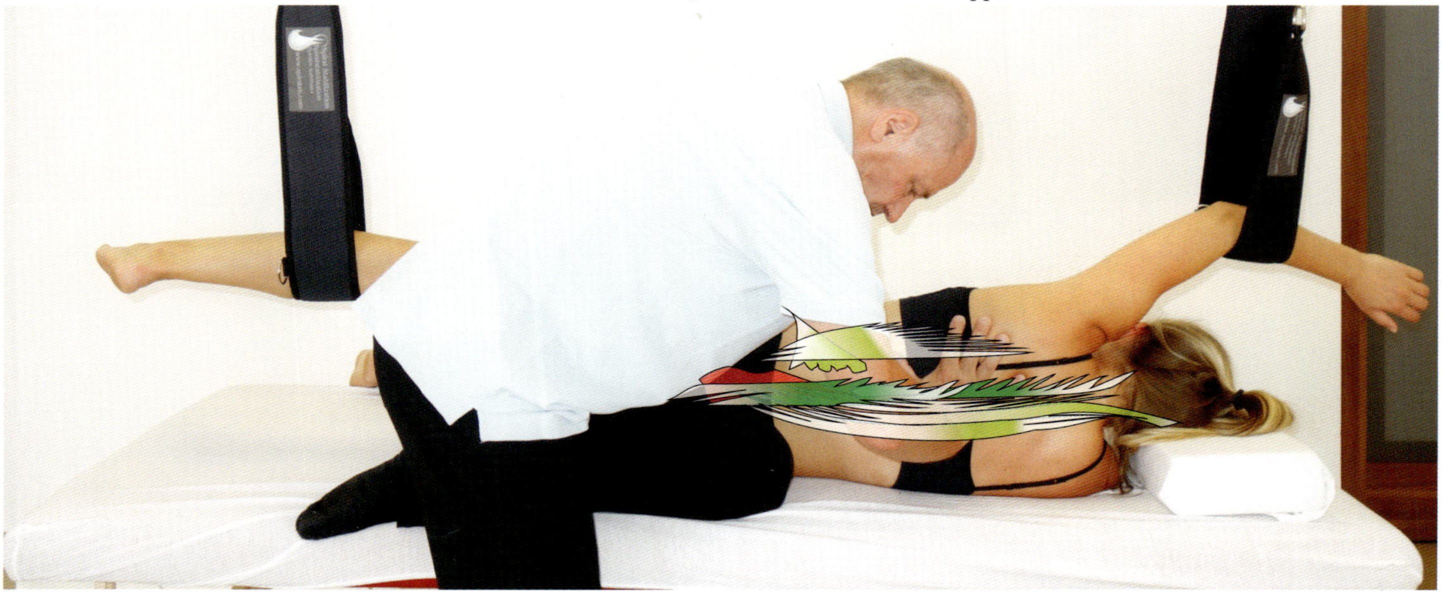

Ausführung

Beide Arme und der Rumpf des Therapeuten führen die 10. Rippe zuerst dorsal und dann kranial.
Der Patient atmet langsam aus, die Dehnung wird kurz gelockert und 6x hintereinander wiederholt.
Nachdem die Behandlungstechnik beendet worden ist, warten wir jedesmal ca. 3 sec.

PIR. Die erreichte Dehnung wird gehalten. Der Patient atmet ein und, der im Brustkorb entstehende Gegendruck, führt zur Anspannung seiner Muskeln. Beim folgenden Ausatmen entspannen sich die Muskeln wieder und dies ermöglicht eine weitere Dehnung.
Die Technik sollte 3x wiederholt werden. Sie dient vor allem zur Dehnung des M. iliocostalis und zur Mobilisierung der Rippen, die man alle mit der gleichen Technik behandeln kann.

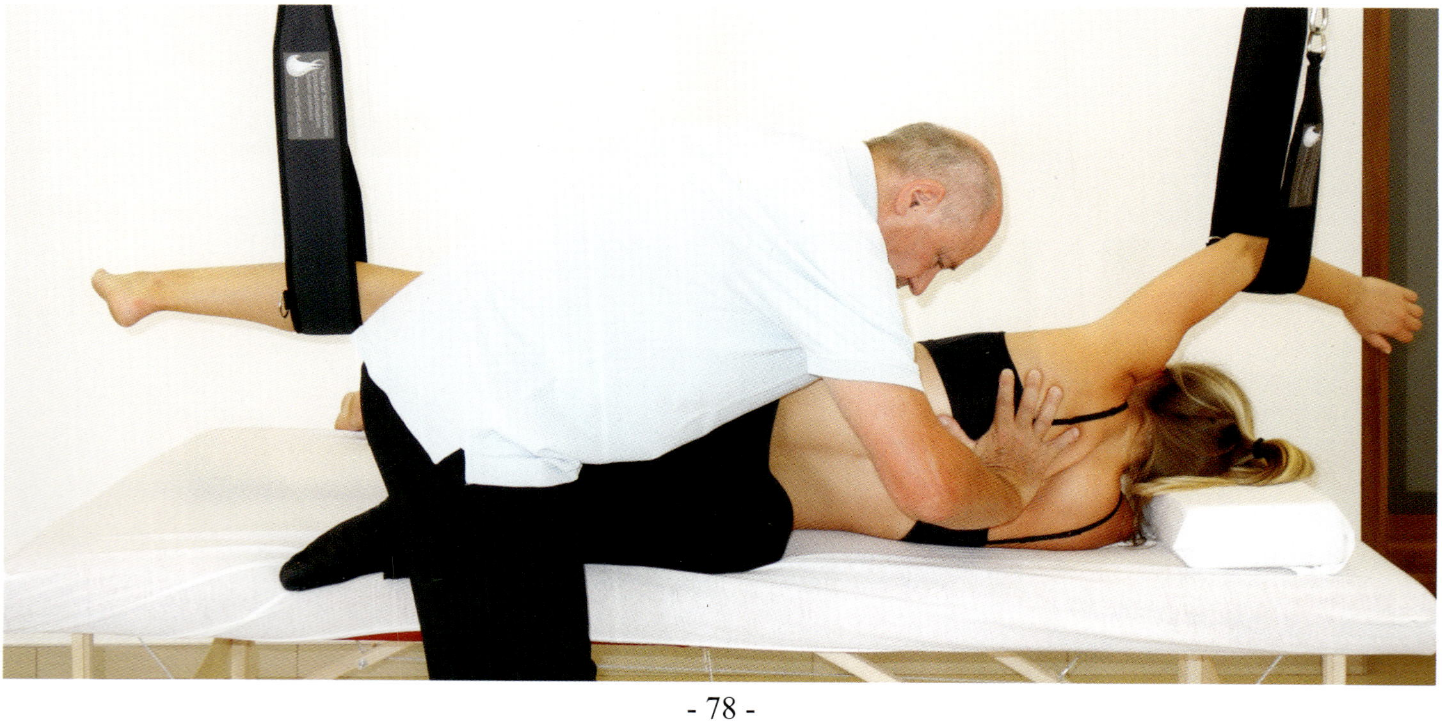

M. erector spinae (Rückenstrecker), M. quadratus lumborum (viereckiger Lendenmuskel), M. multifidus (vielgeteilter Muskel) - Massage, Entspannung, passive Dehnung

Dehnung der Lendenwirbelsäule durch Lagerung in Schlingen

Kraniale Stabilisation. Der Patient liegt in Rückenlage auf der Unterlage. Punctum fixum.

Kaudale Stabilisation. Die Beine und das Becken werden in Schlingen gelagert, die Beine hängen auf der Höhe der Waden und das Becken hängt im Bereich seines unteren Teils. Durch den Einfluss der Schwerkraft wird die Lendenwirbelsäule am hinteren Pol auseinander gezogen.

Die Traktion können wir noch durch den kaudalen Zug des Beckens und die Fixation mit dem Seil verbessern.

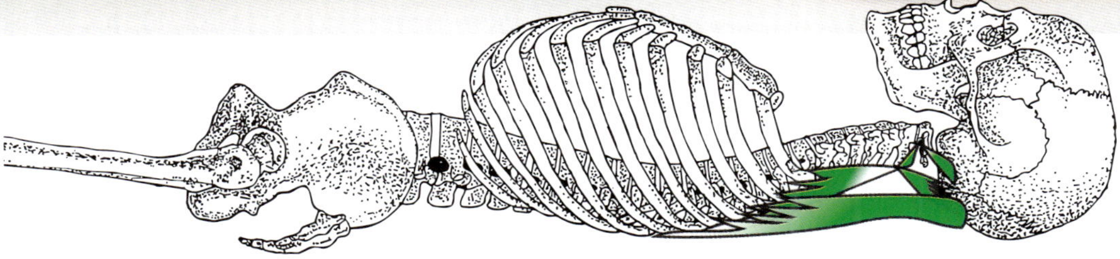

Dehnung der Hals- und Lendenwirbelsäule durch Lagerung in Schlingen

Die Traktion der Wirbelsäule wird durch den kaudalen Zug des Beckens und die Fixation mit dem Seil gesichert.

Durch die Lagerung des Kopfes in Schlingen können die Techniken zur Behandlung der Halswirbelsäule ausgeführt werden.

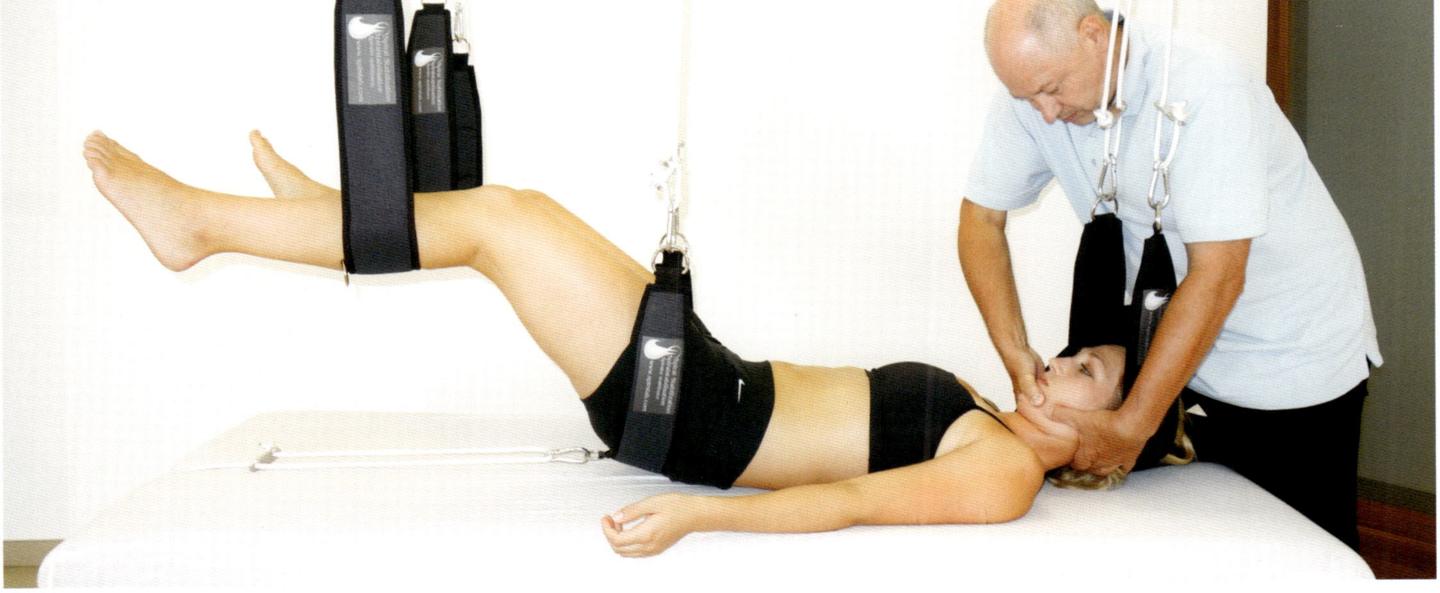

M. quadratus lumborum (viereckiger Lendenmuskel) - Massage, Entspannung, passive Dehnung

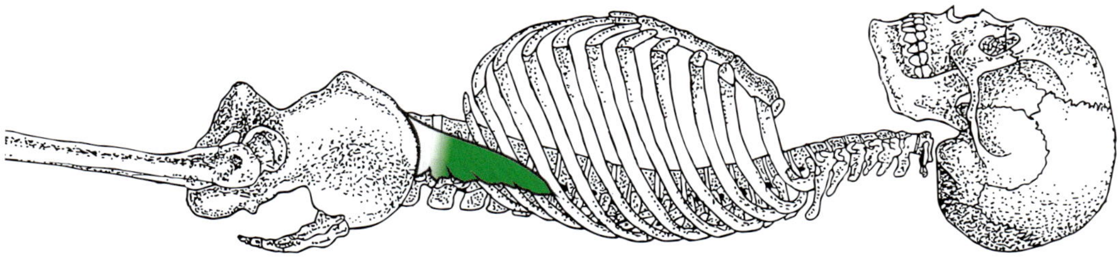

Ausgangsposition

Kraniale Stabilisation. Der Patient liegt in Rückenlage auf der Unterlage. Punctum fixum.

Kaudale Stabilisation. Die Beine und das Becken werden in Schlingen gelagert. Die Beine hängen auf der Höhe der Waden und das Becken hängt im Bereich seines unteren Teils. Durch den Einfluss der Schwerkraft wird die Lendenwirbelsäule am hinteren Pol auseinander gezogen. Der Therapeut kniet und stützt sich mit seiner Hüfte am Hüftgelenk des Patienten ab. Mit der linken Hand stabilisiert er die unteren Rippen, mit der rechten Hand, sowie den Unterarm wird das Becken stabilisiert.

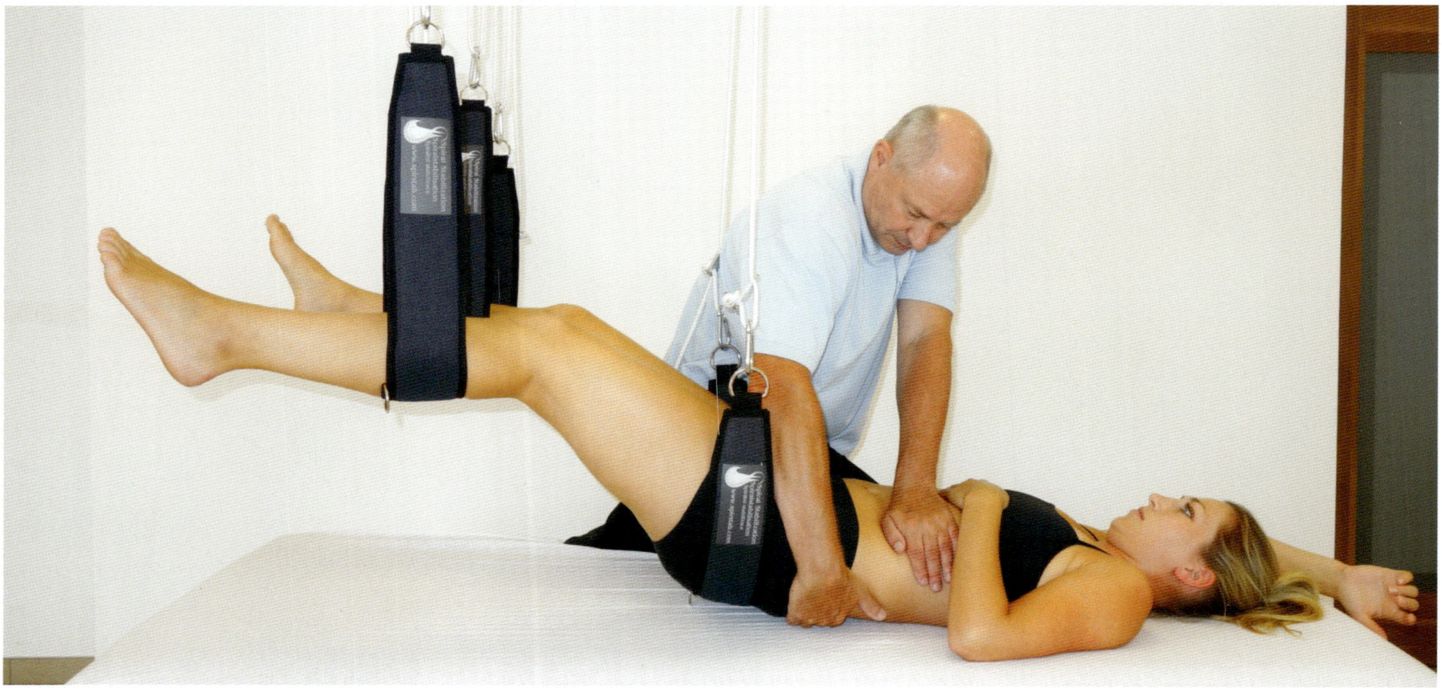

Ausführung

Der Therapeut zieht mit der rechten Hand und dem Unterarm das Becken kaudal (nach unten) und dreht es lateral (seitlich) zu sich. Die Bewegung wird durch die Hüfte des Therapeuten gestützt.
Die Technik dient zur Dehnung der M. quadratus lumborum, M. iliocostalis lumborum und M. multifidus.

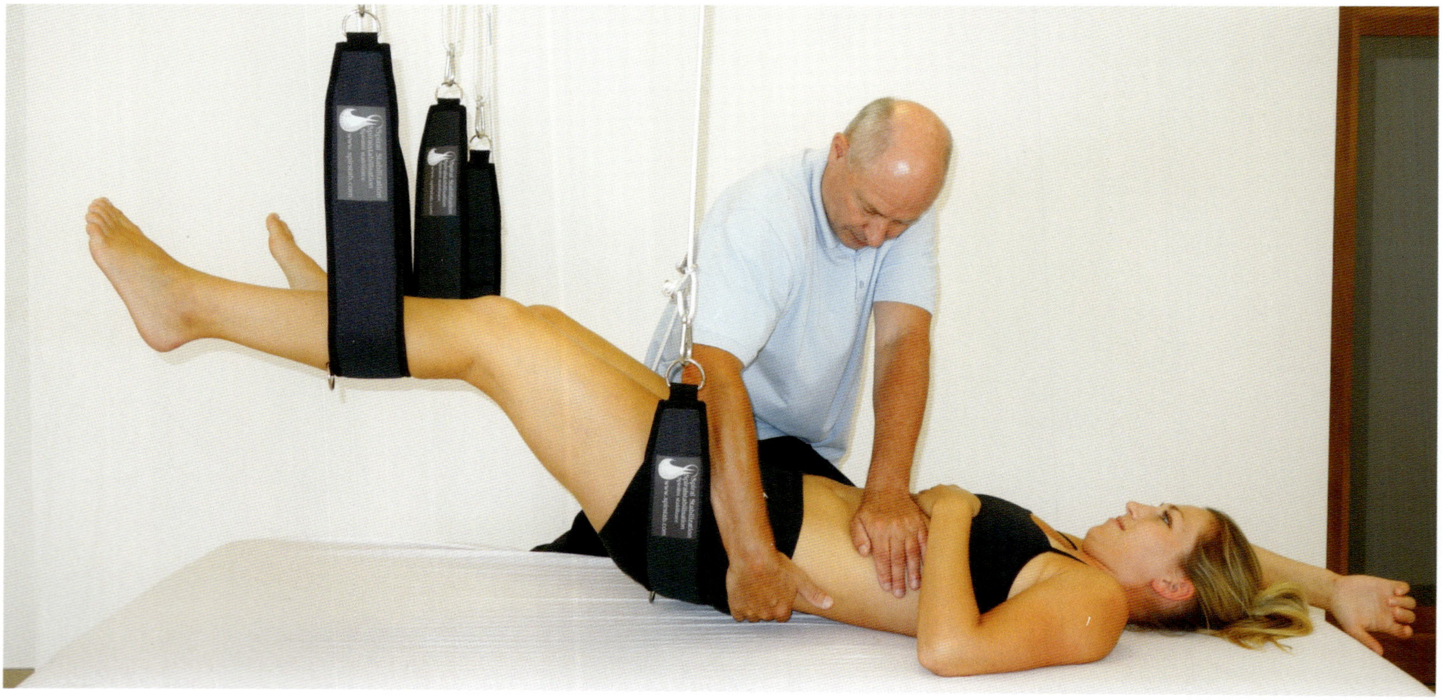

M. erector spinae (Rückenstrecker) - passive Dehnung, aktive Entspannung

1. Übung - Sitzhaltung mit der Stirn zur Befestigung des Seils, mit beiden Armen nach hinten ziehen.

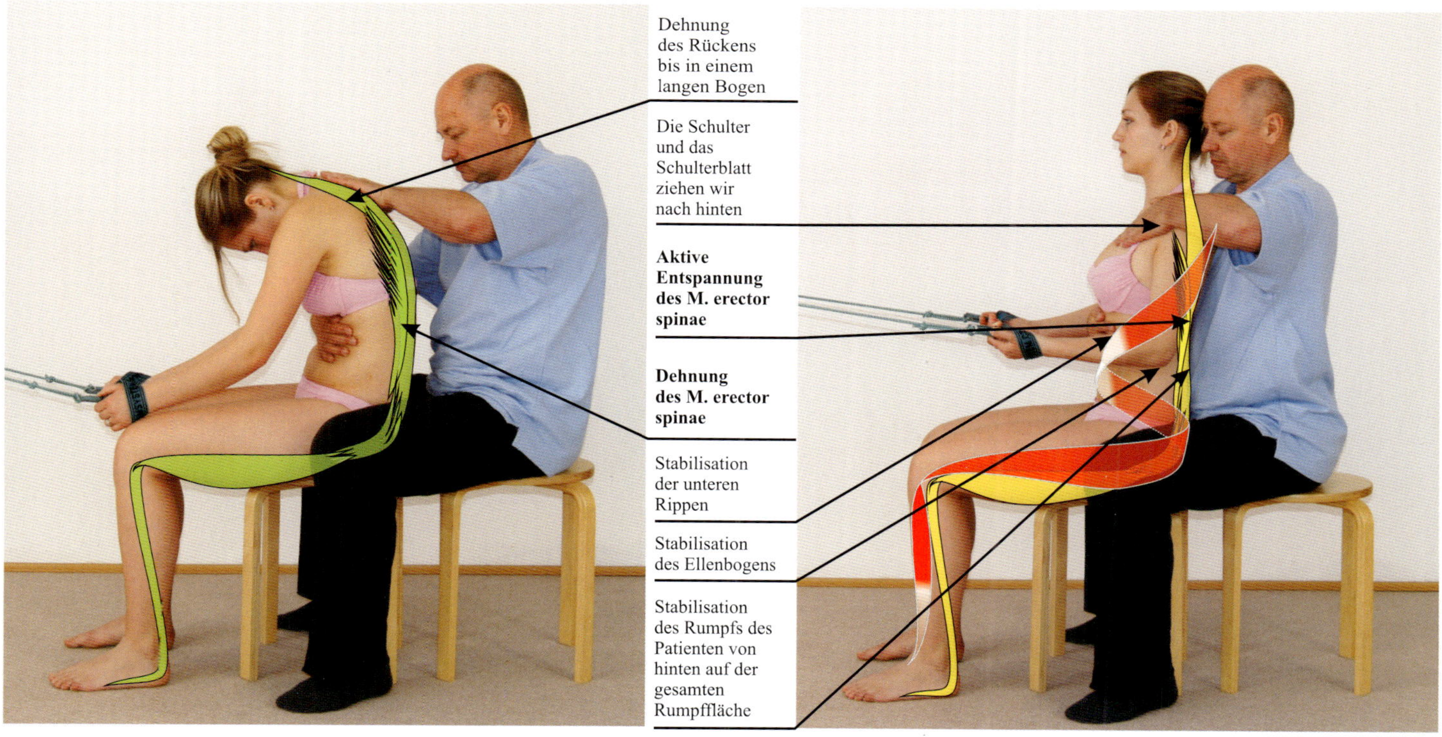

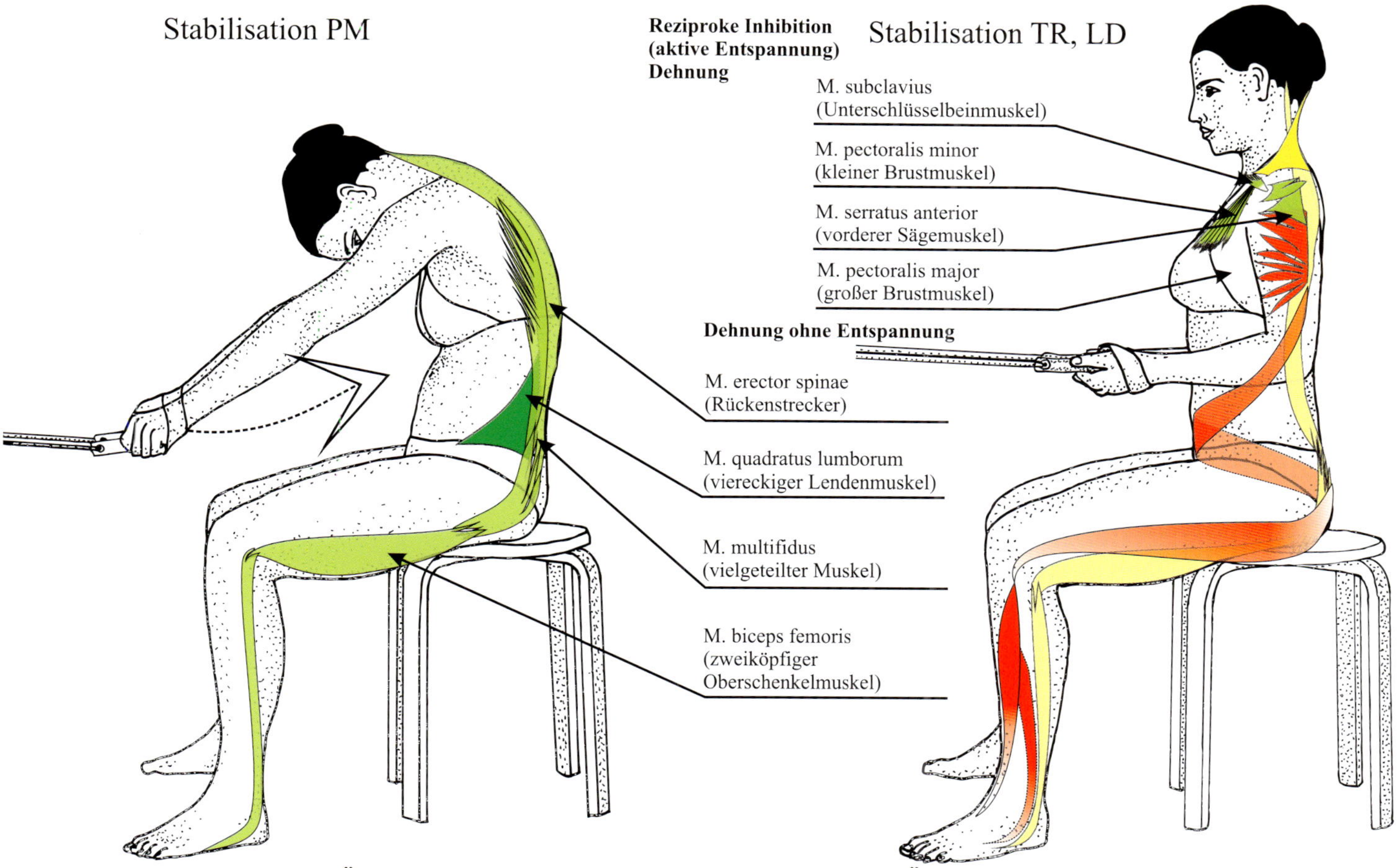

1 - Ausgangsposition - aktiver Übungsteil

In der Ausgangsposition dehnen wir die Rückenmuskulatur:
- M. erector spinae (Rückenstrecker)
- M. quadratus lumborum (viereckiger Lendenmuskel)
- M. multifidus (vielgeteilter Muskel)

Außerdem dehnen wir auch die ischiokrurale Muskeln (die hintere Oberschenkelmuskulatur):
- M. biceps femoris (zweiköpfiger Oberschenkelmuskel)
- M. semitendinosus (Halbsehnenmuskel)
- M. semimembranosus (Plattsehnenmuskel)
- M. adductor magnus (großer Anzieher)

2 - Ausführung - aktiver Übungsteil

Im aktiven Übungsteil dehnen wir die vordere Schultergürtelmuskulatur:
- M. subclavius (Unterschlüsselbeinmuskel)
- M. pectoralis minor (kleiner Brustmuskel)
- M. pectoralis major (großer Brustmuskel)
- M. serratus anterior (vorderer Sägemuskel)

Die obere Schultergürtelmuskulatur ist entspannt:
- M. trapezius, pars descendens (Kappenmuskel, absteigender Teil)
- M. levator scapulae (Schulterblattheber)
- Mm. scaleni (Rippenhalter)
- M. semispinalis capitis, cervicis
  (Halbdornmuskel des Halses Halbdornmuskel des Kopfes)
und andere Muskeln.

M. iliocostalis lumborum (Darmbein-Rippenmuskel, Lendenteil) - aktive Entspannung, Massage, Dehnung

6. Übung - Sitzhaltung mit dem Rücken zur Befestigung des Seils, die beiden Arme kreisen nach vorn.

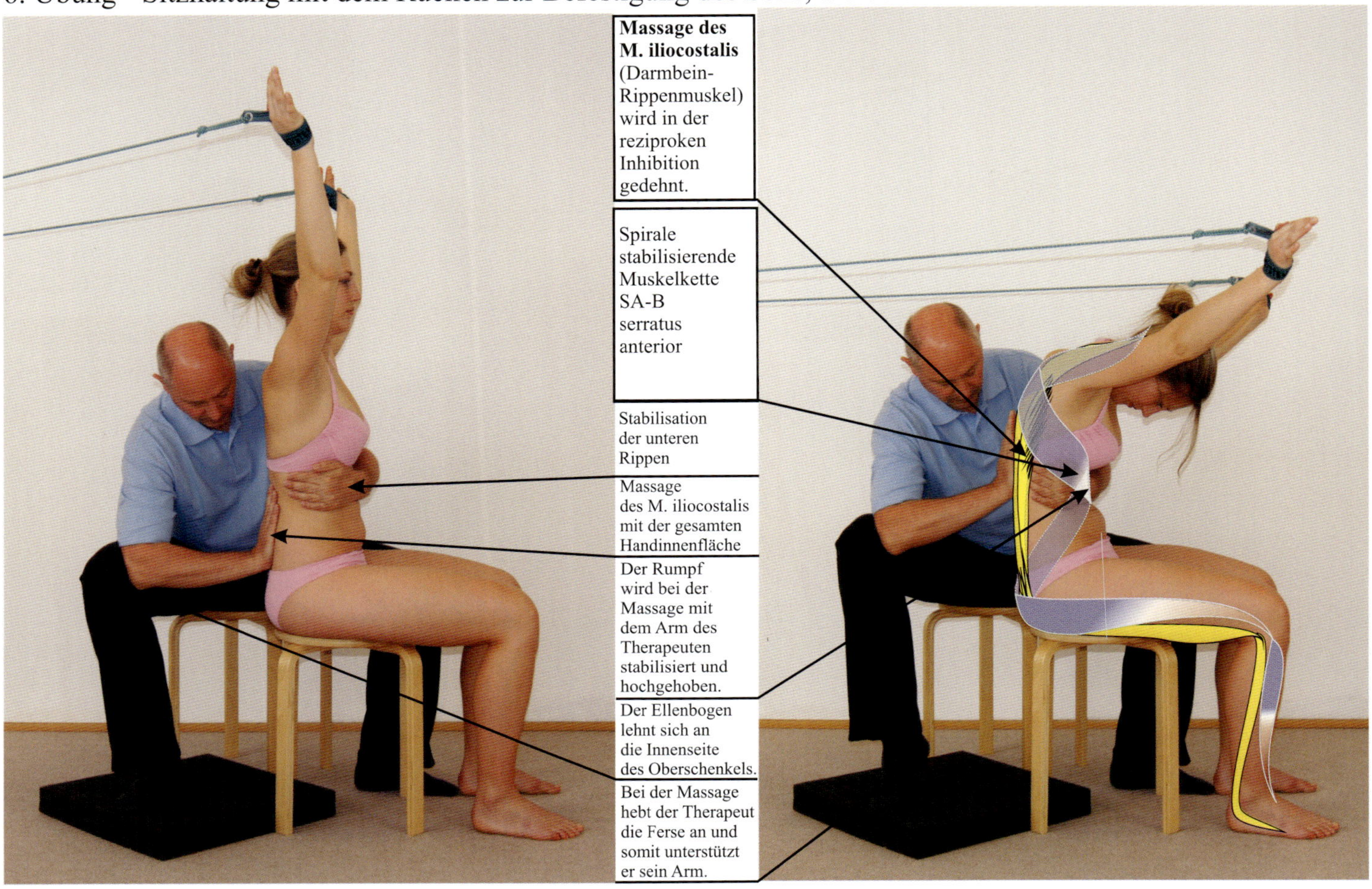

M. multifidus (vielgeteilter Muskel) - aktive Entspannung, Dehnung

6. Übung - Sitzhaltung mit dem Rücken zur Befestigung des Seils, die beiden Arme kreisen nach vorn.

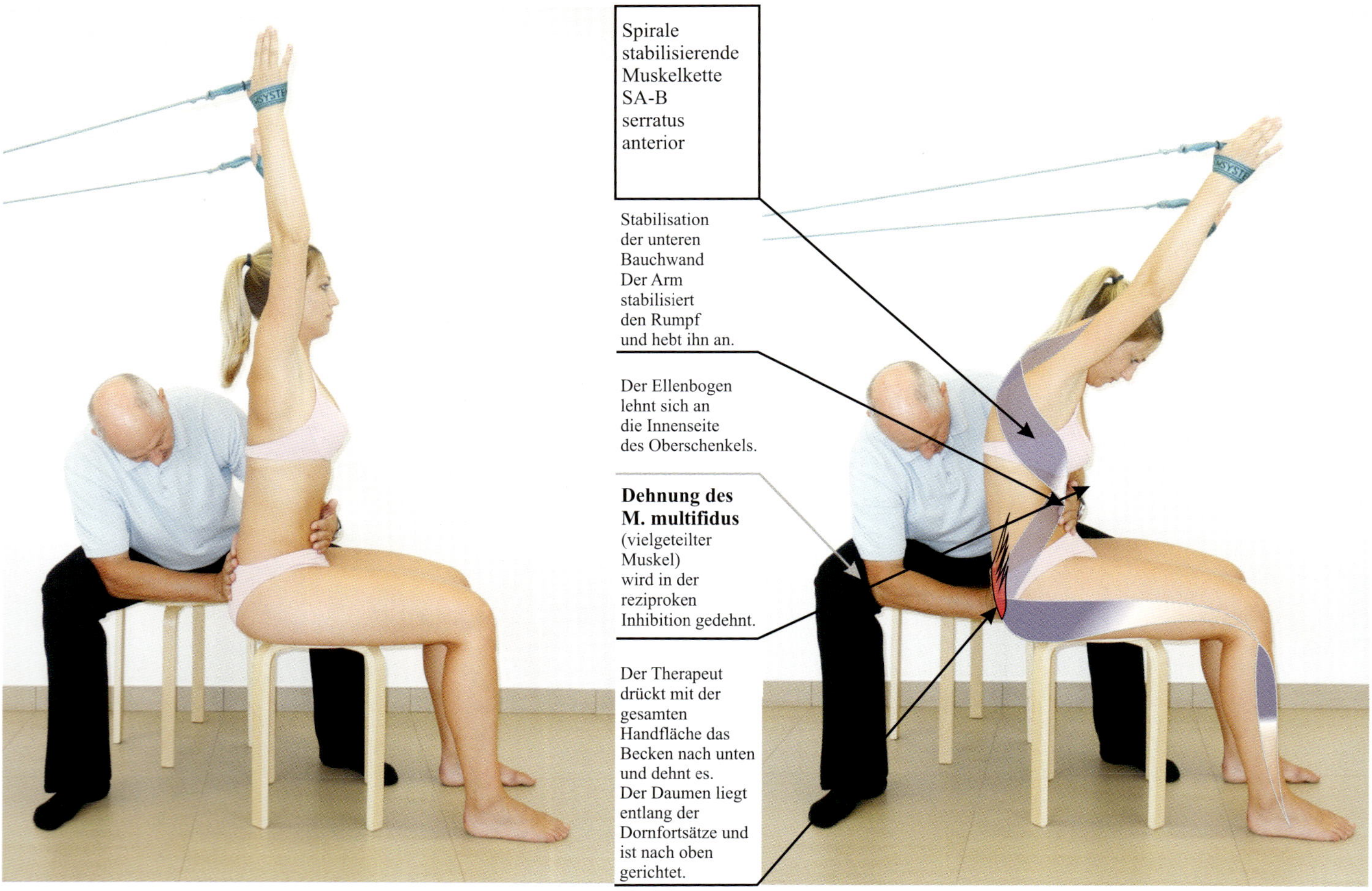

M. erector spinae, M. iliocostalis, M. longissimus thoracis, M. longissimus capitis, cervicis, M. quadratus lumborum, M. multifidus

M. erector spinae (Rückenstrecker), M. iliocostalis (Darmbein-Rippenmuskel), M. longissimus thoracis (längster Rückenmuskel - Brustteil), M. longissimus capitis, cervicis (längster Rückenmuskel, Kopf- und Halsteil), M. quadratus lumborum (viereckiger Lendenmuskel), M. multifidus (vielgeteilter Muskel)

- Entspannung durch die reziproke Inhibition, Dehnung

SA - serratus anterior und PM - pectoralis major Muskelketten sind Agonisten im ersten Übungsteil, LD - latissimus dorsi und TR - trapezius im zweiten Übungsteil.

1. Übung - im Stehen mit der Stirn zur Befestigung des Seils, ein Bein steht vorn auf dem Step

Das Seil mit beiden Armen nach hinten ziehen, die Arme nach außen rotieren lassen und öffnen, sodass die Handflächen nach oben zeigen.

Stabilisation SA, PM

Stabilisation TR, LD

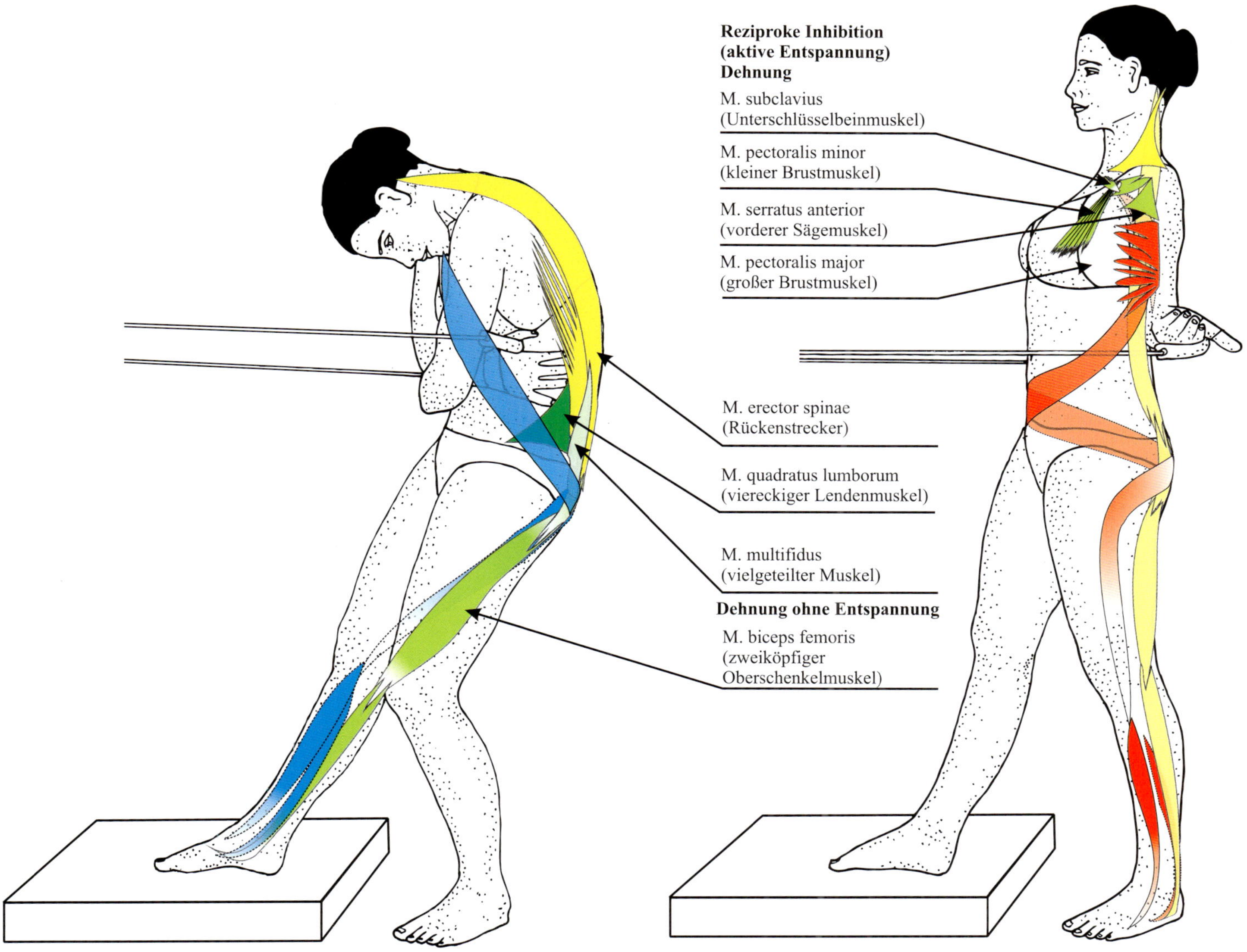

1 - Ausgangsposition - aktiver Übungsteil

In der Ausgangsposition dehnen wir die Rückenmuskulatur:
- M. erector spinae (Rückenstrecker)
- M. quadratus lumborum (viereckiger Lendenmuskel)
- M. multifidus (vielgeteilter Muskel)

Außerdem dehnen wir auch die ischiokruralen Muskeln (die hintere Oberschenkelmuskulatur):
- M. biceps femoris (zweiköpfiger Oberschenkelmuskel)
- M. semitendinosus (Halbsehnenmuskel)
- M. semimembranosus (Plattsehnenmuskel)
- M. adductor magnus (großer Anzieher)

2 - Ausführung - aktiver Übungsteil

Im aktiven Übungsteil dehnen wir die vordere Schultergürtelmuskulatur:
- M. subclavius (Unterschlüsselbeinmuskel)
- M. pectoralis minor (kleiner Brustmuskel)
- M. pectoralis major (großer Brustmuskel)
- M. serratus anterior (vorderer Sägemuskel)

Die obere Schultergürtelmuskulatur ist entspannt:
- M. trapezius, pars descendens (Kappenmuskel, absteigender Teil)
- M. levator scapulae (Schulterblattheber)
- Mm. scaleni (Rippenhalter)
- M. semispinalis capitis, cervicis (Halbdornmuskel des Halses, Halbdornmuskel des Kopfes)

und andere Muskeln.

M. erector spinae, M. iliocostalis, M. longissimus thoracis, M. longissimus capitis, cervicis, M. quadratus lumborum, M. multifidus

M. erector spinae (Rückenstrecker), M. iliocostalis (Darmbein-Rippenmuskel), M. longissimus thoracis (längster Rückenmuskel - Brustteil), M. longissimus capitis, cervicis (längster Rückenmuskel, Kopf- und Halsteil), M. quadratus lumborum (viereckiger Lendenmuskel), M. multifidus (vielgeteilter Muskel)

- Entspannung durch die reziproke Inhibition, Dehnung

LD - latissimus dorsi und TR - trapezius sind Agonisten im zweiten Übungsteil.

2. Übung - im Stehen seitlich zur Befestigung des Seils, ein Bein ruht vorn auf dem Step.

Das Seil mit einem Arm zur Seite ziehen, die Handfläche zeigt nach oben.

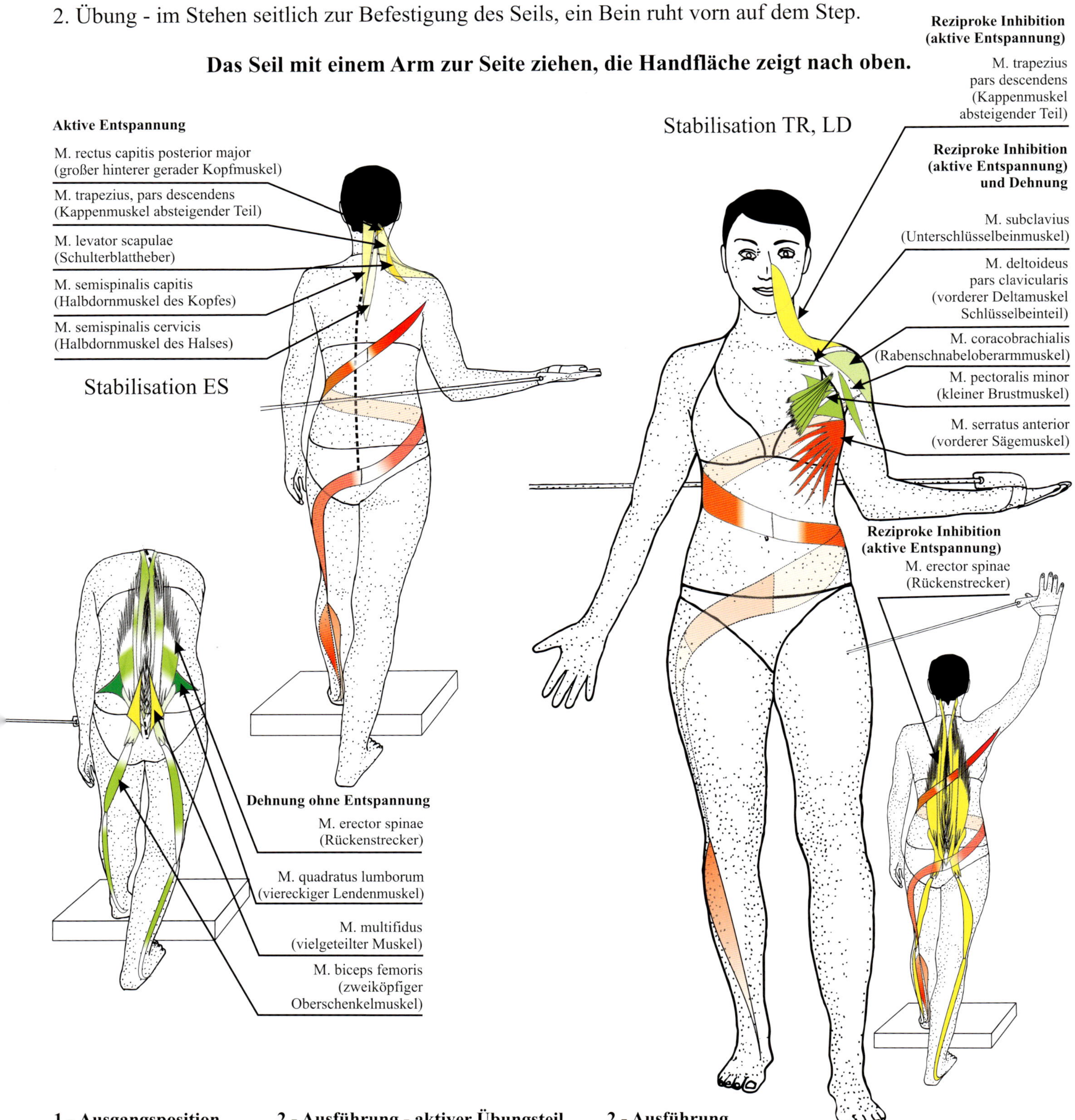

1 - Ausgangsposition - passiver Übungsteil

In der Ausgangsposition dehnen wir die Rückenmuskulatur:
- M. erector spinae (Rückenstrecker)
- M. quadratus lumborum (viereckiger Lendenmuskel)

2 - Ausführung - aktiver Übungsteil

Im aktiven Übungsteil dehnen wir die vordere Schultergürtelmuskulatur:
- M. subclavius (Unterschlüsselbeinmuskel)
- M. pectoralis minor (kleiner Brustmuskel)
- M. pectoralis major (großer Brustmuskel)
- M. serratus anterior (vorderer Sägemuskel)

2 - Ausführung - aktiver Übungsteil

Im aktiven Übungsteil wird die obere Schultergürtelmuskulatur entspannt:
- M. trapezius pars descendens (Kappenmuskel absteigender Teil)
- M. levator scapulae (Schulterblattheber)
- Mm. scaleni (Rippenhalter)
- M. semispinalis capitis, cervicis (Halbdornmuskel des Halses, Halbdornmuskel des Kopfes)

und andere Muskeln.

Übungen

M. erector spinae (Rückenstrecker) - Übung mit Dehnung und aktive Entspannung

1. Übung - im Stehen mit der Stirn zur Befestigung des Seils, ein Bein ruht vorn auf dem Step, das Seil mit beiden Armen nach hinten ziehen.

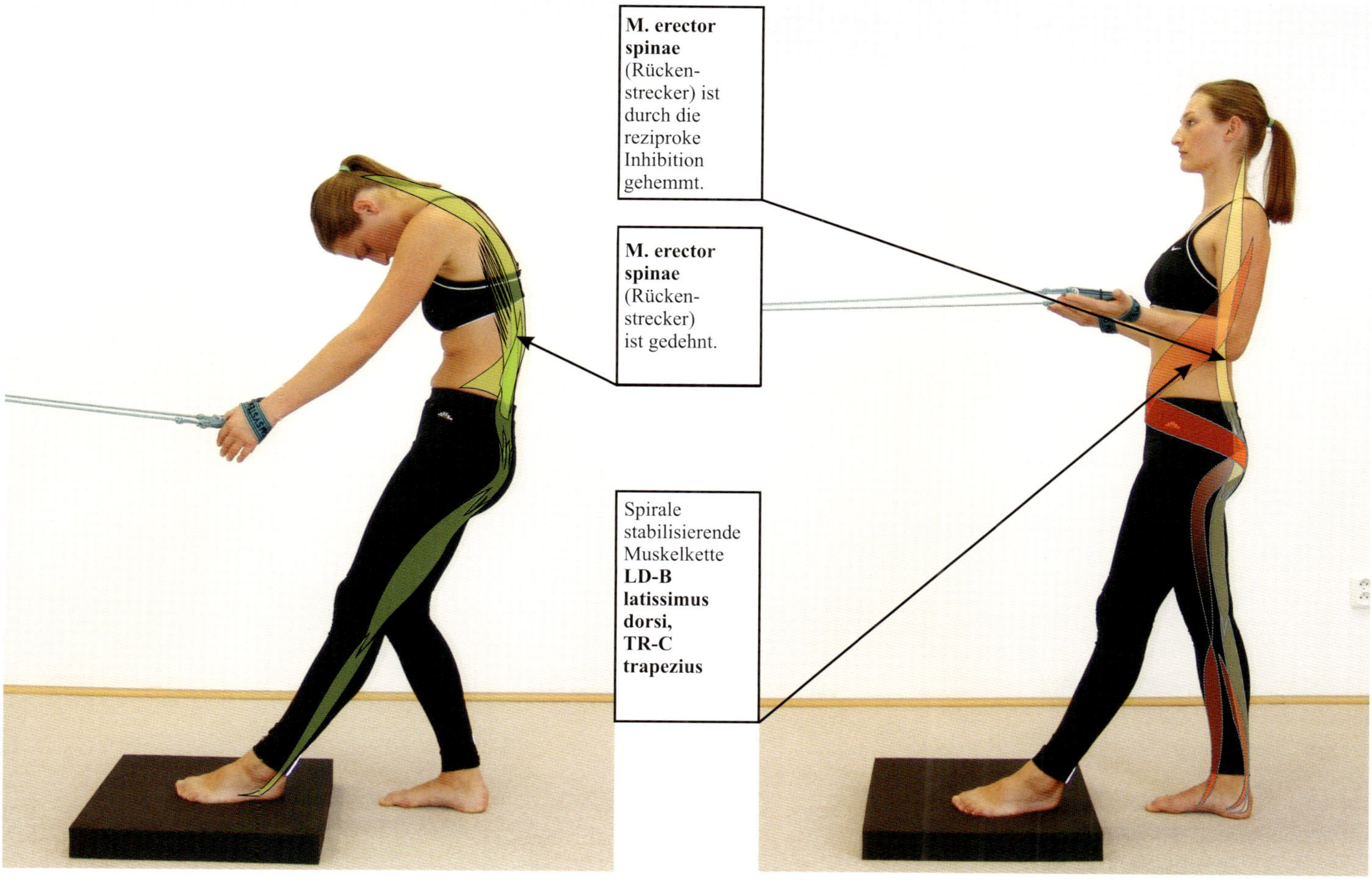

M. erector spinae (Rückenstrecker) - Übung mit Dehnung und aktive Entspannung

2. Übung - im Stehen seitlich zur Befestigung des Seils, ein Bein ruht auf dem Step, das Seil mit einem Arm zur Seite ziehen.

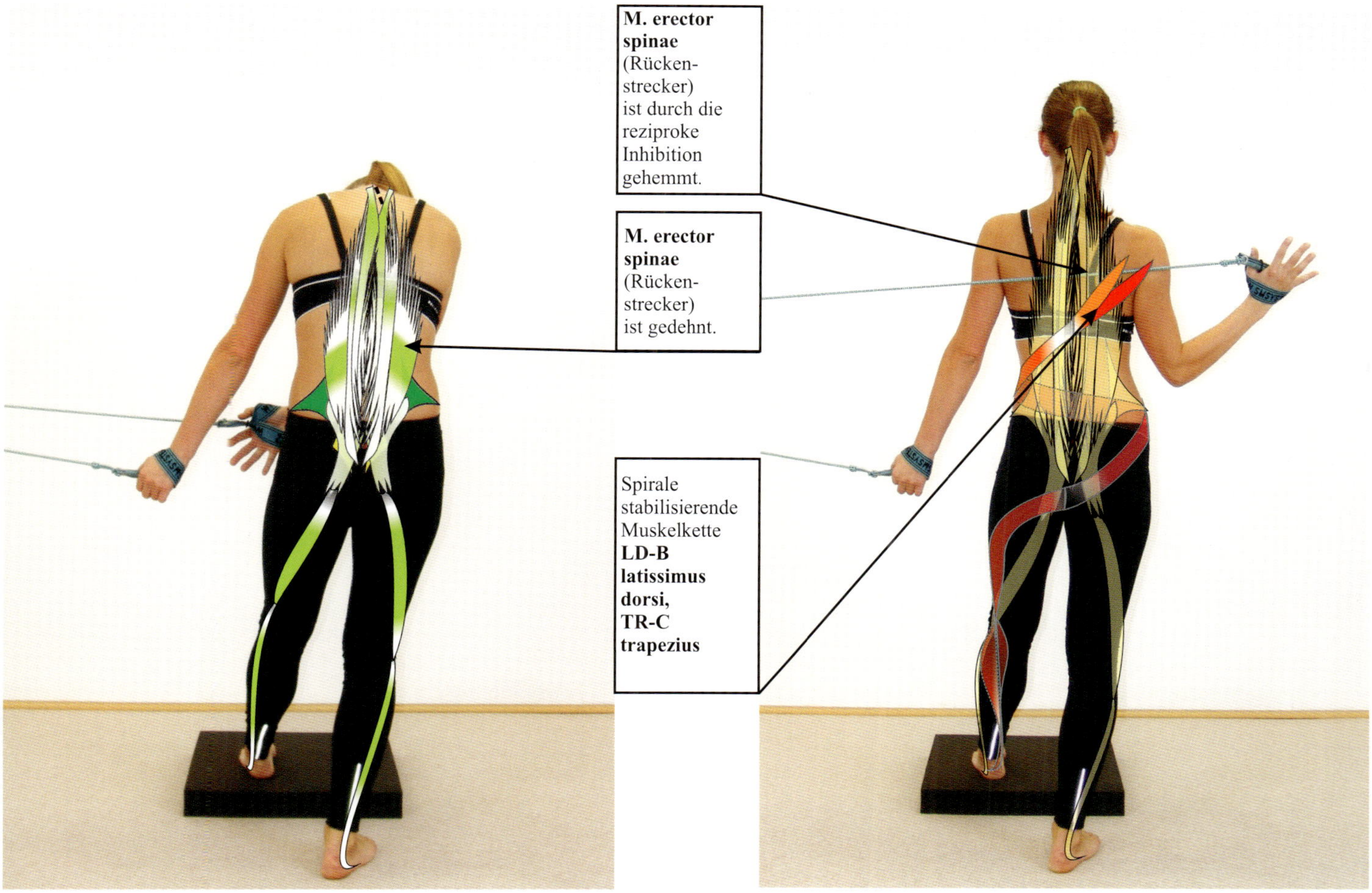

M. erector spinae, M. iliocostalis, M. longissimus thoracis, M. longissimus capitis, cervicis, M. quadratus lumborum, M. multifidus

M. erector spinae (Rückenstrecker), M. iliocostalis (Darmbein-Rippenmuskel), M. longissimus thoracis (längster Rückenmuskel - Brustteil), M. longissimus capitis, cervicis (längster Rückenmuskel, Kopf- und Halsteil), M. quadratus lumborum (viereckiger Lendenmuskel), M. multifidus (vielgeteilter Muskel)

- Entspannung durch die reziproke Inhibition, Dehnung

PM - pectoralis major Muskelkette ist Agonist im ersten Übungsteil,
LD - latissimus dorsi und TR - trapezius im zweiten Übungsteil.

3. Übung - im Stehen mit dem Rücken zur Befestigung des Seils, ein Bein ruht vorn auf dem Step.
Die Arme werden geöffnet, die Schulterblätter zueinander gezogen und die Handflächen zeigen nach oben.

Stabilisation TR, LD

Stabilisation PM

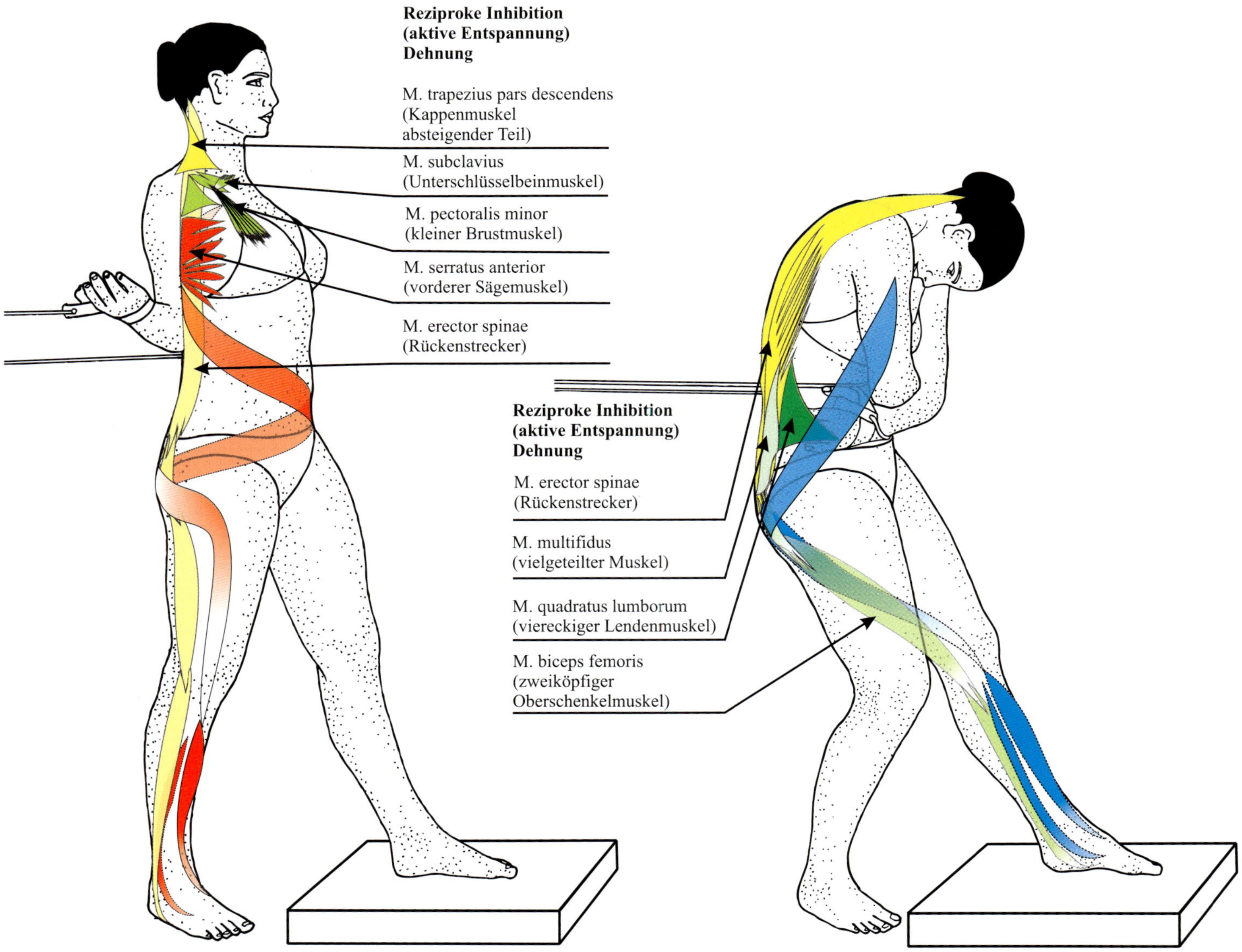

2 - Ausführung - aktiver Übungsteil

Im aktiven Übungsteil dehnen wir die vordere Schultergürtelmuskulatur:
- M. subclavius (Unterschlüsselbeinmuskel)
- M. pectoralis minor (kleiner Brustmuskel)
- M. pectoralis major (großer Brustmuskel)
- M. serratus anterior (vorderer Sägemuskel)

Die obere Schultergürtel- und Nackenmuskulatur ist entspannt:
- M. trapezius pars descendens (Kappenmuskel absteigender Teil)
- M. levator scapulae (Schulterblattheber)
- Mm. scaleni (Rippenhalter)
- M. semispinalis capitis, cervicis (Halbdornmuskel des Halses, Halbdornmuskel des Kopfes)

und andere Muskeln.

1 - Ausgangsposition - aktiver Übungsteil

In der Ausgangsposition dehnen wir:
- M. erector spinae (Rückenstrecker)
- M. quadratus lumborum (viereckiger Lendenmuskel)
- M. multifidus (vielgeteilter Muskel)

Diese Muskeln werden durch die Aktivität der PM - pectoralis major Muskelkette aktiv gehemmt. Die Bewegung wird durch die Anspannung der ligamenta interspinalia (Zwischendornfortsatzbänder) gestoppt.

Außerdem dehnen wir auch die ischiokruralen Muskeln (die hinteren Oberschenkelmuskeln):
- M. biceps femoris (zweiköpfiger Oberschenkelmuskel)
- M. semitendinosus (Halbsehnenmuskel)
- M. semimembranosus (Plattsehnenmuskel)
- M. adductor magnus (großer Anzieher)

M. erector spinae, M. iliocostalis, M. longissimus thoracis, M. longissimus capitis, cervicis, M. quadratus lumborum, M. multifidus

M. erector spinae (Rückenstrecker), M. iliocostalis (Darmbein-Rippenmuskel), M. longissimus thoracis (längster Rückenmuskel - Brustteil), M. longissimus capitis, cervicis (längster Rückenmuskel, Kopf- und Halsteil), M. quadratus lumborum (viereckiger Lendenmuskel), M. multifidus (vielgeteilter Muskel)

- Entspannung durch die reziproke Inhibition, Dehnung

LD - latissimus dorsi und TR - trapezius Muskelketten sind Agonisten im ersten Übungsteil, SA - serratus anterior im zweiten Übungsteil.

6. Übung - im Stehen mit dem Rücken zur Befestigung des Seils, ein Bein ruht vorn auf dem Step.

Beide Arme kreisen nach vorn.

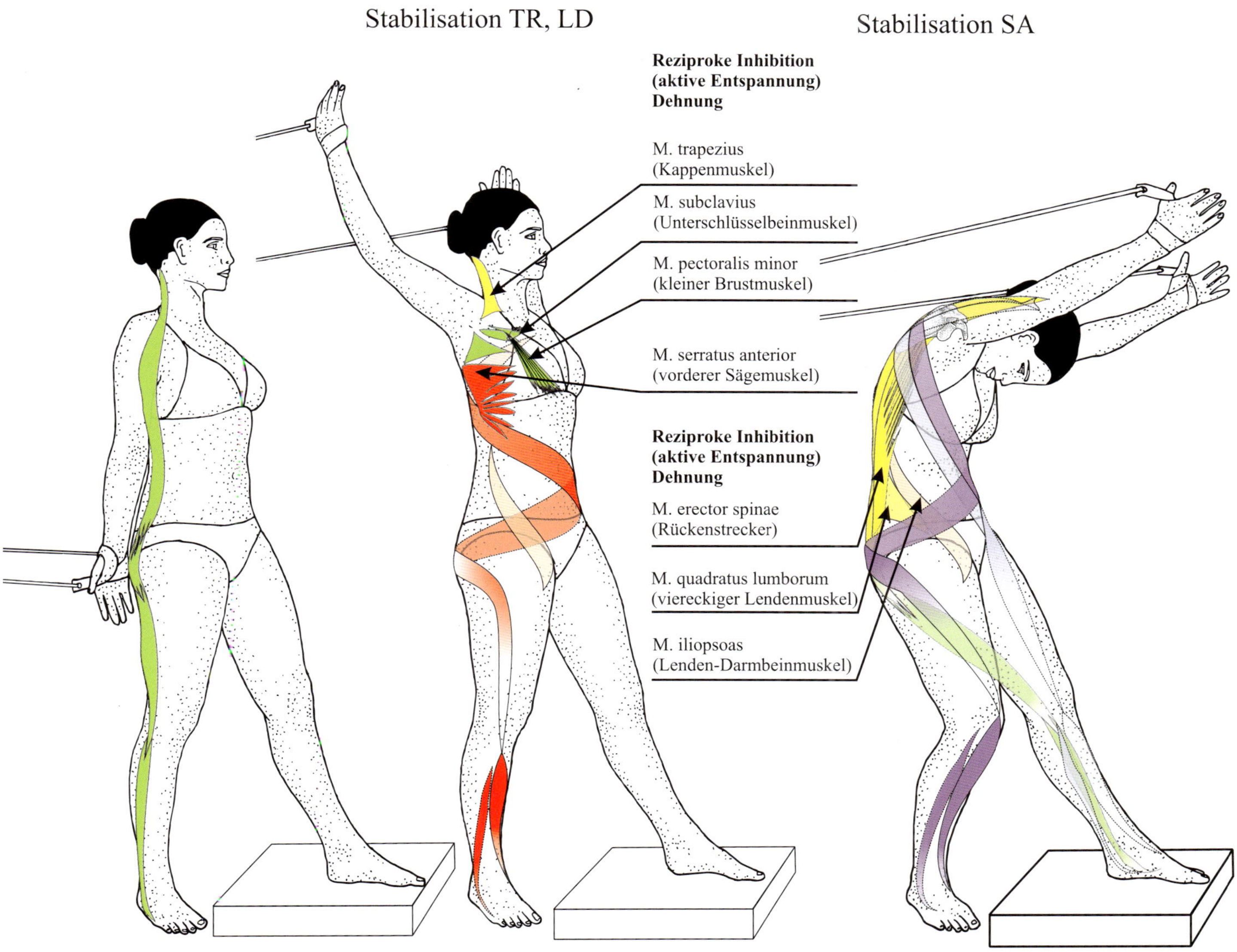

1 - Im ersten Teil der Ausführung - aktiver Übungsteil

Dehnen wir die vordere Schultergürtelmuskulatur:
- M. subclavius (Unterschlüsselbeinmuskel)
- M. pectoralis minor (kleiner Brustmuskel)
- M. pectoralis major (großer Brustmuskel)
- M. serratus anterior (vorderer Sägemuskel)

Die obere Schultergürtelmuskulatur ist entspannt:
- M. trapezius pars descendens (Kappenmuskel absteigender Teil)
- M. levator scapulae (Schulterblattheber)
- Mm. scaleni (Rippenhalter)
- M. semispinalis capitis, cervicis (Halbdornmuskel des Halses, Halbdornmuskel des Kopfes)

und andere Muskeln.

2 - Ausführung - aktiver Übungsteil

Die Übung führt zur Dehnung der aktiv gehemmten Rückenmuskulatur:
- M. erector spinae (Rückenstrecker)
- M. quadratus lumborum (viereckiger Lendenmuskel)
- M. iliopsoas (Lenden-Darmbeinmuskel)

M. erector spinae (Rückenstrecker) - Übung mit Dehnung und aktive Entspannung

3. Übung - im Stehen mit dem Rücken zur Befestigung des Seils, ein Bein ruht vorn auf dem Step, die Arme werden nach hinten geöffnet und die Schulterblätter zueinander gezogen.

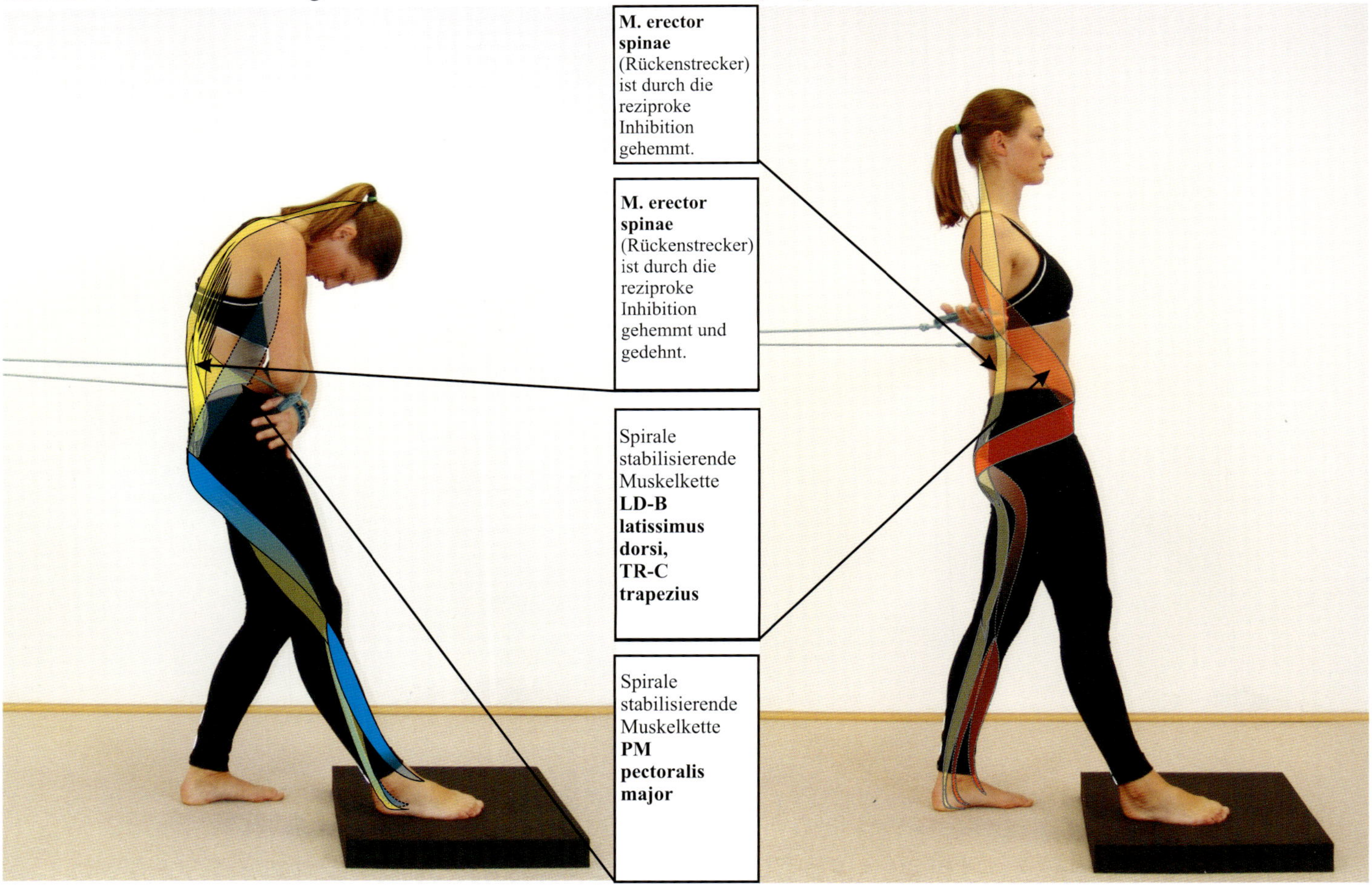

M. erector spinae (Rückenstrecker) - Übung mit aktive Entspannung und Dehnung

6. Übung - im Stehen mit dem Rücken zur Befestigung des Seils, ein Bein ruht vorn auf dem Step, die beide Arme kreisen nach vorn.

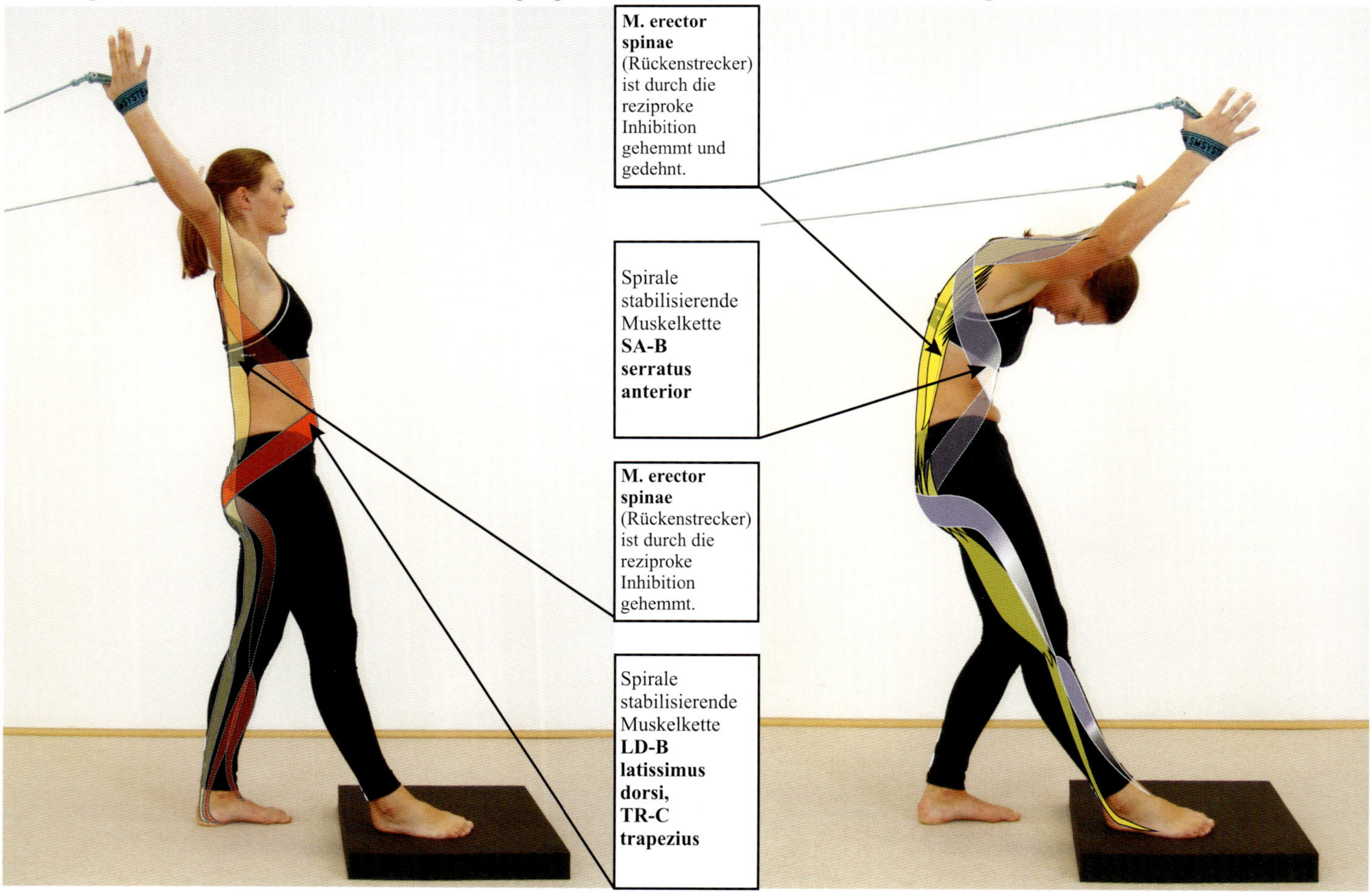

M. erector spinae, M. iliocostalis, M. longissimus thoracis, M. longissimus capitis, cervicis, M. quadratus lumborum, M. multifidus

M. erector spinae (Rückenstrecker), M. iliocostalis (Darmbein-Rippenmuskel), M. longissimus thoracis (längster Rückenmuskel - Brustteil), M. longissimus capitis, cervicis (längster Rückenmuskel, Kopf- und Halsteil), M. quadratus lumborum (viereckiger Lendenmuskel), M. multifidus (vielgeteilter Muskel)

- Entspannung durch die reziproke Inhibition, Dehnung

LD - latissimus dorsi und TR - trapezius Muskelketten sind Agonisten im zweiten Übungsteil.

5. Übung - im Kniestand mit der Stirn zur Befestigung des Seils, ein Bein ist nach vorn gestreckt.

Der Rücken wird in langgezogenem Bogen nach vorn gedehnt, der Rumpf wird ausgeglichen, die beiden Arme ziehen das Seil nach hinten, die Handflächen zeigen nach oben.

Stabilisation ES

Stabilisation TR, LD

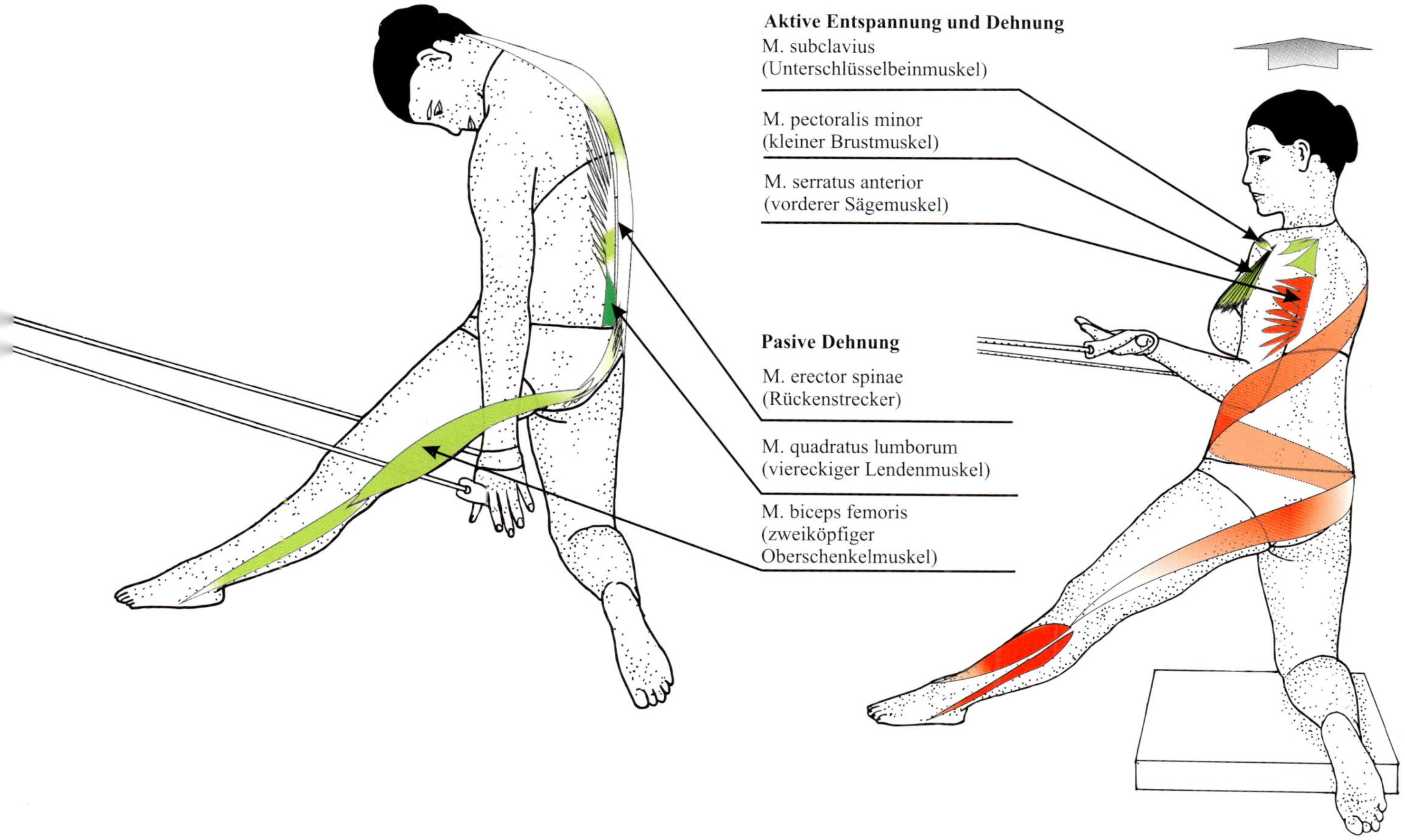

1 - Ausgangsposition - passiver Übungsteil

In der Ausgangsposition dehnen wir die Rückenmuskulatur:
- M. erector spinae (Rückenstrecker)
- M. quadratus lumborum (viereckiger Lendenmuskel)
- M. multifidus (vielgeteilter Muskel)

Außerdem dehnen wir auch die ischiokrurale Muskeln (die hintere Oberschenkelmuskulatur):
- M. biceps femoris (zweiköpfiger Oberschenkelmuskel)
- M. semitendinosus (Halbsehnenmuskel)
- M. semimembranosus (Plattsehnenmuskel)
- M. adductor magnus (großer Anzieher)

2 - Aufführung - aktiver Übungsteil

Im aktiven Übungsteil dehnen wir die vordere Schultergürtelmuskulatur:
- M. subclavius (Unterschlüsselbeinmuskel)
- M. pectoralis minor (kleiner Brustmuskel)
- M. pectoralis major (großer Brustmuskel)
- M. serratus anterior (vorderer Sägemuskel)

Die obere Schultergürtelmuskulatur ist entspannt:
- M. trapezius pars descendens (Kappenmuskel absteigender Teil)
- M. levator scapulae (Schulterblattheber)
- Mm. scaleni (Rippenhalter)
- M. semispinalis capitis, cervicis (Halbdornmuskel des Halses, Halbdornmuskel des Kopfes)

und andere Muskeln.

M. erector spinae (Rückenstrecker) - passive Dehnung, aktive Entspannung

5. Übung - in Sitzhaltung mit der Stirn zur Befestigung des Seils, ein Bein ist nach vorn gestreckt, der Rücken wird im Bogen nach vorn gebeugt, das Seil mit beiden Armen nach hinten ziehen.

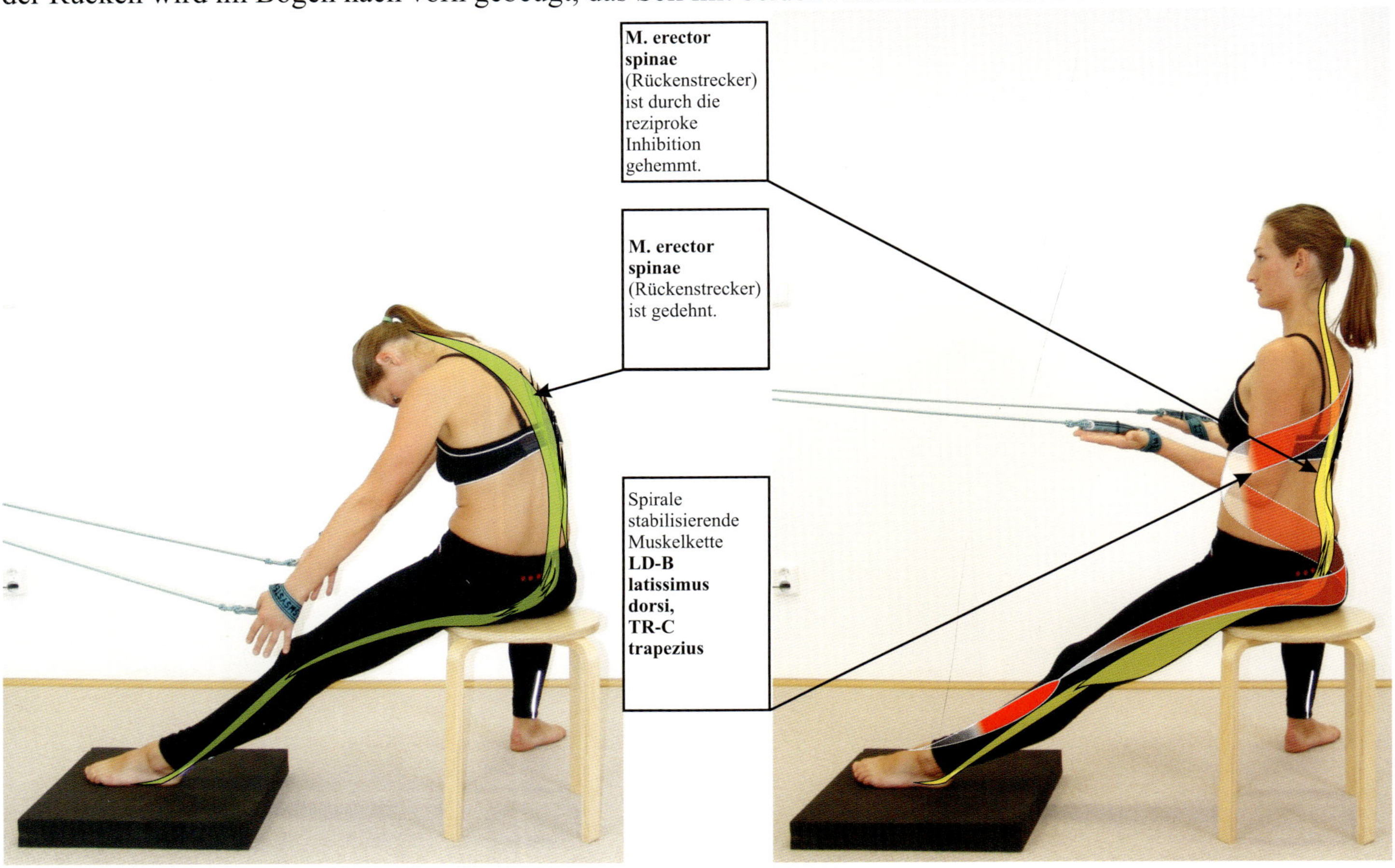

M. erector spinae (Rückenstrecker) - passive Dehnung, aktive Entspannung

5. Übung - im Kniestand mit der Stirn zur Befestigung des Seils, ein Bein ist nach vorn gestreckt, Der Rücken wird im Bogen nach vorn gebeugt, das Seil mit beiden Armen nach hinten ziehen.

MANUELLE TECHNIKEN UND ÜBUNGEN NACH MUSKELANALYSE

Rumpf und Nacken
paravertebrale Muskeln
hintere obere Muskelgruppe

Muskeln die zur Anspannung und zur Verkürzung neigen:

M. semispinalis capitis (Halbdornmuskel des Kopfes)
M. semispinalis cervicis (Halbdornmuskel des Halses)
M. rectus capitis posterior major (großer, hinterer, gerader Kopfmuskel)
M. rectus capitis posterior minor (kleiner, hinterer, gerader Kopfmuskel)
M. obliquus capitis superior (oberer, schräger Kopfmuskel)
M. obliquus capitis inferior (unterer, schräger Kopfmuskel)_

M. semispinalis capitis, cervicis (Halbdornmuskel des Kopfes und Halses)

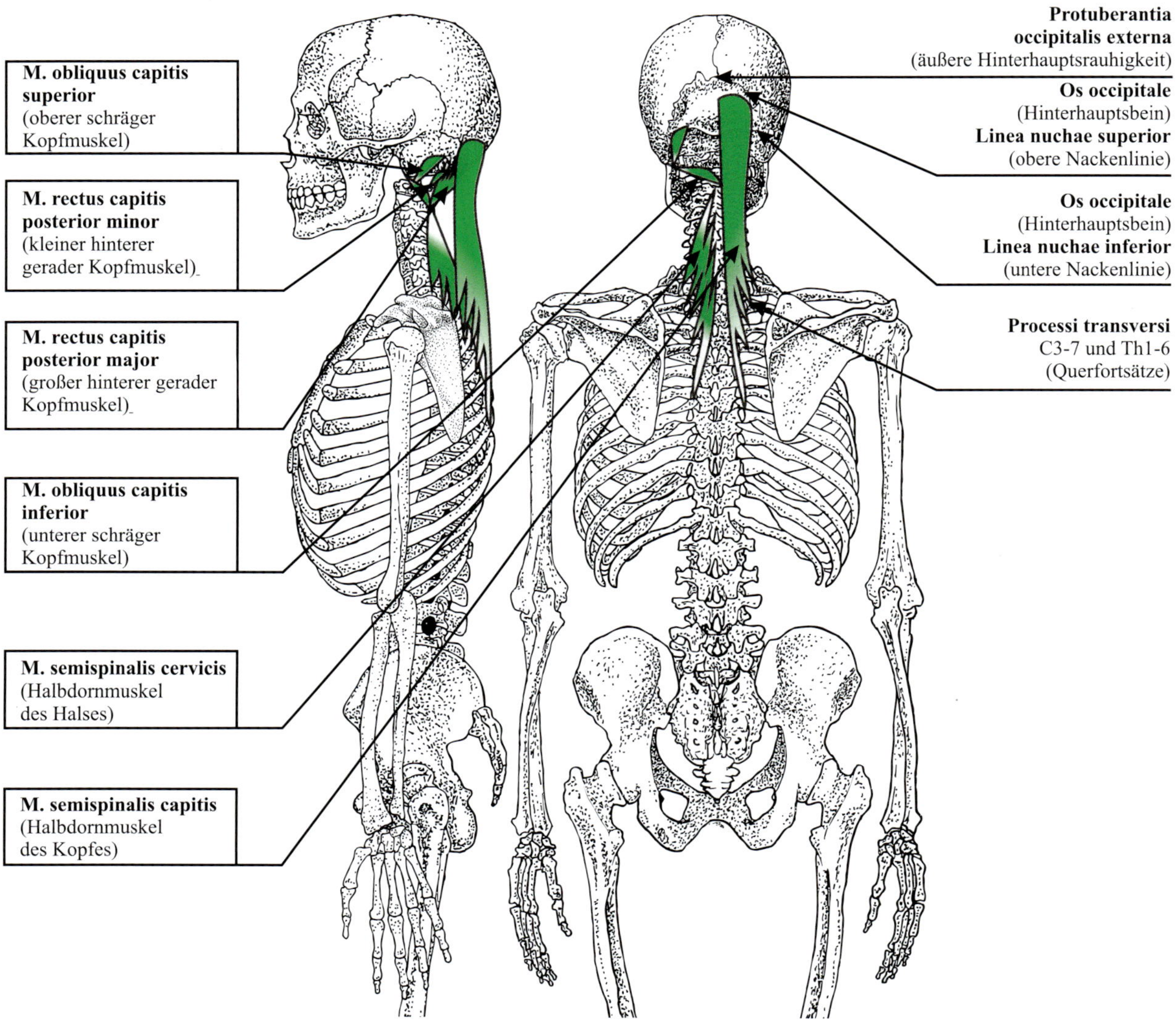

M. semispinalis cervicis (Halbdornmuskel des Halses)
Ursprung:
- processi transversi Th1-6

Ansatz:
- processi spinosi C2-6

Funktion:
- beidseitige Kontraktion:
- Extension des Halses
- einseitige Kontraktion:
- laterale Flexion zur gleichen Seite
- Rotation zur kontralateralen Seite

Innervation:
- rr. dorsales Spinalnerven (C-Th Übergang)

M. semispinalis capitis (Halbdornmuskel des Kopfes)
Ursprung:
- processi transversi C3-7, Th1-6

Ansatz:
- linea nuchae superior

Funktion:
- beidseitige Kontraktion:
- Extension des Halses
- einseitige Kontraktion:
- laterale Flexion zur gleichen Seite
- Rotation zur kontralateralen Seite (Kopf, Hals, Brustkorb)

Innervation:
- rr. dorsales Spinalnerven (C-Th Übergang)

M. obliquus capitis inferior (unterer schräger Kopfmuskel)
Ursprung:
- processus spinosus axis

Ansatz:
- processus transversus atlantis

Funktion:
- beidseitige Kontraktion:
- dorsale Extension des Kopfes
- einseitige Kontraktion:
- Rotation zur gleichen Seite

Innervation:
- ramus dorsalis C1 (der hintere Ast der Spinalnerven Hinterkopfnerv)

M. rectus capitis posterior major, (großer hinterer gerader Kopfmuskel)
Ursprung:
- processus spinosus axis

Ansatz:
- mittleres Drittel der Linea nuchae inferior

M. rectus capitis posterior minor (kleiner hinterer gerader Kopfmuskel)
Ursprung:
- tuberculum posterius atlantis

Ansatz:
- mediales Drittel der Linea nuchae inferior

Funktion:
- beidseitige Kontraktion:
- Extension des Kopfes
- einseitige Kontraktion:
- laterale Flexion zur gleichen Seite
- Rotation zur gleichen Seite

Innervation:
- ramus dorsalis C1 (n. suboccipitalis) ist der hintere Ast der ersten Spinalnerven

M. obliquus capitis superior (oberer schräger Kopfmuskel)
Ursprung:
- processus transversus atlantis

Ansatz:
- laterales Drittel der Linea nuchae inferior oberhalb des Ansatzes vom M. rectus capitis posterior major

Funktion:
- beidseitige Kontraktion:
- dorsale Extension des Kopfes
- einseitige Kontraktion:
- laterale Flexion zur gleichen Seite
- Rotation zur gegenüberliegenden Seite

Innervation:
- ramus dorsalis C1 (n. suboccipitalis) ist der hintere Ast der ersten Spinalnerven

Vertikale Muskelkette **ES - erector spinae** (Rückenstrecker)

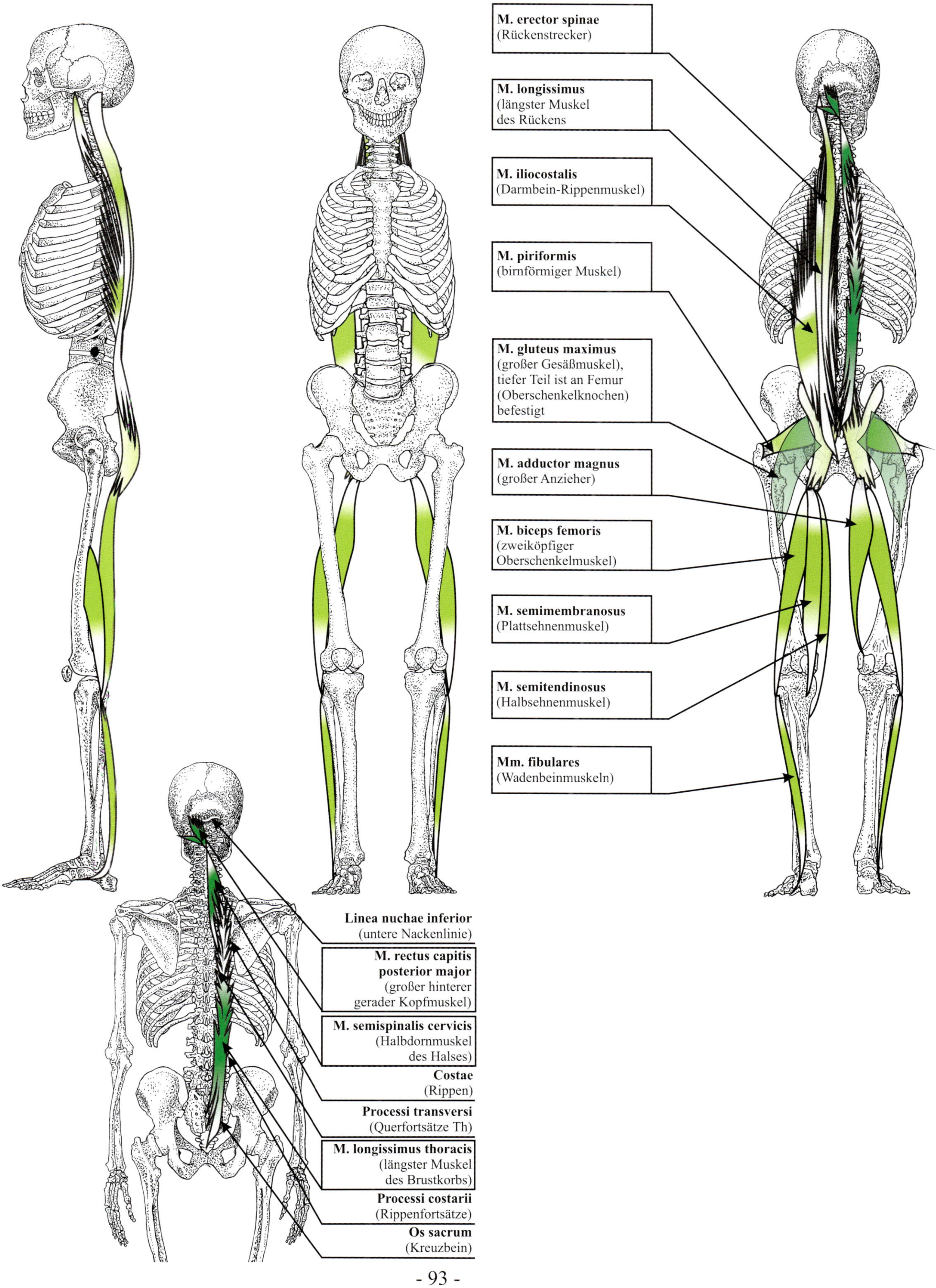

M. semispinalis capitis, cervicis

(Halbdornmuskel des Kopfes und des Halses) - Massage mit Dehnung

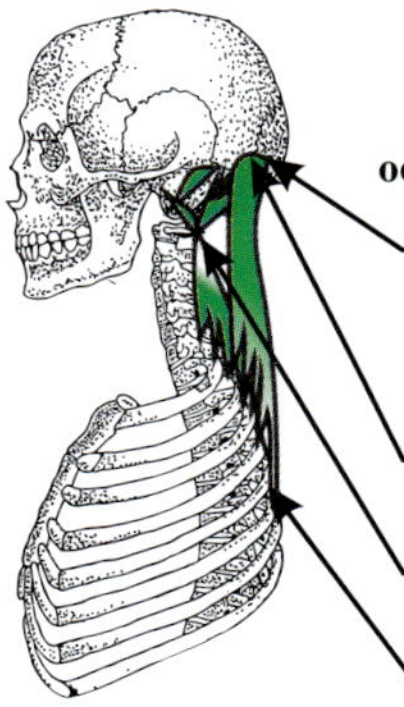

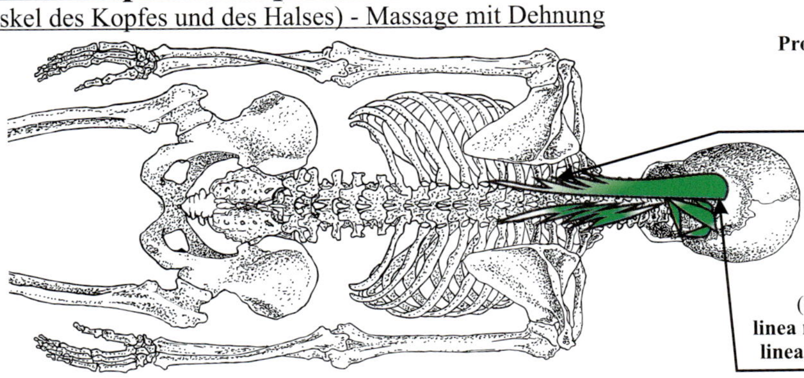

Ausgangsposition

Der Therapeut kniet hinter dem Patient und mit seinem rechten Bein stabilisiert er den Rumpf des Patienten - punctum fixum. Die rechte Handfläche des Therapeuten liegt auf der Schulter des Patienten und die Finger sind nach hinten gerichtet. Der Thenar und der Daumen der linken Hand üben neben den Dornfortsätzen im Bereich der oberen Brustwirbelsäule einen Druck aus. Der Patient atmet ein.

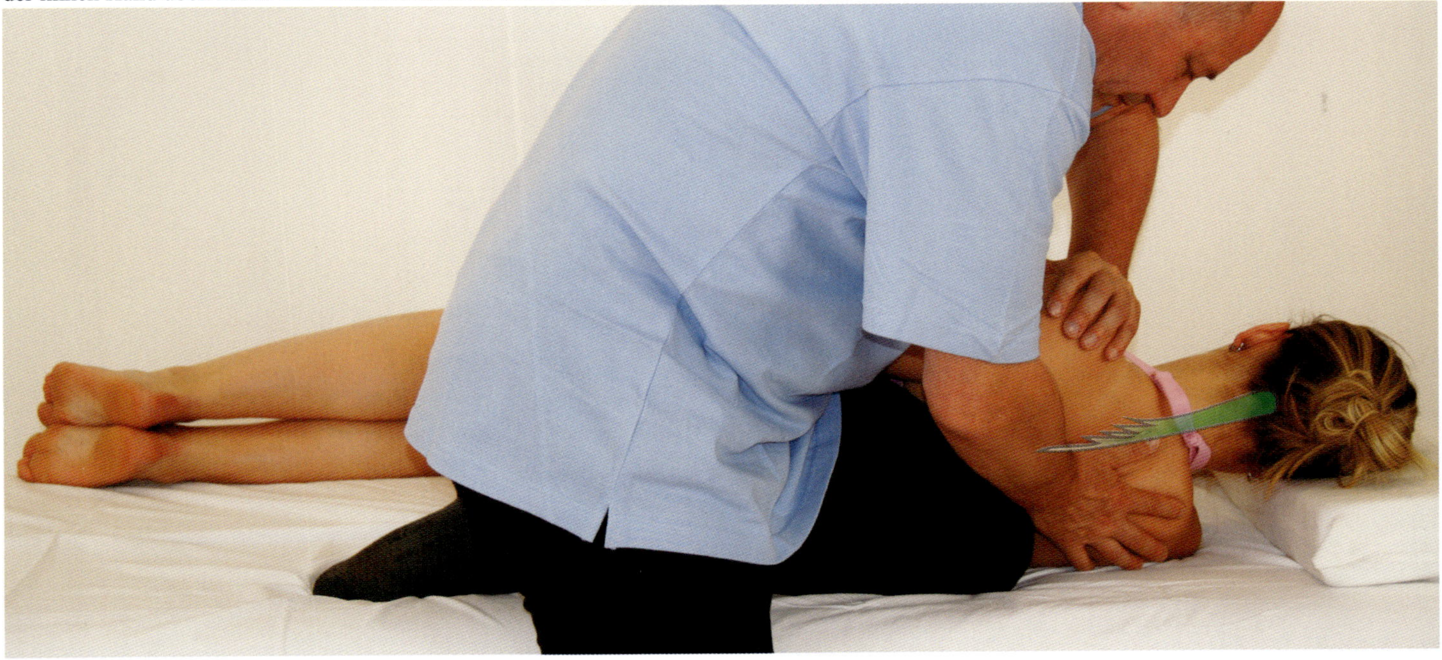

Ausführung

Der Therapeut massiert durch eine langsame kraniale (nach oben) gerichtete Bewegung seiner rechten Hand der M.semispinalis capitis und cervicis - punctum mobile, bis er das os occipitale erreicht hat und hält die Dehnung an. Der Patient atmet langsam aus. Die Dehnung wird gelockert und 6x wiederholt. Nachdem die Behandlungstechnik beendet worden ist, warten wir jedesmal ca. 3 sec.

PIR. Die erreichte Dehnung wird gehalten. Der Patient atmet ein und, der im Brustkorb entstehende Gegendruck, führt zur Anspannung seiner Muskeln. Beim folgenden Ausatmen entspannen sich die Muskeln wieder und ermöglichen eine weitere Dehnung. Mit Hilfe dieser Technik werden die M. semispinalis capitis, cervicis und andere Muskeln des Halses gedehnt, und gleichzeitig wird der Patient auf Übungen, die zur Lockerung der Halsmuskulatur führen, vorbereitet. Die Technik wird 3x wiederholt.

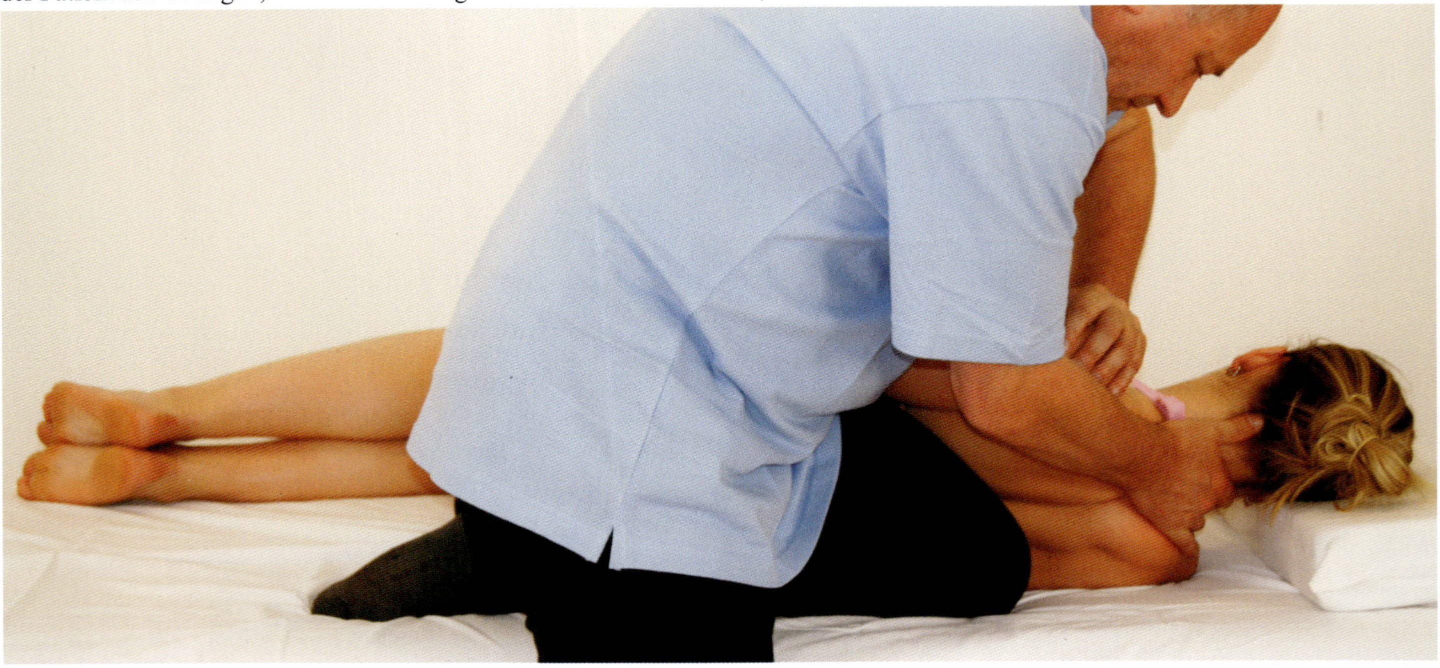

Manuelle Techniken in Seitenlage

M. semispinalis capitis, cervicis

(Halbdornmuskel des Kopfes und des Halses) - Massage mit Dehnung

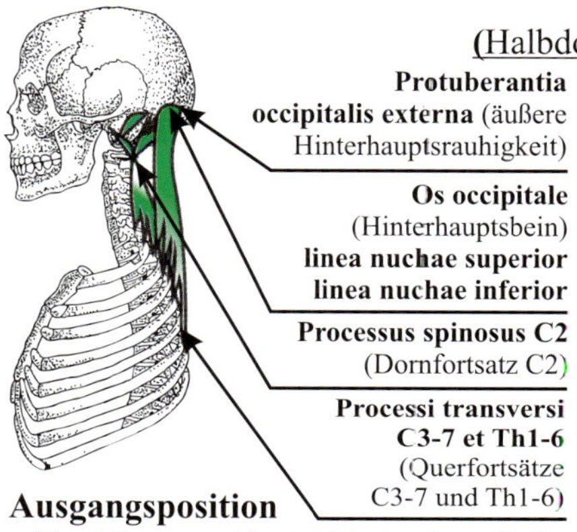

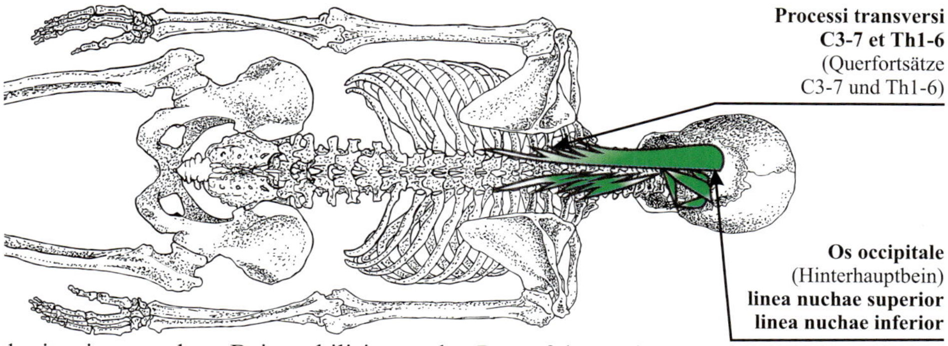

Ausgangsposition

Der Therapeut kniet hinter dem Patienten und mit seinem rechten Bein stabilisiert er den Rumpf des Patienten - punctum fixum. Der linke Arm des Therapeuten greift nach rechts um und die flexierte Seite seines Unterarms lehnt sich an die Schulter des Patienten an. Der Daumenballen der rechten Hand ruht am os occipitale und processus mastoideus. Die anderen Finger stützen den Hals im seitlichen Bereich ganz weich ab. Der Patient atmet ein.

Ausführung

Bei dieser Technik bewegt der Therapeut nicht nur seine Hände sondern den ganzen Körper. Mit dem linken Unterarm zieht er kaudal (nach unten) - punctum mobile und dehnt den M. semispinalis capitis und cervicis. Der Patient atmet langsam aus. Die Dehnung wird gelockert und 6x wiederholt. Nachdem die Behandlungstechnik beendet worden ist, warten wir jedesmal ca. 3 sec.

PIR. Die erreichte Dehnung wird gehalten. Der Patient atmet ein und, der im Brustkorb entstehende Gegendruck, führt zur Anspannung seiner Muskeln. Beim folgenden Ausatmen entspannen sich die Muskeln wieder und ermöglichen eine weitere Dehnung. Mit Hilfe dieser Technik werden die M. semispinalis capitis, cervicis und andere Muskeln des Halses gedehnt. Gleichzeitig wird der Patient auf Übungen, die zur Lockerung der Halsmuskulatur führen, vorbereitet. Die Technik wird 3x wiederholt.

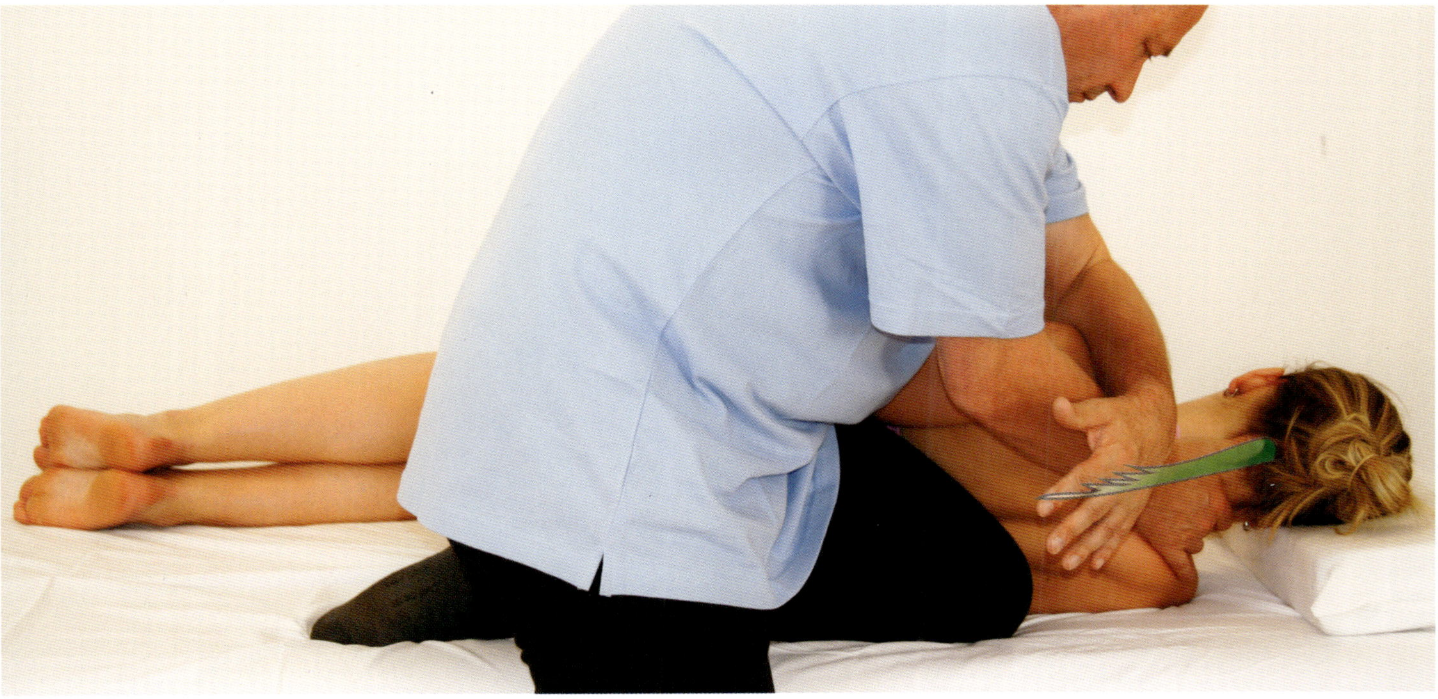

M. semispinalis capitis, cervicis (Halbdornmuskel des Kopfes und des Halses) - Massage mit Dehnung

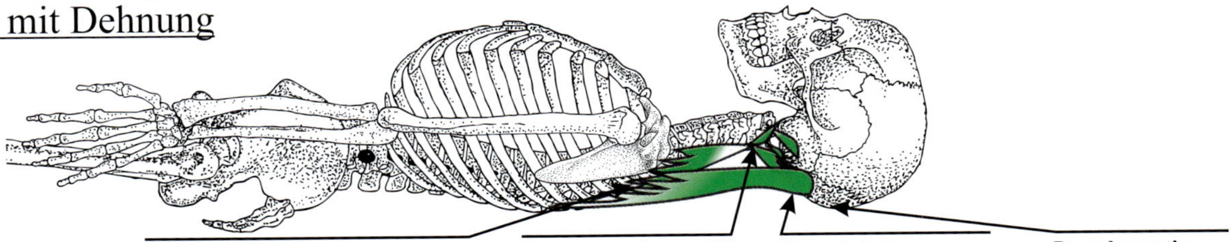

Ausgangsposition

Der Rumpf des Patienten ruht auf der Liege - punctum fixum.
Der Therapeut steht am Kopfende des Patienten mit einem Bein vorn und dem anderen hinten.
Mit den Fingern übt er einen Druck links und rechts neben der Wirbelsäule in Richtung Querfortsätze aus. Der Patient atmet ein.

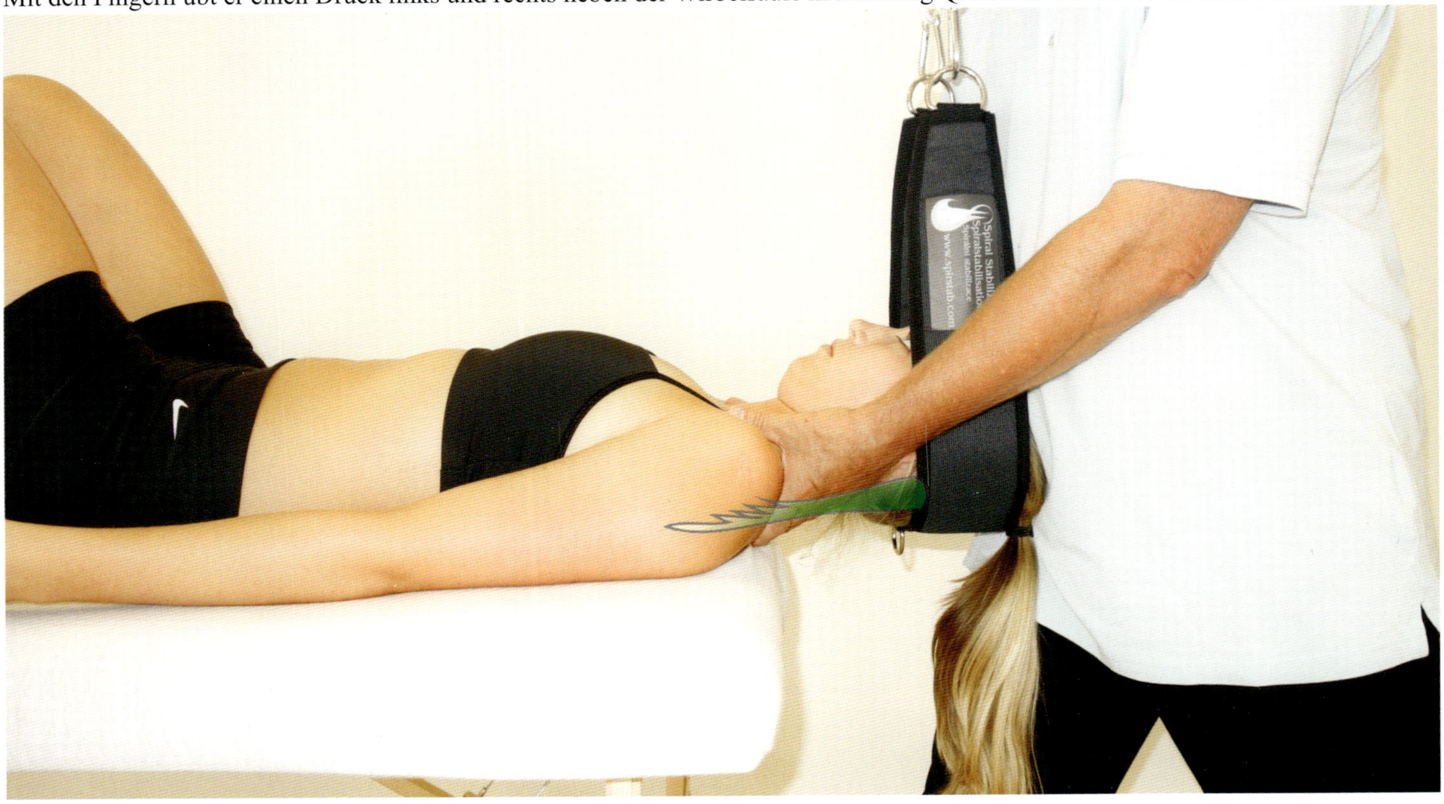

Ausführung

Die Hände des Therapeuten gleiten kranial (in Richtung Kopf) entlang der beiden Wirbelsäulenseiten. In dieser Bewegung sind sowohl der ganze Körper als auch die Arme des Therapeuten miteinbezogen. Nachdem die Bewegung beendet ist, erfasst der Therapeut mit den Daumen den Unterkiefer, und rotiert den Kopf ganz leicht um die Achse die durch den äußeren Gehörgang verläuft und dadurch dehnt er die M. semispinalis capitis, cervicis und die kurze Halsextensoren. Der Patient atmet langsam aus. Die Dehnung wird gelockert und 6x wiederholt.
Nachdem die Behandlungstechnik beendet worden ist warten wir jedesmal ca. 3 sec.

PIR. Die erreichte Dehnung wird gehalten. Der Patient atmet ein und, der im Brustkorb entstehende Gegendruck, führt zur Anspannung seiner Muskeln. Beim folgenden Ausatmen entspannen sich die Muskeln wieder und ermöglichen eine weitere Dehnung. Mit Hilfe dieser Technik werden die M. semispinalis capitis, cervicis und andere Muskeln des Halses gedehnt. Gleichzeitig wird der Patient auf Übungen, die zur Lockerung der Halsmuskulatur führen, vorbereitet. Die Technik wird 3x wiederholt.

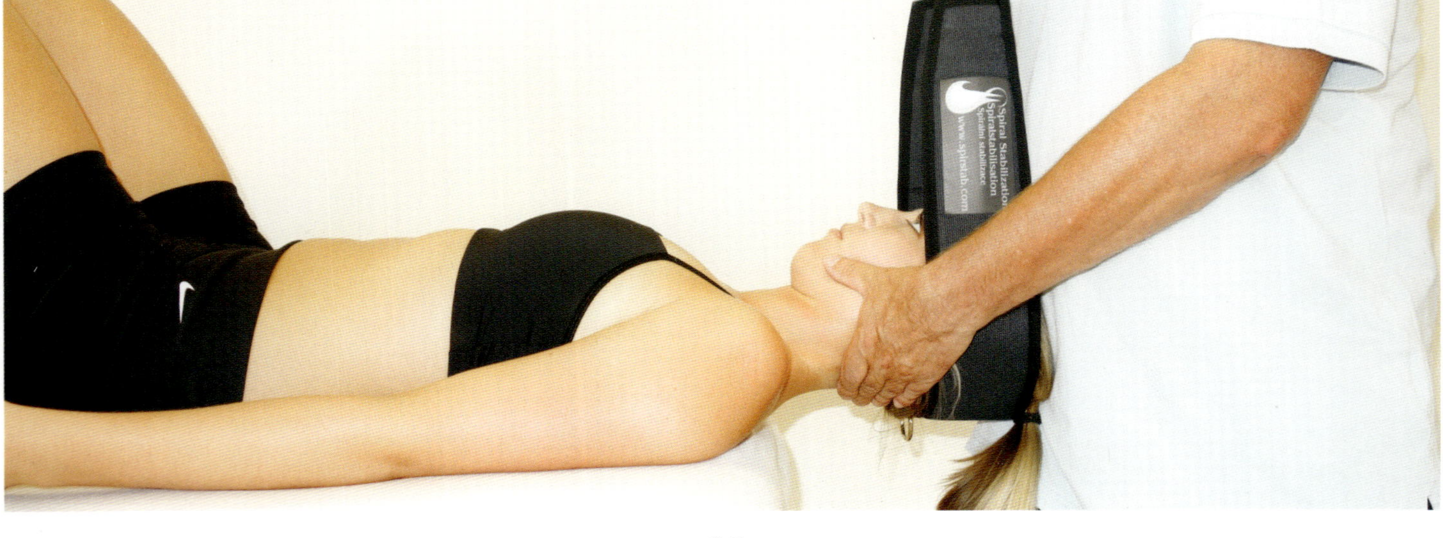

M. rectus capitis posterior major, minor (großer und kleiner, hinterer, gerader Kopfmuskel), M. obliquus capitis superior, inferior (oberer und unterer, schräger Kopfmuskel) - Massage mit Dehnung

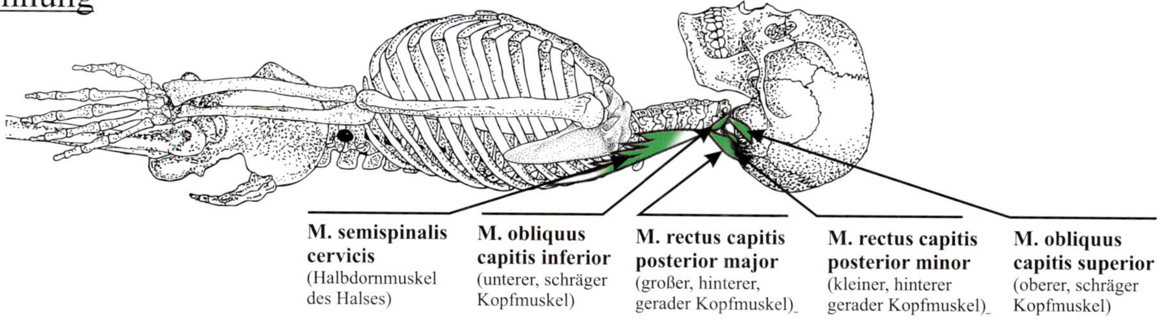

Ausgangsposition

Der Rumpf des Patienten ruht auf der Liege - punctum fixum. Der Therapeut steht am Kopfende des Patienten mit einem Bein vorn und dem anderen hinten, seine rechte Hand umfasst den Unterkiefer von vorn und der Zeigefinger der linken Hand liegt zwischen dem Dornfortsatz von C2 und os occipitale. Der Daumen ruht auf dem unteren Unterkiefer. Der Patient atmet ein.

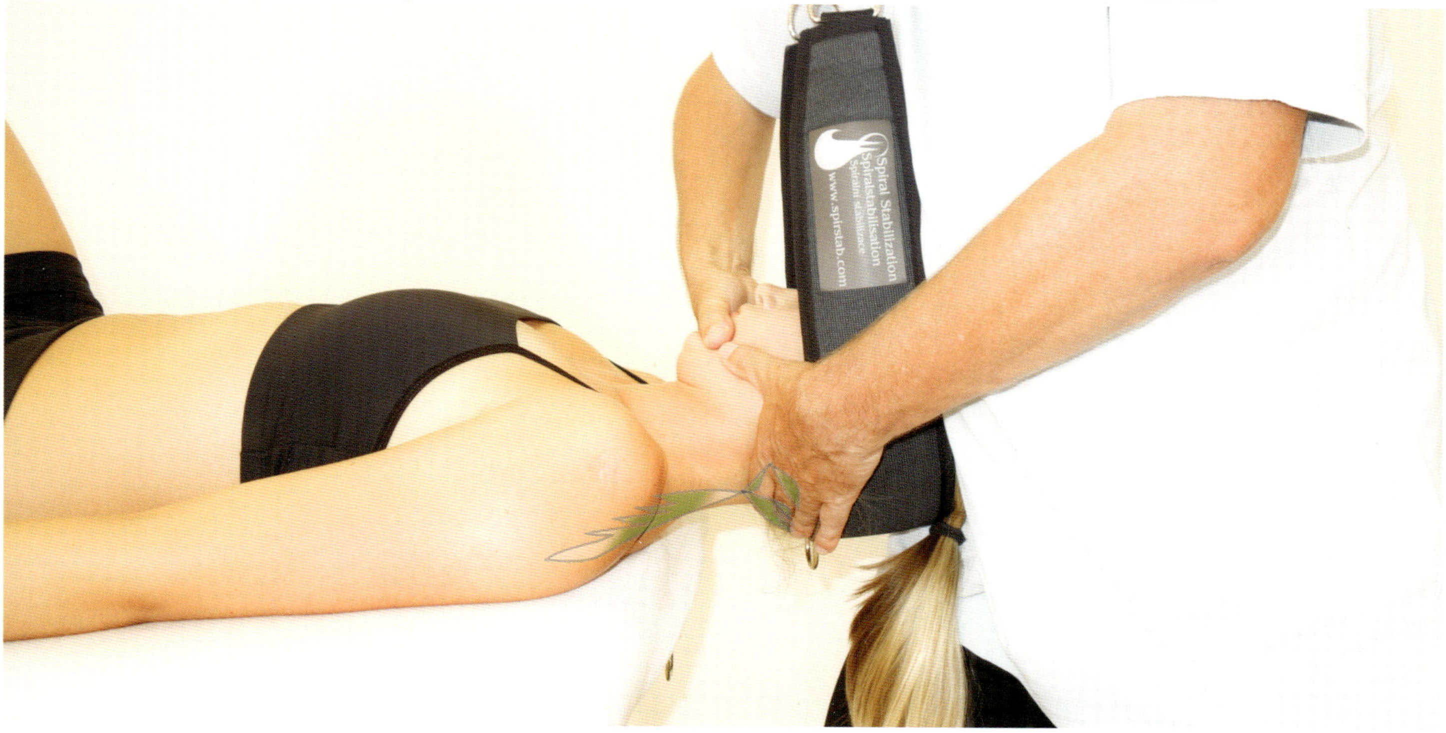

Ausführung

Die rechte Hand des Therapeuten drückt ganz leicht und langsam den Unterkiefer schräg dorsal und die linke Hand dehnt kranial den Hinterkopf. Der Kopf rotiert um die durch den äußeren Gehörgang verlaufende Achse.

Der Patient atmet langsam aus. Die Dehnung wird gelockert und 6x wiederholt. Nachdem die Behandlungstechnik beendet worden ist, warten wir jedesmal ca. 3 sec.

PIR. Die erreichte Dehnung wird gehalten. Der Patient atmet ein und, der im Brustkorb entstehende Gegendruck, führt zur Anspannung seiner Muskeln. Beim folgenden Ausatmen entspannen sich die Muskeln wieder und ermöglichen eine weitere Dehnung. Mit Hilfe dieser Technik werden die kurzen Halsextensoren, M. rectus capitis posterior major, minor, M. obliquus capitis superior, inferior und andere Muskeln des Halses gedehnt. Gleichzeitig wird der Patient auf Übungen, die zur Lockerung der Halsmuskulatur führen, vorbereitet. Die Technik wird 3x wiederholt.

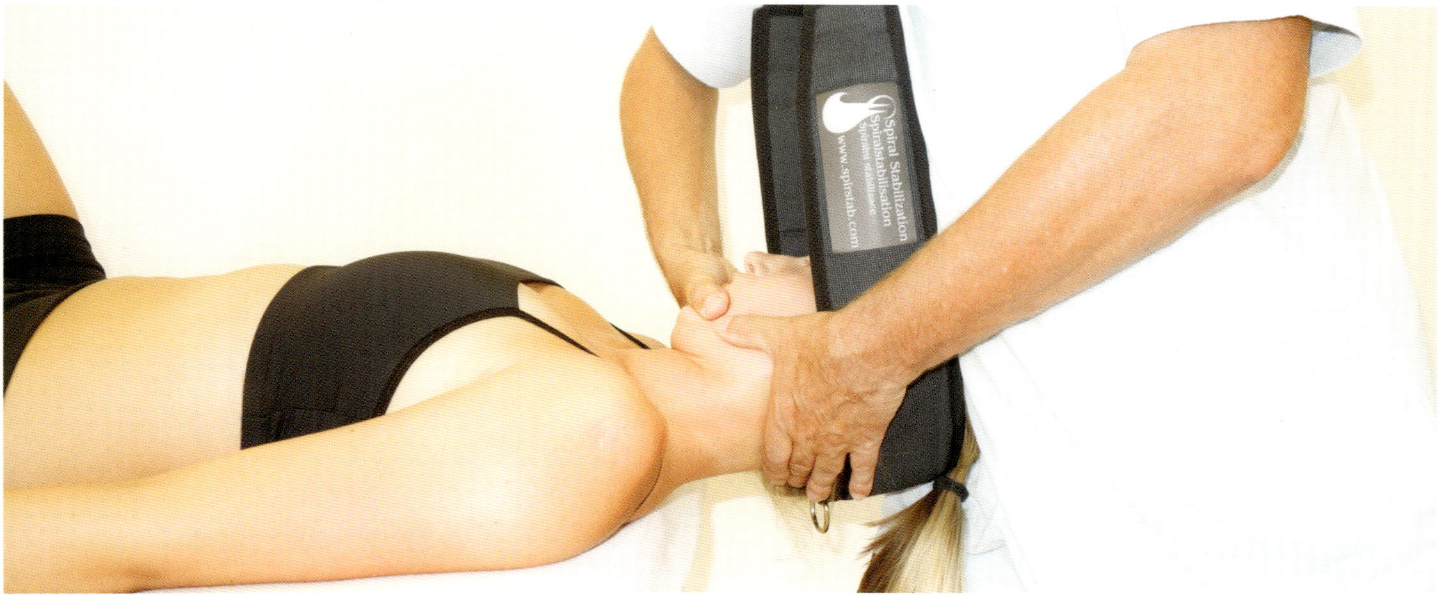

M. semispinalis capitis, cervicis (Halbdornmuskel des Kopfes und des Halses) - manuelle Dehnung während der Übung

6. Übung - in Sitzhaltung mit dem Rücken zur Befestigung des Seils, die beiden Arme kreisen nach vorn.

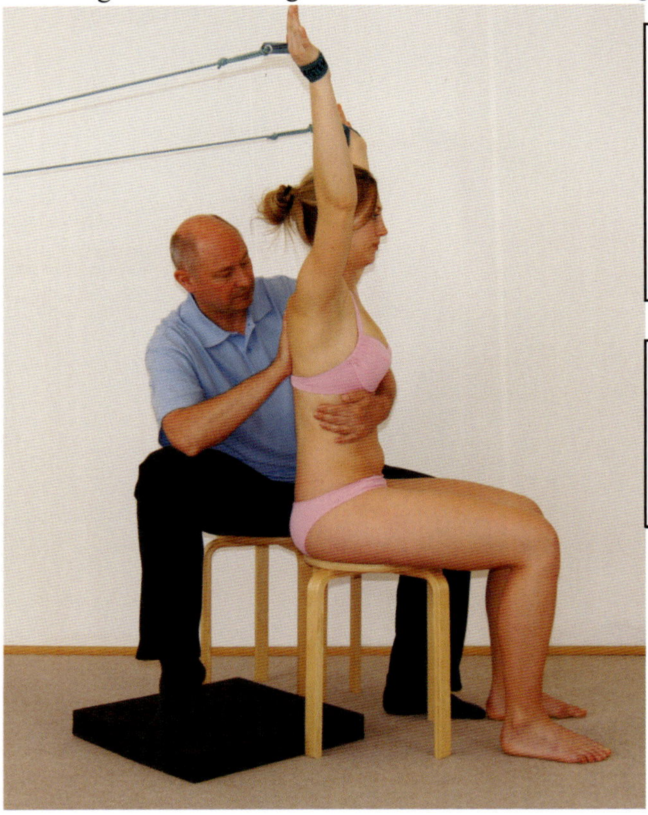

Massage des M. semispinalis capitis (Halbdorn-muskel des Kopfes) gehemmt durch die reziproke Inhibition und gedehnt.

Spirale stabilisierende Muskelkette SA-B serratus anterior

Stabilisation der unteren Rippen

Der stabili-sierende Arm hebt während der Massage den Rumpf des Patienten an.

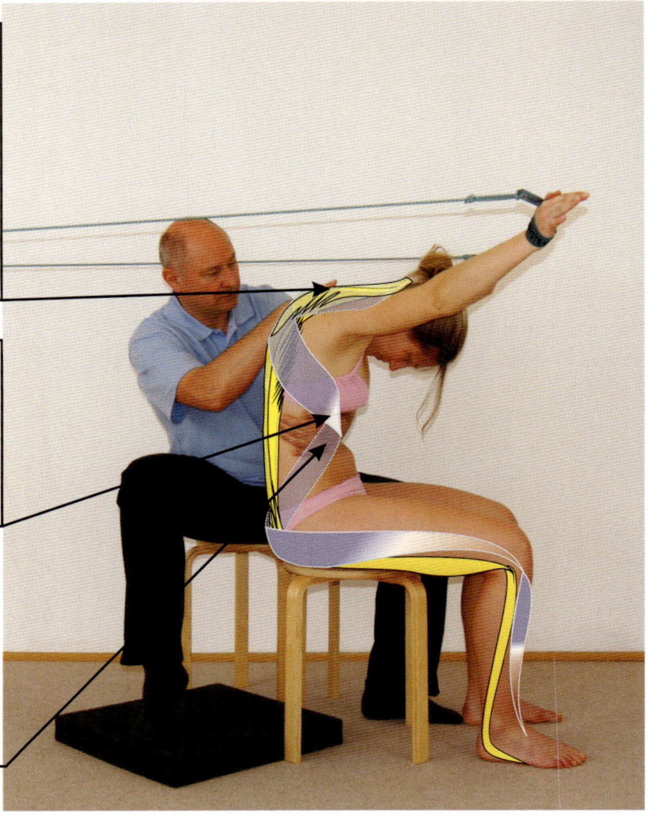

M. semispinalis capitis, cervicis (Halbdornmuskel des Kopfes und des Halses) - manuelle Dehnung während der Übung

2. Übung - in Sitzhaltung seitlich zur Befestigung des Seils, mit einem Arm zur Seite ziehen.

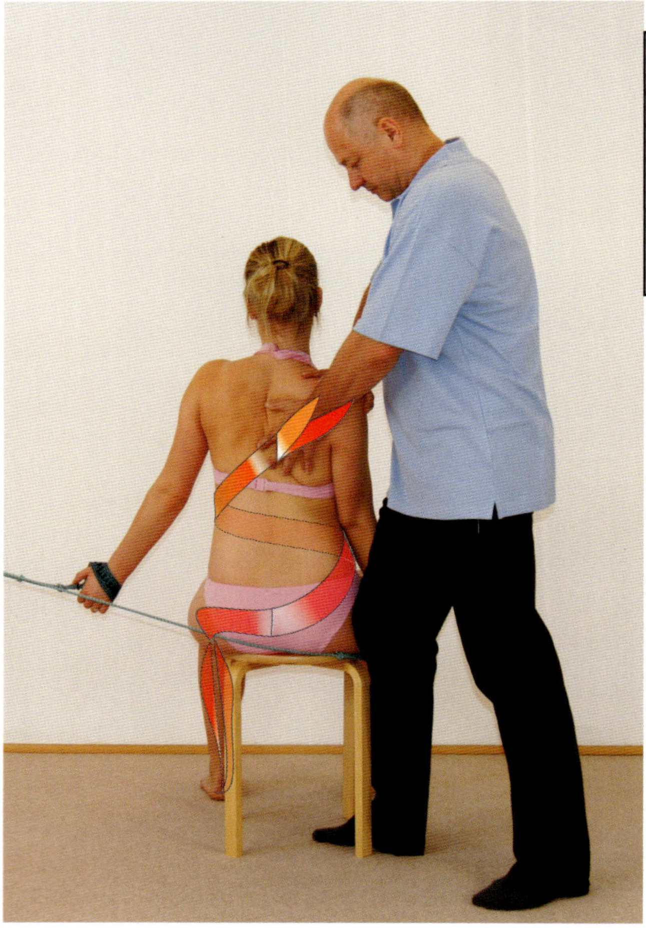

Massage m. semispinalis capitis (Halbdorn-muskel des Kopfes) gehemmt durch die reziproke Inhibition und gedehnt.

Der rechte Arm drückt das Schulterblatt nach unten und der linke Arm fixiert den Kopf.

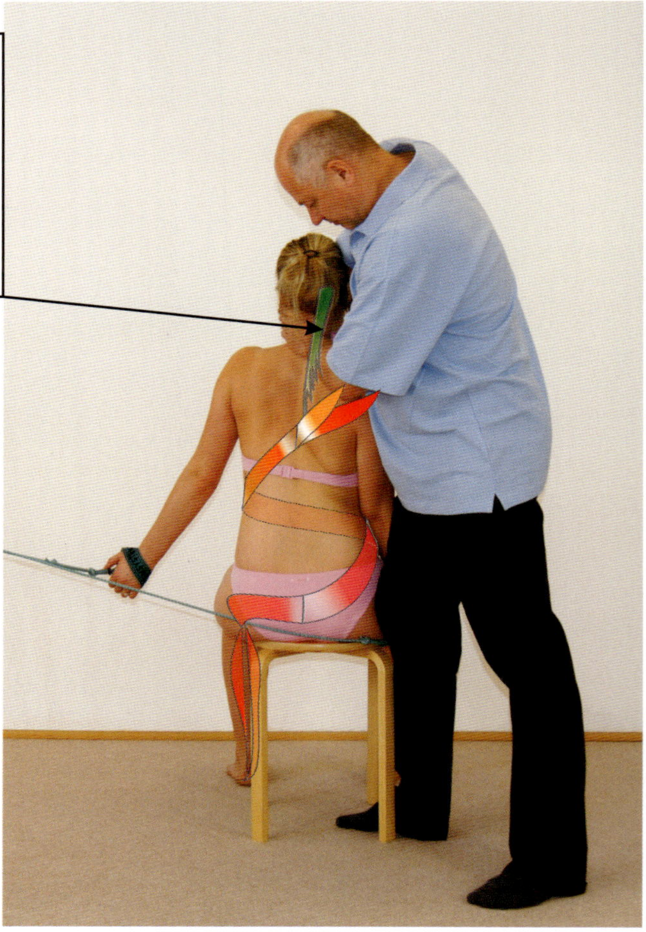

M. semispinalis capitis, cervicis, M. rectus capitis posterior major, minor, M. obliquus capitis superior, M. obliquus capitis inferior

M. semispinalis capitis, cervicis (Halbdornmuskel des Kopfes und des Halses), M. rectus capitis posterior major (großer, hinterer, gerader Kopfmuskel), M. rectus capitis posterior minor (kleiner, hinterer, gerader Kopfmuskel), M. obliquus capitis superior (oberer, schräger Kopfmuskel), M. obliquus capitis inferior (unterer, schräger Kopfmuskel)

- Entspannung durch die reziproke Inhibition, Dehnung

LD - latissimus dorsi und TR - trapezius Muskelketten sind Agonisten im zweiten Übungsteil.

2.Übung - im Stehen seitlich zur Befestigung des Seils, die Beine sind in Grundposition.

Das Seil mit einem Arm zur Seite und nach unten bis zur Hüfte ziehen, Dehnung des Halses.

Aktive Entspannung

Stabilisation TR, LD

Reziproke Inhibition (aktive Entspannung) Dehnung

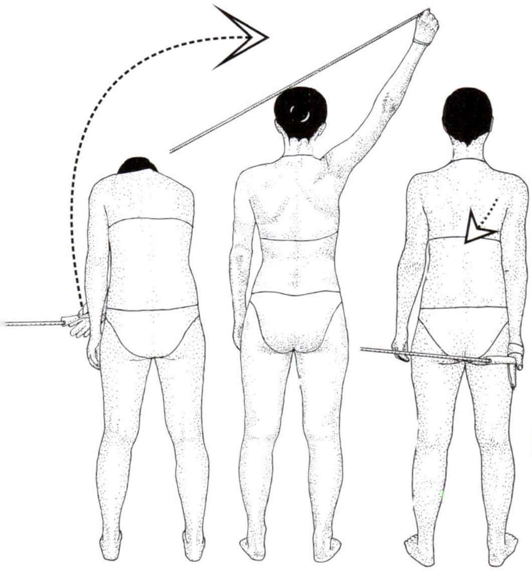

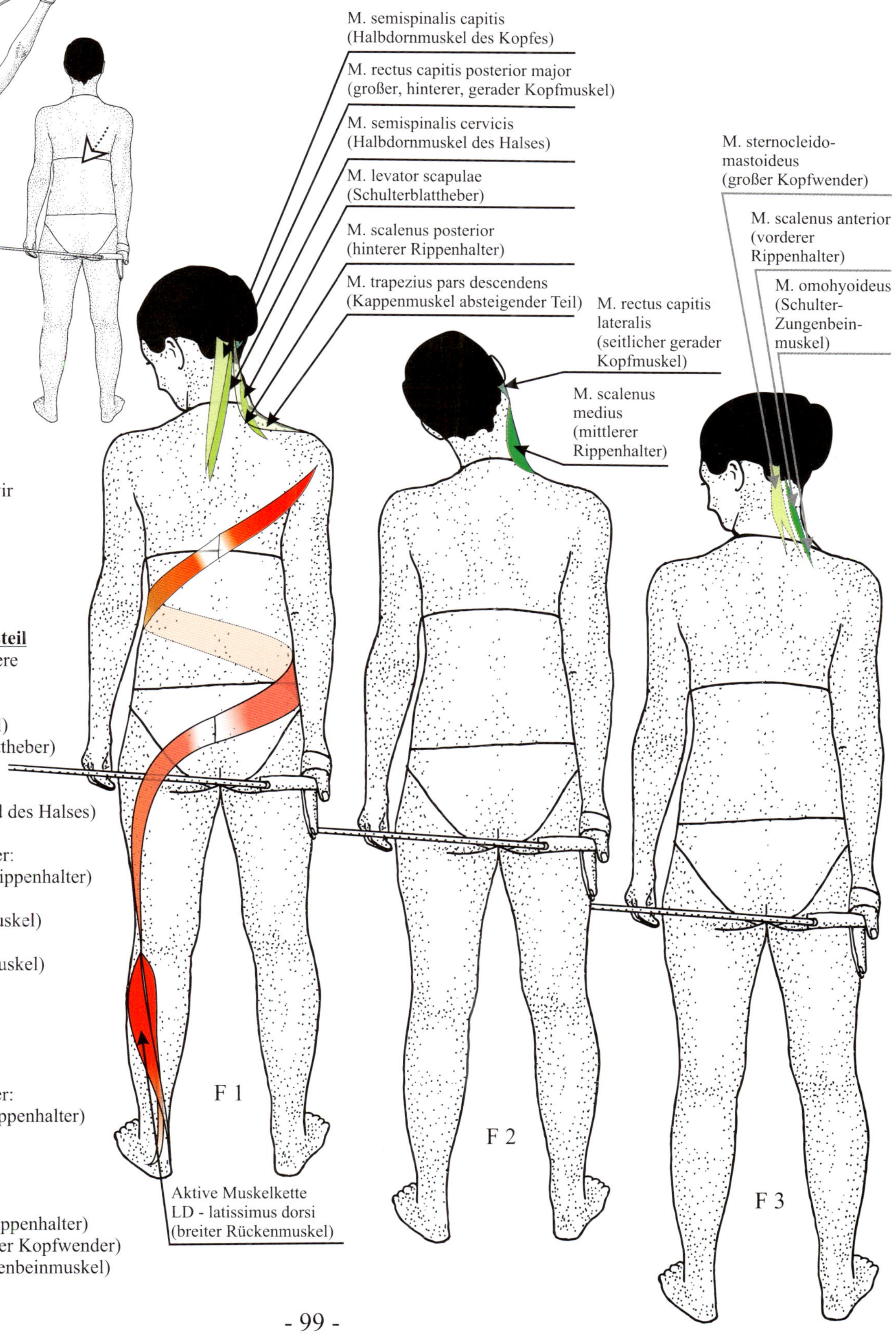

1 - Ausgangsposition - passiver Übungsteil

In der Ausgangsposition dehnen wir die Rückenmuskulatur:
- M. erector spinae (Rückenstrecker)
- M. quadratus lumborum (viereckiger Lendenmuskel)

2 - Ausführung - aktiver Übungsteil

Im aktiven Teil dehnen wir die obere Schultergürtelmuskulatur:
- M. trapezius pars descendens (Kappenmuskel absteigender Teil)
- M. levator scapulae (Schulterblattheber)
- Mm. scaleni (Rippenhalter)
- M. semispinalis capitis, cervicis (Halbdornmuskel des Kopfes und des Halses)

Variante F1 betont die Dehnung der:
- M. scalenus posterior (hinterer Rippenhalter)
- M. rectus capitis posterior major (großer, hinterer, gerader Kopfmuskel)
- M. rectus capitis posterior minor (kleiner, hinterer, gerader Kopfmuskel)
- M. obliquus capitis superior (oberer, schräger Kopfmuskel)
- M. obliquus capitis inferior (unterer, schräger Kopfmuskel)

Variante F2 betont die Dehnung der:
- M. scalenus medius (mittlerer Rippenhalter)
- M. rectus capitis lateralis (seitlicher gerader Kopfmuskel)

Variante F3 betont die Dehnung:
- M. scalenus anterior (vorderer Rippenhalter)
- M. sternocleidomastoideus (großer Kopfwender)
- M. omohyoideus (Schulter-Zungenbeinmuskel)

M. semispinalis capitis, cervicis, M. rectus capitis posterior major, minor, M. obliquus capitis superior, M. obliquus capitis inferior

M. semispinalis capitis, cervicis (Halbdornmuskel des Kopfes und des Halses), M. rectus capitis posterior major (großer, hinterer, gerader Kopfmuskel), M. rectus capitis posterior minor (kleiner, hinterer, gerader Kopfmuskel), M. obliquus capitis superior (oberer, schräger Kopfmuskel), M. obliquus capitis inferior (unterer, schräger Kopfmuskel)

- Entspannung durch die reziproke Inhibition, Dehnung

LD - latissimus dorsi und TR - trapezius Muskelketten sind Agonisten im zweiten Übungsteil.

1. Übung - im Stehen mit der Stirn zur Befestigung des Seils, ein Bein ruht vorn auf dem Step.

Das Seil mit beiden Armen nach hinten ziehen, die Handflächen zeigen nach oben.

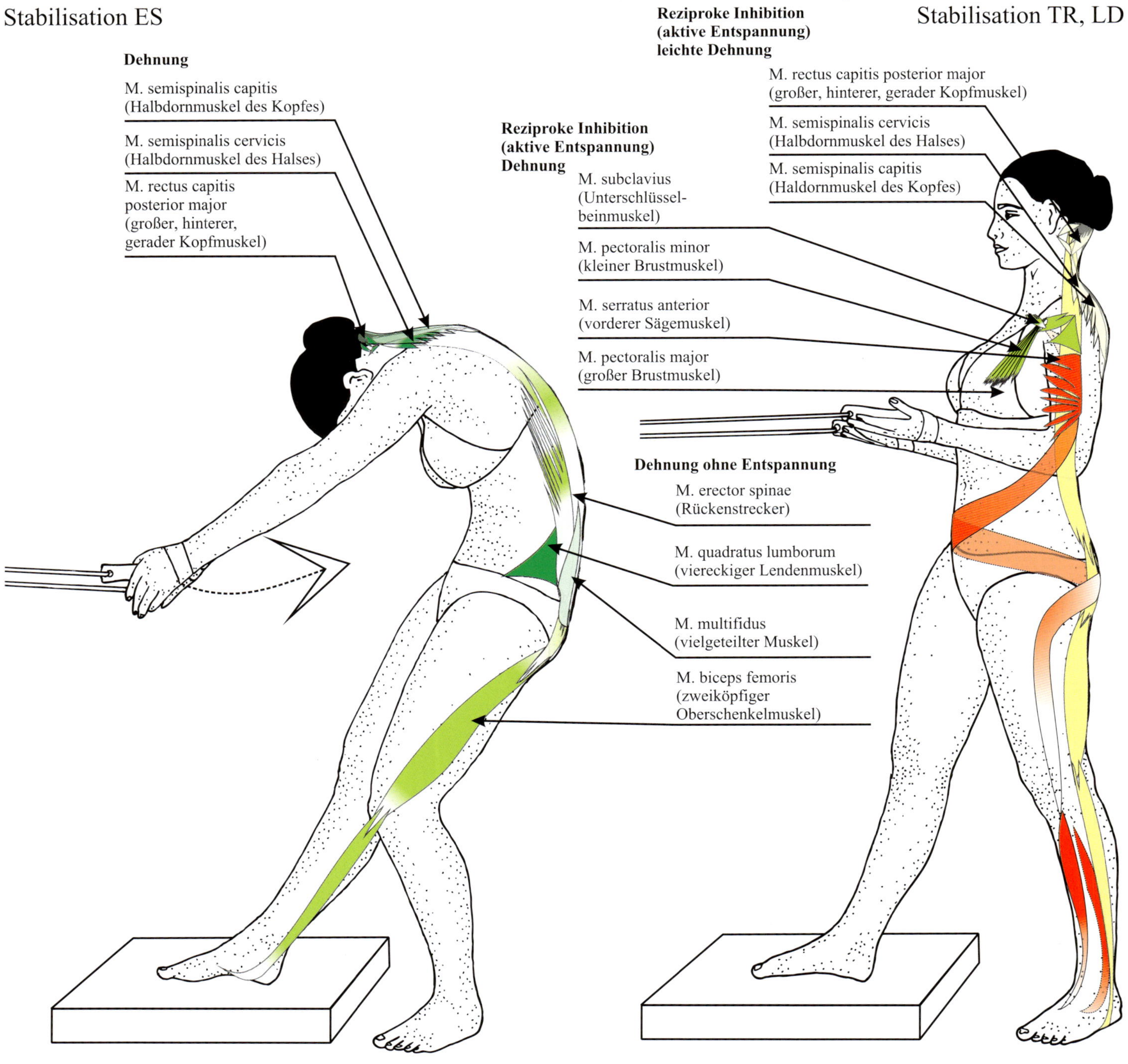

1 - Ausgangsposition - passiver Übungsteil

In der Ausgangsposition dehnen wir die Rückenmuskulatur:
- M. erector spinae (Rückenstrecker)
- M. quadratus lumborum (viereckiger Lendenmuskel)
- M. multifidus (vielgeteilter Muskel)

Ausserdem dehnen wir die ischiocrurale Muskulatur (rückseitige Oberschenkelmuskulatur):
- M. biceps femoris (zweiköpfiger Oberschenkelmuskel)
- M. semitendinosus (Halbsehnenmuskel)
- M. semimembranosus (Plattsehnenmuskel)
- M. adductor magnus (großer Anzieher)

2 - Ausführung - aktiver Übunsteil

Im aktiven Übungsteil dehnen wir die vordere Schultergürtelmuskulatur:
- M. subclavius (Unterschlüsselbeinmuskel)
- M. pectoralis minor (kleiner Brustmuskel)
- M. pectoralis major (großer Brustmuskel)
- M. serratus anterior (vorderer Sägemuskel)

Obere Muskulatur des Schultergürtels ist entspannt:
- M. trapezius pars descendens (Kappenmuskel absteigender Teil)
- M. levator scapulae (Schulterblattheber)
- Mm. scaleni (Rippenhalter)
- M. semispinalis capitis, cervicis (Halbdornmuskel des Kopfes, des Halses) und andere Muskeln.

Übungen - Stabilisation, Stretching

M. semispinalis capitis, cervicis, M. rectus capitis posterior major, minor, M. obliquus capitis superior, M. obliquus capitis inferior

M. semispinalis capitis, cervicis (Halbdornmuskel des Kopfes und des Halses), M. rectus capitis posterior major (großer, hinterer, gerader Kopfmuskel), M. rectus capitis posterior minor (kleiner, hinterer, gerader Kopfmuskel), M. obliquus capitis superior (oberer, schräger Kopfmuskel), M. obliquus capitis inferior (unterer, schräger Kopfmuskel)

- Entspannung durch die reziproke Inhibition, Dehnung

PM - pectoralis major Muskelkette ist Agonist im ersten Übungsteil,
LD - latissimus dorsi und TR - trapezius im zweiten Übungsteil.

1. Übung - im Stehen mit der Stirn zur Befestigung des Seils, ein Bein ruht vorn auf dem Step.

Das Seil mit beiden Armen nach hinten ziehen, die Unterarme öffnen und nach außen rotieren, die Handflächen zeigen nach oben.

Stabilisation PM

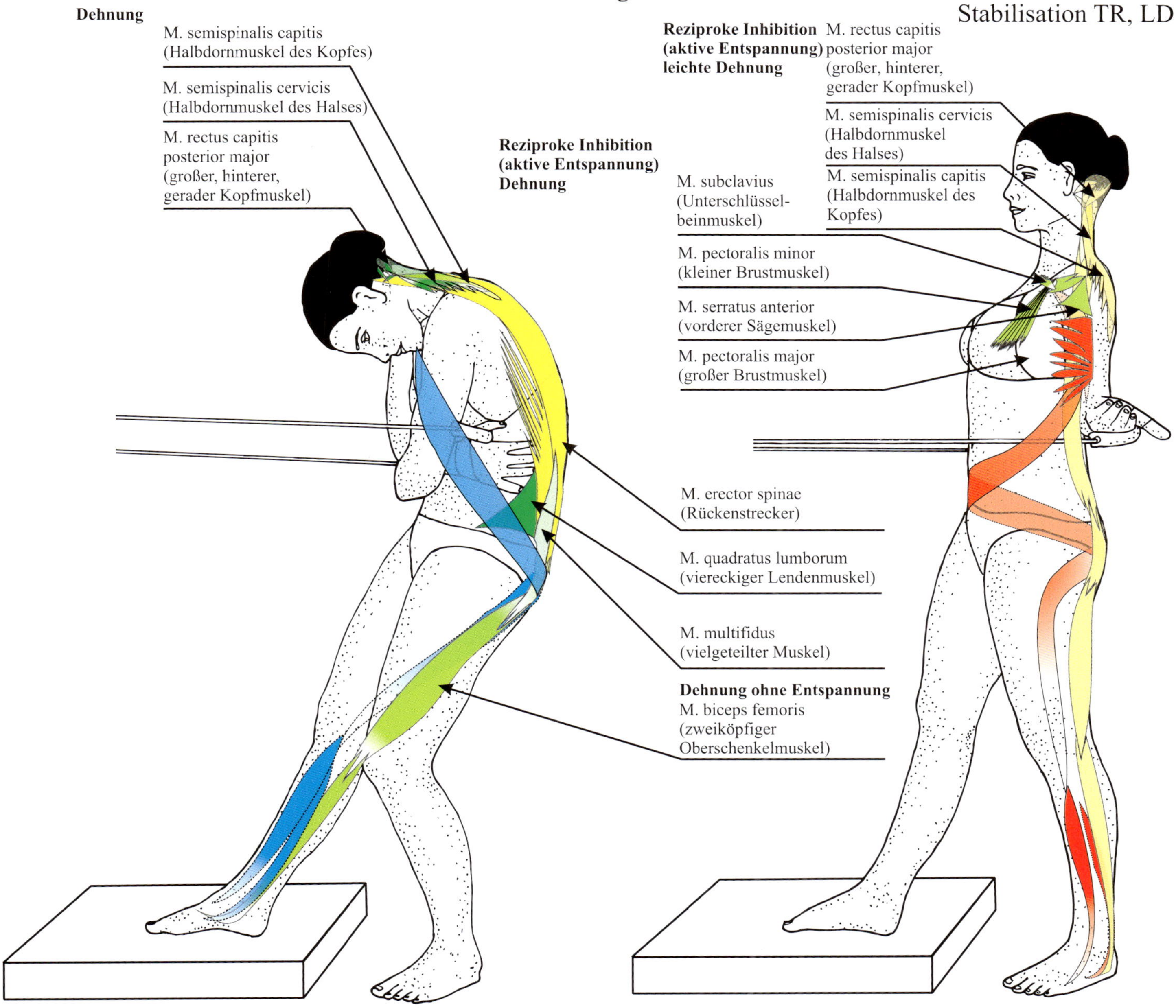

1 - Ausgangsposition - aktiver Übungsteil

In der Ausgangsposition dehnen wir die Rückenmuskulatur:
- M. erector spinae (Rückenstrecker)
- M. quadratus lumborum (viereckiger Lendenmuskel)
- M. multifidus (vielgeteilter Muskel)

Ausserdem dehnen wir die ischiocrurale Muskulatur (rückseitige Oberschenkelmuskulatur):
- M. biceps femoris (zweiköpfiger Oberschenkelmuskel)
- M. semitendinosus (Halbsehnenmuskel)
- M. semimembranosus (Plattsehnenmuskel)
- M. adductor magnus (großer Anzieher)

2 - Ausführung - aktiver Übunsteil

Im aktiven Übungsteil dehnen wir die vordere Schultergürtelmuskulatur:
- M. subclavius (Unterschlüsselbeinmuskel)
- M. pectoralis minor (kleiner Brustmuskel)
- M. pectoralis major (großer Brustmuskel)
- M. serratus anterior (vorderer Sägemuskel)

Obere Muskulatur des Schultergürtels ist entspannt:
- M. trapezius pars descendens (Kappenmuskel absteigender Teil)
- M. levator scapulae (Schulterblattheber)
- Mm. scaleni (Rippenhalter)
- M. semispinalis capitis, cervicis (Halbdornmuskel des Kopfes, des Halses)
- M.rectus capitis posterior major (großer, hinterer, gerader Kopfmuskel)
- M. rectus capitis posterior minor (kleiner, hinterer, gerader Kopfmuskel)
- M. obliquus capitis superior (oberer, schräger Kopfmuskel)
- M. obliquus capitis inferior (unterer, schräger Kopfmuskel)

M. semispinalis capitis, cervicis, M. rectus capitis posterior major, minor, M. obliquus capitis superior, M. obliquus capitis inferior

M. semispinalis capitis, cervicis (Halbdornmuskel des Kopfes und des Halses), M. rectus capitis posterior major (großer, hinterer, gerader Kopfmuskel), M. rectus capitis posterior minor (kleiner, hinterer, gerader Kopfmuskel), M. obliquus capitis superior (oberer, schräger Kopfmuskel), M. obliquus capitis inferior (unterer, schräger Kopfmuskel)

- Entspannung durch die reziproke Inhibition, Dehnung

LD - latissimus dorsi und TR - trapezius Muskelketten sind Agonisten im ersten Übungsteil, SA - serratus anterior Muskelkette im zweiten Übungsteil.

6. Übung - im Stehen mit dem Rücken zur Befestigung des Seils, die Beine sind in Grundposition.

Mit beiden Armen nach vorn kreisen.

Stabilisation TR, LD

Stabilisation SA

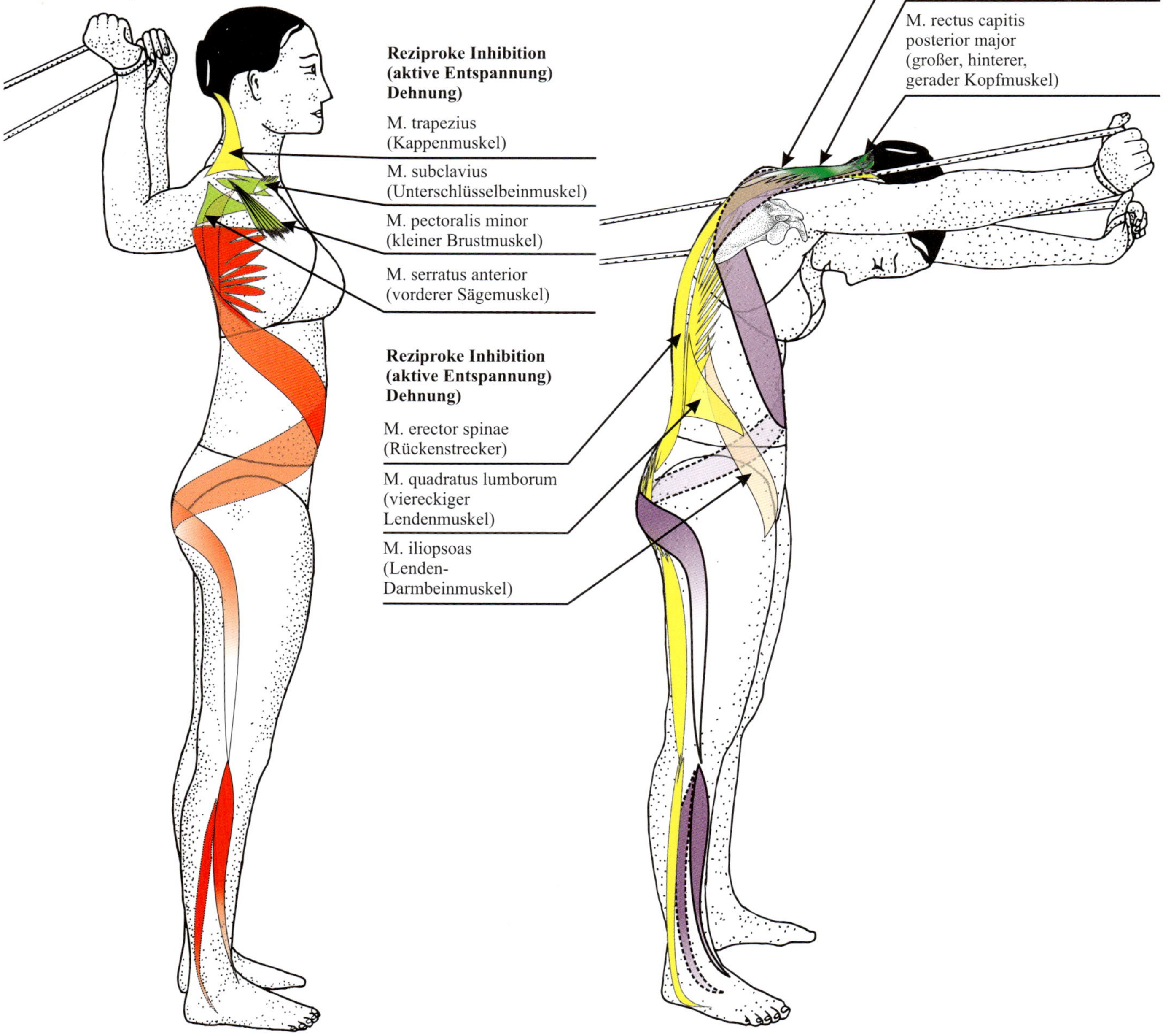

1 - Im ersten Teil der Ausführung - aktiver Übungsteil
dehnen wir die vordere Schultergürtelmuskulatur:
- M. subclavius (Unterschlüsselbeinmuskel)
- M. pectoralis minor (kleiner Brustmuskel)
- M. pectoralis major (großer Brustmuskel)
- M. serratus anterior (vorderer Sägemuskel)

die obere Schultergürtelmuskulatur ist enspannt:
- M. trapezius pars descendens (Kappenmuskel absteigender Teil)
- M. levator scapulae (Schulterblattheber)
- Mm. scaleni (Rippenhalter)
- M. semispinalis capitis, cervicis (Halbdornmuskel des Kopfes und des Halses)

und andere Muskeln.

2 - Ausführung - aktiver Übungsteil
dehnen wir die aktiv gehemmte Rückenmuskulatur:
- M. erector spinae (Rückenstrecker)
- M. quadratus lumborum (viereckiger Lendenmuskel)
- M. iliopsoas (Lenden-Darmbeinmuskel)
- M. rectus capitis posterior major (großer, hinterer, gerader Kopfmuskel)
- M. rectus capitis posterior minor (kleiner, hinterer, gerader Kopfmuskel)
- M. obliquus capitis superior (oberer, schräger Kopfmuskel)
- M. obliquus capitis inferior (unterer, schräger Kopfmuskel)

M. semispinalis capitis, cervicis, M. rectus capitis posterior major, minor, M. obliquus capitis superior, M. obliquus capitis inferior

M. semispinalis capitis, cervicis (Halbdornmuskel des Kopfes und des Halses), M. rectus capitis posterior major (großer, hinterer, gerader Kopfmuskel), M. rectus capitis posterior minor (kleiner, hinterer, gerader Kopfmuskel), M. obliquus capitis superior (oberer, schräger Kopfmuskel), M. obliquus capitis inferior (unterer, schräger Kopfmuskel)

- Entspannung durch die reziproke Inhibition, Dehnung

LD - latissimus dorsi und TR - trapezius Muskelketten sind Agonisten im ersten Übungsteil, SA - serratus anterior Muskelkette im zweiten Übungsteil.

6. Übung - im Stehen mit dem Rücken zur Befestigung des Seils, ein Bein ruht vorn auf dem Step.

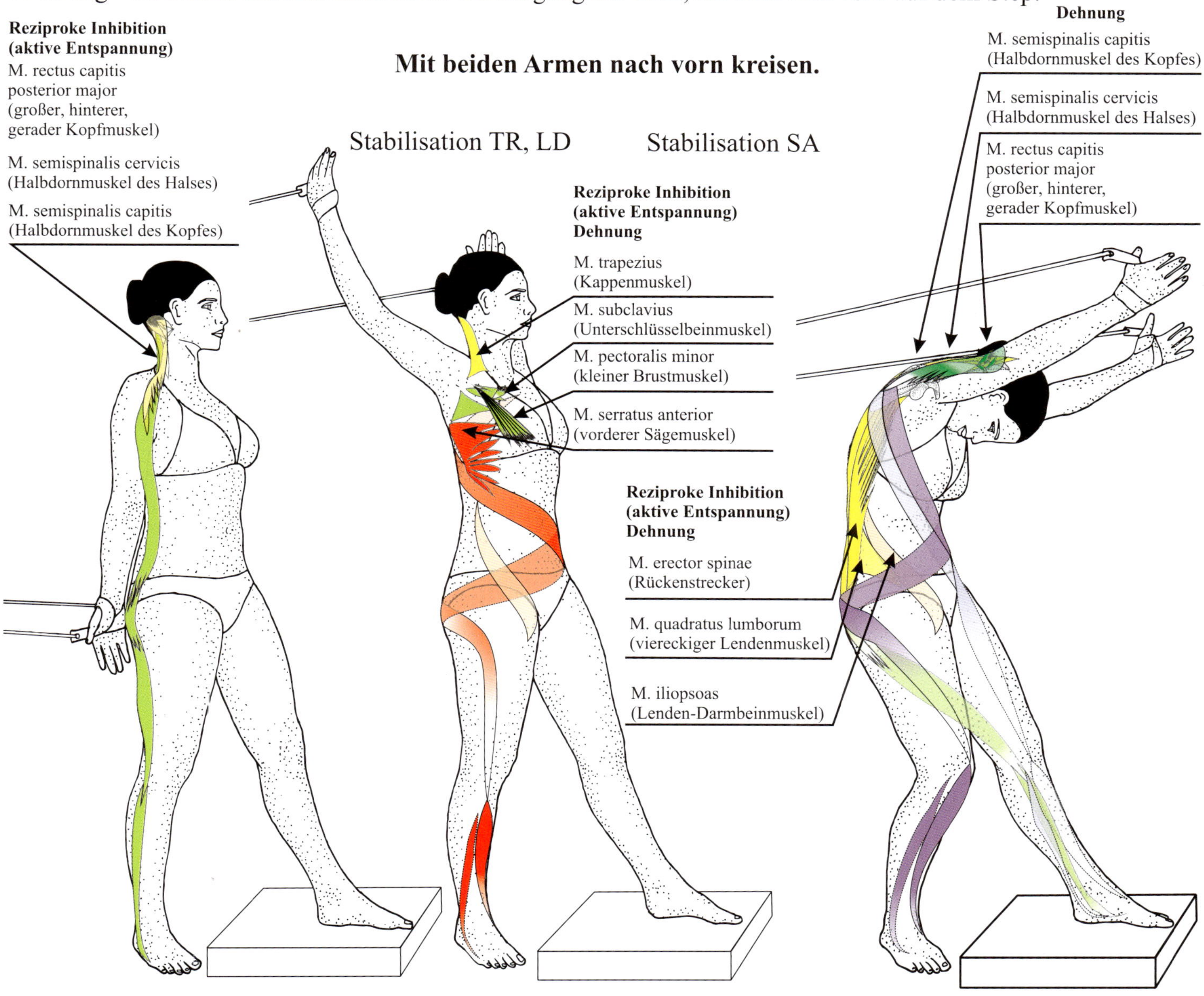

1 - Im ersten Teil der Ausführung - aktiver Übungsteil
dehnen wir die vordere Muskulatur des Schultergürtels:
- M. subclavius (Unterschlüsselbeinmuskel)
- M. pectoralis minor (kleiner Brustmuskel)
- M. pectoralis major (großer Brustmuskel)
- M. serratus anterior (vorderer Sägemuskel)

Die obere Schultergürtelmuskulatur ist enspannt:
- M. trapezius pars descendens (Kappenmuskel absteigender Teil)
- M. levator scapulae (Schulterblattheber)
- Mm. scaleni (Rippenhalter)
- M. semispinalis capitis, cervicis (Halbdornmuskel des Kopfes und des Halses)

und andere Muskeln.

2 - Ausführung - aktiver Übungsteil
dehnen wir die aktiv gehemmte Rückenmuskulatur:
- M. erector spinae (Rückenstrecker)
- M. quadratus lumborum (viereckiger Lendenmuskel)
- M. iliopsoas (Lenden-Darmbeinmuskel)
- M. rectus capitis posterior major (großer, hinterer, gerader Kopfmuskel)
- M. rectus capitis posterior minor (kleiner, hinterer, gerader Kopfmuskel)
- M. obliquus capitis superior (oberer, schräger Kopfmuskel)
- M. obliquus capitis inferior (unterer, schräger Kopfmuskel)

M. semispinalis capitis, cervicis, M. rectus capitis posterior major, minor, M. obliquus capitis superior, M. obliquus capitis inferior

M. semispinalis capitis, cervicis (Halbdornmuskel des Kopfes und des Halses), M. rectus capitis posterior major (großer, hinterer, gerader Kopfmuskel), M. rectus capitis posterior minor (kleiner, hinterer, gerader Kopfmuskel), M. obliquus capitis superior (oberer, schräger Kopfmuskel), M. obliquus capitis inferior (unterer, schräger Kopfmuskel)

- Entspannung durch die reziproke Inhibition, Dehnung

LD - latissimus dorsi und TR - trapezius Muskelketten sind Agonisten im zweiten Übungsteil.

1. Übung - im Stehen mit der Stirn zur Befestigung des Seils, ein Bein ruht vorn auf dem Step.

Das Seil mit beiden Armen nach hinten ziehen, die Arme nach außen rotieren lassen und öffnen, sodass die Handflächen nach oben zeigen.

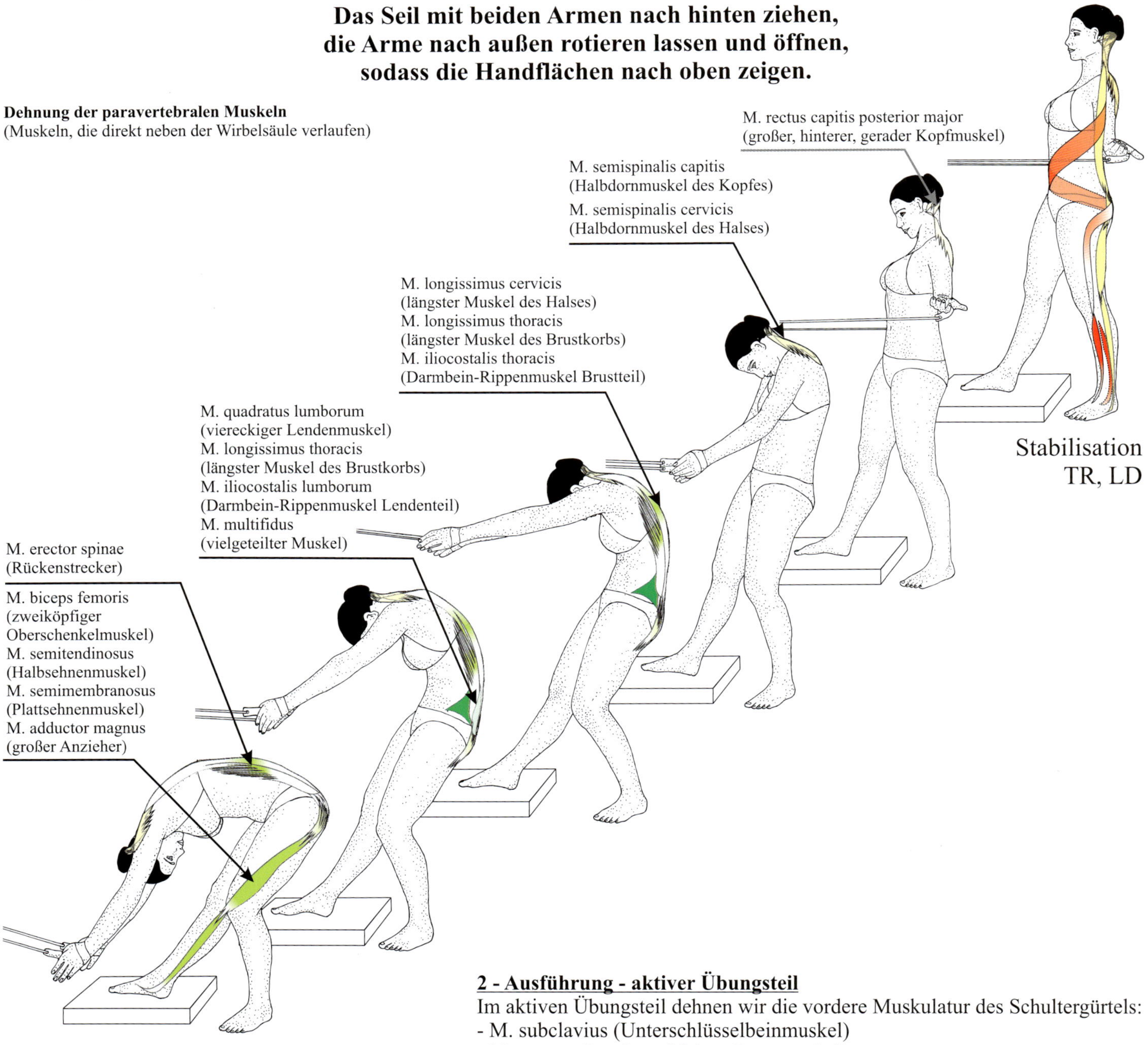

1 - Ausgangsposition - aktiver Übungsteil

In der Ausgangsposition dehnen wir die Rückenmuskulatur:
- M. erector spinae (Rückenstreckerer)
- M. quadratus lumborum (viereckiger Lendenmuskel)
- M. multifidus (vielgeteilter Muskel)

Ausserdem dehnen wir die ischiocrurale Muskulatur (rückseitige Oberschenkelmuskulatur):
- M. biceps femoris (zweiköpfiger Oberschenkelmuskel)
- M. semitendinosus (Halbsehnenmuskel)
- M. semimembranosus (Plattsehnenmuskel)
- M. adductor magnus (großer Anzieher)

2 - Ausführung - aktiver Übungsteil

Im aktiven Übungsteil dehnen wir die vordere Muskulatur des Schultergürtels:
- M. subclavius (Unterschlüsselbeinmuskel)
- M. pectoralis minor (kleiner Brustmuskel)
- M. pectoralis major (großer Brustmuskel)
- M. serratus anterior (vorderer Sägemuskel)

Obere Muskulatur des Schultergürtels ist entspannt:
- M. trapezius, pars descendens (Kappenmuskel, absteigender Teil)
- M. levator scapulae (Schulterblattheber)
- Mm. scaleni (Rippenhalter)
- M. semispinalis capitis, cervicis (Halbdornmuskel des Kopfes, des Halses)
- M.rectus capitis posterior major (großer, hinterer, gerader Kopfmuskel)
- M. rectus capitis posterior minor (kleiner, hinterer, gerader Kopfmuskel)
- M. obliquus capitis superior (oberer, schräger Kopfmuskel)
- M. obliquus capitis inferior (unterer, schräger Kopfmuskel)

M. semispinalis capitis, cervicis, M. rectus capitis posterior major, minor, M. obliquus capitis superior, M. obliquus capitis inferior

M. semispinalis capitis, cervicis (Halbdornmuskel des Kopfes und des Halses), M. rectus capitis posterior major (großer, hinterer, gerader Kopfmuskel), M. rectus capitis posterior minor (kleiner, hinterer, gerader Kopfmuskel), M. obliquus capitis superior (oberer, schräger Kopfmuskel), M. obliquus capitis inferior (unterer, schräger Kopfmuskel)

- Entspannung durch die reziproke Inhibition, Dehnung

PM - pectoralis major Muskelkette ist Agonist im ersten Übungsteil,
LD - latissimus dorsi und TR - trapezius im zweiten Übungsteil.

10. Übung - im Stehen seitlich zur Befestigung des Seils, die Beine sind in Grundposition.

Das Seil mit einem Arm erst nach vorn zur Körpermitte bringen und dann hoch bis zur mittleren Körperachse führen.

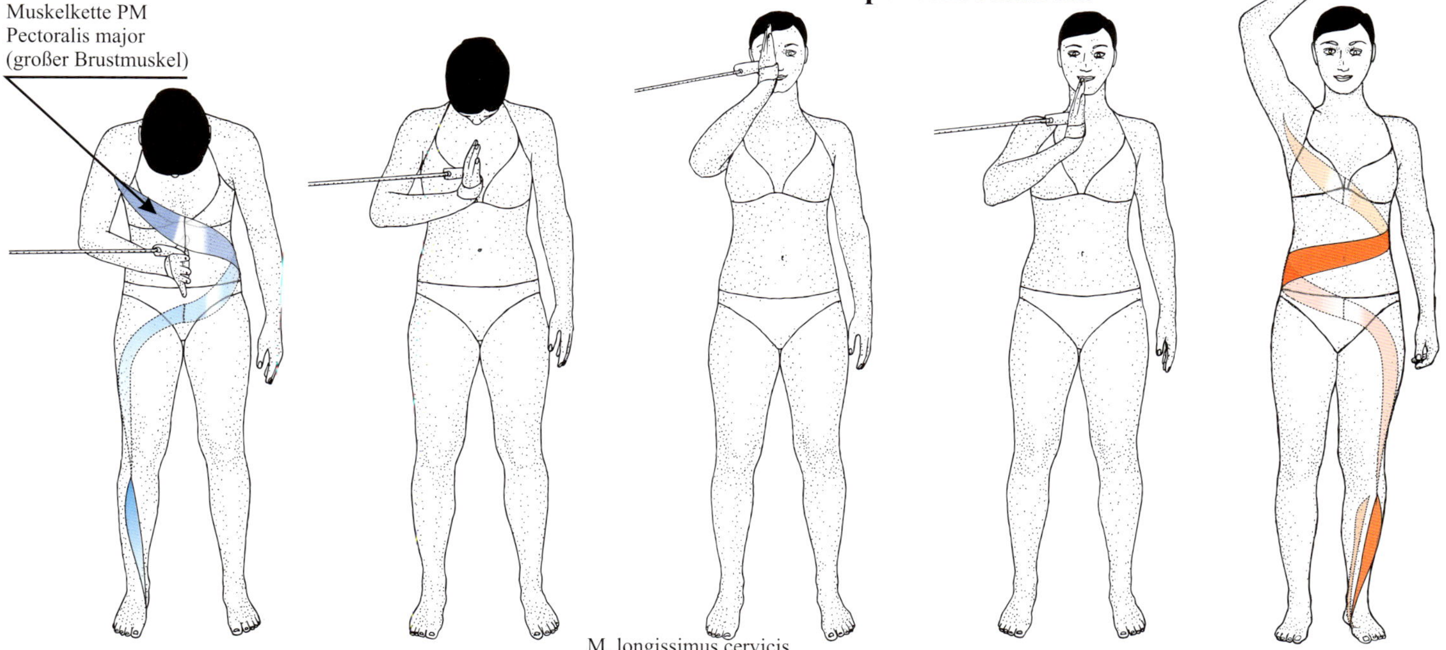

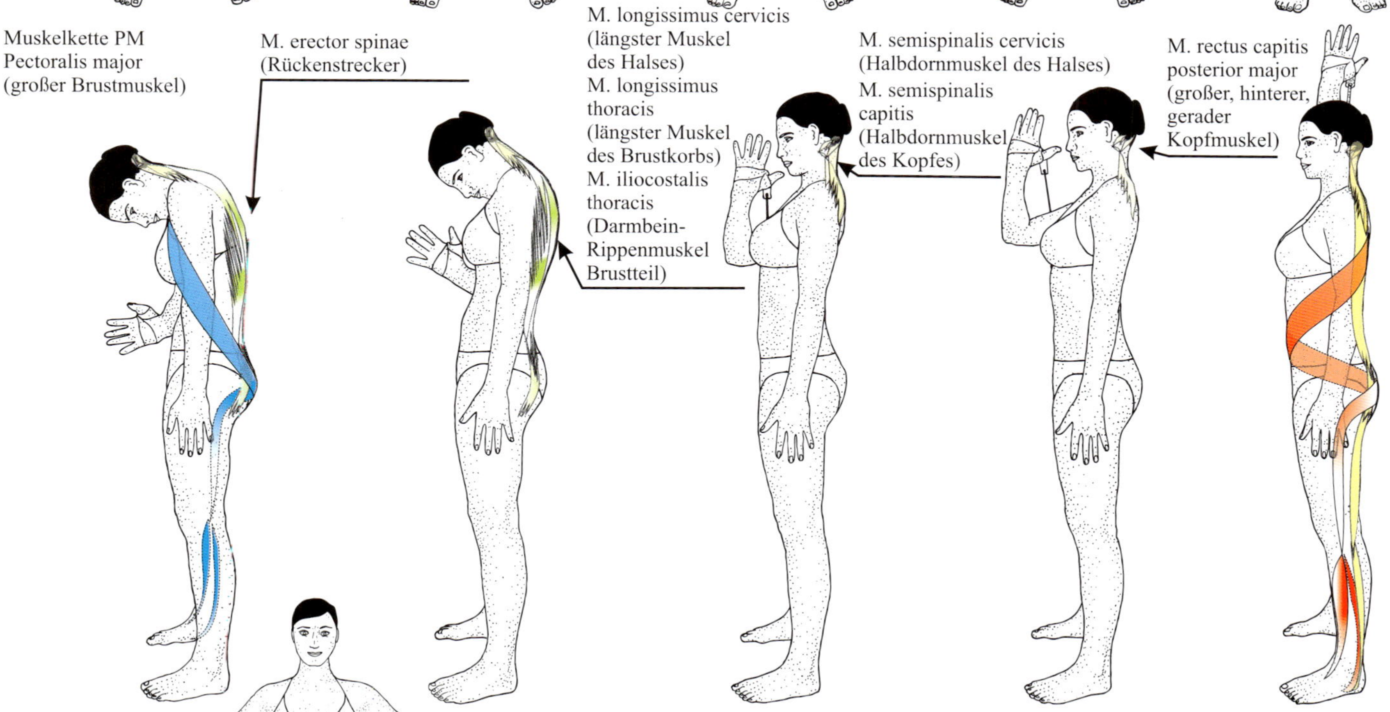

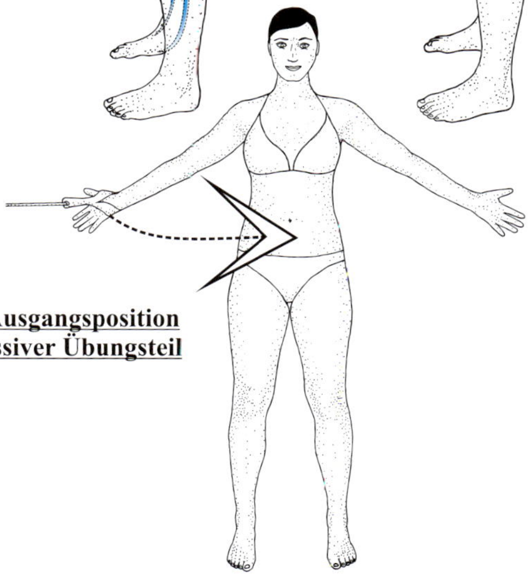

1 - Ausgangsposition - passiver Übungsteil

2 - Ausführung - aktiver Übungsteil

Im aktiven Übungsteil dehnen wir die obere Schultergürtelmuskulatur:
- M. trapezius pars descendens (Kappenmuskel absteigender Teil)
- M. levator scapulae (Schulterblattheber)
- M. scalenus posterior (hinterer Rippenhalter)
- M. semispinalis capitis, cervicis (Halbdornmuskel des Kopfes und des Halses)
- M. rectus capitis posterior major (großer, hinterer, gerader Kopfmuskel)
- M. rectus capitis posterior minor (kleiner, hinterer, gerader Kopfmuskel)
- M. obliquus capitis superior (oberer, schräger Kopfmuskel)
- M. obliquus capitis inferior (unterer, schräger Kopfmuskel)
- M. erector spinae (Rückenstrecker)

M. semispinalis capitis, cervicis (Halbdornmuskel des Kopfes und des Halses) - Übungen mit Dehnung

2. Übung - im Stand seitlich zur Befestigung des Seils, ein Bein ruht vorn auf dem Step.

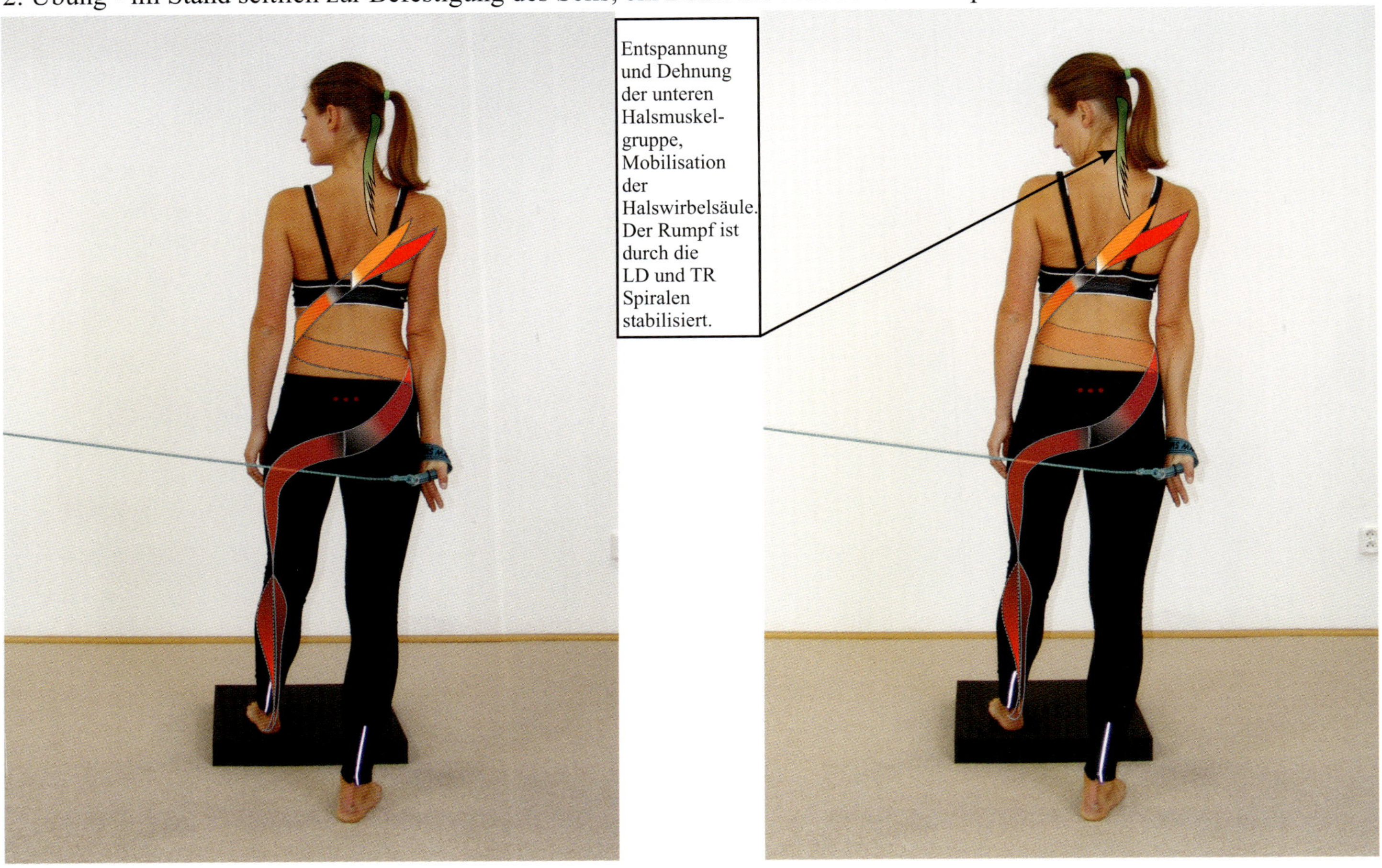

M. semispinalis capitis, cervicis (Halbdornmuskel des Kopfes und des Halses) - Übungen mit Dehnung

11. Übung - im Stand mit der Stirn zur Befestigung des Seils, gekreuztes Bewegungsmuster, Extension des Arms im Schultergürtel und Extension des gegenüberliegenden Beins im Beckengürtel.

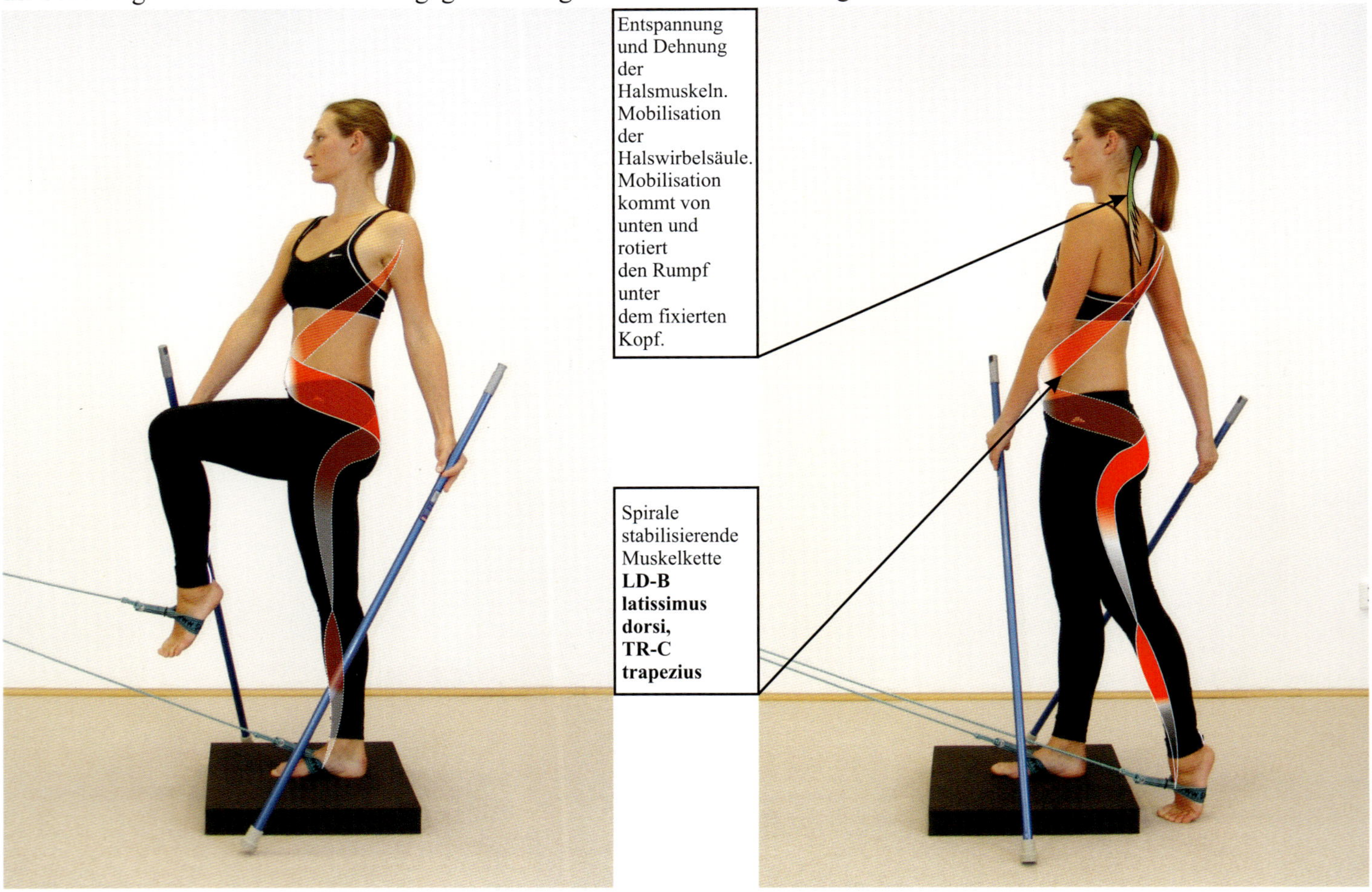

M. semispinalis capitis, cervicis (Halbdornmuskel des Kopfes und des Halses) - Übungen mit Dehnung

5. Übung - im Kniestand mit der Stirn zur Befestigung des Seils, ein Bein ist nach vorn gestreckt.

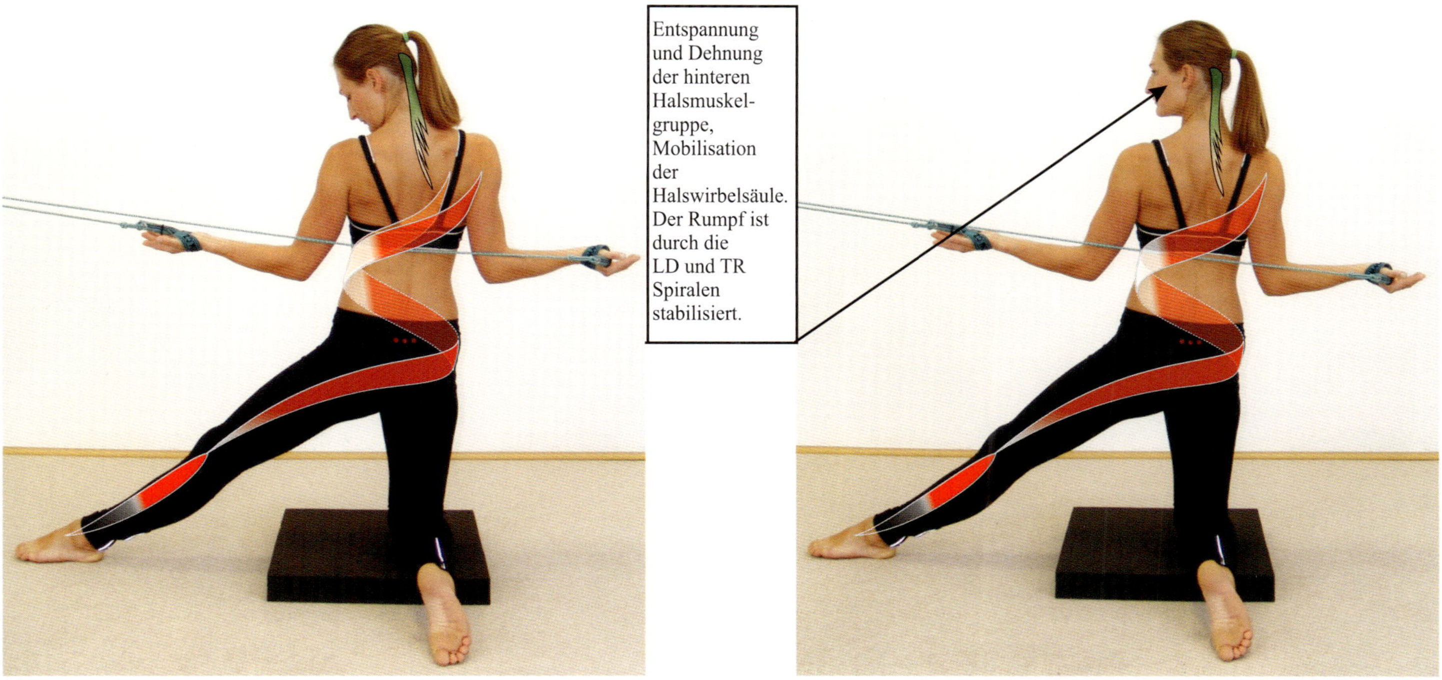

M. semispinalis capitis, cervicis (Halbdornmuskel des Kopfes und des Halses) - Übungen mit Dehnung

1. Übung - im Stand mit der Stirn zur Befestigung des Seils, ein Bein ruht vorn auf dem Step.

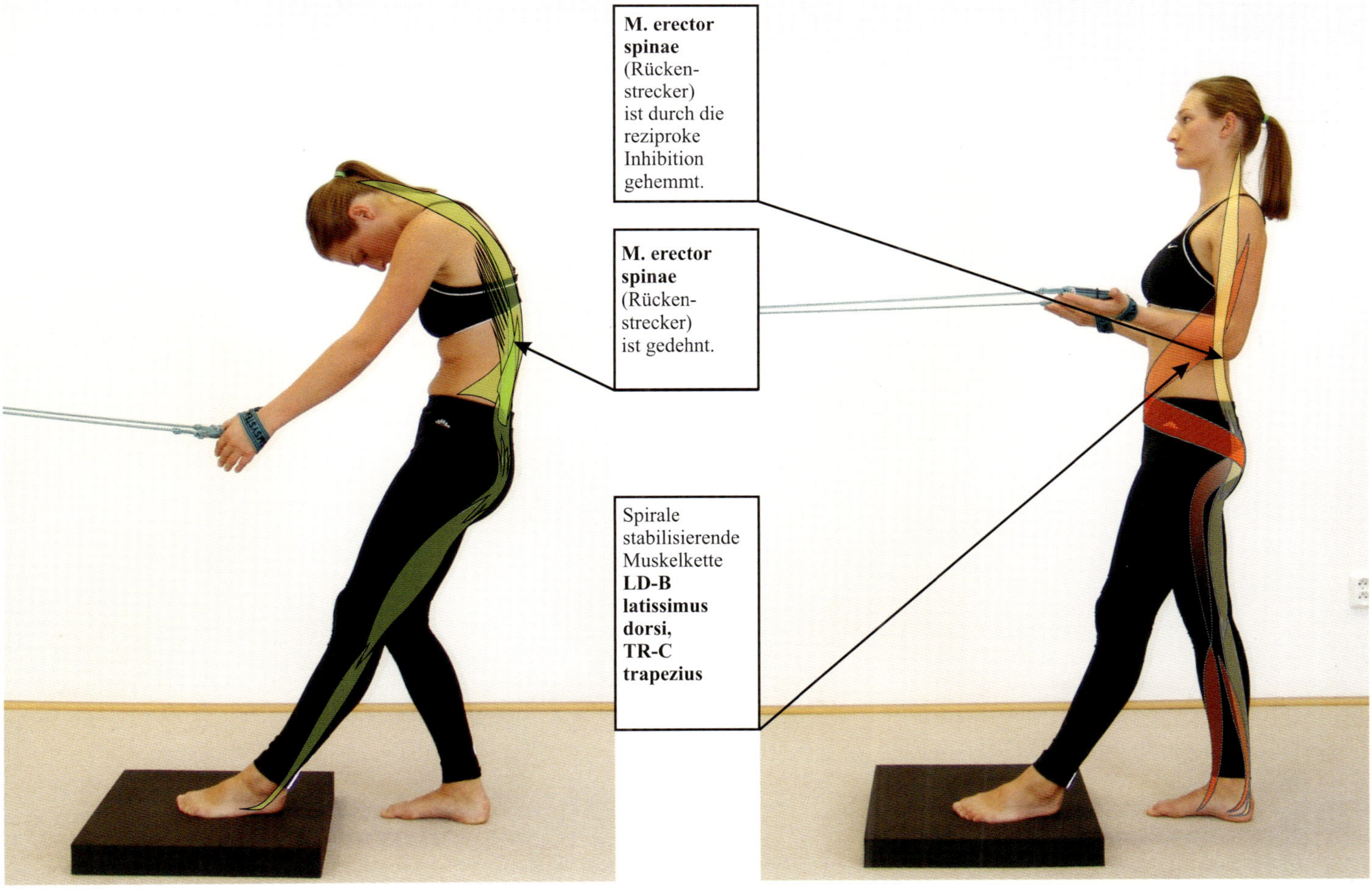

MANUELLE TECHNIKEN UND ÜBUNGEN NACH DER MUSKELANALYSE

Schultergürtel vordere Muskelgruppe

Muskeln, die zur Anspannung und zur Verkürzung neigen:

M. subclavius (Unterschlüsselbeinmuskel)
M. pectoralis minor (kleiner Brustmuskel)
M. serratus anterior (vorderer Sägemuskel oberer Teil)
M. pectoralis major pars clavicularis (großer Brustmuskel Schlüsselbeinteil)

M. subclavius (Unterschlüsselbeinmuskel)

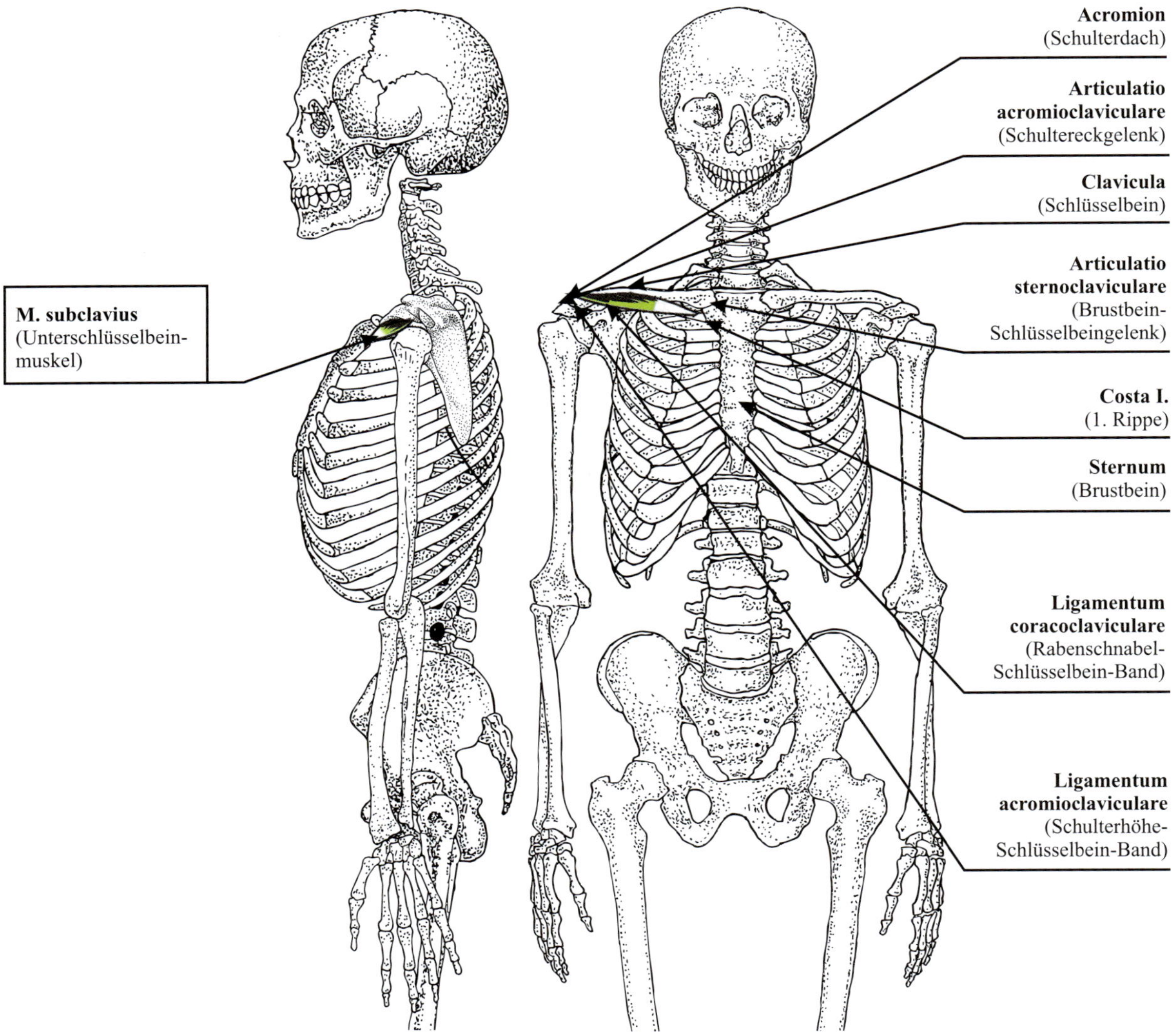

Muskeln, die zur **Anspannung** und zur **Verkürzung** neigen, müssen **entspannt** und **gedehnt** werden.

M. subclavius (Unterschlüsselbeinmuskel)

Ursprung:
- vom Knorpel-Knochen - Übergang der I. Rippe

Ansatz:
- zur Unterseite des Schlüsselbeins in einer Knochenrinne laterales Drittel

Funktion:
- senkt das Schlüsselbein und stemmt es im Sternoklavikulargelenk fest

Innervation:
- N. subclavius (C6-Th1) (Unterschlüsselbeinnerv)

M. subclavius (Unterschlüsselbeinmuskel) - Massage, Entspannung, passive Dehnung

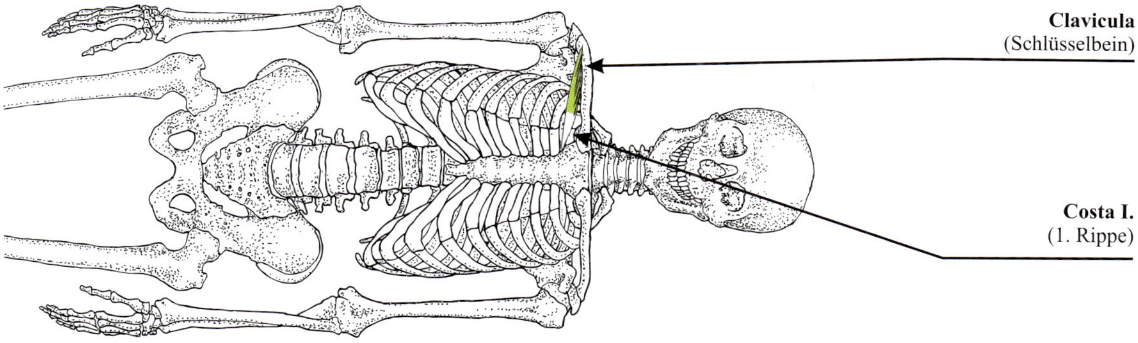

Ausgangsposition

Der Therapeut kniet hinter dem Patienten und mit Hilfe seines rechten Beins stabilisiert er den Rumpf des Patienten - punctum fixum. Nun legt er die innere Fläche des Mittelfingers seiner linken Hand unter die clavicula (Schlüsselbein), die Fingerspitze berührt das Brustbein und die Handfläche ruht auf der Schulter. Die Finger dürfen nicht gebeugt werden. Die Handfläche der rechten Hand stützt sich im Bereich der Schulter (nicht des Brustkorbs) des Patienten gegen die linke Hand ab. Der Patient atmet ein.

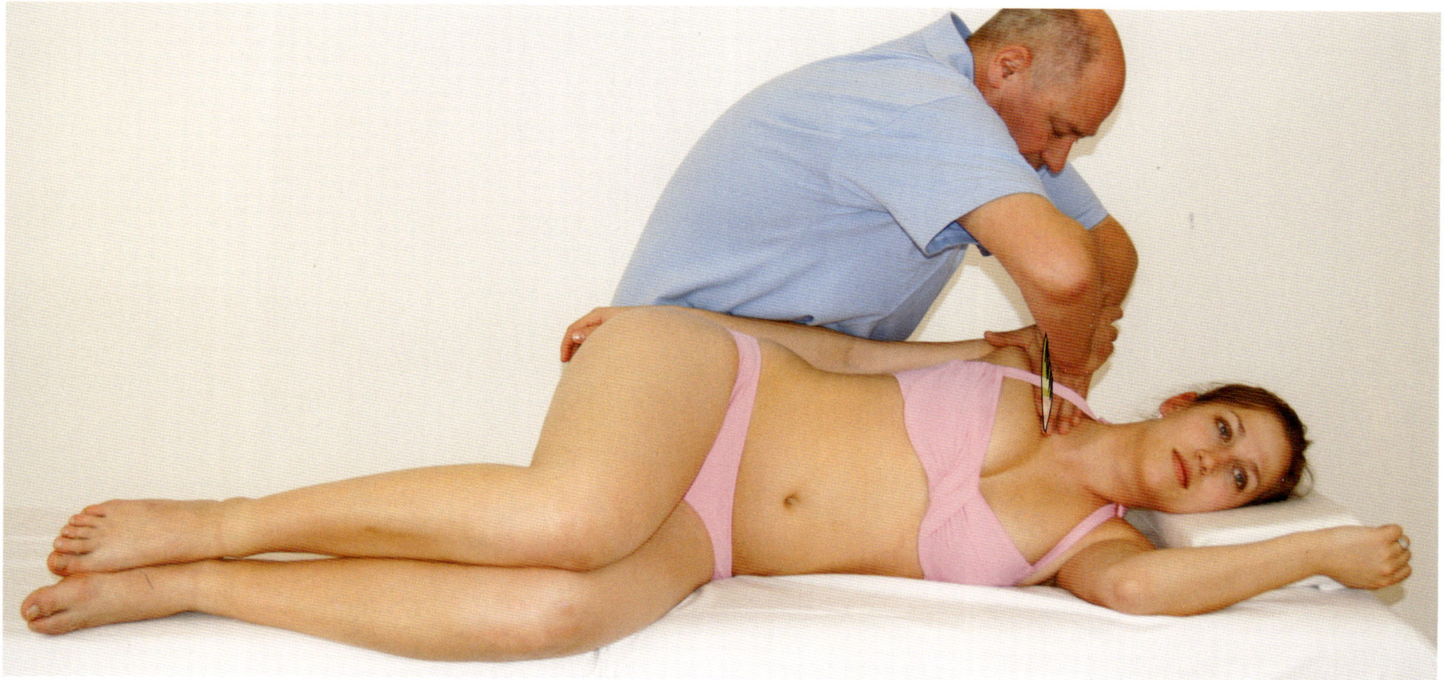

Ausführung

Der Therapeut verlagert sein Körpergewicht auf die linke Hand schiebt das Schulterblatt dorsal (nach hinten) - punctum mobile. Damit dehnt er den M. subscapularis. Die Position der Hand auf der Schulter bleibt unverändert. Der Patient atmet langsam aus. Die Dehnung wird gelockert und 6x wiederholt. Nachdem die Behandlungstechnik beendet worden ist, warten wir jedesmal ca. 3 sec.

PIR. Die erreichte Dehnung wird gehalten. Der Patient atmet ein und, der im Brustkorb entstehende Gegendruck, führt zur Anspannung seiner Muskeln. Beim folgenden Ausatmen entspannen sich die Muskeln wieder und dies ermöglicht eine weitere Dehnung. Mit Hilfe dieser Technik werden der Unterschlüsselbeinmuskel und andere Muskeln an der vorderen Schultergürtelseite gedehnt. Gleichzeitig wird dem Patienten geholfen, den richtigen Bewegungsumfang des Schulterblatts nach hinten, sowohl beim Üben als auch beim Gehen erzielen zu können. Die Technik wird 3x wiederholt.

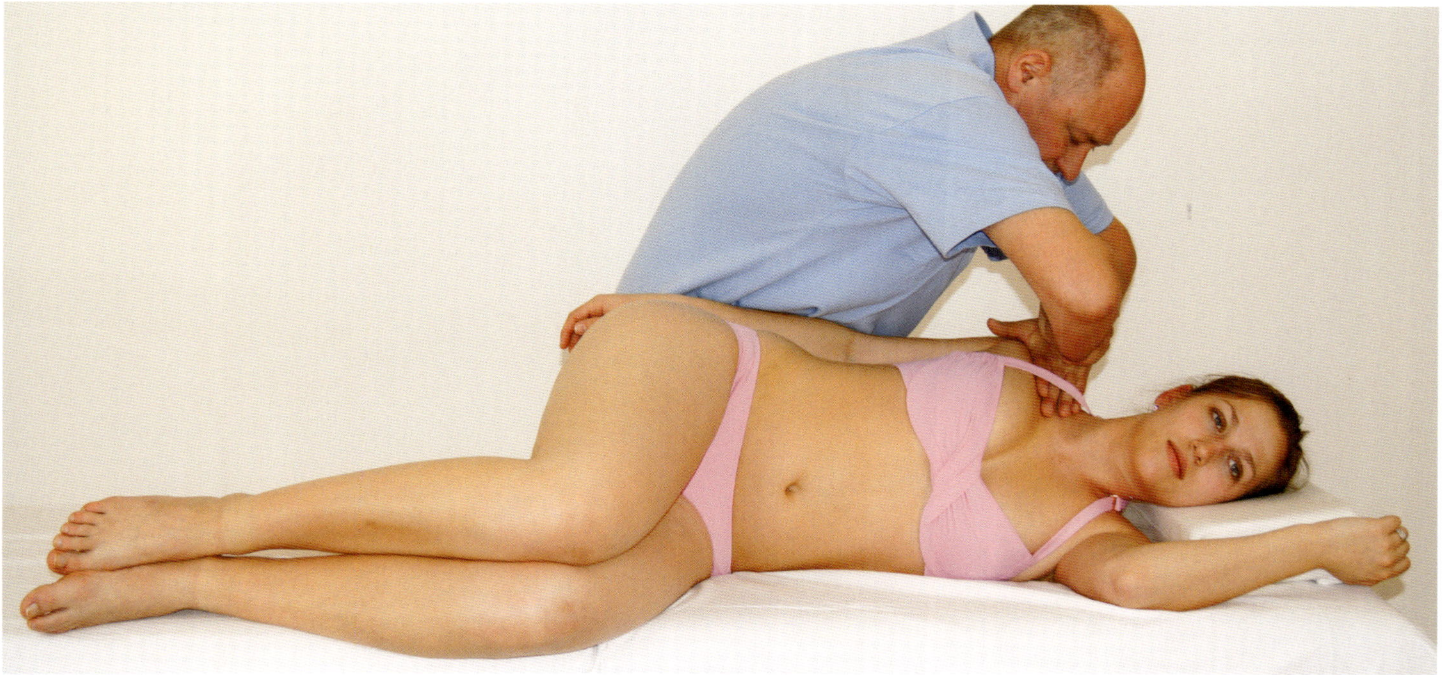

M. pectoralis minor (kleiner Brustmuskel)

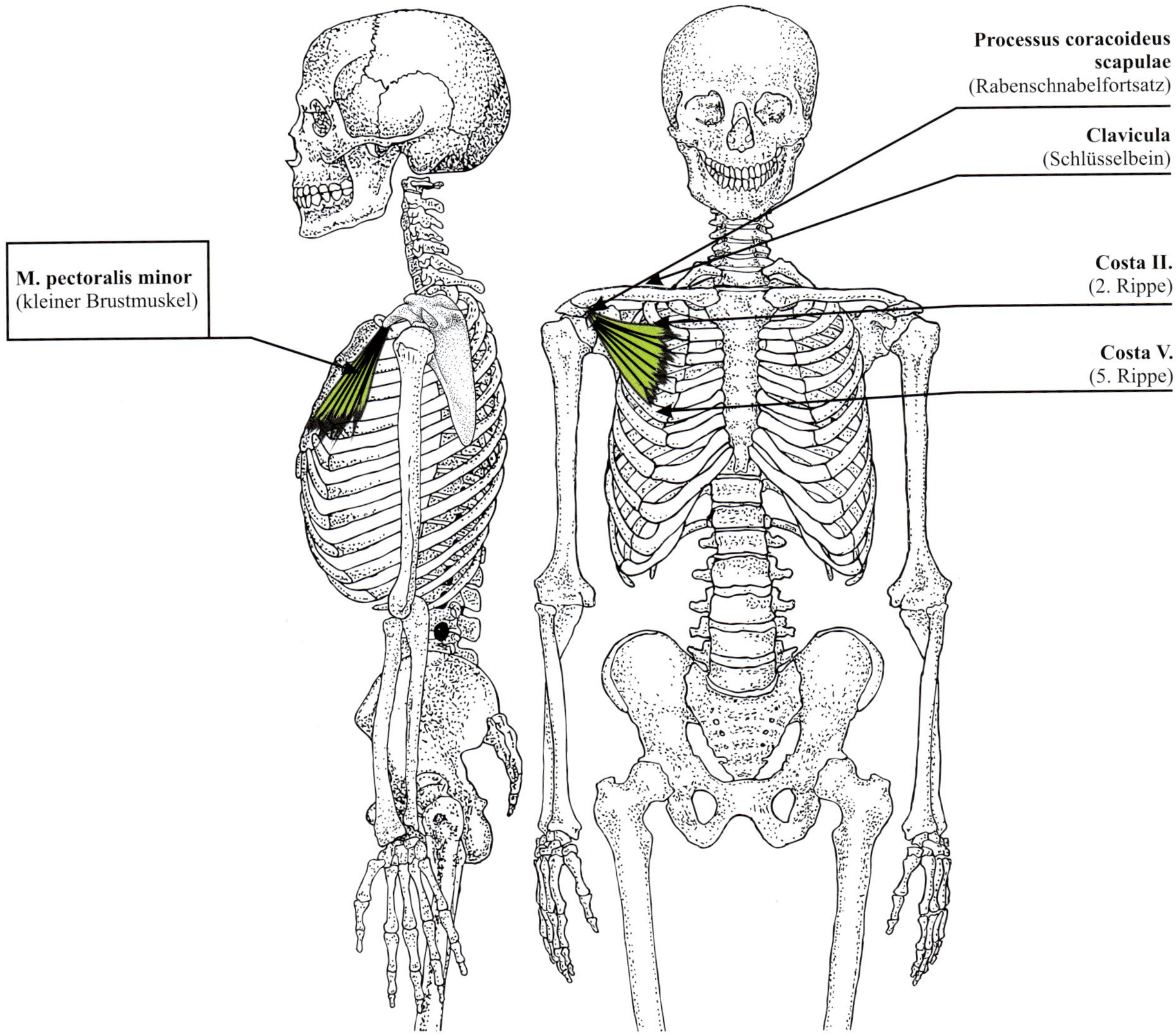

Muskeln, die zur **Anspannung** und zur **Verkürzung** neigen, müssen **entspannt** und **gedehnt** werden.

M. pectoralis minor (kleiner Brustmuskel)
Ursprung:
- 3.-5. Rippe

Ansatz:
- processus coracoideus scapulae

Funktion:
- Zieht das Schulterblatt in seine Faserrichtung schräg nach unten, genauer gesagt nach kaudal, medial und ventral.
- Bei fixierten (aufgestützen) Armen dient er zusammen mit dem Musculus pectoralis major als Atemhilfsmuskel.

Innervation:
- Nn. pectorales mediales et laterales (C6-Th1)

M. pectoralis minor (kleiner Brustmuskel) - Massage, Entspannung, passive Dehnung

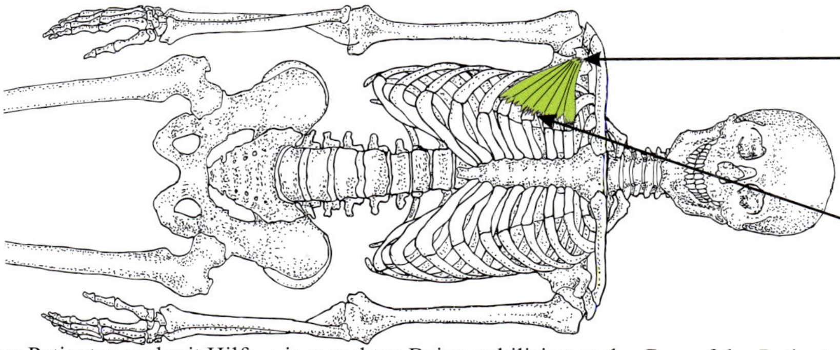

Ausgangsposition

Der Therapeut kniet hinter dem Patienten und mit Hilfe seines rechten Beins stabilisiert er den Rumpf des Patienten - punctum fixum. Nun legt er die inneren Fingerflächen der linken Hand auf den Brustkorb in Richtung 2. Rippe. Die Handfläche ruht auf der Schulter. Die Finger dürfen nicht gebeugt werden. Die Handfläche der rechten Hand stützt sich im Bereich der Schulter (nicht des Brustkorbs) des Patienten gegen die linke Hand ab. Der Patient atmet ein.

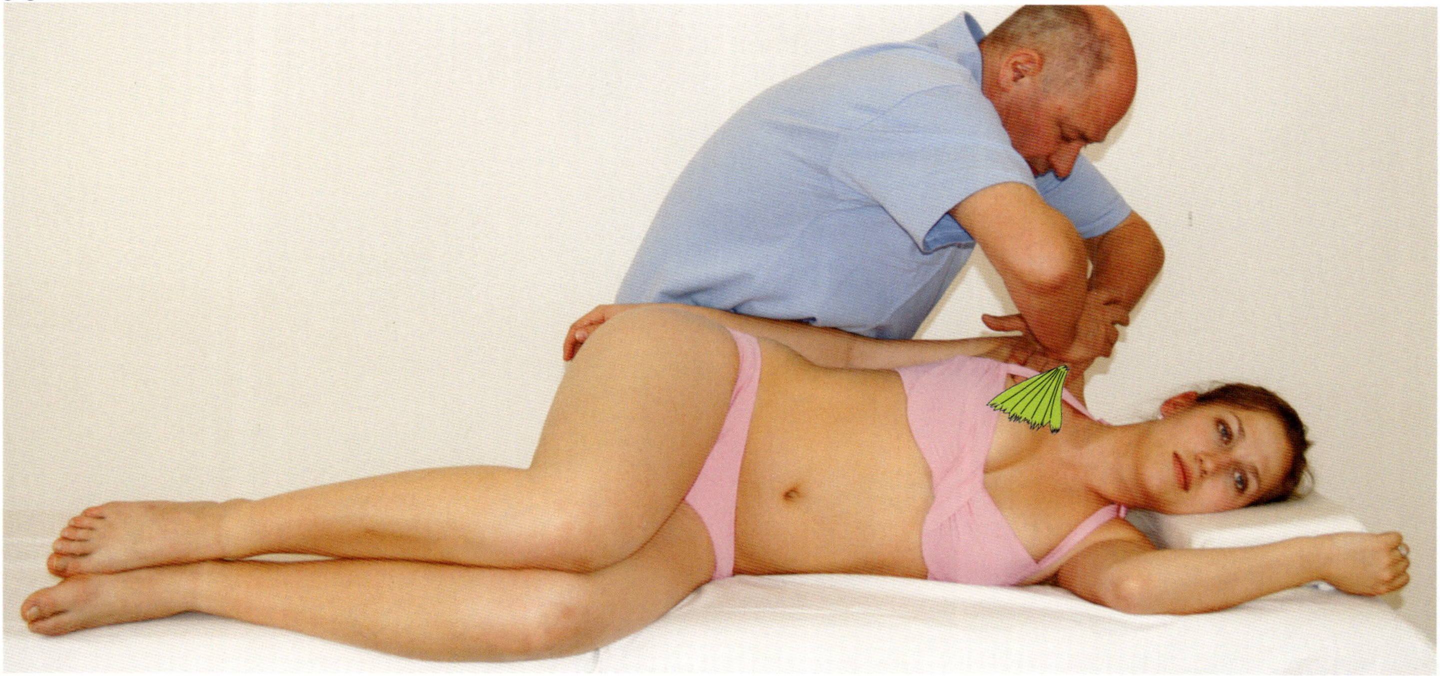

Ausführung

Der Therapeut verlagert sein Körpergewicht auf die linke Hand, schiebt das Schulterblatt dorsal (nach hinten) - punctum mobile. Damit dehnt er den M. pectoralis minor. Die Position der Hand auf der Schulter bleibt unverändert. Der Patient atmet langsam aus. Die Dehnung wird gelockert und 6x wiederholt. Nachdem die Behandlungstechnik beendet worden ist, warten wir jedesmal ca. 3 sec.

PIR. Die erreichte Dehnung wird gehalten. Der Patient atmet ein und, der im Brustkorb entstehende Gegendruck, führt zur Anspannung seiner Muskeln. Beim folgenden Ausatmen entspannen sich die Muskeln wieder und dies ermöglicht eine weitere Dehnung. Diese Technik wird in Richtung 3., 4. und 5. Rippe auf die gleiche Weise ausgeführt und mit ihrer Hilfe werden, der kleine Brustmuskel und die anderen Muskeln an der vorderen Schultergürtelseite gedehnt. Gleichzeitig wird dem Patienten geholfen, den richtigen Bewegungsumfang des Schulterblatts nach hinten erzielen zu können. Die Technik wird 3x wiederholt.

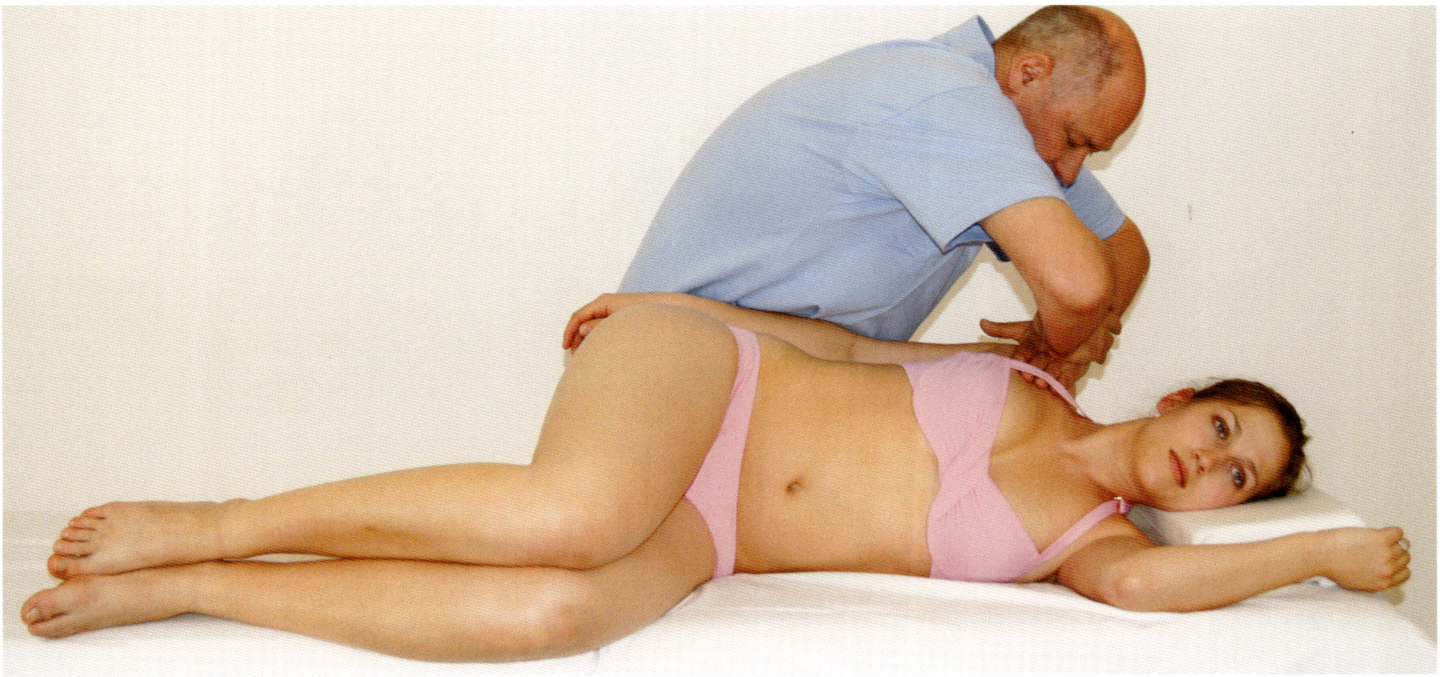

M. pectoralis minor (kleiner Brustmuskel) - Massage, Entspannung, passive Dehnung
M. subclavius (Unterschlüsselbeinmuskel) - Massage, Entspannung, passive Dehnung

Ausgangsposition

Der Therapeut kniet hinter dem Patienten und stützt den Rumpf des Patienten mit eigenem Körper ab - punctum fixum.
Nun legt er die Finger seiner rechten Hand mit der Innenseite auf den Brustkorb in Richtung 1., 2., 3., 4. und 5. Rippe. Der Zeigefinger ruht auf dem Schlüsselbein und der Mittelfinger auf dem M. subclavius knapp unter dem Schlüsselbein. Die Handfläche ruht auf der Schulter. Die Finger dürfen nicht gebeugt werden.

Der Daumen der linken Hand stabilisiert die unteren Rippen und die anderen Finger stimulieren ganz leicht die Bauchwand.
- der Patient wird aufgefordert, gegen die Hand des Therapeuten einzuatmen.

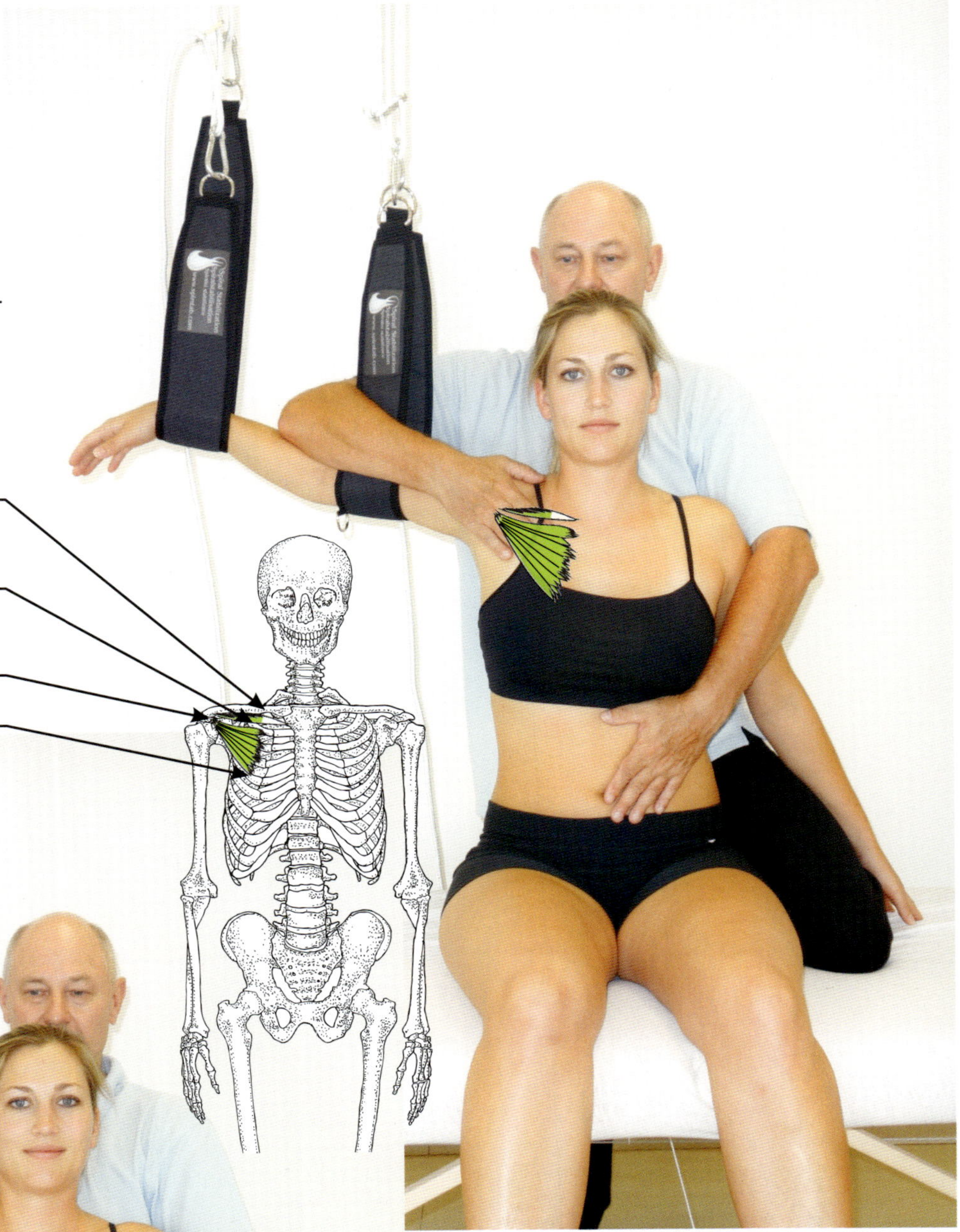

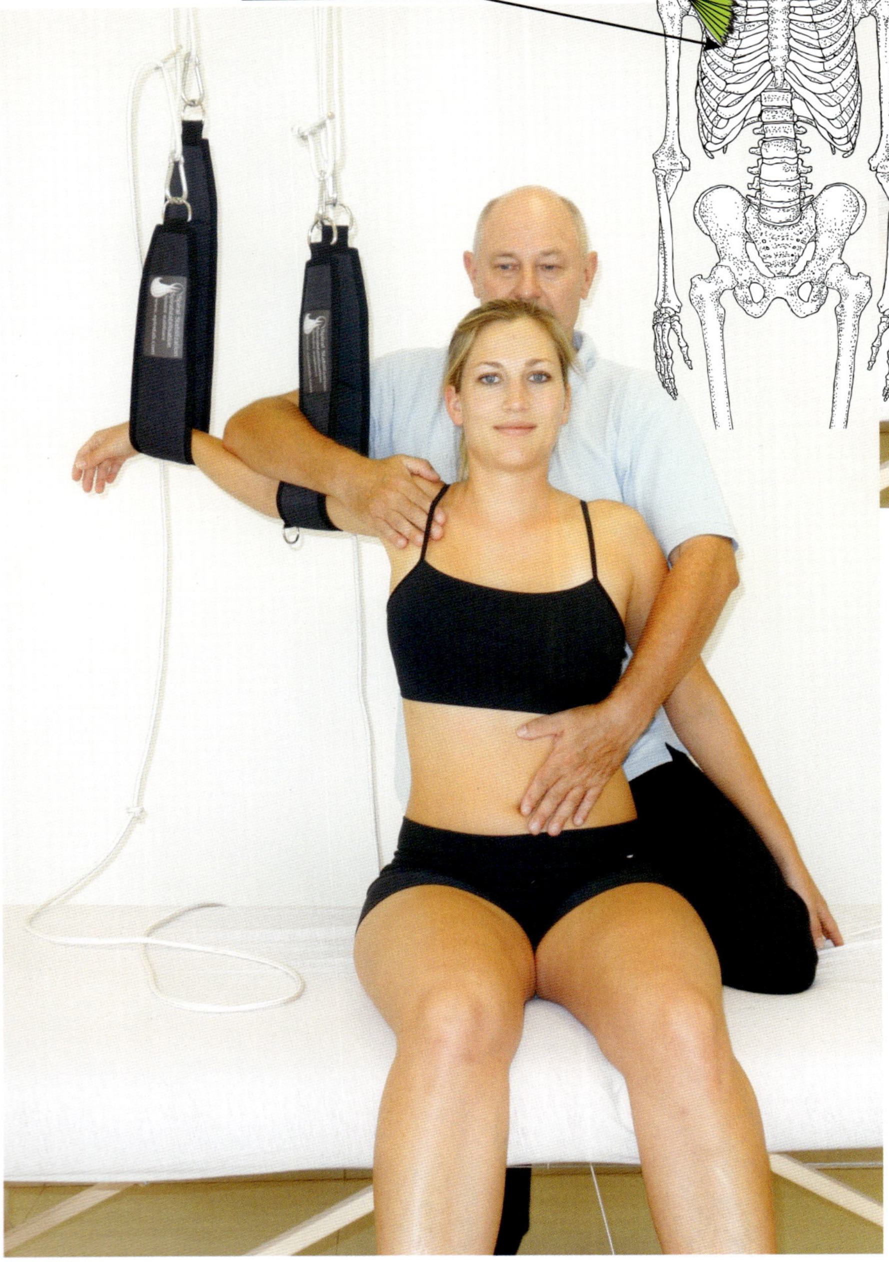

Ausführung

Der Therapeut stimuliert mit der linken Hand den Unterbauch und fordert den Patienten auf, gegen seine Hände auszuatmen. Mit dem Daumen der linken Hand wird die Stabilisation der unteren Rippen verstärkt - punctum fixum.

Die rechte Hand des Therapeuten zieht mit der rechten Hand das Schulterblatt langsam nach hinten und ganz leicht nach unten. Der Patient sollte der Bewegung folgen und dabei aktiv mithelfen.

PIR. Die erreichte Dehnung wird gehalten. Der Patient atmet ein und, der im Brustkorb entstehende Gegendruck, führt zur Anspannung seiner Muskeln. Beim folgenden Ausatmen entspannen sich die Muskeln wieder und dies ermöglicht eine weitere Dehnung.

M. subclavius (Unterschlüsselbeinmuskel), **M. pectoralis minor** (kleiner Brustmuskel) - aktive Entspannung, Dehnung, Massage

2. Übung - im Sitzen, mit einem Arm das Seil zur Seite ziehen, Fixation der unteren Rippen, Dehnung der Schulter nach hinten, Korrektur der Rumpfachse und des Kopfes, Massage.

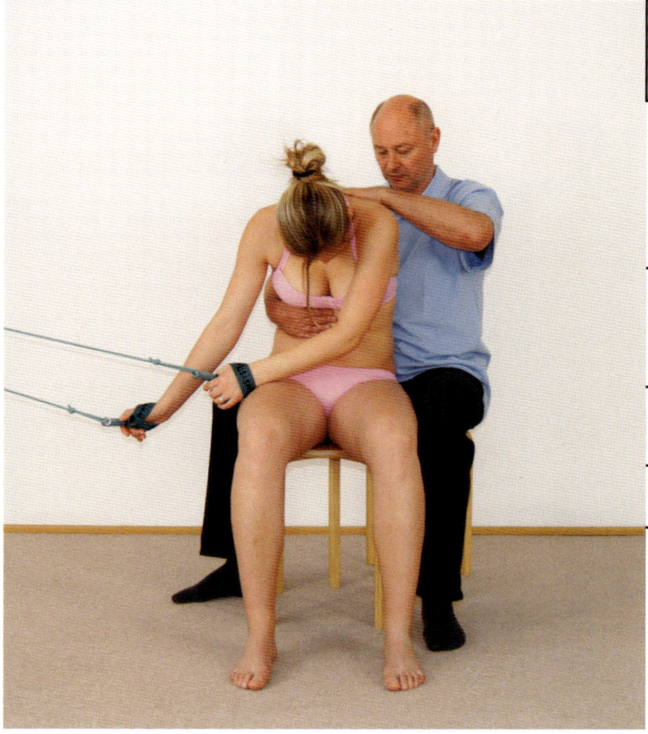

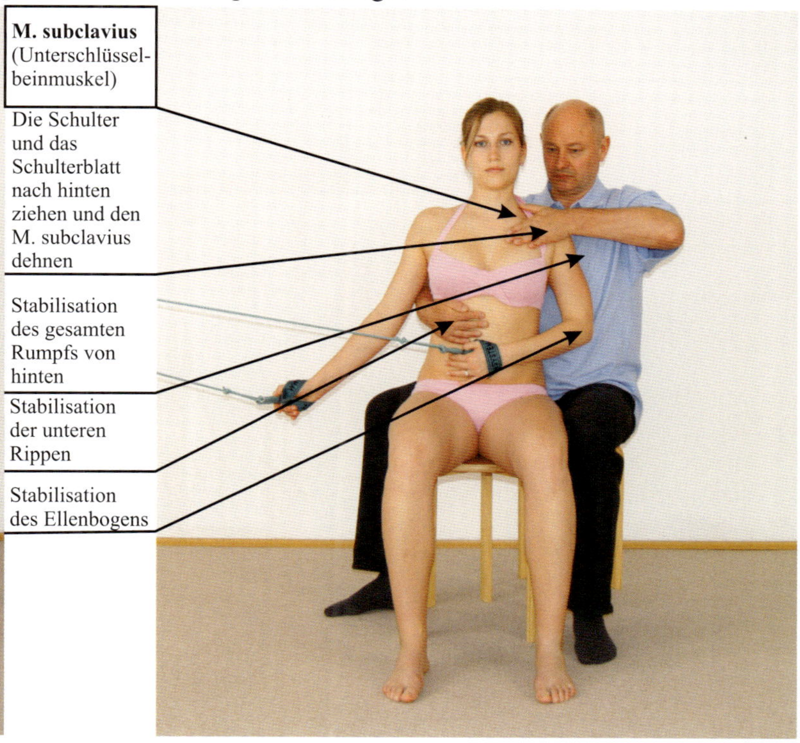

M. subclavius (Unterschlüsselbeinmuskel), **M. pectoralis minor** (kleiner Brustmuskel) - aktive Entspannung und Dehnung

2. Übung - im Sitzen, mit einem Arm das Seil zur Seite ziehen, Fixation der unteren Rippen, Dehnung der Schulter nach hinten, Korrektur der Rumpfachse und des Kopfes, Massage.

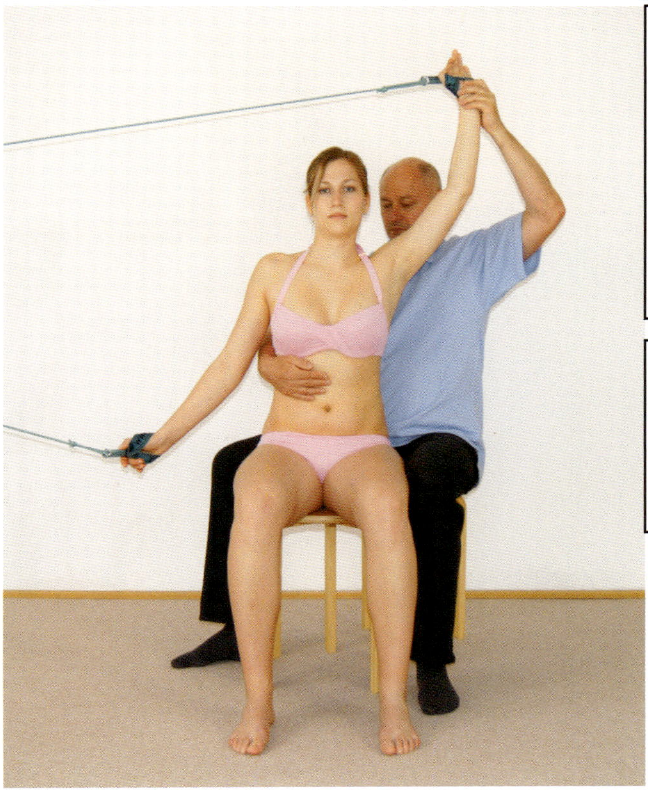

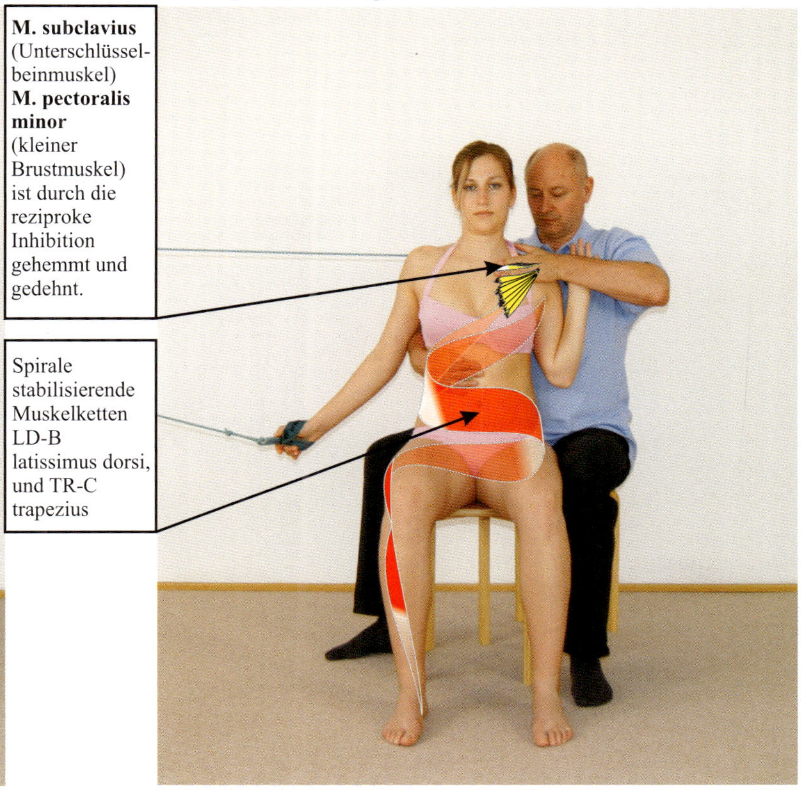

Dehnung des M. subclavius und M. pectoralis minor gehemmt durch die reziproke Inhibition.
Agonist sind die TR und LD Spiralen, die den Körper stabilisieren.
M. subclavius und M. pectoralis minor werden durch die reziproke Inhibition gehemmt und gleichzeitig gedehnt.

M. serratus anterior (vorderer Sägemuskel, oberer Teil)

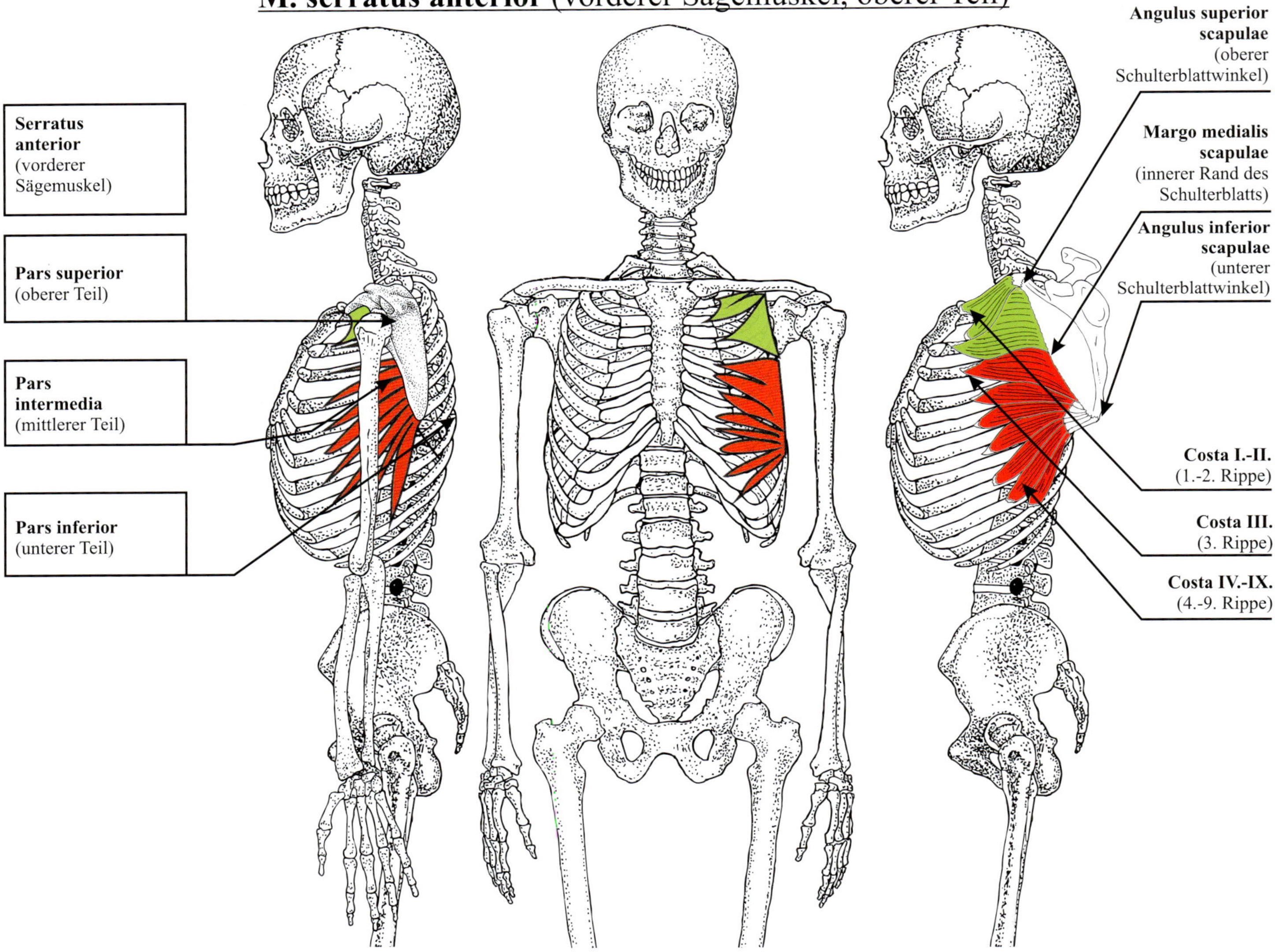

M. serratus anterior (vorderer Sägemuskel)
Ursprung: - pars superior
- 1.-2. Rippe
  - pars intermedia
- 3. Rippe
  - pars inferior
- 4.-9. Rippe

Ansatz: scapula
  - pars superior
- angulus superior
  - pars intermedia
- margo medialis
  - pars inferior
- angulus inferior

Funktion:
- der Musculus serratus anterior zieht die Scapula ventral und lateral (gesamter Muskel)
- bei fixiertem Schultergürtel unterstützt als Atemhilfsmuskel die Inspiration
- pars inferior:
  - erleichtert die Rotation des Schulterblatts, und die laterale sowie ventrale Schwenkung des angulus inferior (ermöglicht eine Elevation des Arms über 90° hinaus)
- pars superior:
  - unterstützt die Rückführung des elevierten Arms (arbeitet antagonistisch gegen pars inferior)

Innervation:
- N. thoracicus longus (C5-7)

Muskel, der zur inneren Dysbalance neigt.

Muskelfasern, die zur **Abschwächung neigen,** müssen **gekräftigt** werden.

Muskelfasern, die zur **Anspannung und zur Verkürzung** neigen, müssen **entspannt und gedehnt** werden.

Spiraler Teil M. serratus anterior neigt zur Abschwachung

M. serratus anterior (vorderer Sägemuskel) - Massage, Entspannung, passive Dehnung

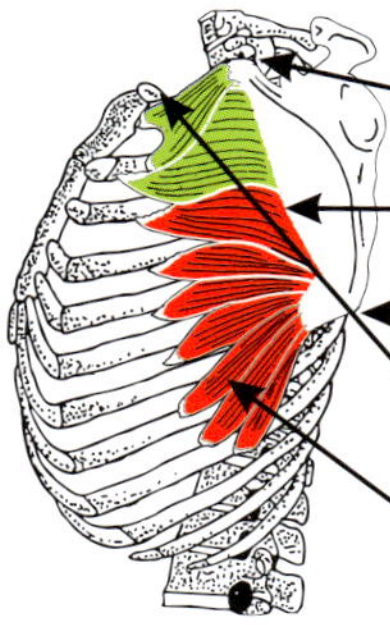

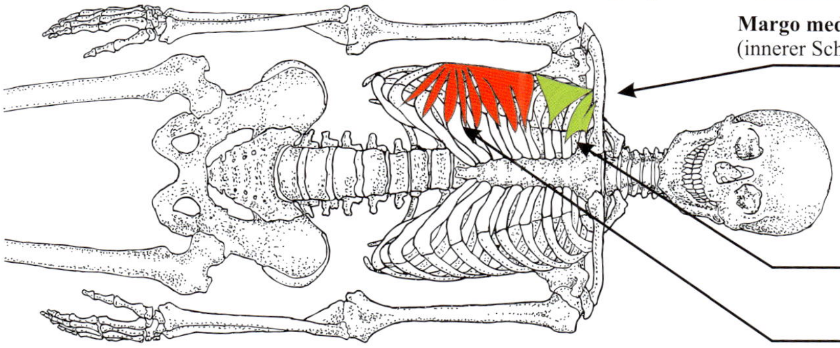

Ausgangsposition

Der Therapeut kniet hinter dem Patienten und mit Hilfe seines rechten Beins stabilisiert er den Rumpf des Patienten - punctum fixum. Nun legt er die Handfäche der rechten Hand auf die Schulter, die Finger sind dorsal (nach hinten) gerichtet.
Die Handfläche und die Finger der linken Hand drücken von hinten gegen das Schuterblatt. Der Patient atmet ein.

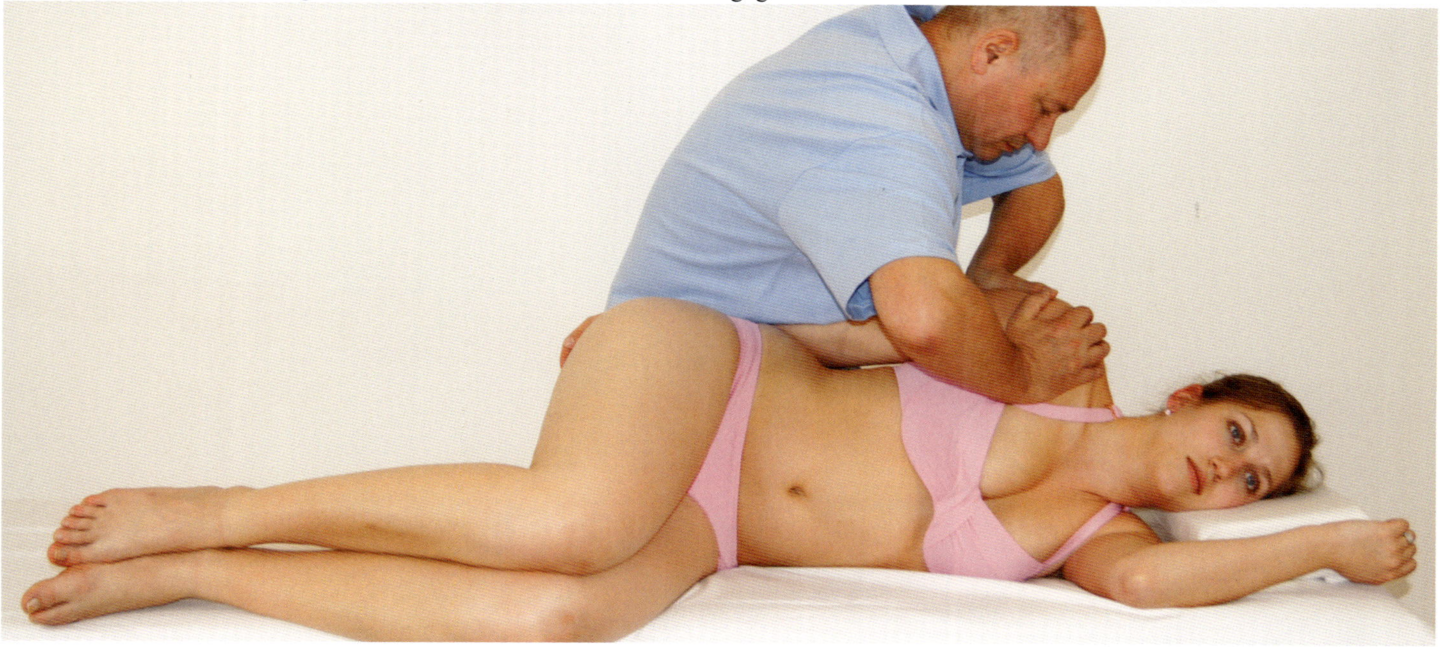

Ausführung

Der Therapeut verlagert sein Körpergewicht auf die rechte Hand, schiebt das Schulterblatt dorsal (nach hinten) - punctum mobile, dadurch dehnt er in vollem Umfang den M. serratus anterior und es kommt zur Massage der M. serratus anterior und M. subscapularis.
Der Patient atmet langsam aus. Die Dehnung wird gelockert und 6x wiederholt. Nachdem die Behandlungstechnik beendet worden ist, warten wir jedesmal ca. 3 sec.

PIR. Die erreichte Dehnung wird gehalten. Der Patient atmet ein und, der im Brustkorb entstehende Gegendruck, führt zur Anspannung seiner Muskeln. Beim folgenden Ausatmen entspannen sich die Muskeln wieder und dies ermöglicht eine weitere Dehnung.
Diese Technik wird in Richtung 3., 4. und 5. Rippe auf die gleiche Weise ausgeführt und mit ihrer Hilfe werden M. serratus anterior und anderen Muskeln an der vorderen Schultergürtelseite gedehnt. Gleichzeitig wird dem Patienten geholfen, den richtigen Bewegungsumfang des Schulterblatts nach hinten auch beim Üben erzielen zu können. Die Technik wird 3x wiederholt.

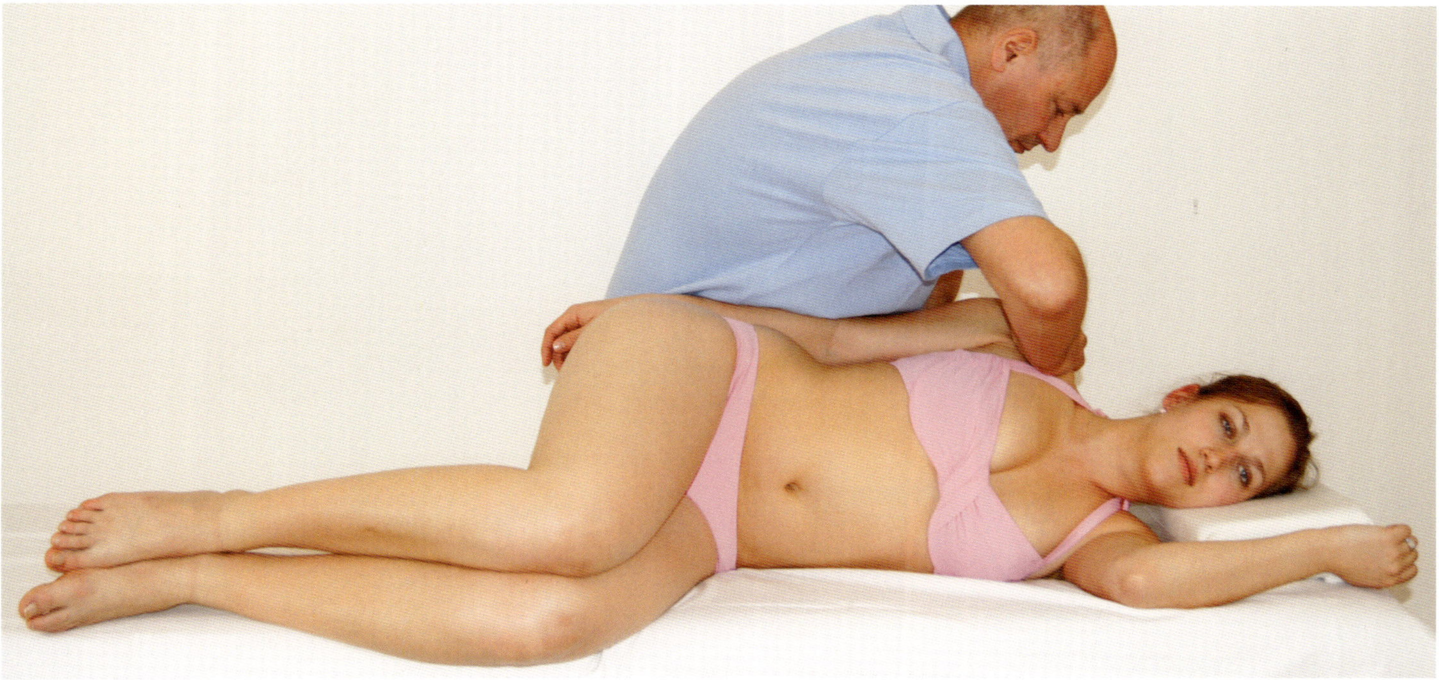

M. subclavius, M. pectoralis minor, M. serratus anterior

M. subclavius (Unterschlüsselbeinmuskel), M. pectoralis minor (kleiner Brustmuskel), M. serratus anterior (vorderer Sägemuskel, oberer Teil)

- Anspannung Entspannung und Dehnung - unter Ausnutzung der reziproken Inhibition

LD - latissimus dorsi und TR - trapezius Muskelketten sind Agonisten im zweiten Übungsteil.

1. Übung - im Stehen mit der Stirn zur Befestigung des Seils, die Beine sind in Grundposition.

Das Seil mit beiden Armen nach hinten ziehen.

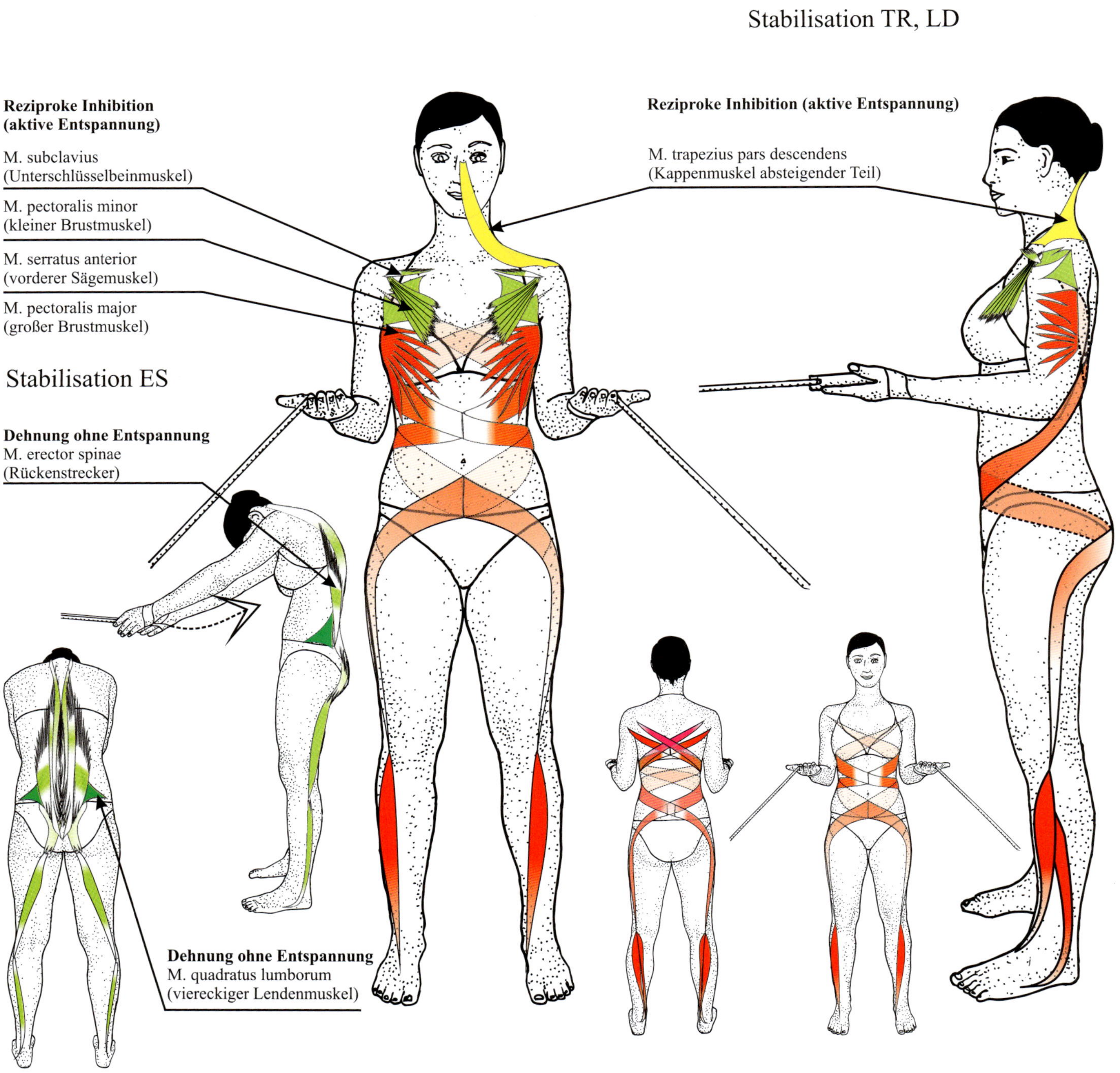

1 - Ausgangsposition - aktiver Übungsteil

In der Ausgangsposition dehnen wir die Rückenmuskulatur:

- M. erector spinae (Rückenstrecker)
- M. quadratus lumborum (viereckiger Lendenmuskel)

2 - Ausführung - aktiver Übungsteil

Im aktiven Übungsteil dehnen wir die vordere Schultergürtelmuskulatur:

- M. subclavius (Unterschlüsselbeinmuskel)
- M. pectoralis minor (kleiner Brustmuskel)
- M. pectoralis major (großer Brustmuskel)
- M. serratus anterior (vorderer Sägemuskel)

Die obere Schultergürtelmuskulatur ist entspannt:

- M. trapezius pars descendens (Kappenmuskel absteigender Teil)
- M. levator scapulae (Schulterblattheber)
- Mm. scaleni (Rippenhalter)
- M. semispinalis capitis, cervicis (Halbdornmuskel des Kopfes, des Halses) und andere Muskeln.

M. subclavius, M. pectoralis minor, M. serratus anterior

M. subclavius (Unterschlüsselbeinmuskel), M. pectoralis minor (kleiner Brustmuskel), M. serratus anterior (vorderer Sägemuskel, oberer Teil)

- Anspannung Entspannung und Dehnung - unter Ausnutzung der reziproken Inhibition

LD - latissimus dorsi und TR - trapezius Muskelketten sind Agonisten im zweiten Übungsteil.

2. Übung - im Stehen seitlich zur Beseitigung des Seils, die Beine sind in Grundposition.

Das Seil mit einem Arm zur Seite ziehen.

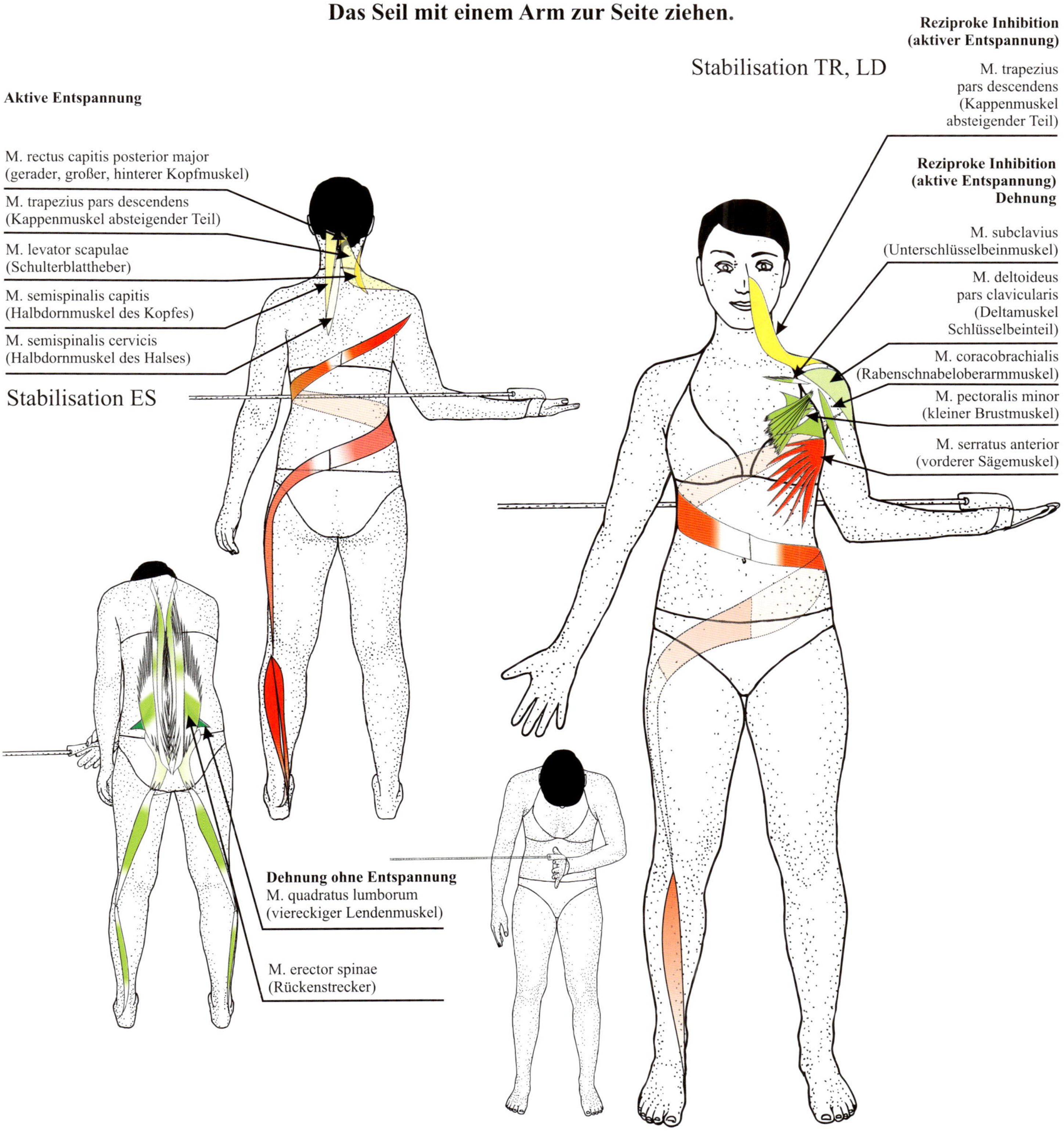

1 - Ausgangsposition - passiver Übungsteil

In der Ausgangsposition dehnen wir die Rückenmuskulatur:
- M. erector spinae (Rückenstrecker)
- M. quadratus lumborum (viereckiger Lendenmuskel)

2 - Ausführung - aktiver Übungsteil

Im aktiven Übungsteil dehnen wir die vordere Schultergürtelmuskulatur:
- M. subclavius (Unterschlüsselbeinmuskel)
- M. pectoralis minor (kleiner Brustmuskel)
- M. pectoralis major (großer Brustmuskel)
- M. serratus anterior (vorderer Sägemuskel)

2 - Ausführung - aktiver Übungsteil

Im aktiven Übungsteil entspannt sich die obere Schultergürtelmuskulatur:
- M. trapezius pars descendens (Kappenmuskel absteigender Teil)
- M. levator scapulae (Schulterblattheber)
- Mm. scaleni (Rippenhalter)
- M. semispinalis capitis, cervicis (Halbdornmuskel des Kopfes, des Halses)

und andere Muskeln.

M. subclavius, M. pectoralis minor, M. serratus anterior

M. subclavius (Unterschlüsselbeinmuskel), M. pectoralis minor (kleiner Brustmuskel), M. serratus anterior (vorderer Sägemuskel, oberer Teil)

- Entspannung und Dehnung - unter Ausnutzung der reziproken Inhibition

PM - pectoralis major Muskelkette ist Agonist im ersten Übungsteil,
LD - latissimus dorsi und TR - trapezius Muskelketten sind Agonisten im zweiten Übungsteil.

3. Übung - im Stehen, mit dem Rücken zur Befestigung des Seils, die Beine sind in Grundposition.

Die Arme nach hinten öffnen, die Schulterblätter zueinander ziehen.

Stabilisation TR, LD

Stabilisation PM

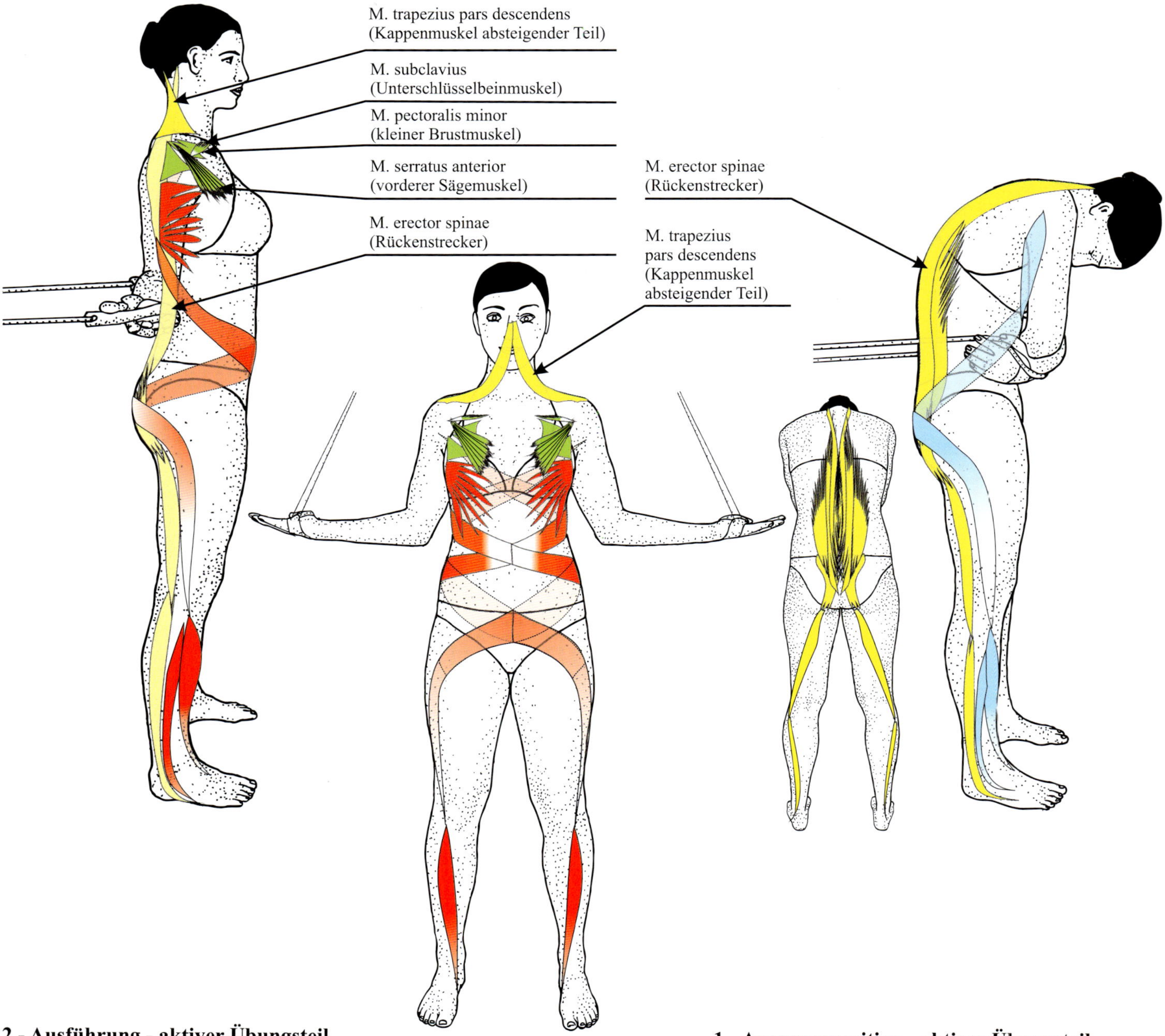

1 - Ausgangsposition - aktiver Übungsteil

In der Ausgangsposition dehnen wir, den, durch die Aktivität der PM - pectoralis major Muskelkette aktiv gehemmten M. erector spinae.
Die Bewegung wird durch die Anspannung der Zwischendornfortsatzbänder - ligamenta interspinalia beendet.

2 - Ausführung - aktiver Übungsteil

Im aktiven Übungsteil dehnen wir die vordere Schultergürtelmuskulatur:
- M. subclavius (Unterschlüsselbeinmuskel)
- M. pectoralis minor (kleiner Brustmuskel)
- M. pectoralis major (großer Brustmuskel)
- M. serratus anterior (vorderer Sägemuskel)

Am oberen Teil des Schultergürtels entspannt sich die Halsmuskulatur:
- M. trapezius pars descendens (Kappenmuskel absteigender Teil)
- M. levator scapulae (Schulterblattheber)
- Mm. scaleni (Rippenhalter)
- M. semispinalis capitis, cervicis (Halbdornmuskel des Kopfes, des Halses)
und andere Muskeln.

Übungen

M. subclavius (Unterschlüsselbeinmuskel), **M. pectoralis minor** (kleiner Brustmuskel), **M. serratus anterior** (vorderer Sägemuskel) - aktive Entspannung und Dehnung

2. Übung - im Sitzen seitlich zur Befestigung des Seils, das Schulterblatt zur Seite ziehen.

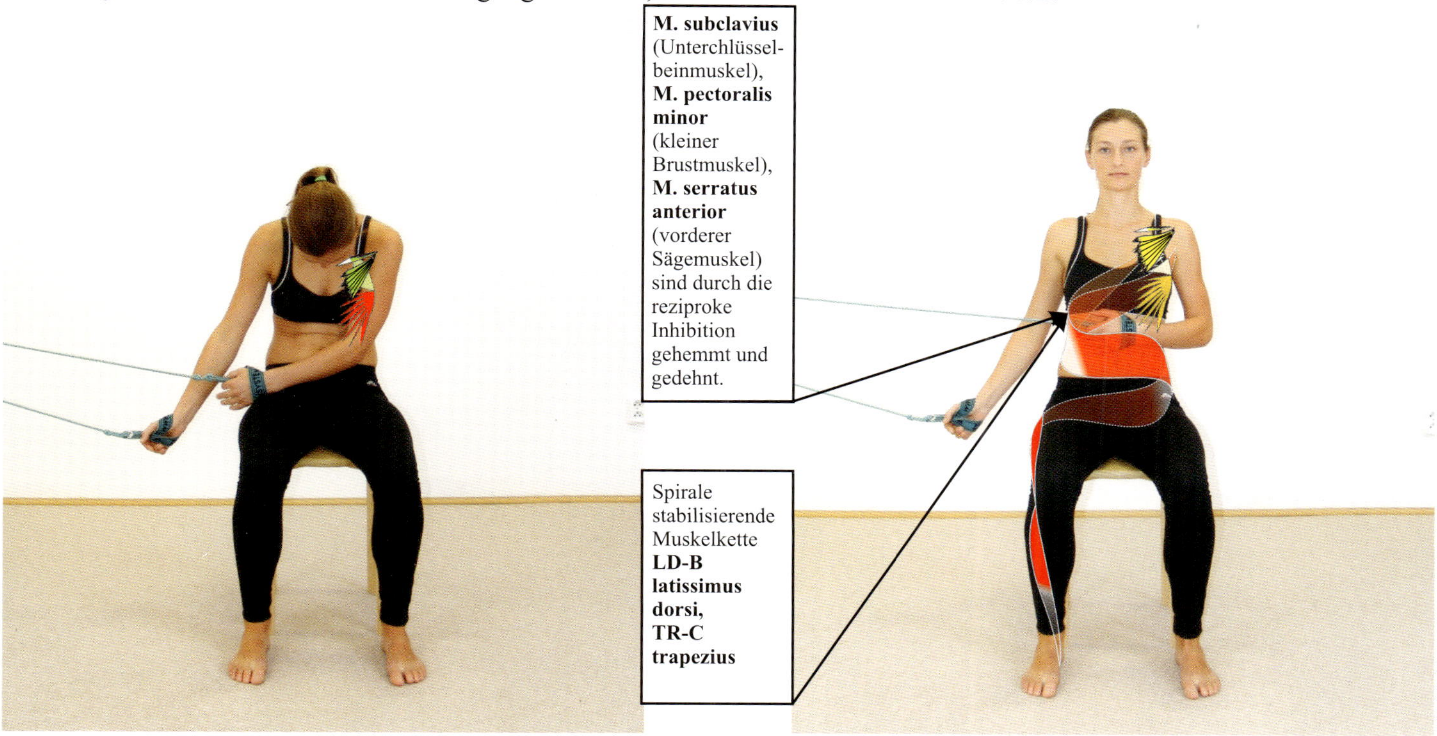

M. subclavius (Unterschlüsselbeinmuskel), **M. pectoralis minor** (kleiner Brustmuskel), **M. serratus anterior** (vorderer Sägemuskel) - aktive Entspannung und Dehnung

2. Übung - im Sitzen seitlich zur Befestigung des Seils, mit einem Arm zur Seite ziehen.

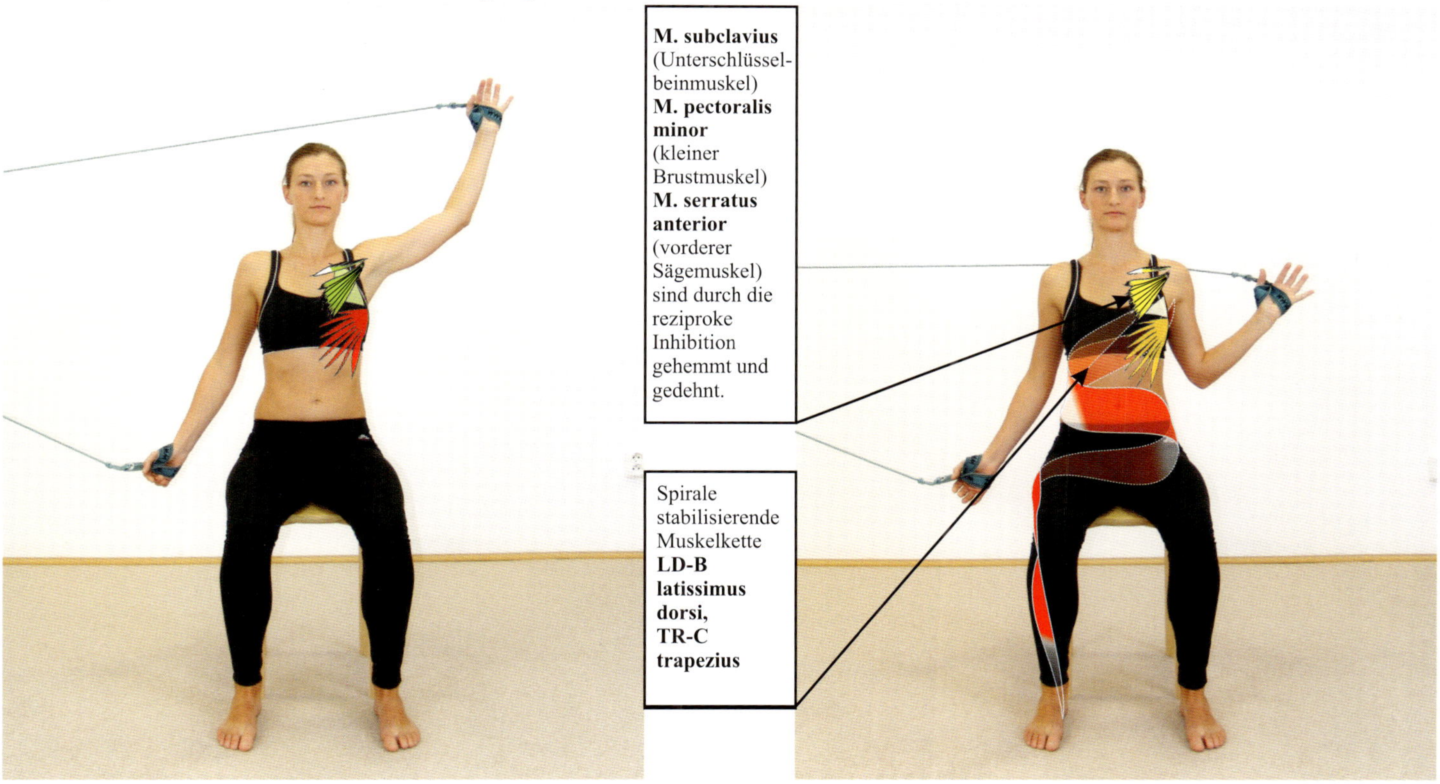

Dehnung des M. subclavius, M. pectoralis minor, M. serratus anterior und M. pectoralis major gehemmt durch die reziproke Inhibition.
Die Spiralen LD und TR sind Agonisten und stabilisieren den Körper.
M. subclavius, M. pectoralis minor, M. serratus anterior, M. pectoralis major werden durch die reziproke Inhibition gehemmt und gleichzeitig gedehnt.

M. subclavius (Unterschlüsselbeinmuskel), **M. pectoralis minor** (kleiner Brustmuskel), **M. serratus anterior** (vorderer Sägemuskel) - aktive Entspannung und Dehnung

2. Übung - im Stehzen seitlich zur Befestigung des Seils, das Schulterblatt zur Seite ziehen.

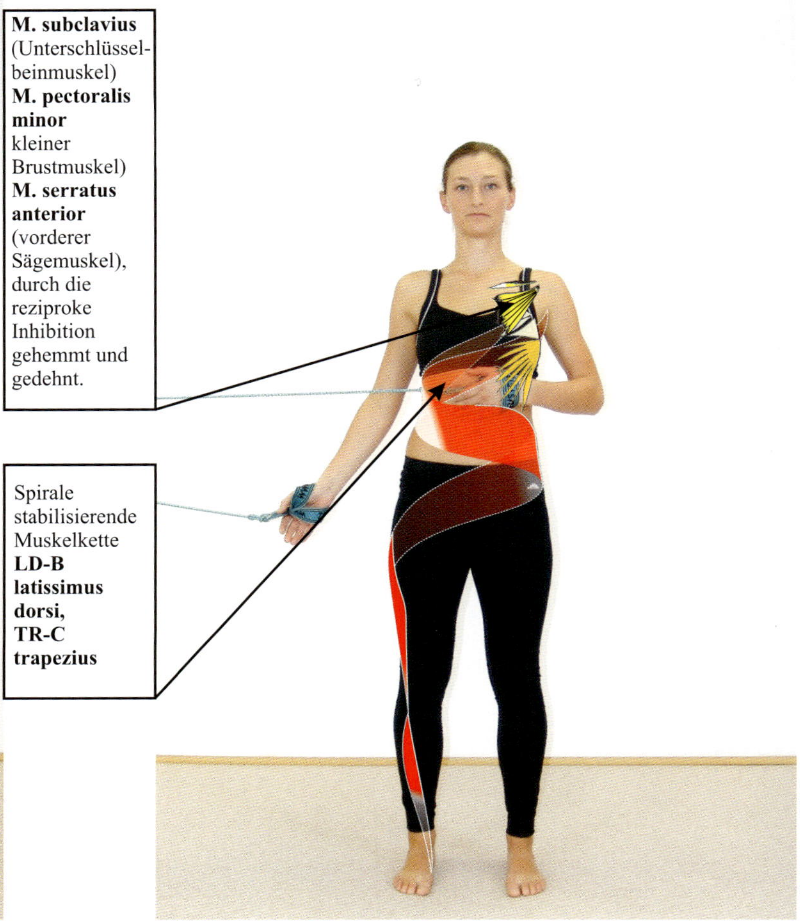

M. subclavius (Unterschlüsselbeinmuskel), **M. pectoralis minor** (kleiner Brustmuskel), **M. serratus anterior** (vorderer Sägemuskel) - aktive Entspannung und Dehnung

2. Übung - im Stehen seitlich zur Befestigung des Seils, das Seil mit einem Arm zur Seite ziehen.

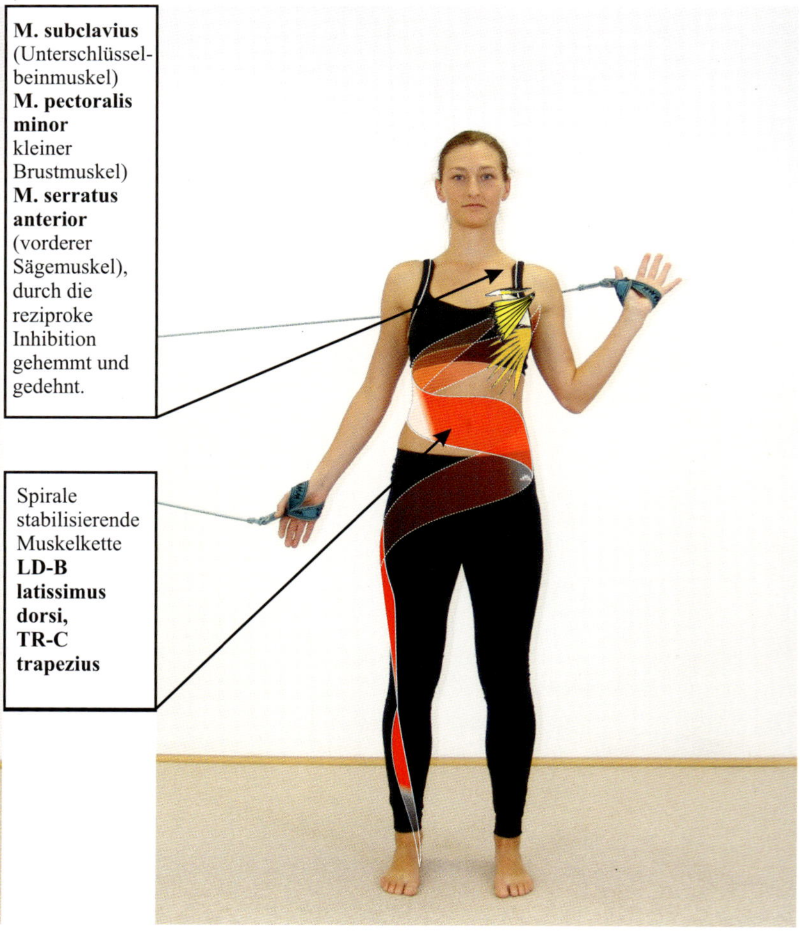

Übungen

M. subclavius (Unterschlüsselbeinmuskel), **M. pectoralis minor** (kleiner Brustmuskel), **M. serratus anterior** (vorderer Sägemuskel) - aktive Entspannung und Dehnung

1. Übung - im Stand mit der Stirn zur Befestigung des Seils, ein Bein ruht auf dem Step, beide Arme ziehen nach hinten.

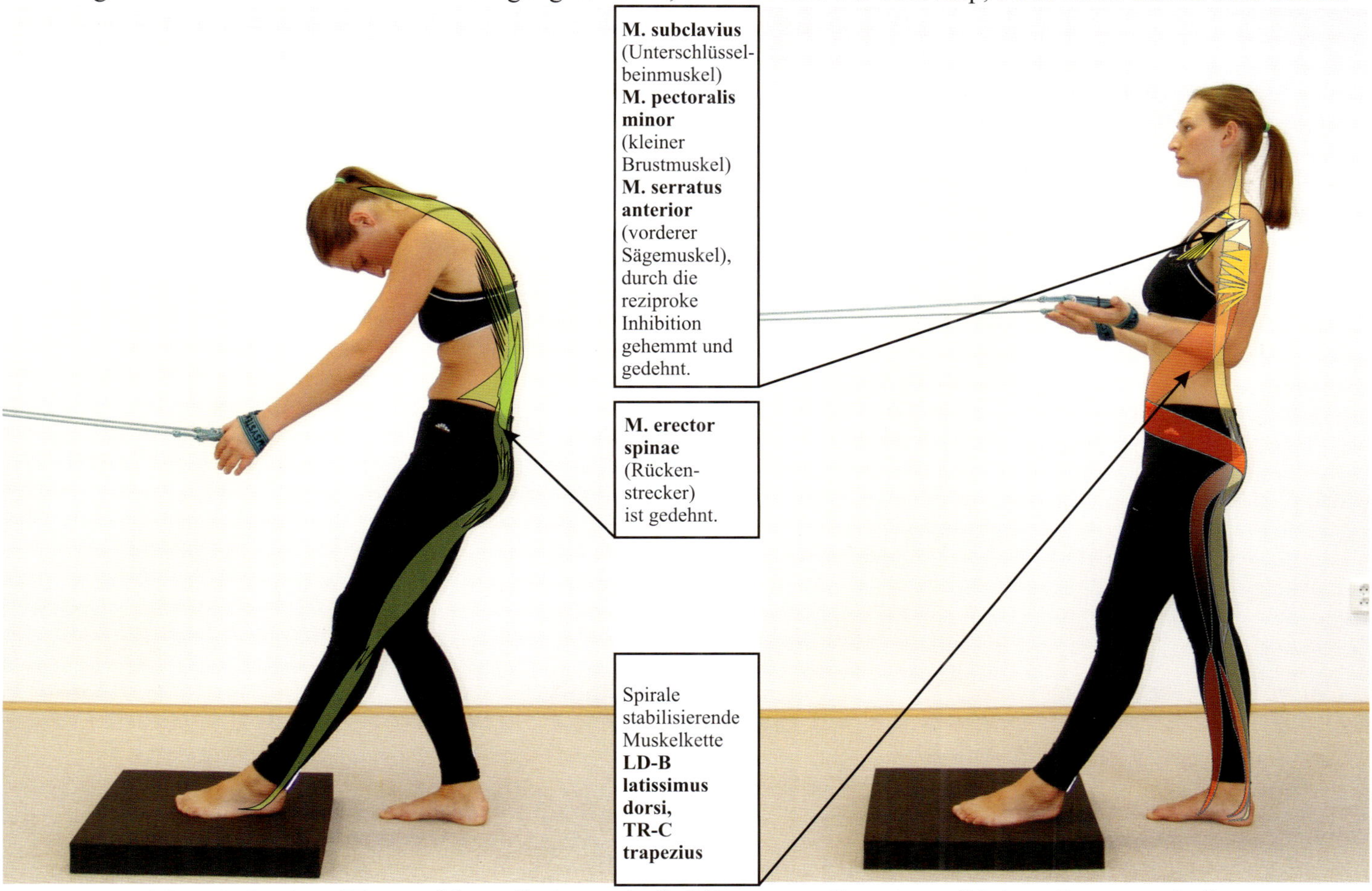

M. subclavius (Unterschlüsselbeinmuskel), **M. pectoralis minor** (kleiner Brustmuskel), **M. serratus anterior** (vorderer Sägemuskel) - aktive Entspannung und Dehnung

3. Übung - im Stand mit dem Rücken zur Befestigung des Seils, ein Bein ruht auf dem Step, beide Arme werden nach hinten geöffnet und die Schulterblätter aktiv zueinander gezogen.

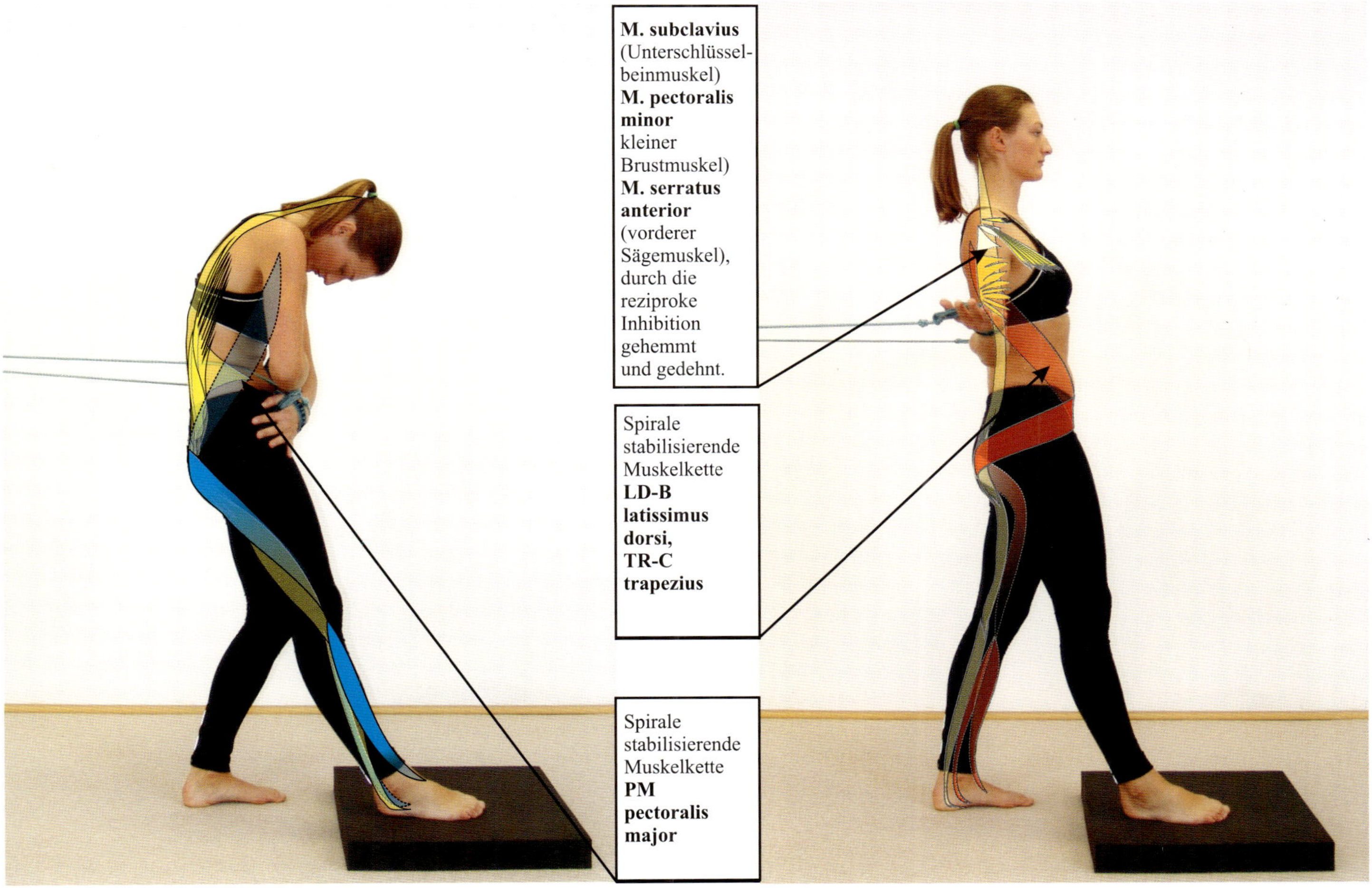

MANUELLE TECHNIKEN UND ÜBUNGEN NACH DER MUSKELANALYSE

Beckengürtel
vordere Muskelgruppe

Muskeln, die zur Anspannung
und zur Verkürzung neigen:

M. rectus femoris (gerader Oberschenkelmuskel)
M. tensor fasciae latae (Oberschenkelbindenspanner)
M. gluteus medius (mittlerer Gesäßmuskel)
M. iliopsoas (Lenden-Darmbeinmuskel)
M. psoas major (großer Lendenmuskel)
M. psoas minor (kleiner Lendenmuskel)
M. iliacus (Darmbeinmuskel)

Paravertebrale Muskeln
vordere, untere Muskelgruppe

Muskeln, die zur Anspannung
und zur Verkürzung neigen:

M. psoas major (großer Lendenmuskel)
M. psoas minor (kleiner Lendenmuskel)

Paravertebrale Muskeln
vordere, obere Muskelgruppe

Muskeln, die zur Anspannung
und zur Verkürzung neigen:

M. longus capitis (langer Kopfmuskel)
M. longus cervicis (langer Halsmuskel)

M. rectus femoris (gerader Oberschenkelmuskel), M. tensor fasciae latae (Oberschenkelbindenspanner), M. gluteus medius (mittlerer Gesäßmuskel)

Muskeln zur **Anspannung** und zur **Verkürzung** neigen.

Diese Muskeln müssen **entspannt** und **gedehnt** werden.

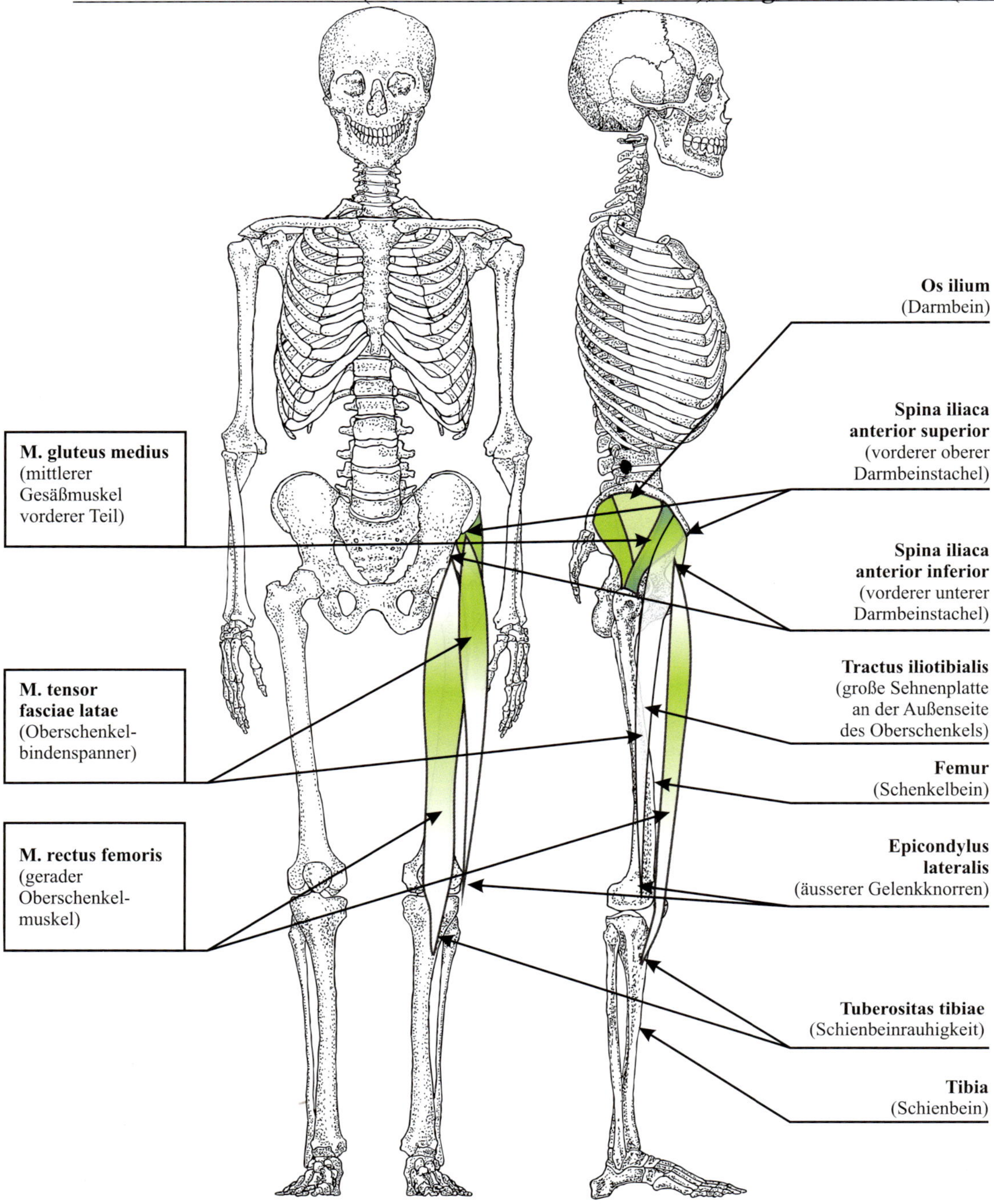

M. rectus femoris
(gerader Oberschenkelmuskel)
Urspung:
- spina iliaca anterior inferior
- os ilium, Darmbein, Oberrand der Hüftgelenkspfanne (Acetabulum).

Ansatz:
- Tuberositas tibiae

Funktion:
- Hüftgelenk: Flexion (Beugung)
- Kniegelenk: Extension (Streckung)

Innervation:
- N. femoralis (Oberschenkelnerv) (L2-4)

M. gluteus medius
(mittlerer Gesäßmuskel, vorderer Teil)
Urspung:
- Crista iliaca labium externum
- Ala ossi ilii

Ansatz:
- Trochanter major

Funktion: Hüftgelenk:
- Flexion (Beugung) vorderer Teil
- Extension (Streckung) hinterer Teil
- Abduktion (Abspreizen) des gesamten Muskels.

Innervation:
- N. gluteus superior (oberer Gesäßnerv) (L4-S1)

M. tensor fasciae latae
(Oberschenkelbindenspanner)
Urspung:
- spina iliaca anterior superior
- ala osis ilii

Ansatz:
- fascia lata (Oberschenkelbinde)
- tractus iliotibialis
- epicondylus lateralis

Funktion: - Hüftgelenk:
- Flexion (Beugung)
- Abduktion (Abspreizen) des Oberschenkels
- innere Rotation des Oberschenkels

- Knie:
- Extension (Streckung)
- äussere Rotation

Innervation:
- N. gluteus superior (oberer Gesäßnerv) (L4-S1)

M. rectus femoris (gerader Oberschenkelmuskel) - Dehnung

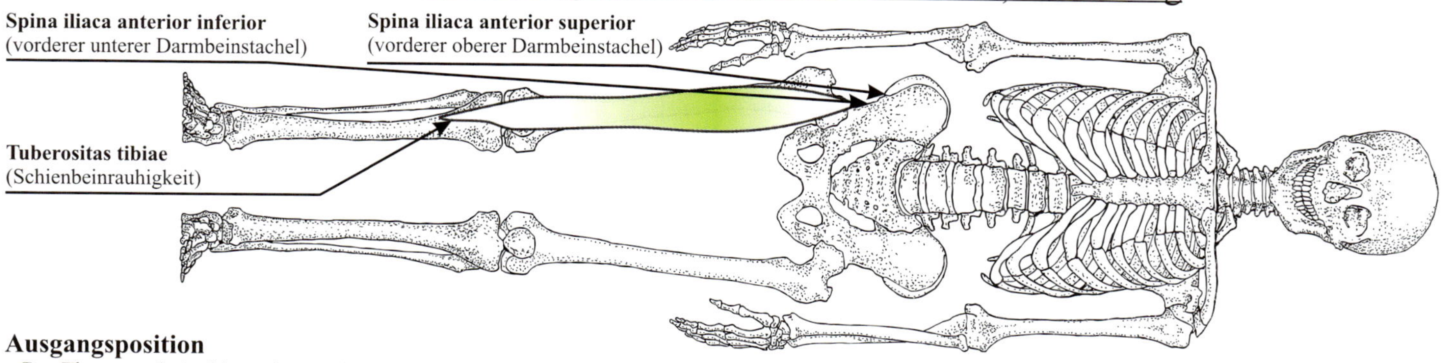

Ausgangsposition

Der Therapeut kniet hinter dem Patienten in Richtung Becken und mit Hilfe seines linken Beins stabilisiert er den Rumpf und das Becken des Patienten - punctum fixum. Er legt die Handfläche seiner linken Hand auf den SIAS spina iliaca anterior superior (vorderer oberer Darmbeinstachel) und breitet die gestreckten Finger fächerartig aus, sodass diese eine möglichst große Fläche sanft bedecken. Die rechte Hand des Therapeuten umfasst das rechte Knie des Patienten und sein Unterarm liegt somit unter dem Unterschenkel des Patienten. Das beanspruchte Bein liegt horizontal. Patient atmet ein.

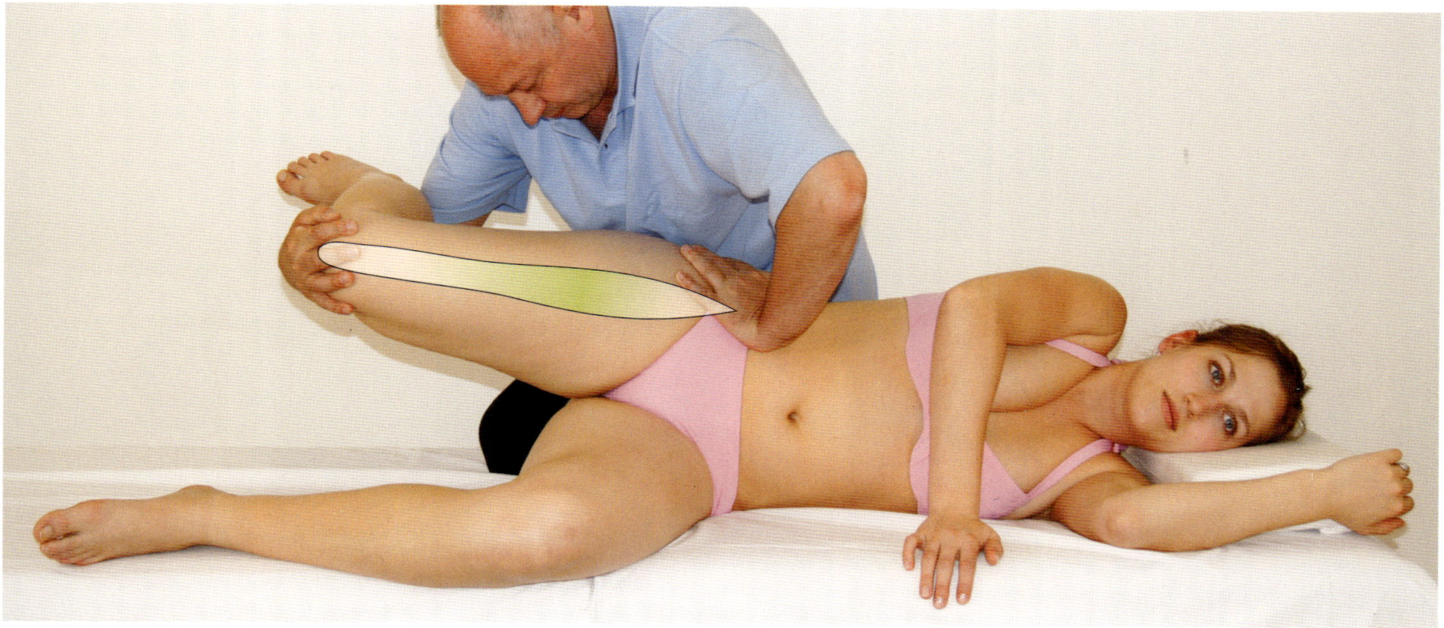

Ausführung

Der Therapeut verlagert sein Körpergewicht auf die linke Hand und stabilisiert das Becken des Patienten von vorn - punctum fixum. Mit dem rechten Arm zieht er den Oberschenkel des Patienten nach hinten und damit wird der M. rectus femoris gedehnt. Der Patient atmet langsam aus. Die Dehnung wird gelockert und 6x wiederholt. Nachdem die Behandlungstechnik beendet worden ist, warten wir jedesmal ca. 3 sec.

PIR. Die erreichte Dehnung wird gehalten. Der Patient atmet ein und, der im Brustkorb entstehende Gegendruck, führt zur Anspannung seiner Muskeln. Beim folgenden Ausatmen entspannen sich die Muskeln wieder und dies ermöglicht eine weitere Dehnung.

Die Technik wird 3x wiederholt. Reziproke Inhibition. Am Ende der passiven Dehnung fordern wir den Patienten auf, die Gesäßmuskeln anzuspannen und eine nach hinten führende Bewegung (Schritt nach hinten) auszuführen. Die Extensionsfähigkeit in der Hüfte vergrößert sich um 5-10 cm. Hier ist der M. gluteus maximus Agonist und der gehemmte M. rectus femoris ist Antagonist. Mit Hilfe dieser Technik werden M. rectus femoris und andere Muskeln an der vorderen Seite des Beckengürtels gedehnt. Gleichzeitig wird dem Patienten geholfen, den richtigen Bewegungsumfang des Beins nach hinten beim Üben erreichen zu können.

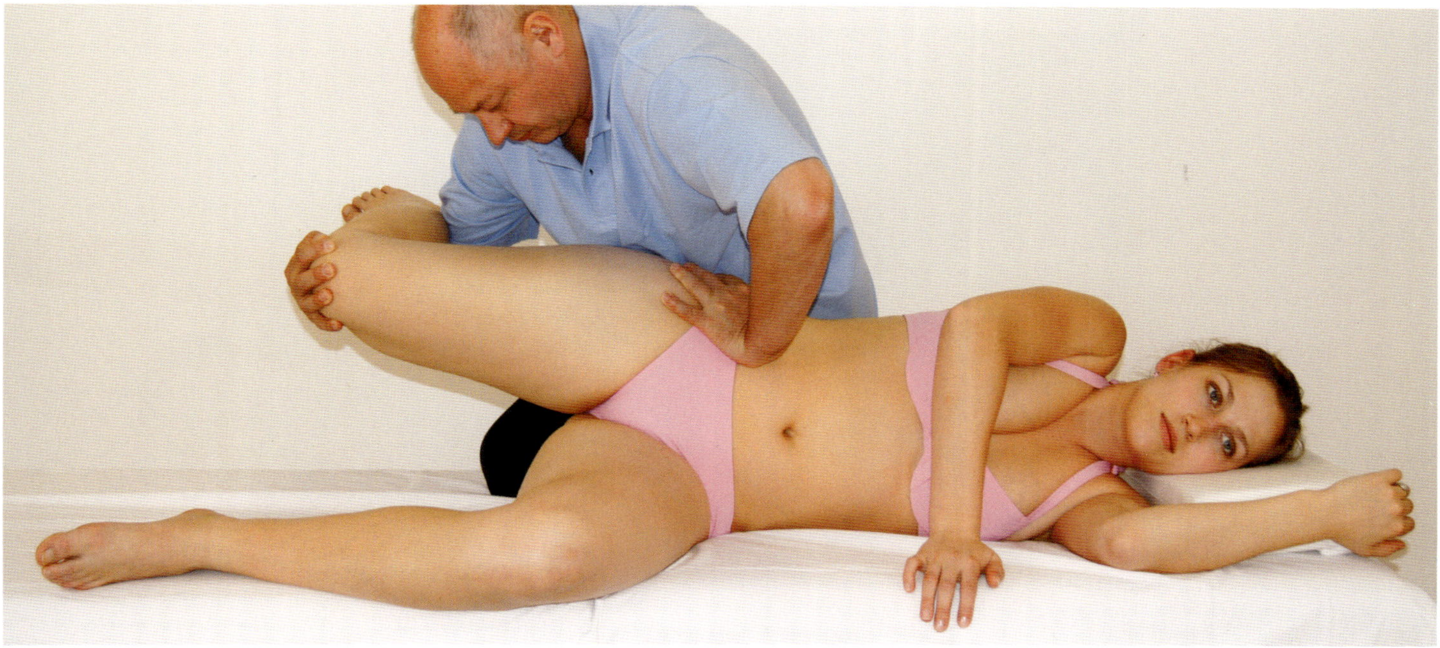

M. tensor fasciae latae (Oberschenkelbindenspanner), M. gluteus medius (mittlerer Gesäßmuskel) - Dehnung

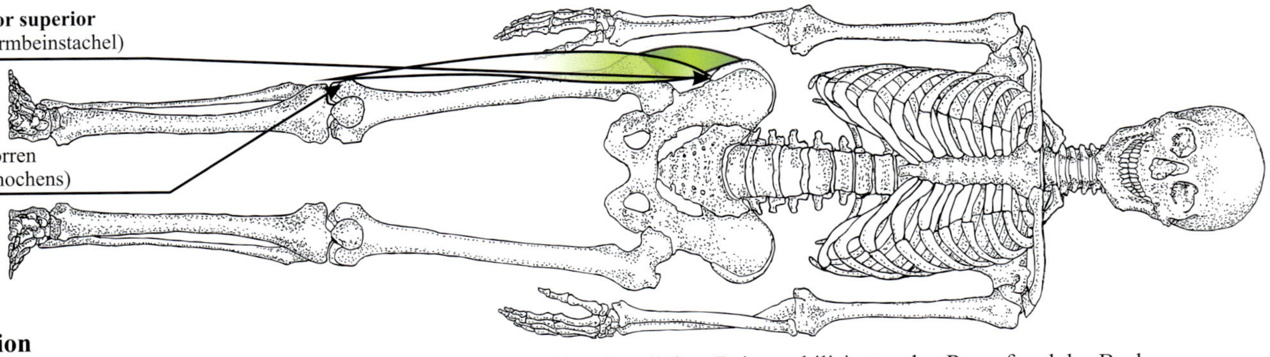

Ausgangsposition

Der Therapeut kniet hinter dem Patienten in Richtung Becken und mit Hilfe seines linken Beins stabilisiert er den Rumpf und das Becken des Patienten - punctum fixum. Er legt die Handfläche seiner linken Hand auf den SIAS spina iliaca anterior superior (vorderer oberer Darmbeinstachel) und breitet die gestreckten Finger fächerartig aus, sodass diese eine möglichst große Fläche sanft bedecken.
Die rechte Hand des Therapeuten umfasst das rechte Knie des Patienten und sein Unterarm liegt somit unter dem Unterschenkel des Patienten. Das beanspruchte Bein liegt schräg nach unten (medial). Der Patient atmet ein.

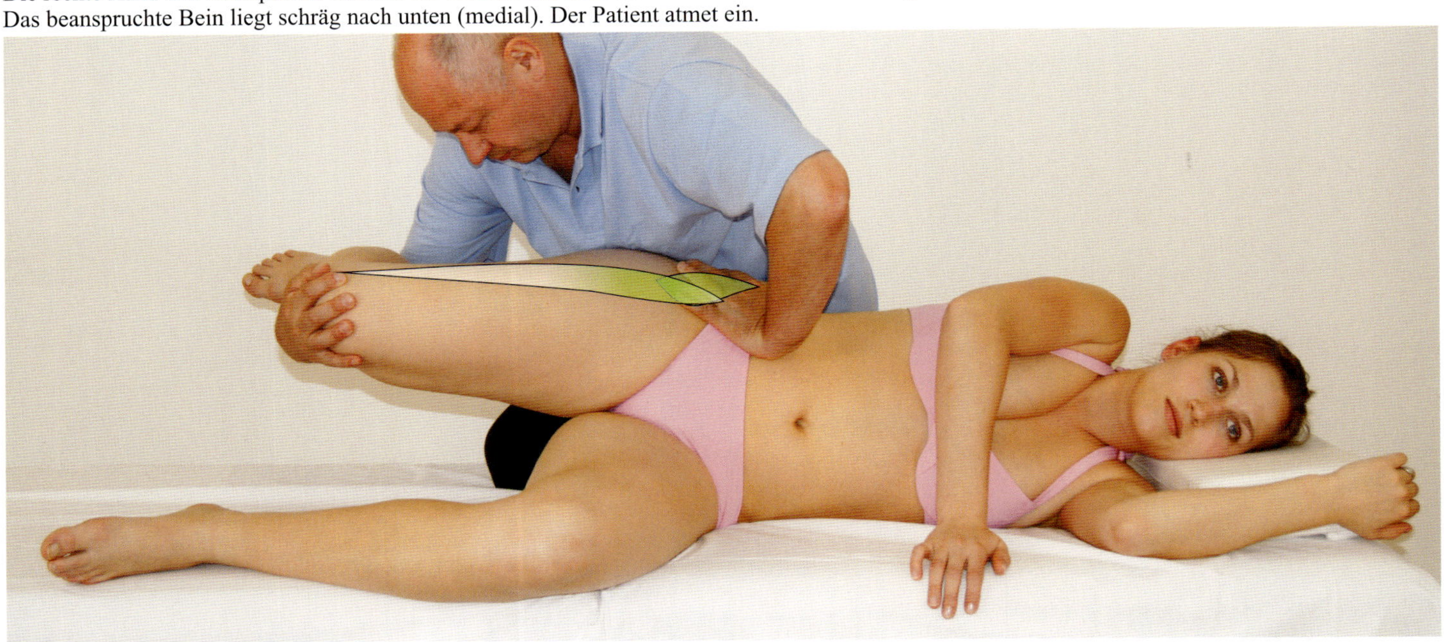

Ausführung

Der Therapeut verlagert sein Körpergewicht auf die linke Hand und stabilisiert das Becken des Patienten von vorn - punctum fixum.
Mit dem rechten Arm zieht er den Oberschenkel des Patienten dorsal und medial (nach hinten und unten) damit werden der M. tensor fasciae latae und M. gluteus medius (vorderer Teil) gedehnt. Der Patient atmet langsam aus. Die Dehnung wird gelockert und 6x wiederholt.
Nachdem die Behandlungstechnik beendet worden ist, warten wir jedesmal ca. 3 sec.

PIR. Die erreichte Dehnung wird gehalten. Der Patient atmet ein und, der im Brustkorb entstehende Gegendruck, führt zur Anspannung seiner Muskeln. Beim folgenden Ausatmen entspannen sich die Muskeln wieder und dies ermöglicht eine weitere Dehnung. Die Technik wird 3x wiederholt. Reziproke Inhibition. Am Ende der passiven Dehnung fordern wir den Patienten auf, die Gesäßmuskeln anzuspannen und eine nach hinten führende Bewegung (Schritt nach hinten) auszuführen. Die Extensionsfähigkeit in der Hüfte vergrößert sich um 5-10 cm. Hier ist der M. gluteus maximus Agonist und der gehemmte M. rectus femoris ist Antagonist. Mit Hilfe dieser Technik werden M. tensor fasciae latae und andere Muskeln an der vorderen Seite des Beckengürtels gedehnt. Gleichzeitig wird dem Patienten geholfen, den richtigen Bewegungsumfang des Beins nach hinten beim Üben und beim Gehen erreichen zu können.

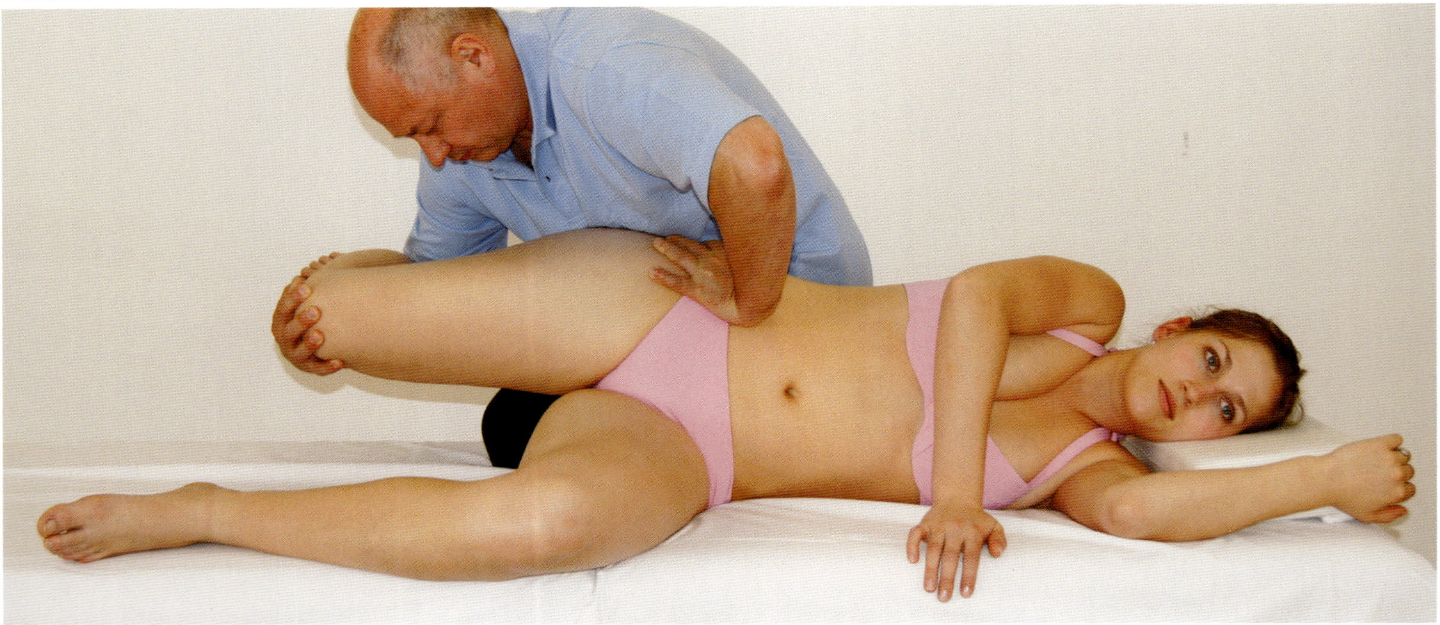

M. rectus femoris (gerader Oberschenkelmuskel) - Dehnung

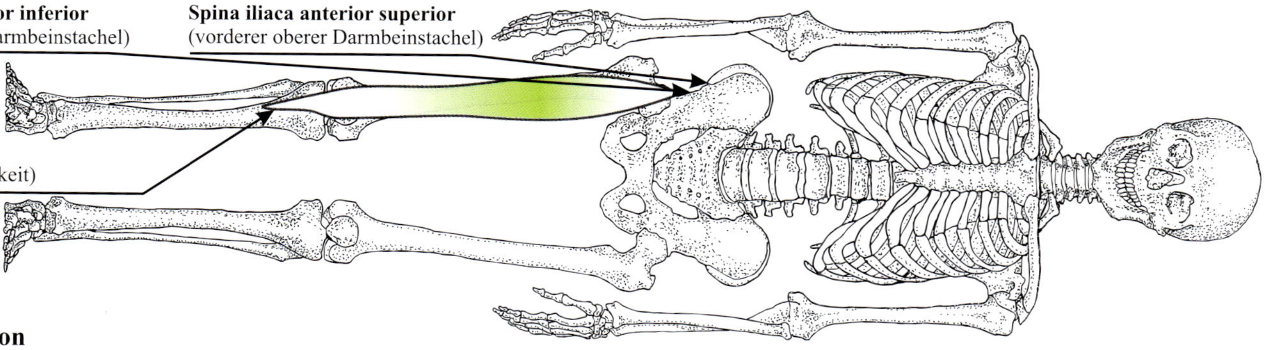

Ausgangsposition

Der Therapeut kniet hinter dem Patienten in Richtung Becken und mit Hilfe seines linken Beins stabilisiert er den Rumpf und das Becken des Patienten - punctum fixum. Er legt die Handfläche seiner linken Hand auf den SIAS spina iliaca anterior superior (vorderer oberer Darmbeinstachel) und breitet die gestreckten Finger fächerartig aus, sodass diese eine möglichst große Fläche sanft bedecken.
Die rechte Hand des Therapeuten umfasst das rechte Knie des Patienten und sein Unterarm liegt somit unter dem Unterschenkel des Patienten. Das beanspruchte Bein liegt horizontal. Der Patient atmet ein.

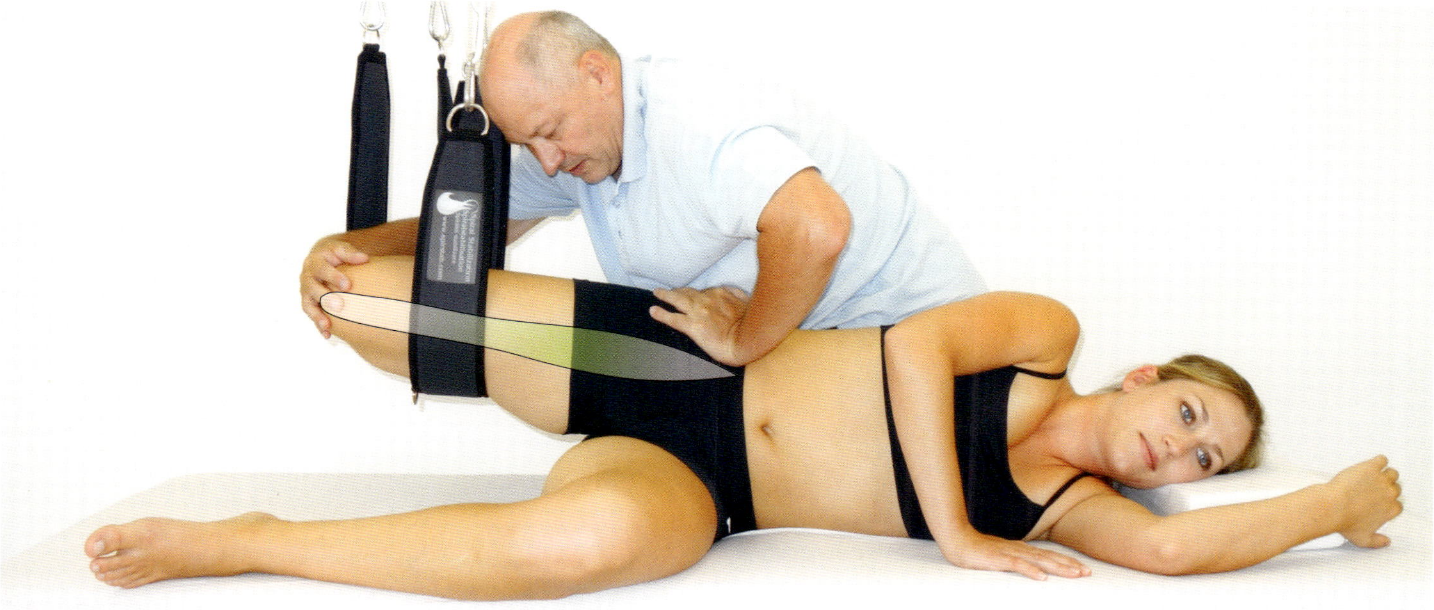

Ausführung

Der Therapeut verlagert sein Körpergewicht auf die linke Hand und stabilisiert das Becken des Patienten von vorn - punctum fixum. Mit dem rechten Arm zieht er den Oberschenkel des Patienten nach hinten und damit wird der M. rectus femoris gedehnt.
Der Patient atmet langsam aus. Die Dehnung wird gelockert und 6x wiederholt. Nachdem die Behandlungstechnik beendet worden ist, warten wir jedesmal ca. 3 sec.

PIR. Die erreichte Dehnung wird gehalten. Der Patient atmet ein und, der im Brustkorb entstehende Gegendruck, führt zur Anspannung seiner Muskeln. Beim folgenden Ausatmen entspannen sich die Muskeln wieder und dies ermöglicht eine weitere Dehnung. Die Technik wird 3x wiederholt. Reziproke Inhibition. Am Ende der passiven Dehnung fordern wir den Patienten auf, die Gesäßmuskeln anzuspannen und eine nach hinten führende Bewegung (Schritt nach hinten) auszuführen. Die Extensionsfähigkeit in der Hüfte vergrößert sich um 5-10 cm.
Hier ist der M. gluteus maximus Agonist und der gehemmte M. rectus femoris ist Antagonist. Mit Hilfe dieser Technik werden M. rectus femoris und andere Muskeln an der vorderen Seite des Beckengürtels gedehnt. Gleichzeitig wird dem Patienten geholfen, den richtigen Bewegungsumfang des Beins nach hinten beim Üben erreichen zu können.

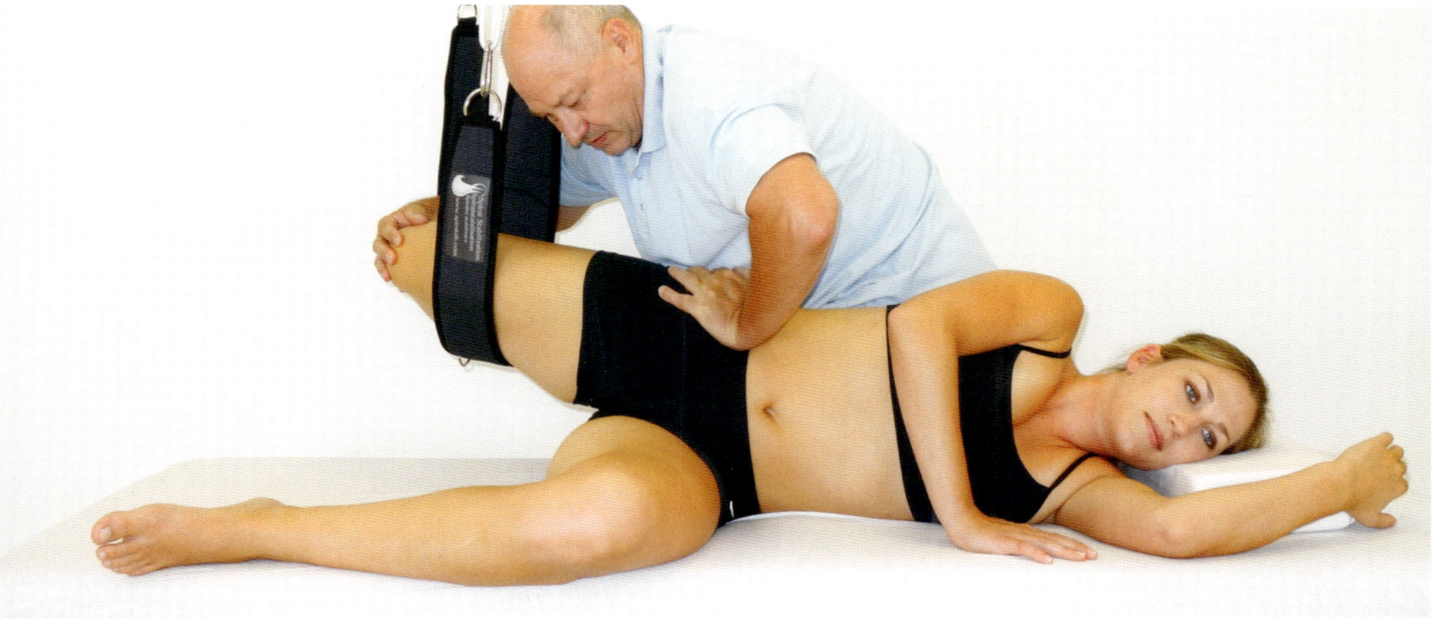

M. tensor fasciae latae (Oberschenkelbindenspanner), **M. gluteus medius** (mittlerer Gesäßmuskel) - Dehnung

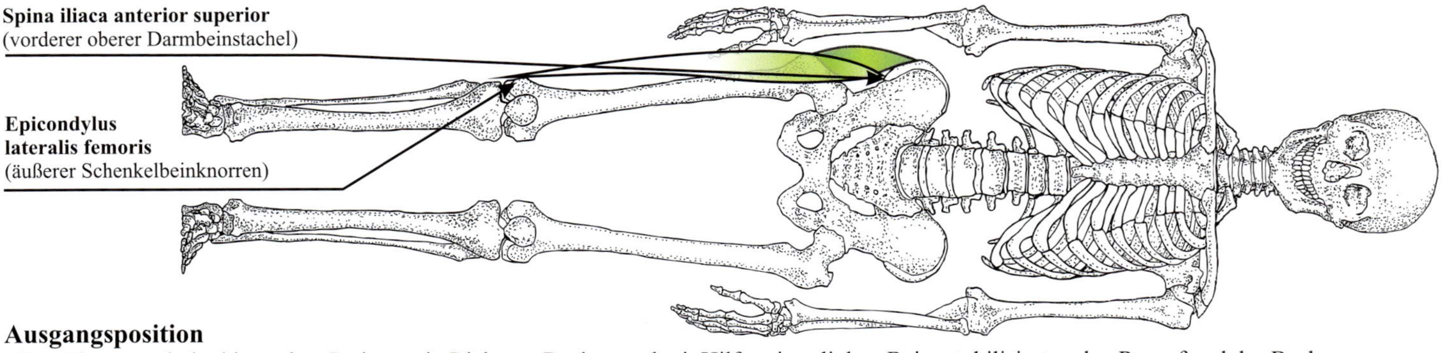

Ausgangsposition

Der Therapeut kniet hinter dem Patienten in Richtung Becken und mit Hilfe seines linken Beins stabilisiert er den Rumpf und das Becken des Patienten - punctum fixum. Er legt die Handfläche seiner linken Hand auf den SIAS spina iliaca anterior superior (vorderer oberer Darmbeinstachel) und breitet die gestreckten Finger fächerartig aus, sodass diese eine möglichst große Fläche sanft bedecken.
Die rechte Hand des Therapeuten umfasst das rechte Knie des Patienten und sein Unterarm liegt somit unter dem Unterschenkel des Patienten. Das beanspruchte Bein liegt schräg nach unten. Der Patient atmet ein.

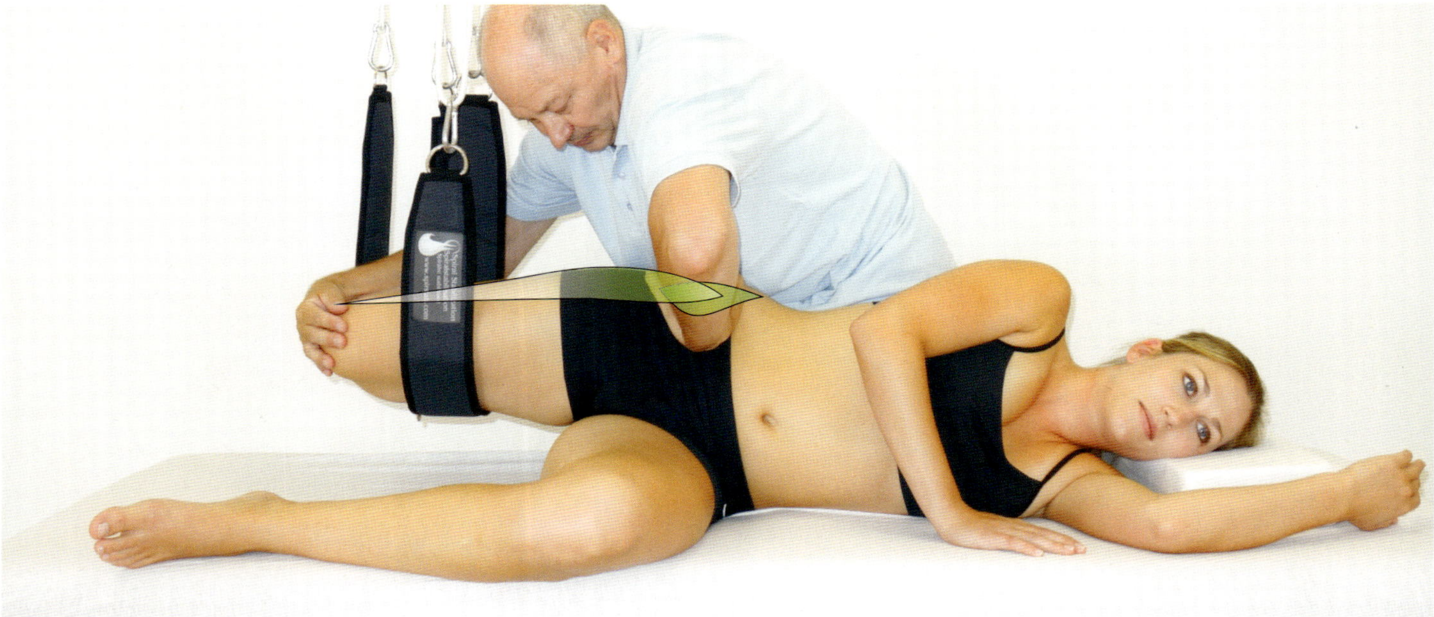

Ausführung

Der Therapeut verlagert sein Körpergewicht auf die linke Hand und stabilisiert das Becken des Patienten von vorn - punctum fixum.
Mit dem rechten Arm zieht er den Oberschenkel des Patienten dorsal und medial (nach hinten und unten) damit werden der M. tensor fasciae latae und M. gluteus medius (vorderer Teil) gedehnt. Der Patient atmet langsam aus. Die Dehnung wird gelockert und 6x wiederholt.
Nachdem die Behandlungstechnik beendet worden ist, warten wir jedesmal ca. 3 sec.

PIR. Die erreichte Dehnung wird gehalten. Der Patient atmet ein und, der im Brustkorb entstehende Gegendruck, führt zur Anspannung seiner Muskeln. Beim folgenden Ausatmen entspannen sich die Muskeln wieder und dies ermöglicht eine weitere Dehnung. Die Technik wird 3x wiederholt. Reziproke Inhibition. Am Ende der passiven Dehnung fordern wir den Patienten auf, die Gesäßmuskeln anzuspannen und eine nach hinten führende Bewegung (Schritt nach hinten) auszuführen. Die Extensionsfähigkeit in der Hüfte vergrößert sich um 5-10 cm. Hier ist der M. gluteus maximus Agonist und der gehemmte M. tensor fasciae latae ist Antagonist. Mit Hilfe dieser Technik werden M. tensor fasciae latae und andere Muskeln an der vorderen Seite des Beckengürtels gedehnt. Gleichzeitig wird dem Patient geholfen, den richtigen Bewegungsumfang des Beins nach hinten beim Üben und beim Gehen erreichen zu können.

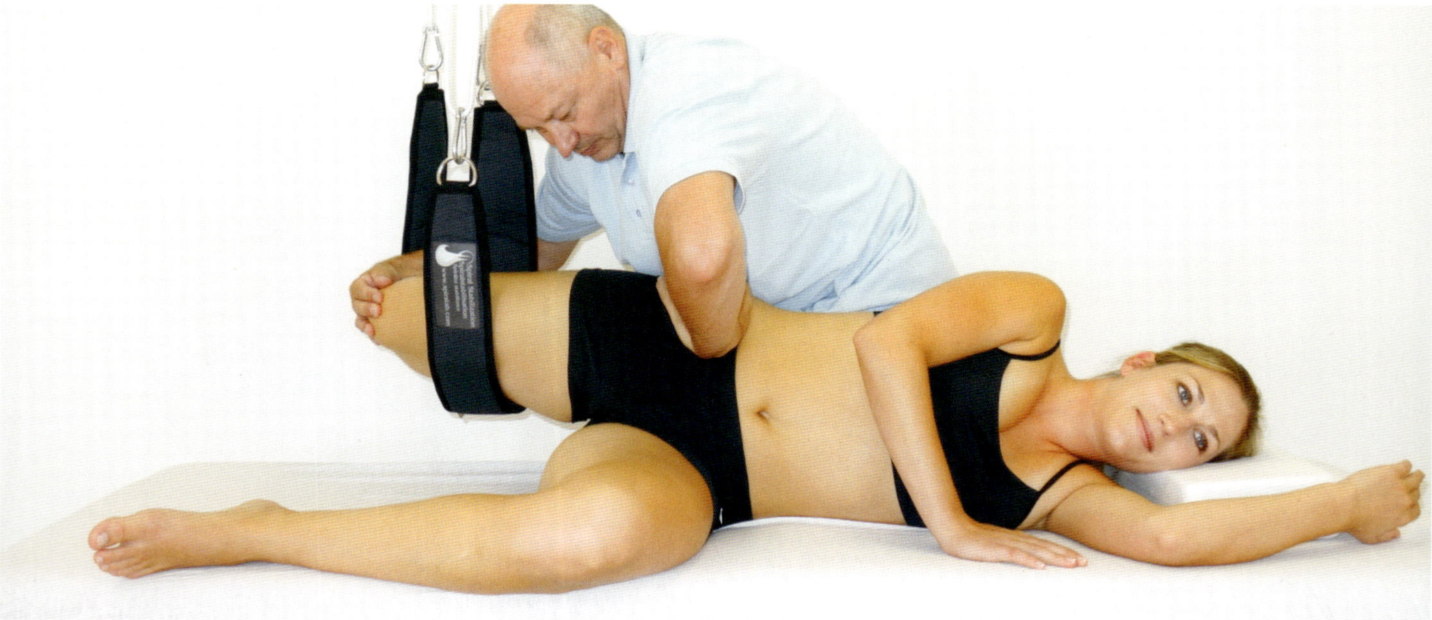

M. rectus femoris, M. tensor fasciae latae, M. iliopsoas, M. gluteus medius

M. rectus femoris (gerader Oberschenkelmuskel), M. tensor fasciae latae (Oberschenkelbindenspanner), M. gluteus medius (mittlerer Gesäßmuskel), M. iliopsoas (Lenden-Darmbeinmuskel), M. psoas major (großer Lendenmuskel), M. psoas minor (kleiner Lendenmuskel), M. iliacus (Darmbeinmuskel)

- Entspannung durch die reziproke Inhibition, Dehnung

PM - pectoralis major Muskelkette ist Agonist im ersten Übungsteil,
LD - latissimus dorsi und TR - trapezius im zweiten Übungsteil.

4. Übung - im Kniestand auf beiden Knien, mit dem Rücken zur Befestigung des Seils.

Die Arme nach hinten öffnen, Schulterblätter zueinander ziehen, das Becken nach vorn drücken.

Stabilisation PM

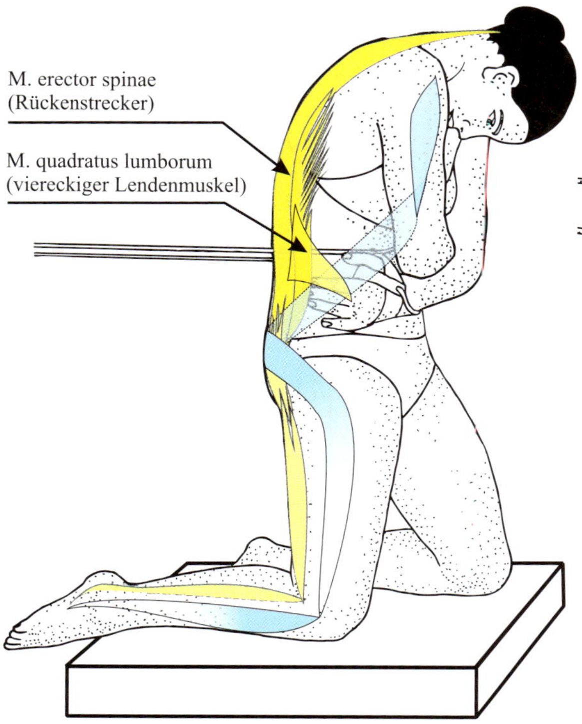

Stabilisation TR, LD

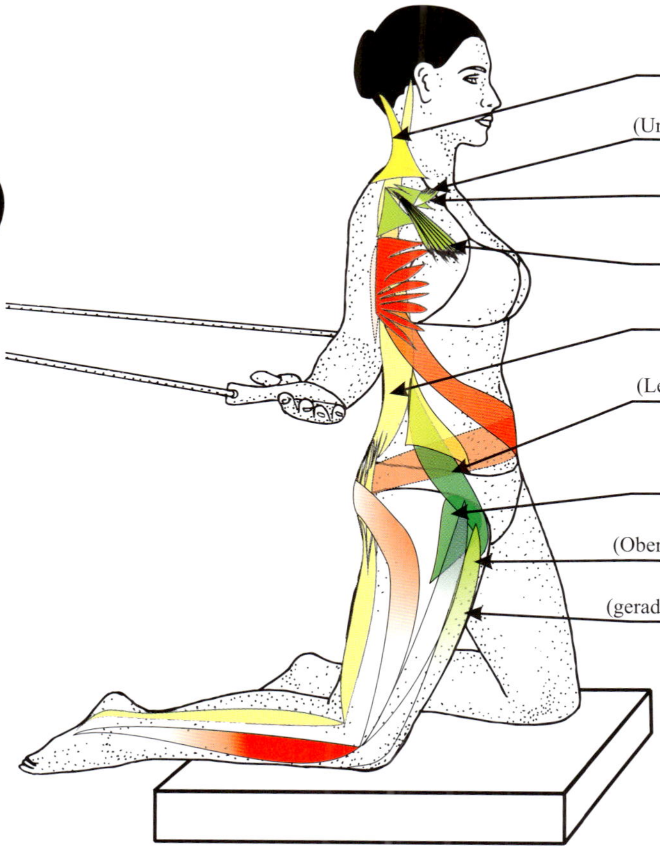

1 - Ausgangsposition - aktiver Übungsteil

In der Ausgangsposition dehnen wir die Rückenmuskulatur:
- M. erector spinae (Rückenstrecker)
- M. quadratus lumborum
 (viereckiger Lendenmuskel)

2 - Ausführung - aktiver Übungsteil

Im aktiven Übungsteil dehnen wir die Muskulatur an der vorderen Seite des Beckengürtels:
- M. iliopsoas (Lenden-Darmbeinmuskel)
- M. gluteus medius (mittlerer Gesäßmuskel, vorderer Teil)
- M. tensor fasciae latae (Oberschenkelbindenspanner)
- M. rectus femoris (gerader Oberschenkelmuskel)

Außerdem dehnen wir die Muskulatur an der vorderen Seite des Schultergürtels:
- M. subclavius (Unterschlüsselbeinmuskel)
- M. pectoralis minor (kleiner Brustmuskel)
- M. pectoralis major (großer Brustmuskel)
- M. serratus anterior (vorderer Sägemuskel)

Muskeln an der oberen Seite des Schultergürtels sind entspannt:
- M. trapezius pars descendens (Kappenmuskel absteigender Teil)
- M. levator scapulae (Schulterblattheber)
- Mm. scaleni (Rippenhalter)
- M. semispinalis capitis, cervicis
 (Halbdornmuskel des Kopfes und des Halses)

und andere Muskeln.

M. rectus femoris, M. tensor fasciae latae, M. iliopsoas, M. gluteus medius

M. rectus femoris (gerader Oberschenkelmuskel), M. tensor fasciae latae (Oberschenkelbindenspanner), M. gluteus medius (mittlerer Gesäßmuskel), M. iliopsoas (Lenden-Darmbeinmuskel), M. psoas major (großer Lendenmuskel), M. psoas minor (kleiner Lendenmuskel), M. iliacus (Darmbeinmuskel)

- Entspannung durch die reziproke Inhibition, Dehnung

LD - latissimus dorsi und TR - trapezius Muskelketten sind Agonisten im zweiten Übungsteil.

4. Übung - im Kniestand auf einem Knie, mit dem Rücken zur Befestigung des Seils.

Die Arme nach hinten öffnen, Schulterblätter zueinander ziehen, das Becken nach vorn drücken.

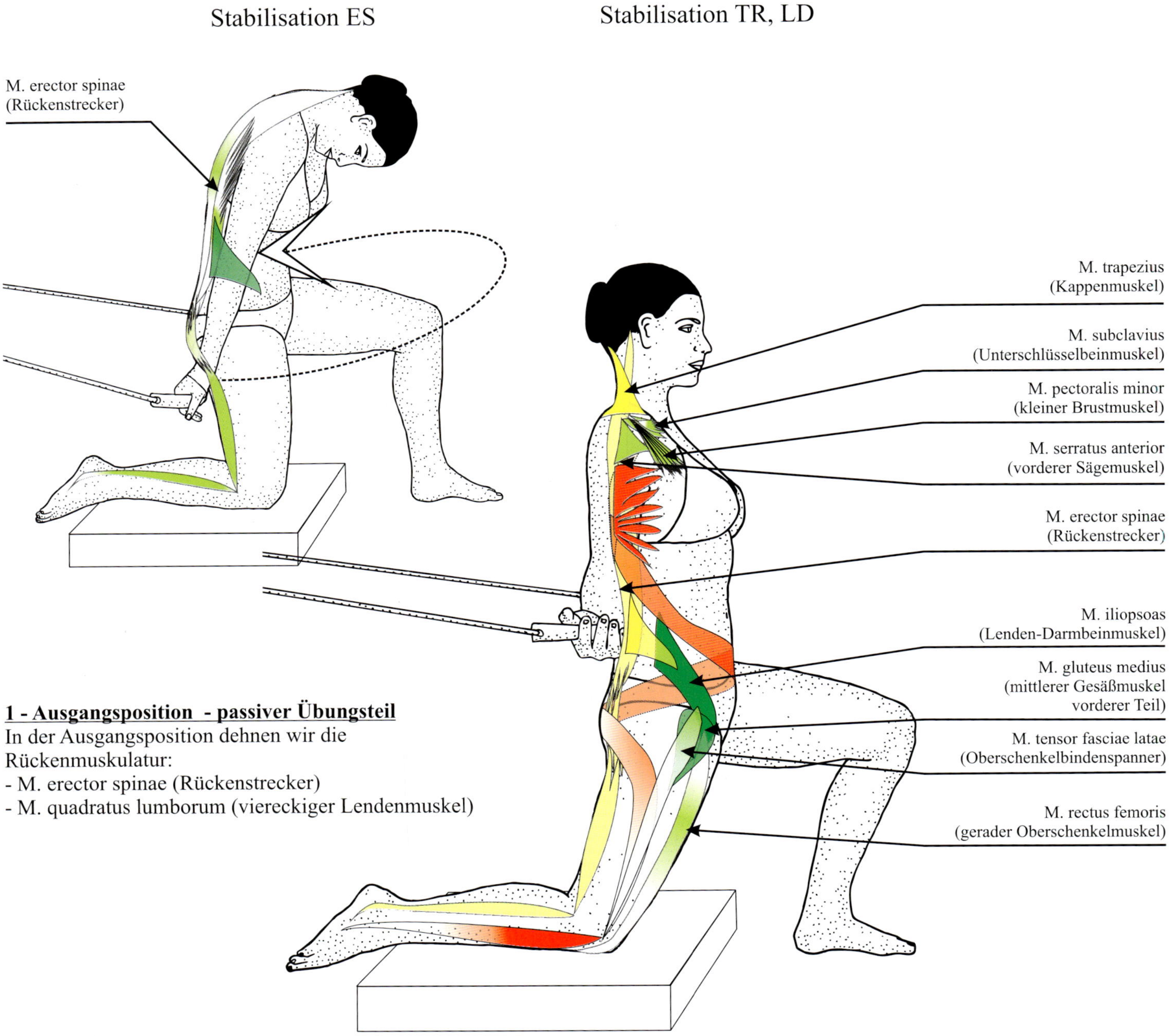

1 - Ausgangsposition - passiver Übungsteil

In der Ausgangsposition dehnen wir die Rückenmuskulatur:
- M. erector spinae (Rückenstrecker)
- M. quadratus lumborum (viereckiger Lendenmuskel)

2 - Ausführung - aktiver Übungsteil

Im aktiven Übungsteil dehnen wir die Muskulatur an der vorderen Seite des Beckengürtels:
- M. iliopsoas (Lenden-Darmbeinmuskel)
- M. gluteus medius (mittlerer Gesäßmuskel vorderer Teil)
- M. tensor fasciae latae (Oberschenkelbindenspanner)
- M. rectus femoris (gerader Oberschenkelmuskel)

Außerdem dehnen wir die Muskulatur an der vorderen Seite des Schultergürtels:
- M. subclavius (Unterschlüsselbeinmuskel)
- M. pectoralis minor (kleiner Brustmuskel)
- M. pectoralis major (großer Brustmuskel)
- M. serratus anterior (vorderer Sägemuskel)

Muskeln an der oberen Seite des Schultergürtels sind entspannt:
- M. trapezius pars descendens (Kappenmuskel absteigender Teil)
- M. levator scapulae (Schulterblattheber)
- Mm. scaleni (Rippenhalter)
- M. semispinalis capitis, cervicis (Halbdornmuskel des Kopfes und des Halses)

und andere Muskeln.

M. rectus femoris, M. tensor fasciae latae, M. iliopsoas, M. gluteus medius

M. rectus femoris (gerader Oberschenkelmuskel), M. tensor fasciae latae (Oberschenkelbindenspanner), M. gluteus medius (mittlerer Gesäßmuskel), M. iliopsoas (Lenden-Darmbeinmuskel), M. psoas major (großer Lendenmuskel), M. psoas minor (kleiner Lendenmuskel), M. iliacus (Darmbeinmuskel)

- Entspannung durch die reziproke Inhibition, Dehnung

LD - latissimus dorsi und TR - trapezius Muskelketten sind Agonisten im zweiten Übungsteil.

11. Übung - im ausgeglichenen stabilisierten Stand, mit der Stirn zur Befestigung des Seils und zwei Stöcken, die als Stütze dienen.

Extension (Strecken) des Beins in der Hüfte.

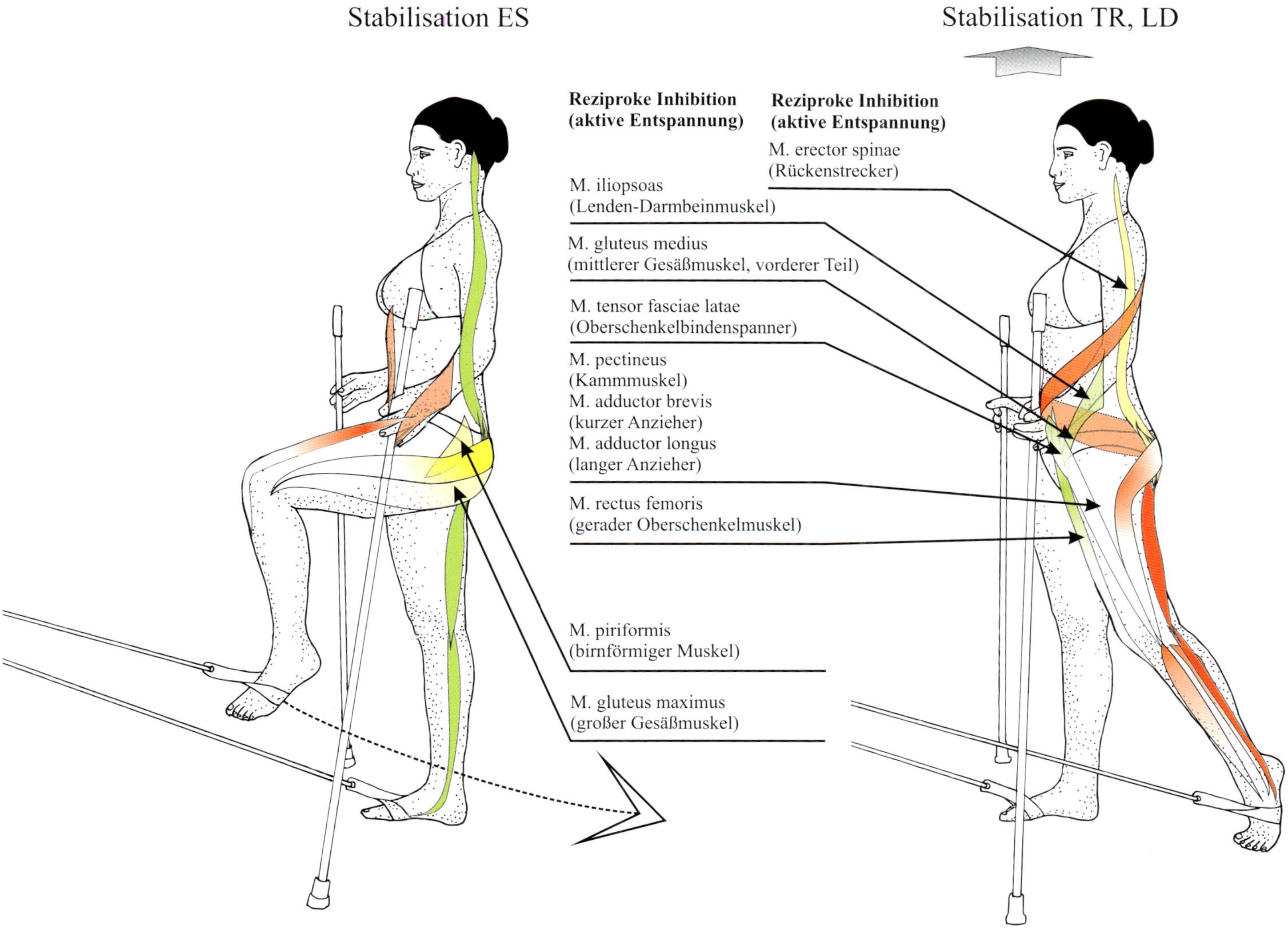

1 - Ausgangsposition - passiver Übungsteil

In der Ausgangsposition dehnen wir die Muskulatur am hinteren Teil des Beckengürtels:

- M. gluteus maximus (großer Gesäßmuskel)
- M. piriformis (birnförmiger Muskel)

2 - Ausführung - aktiver Übungsteil

Im aktiven Übungsteil dehnen wir die Muskulatur an der vorderen Seite des Beckengürtels:

- M. iliopsoas (Lenden-Darmbeinmuskel)
- M. gluteus medius (mittlerer Gesäßmuskel, vorderer Teil)
- M. tensor fasciae latae (Oberschenkelbindenspanner)
- M. rectus femoris (gerader Oberschenkelmuskel)
- M. pectineus (Kammmuskel)
- M. adductor brevis (kurzer Anzieher)
- M. adductor longus (langer Anzieher)

M. rectus femoris, M. tensor fasciae latae, M. iliopsoas, M. gluteus medius

M. rectus femoris (gerader Oberschenkelmuskel), M. tensor fasciae latae (Oberschenkelbindenspanner), M. gluteus medius (mittlerer Gesäßmuskel), M. iliopsoas (Lenden-Darmbeinmuskel), M. psoas major (großer Lendenmuskel), M. psoas minor (kleiner Lendenmuskel), M. iliacus (Darmbeinmuskel)

- Entspannung durch die reziproke Inhibition, Dehnung

SA - serratus anterior und PM - pectoralis major Muskelketten sind Agonisten im ersten Übungsteil, LD - latissimus dorsi und TR - trapezius Muskelketten sind Agonisten im zweiten Übungsteil.

11. Übung - im ausgeglichenen stabilisierten Stand, mit der Stirn zur Befestigung des Seils. Die Balettstange dient als Stütze.

Doppelte kreuzweise ausgeführte Extension - Dehnung des Arms in der Schulter und des gegenüberliegenden Beins in der Hüfte.

Stabilisation SA, PM   Stabilisation TR, LD

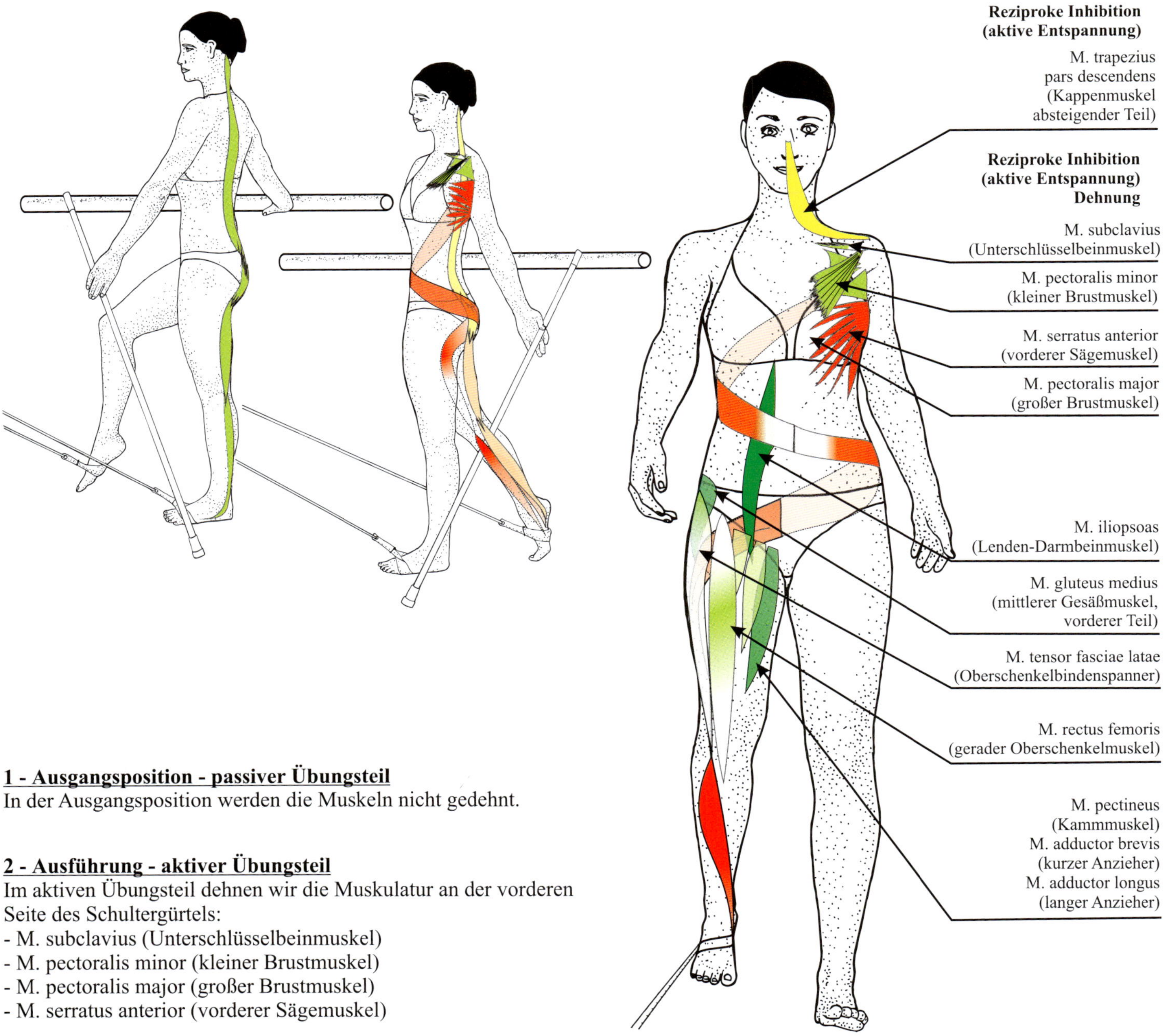

1 - Ausgangsposition - passiver Übungsteil

In der Ausgangsposition werden die Muskeln nicht gedehnt.

2 - Ausführung - aktiver Übungsteil

Im aktiven Übungsteil dehnen wir die Muskulatur an der vorderen Seite des Schultergürtels:
- M. subclavius (Unterschlüsselbeinmuskel)
- M. pectoralis minor (kleiner Brustmuskel)
- M. pectoralis major (großer Brustmuskel)
- M. serratus anterior (vorderer Sägemuskel)

Die Muskeln an der oberen Seite des Schultergürtels sind entspannt:
- M. trapezius pars descendens (Kappenmuskel absteigender Teil)
- M. levator scapulae (Schulterblattheber)
- Mm. scaleni (Rippenhalter)
- M. semispinalis capitis, cervicis (Halbdornmuskel des Kopfes und des Halses)

und andere Muskeln.

2 - Ausführung - aktiver Übungsteil

Im aktiven Übungsteil dehnen wir die Muskulatur an der vorderen Seite des Beckengürtels:
- M. iliopsoas (Lenden-Darmbeinmuskel)
- M. gluteus medius (mittlerer Gesäßmuskel, vorderer Teil)
- M. tensor fasciae latae (Oberschenkelbindenspanner)
- M. rectus femoris (gerader Oberschenkelmuskel)
- M. pectineus (Kammmuskel)
- M. adductor brevis (kurzer Anzieher)
- M. adductor longus (langer Anzieher)

M. rectus femoris, M. tensor fasciae latae, M. iliopsoas, M. gluteus medius

M. rectus femoris (gerader Oberschenkelmuskel), M. tensor fasciae latae (Oberschenkelbindenspanner), M. gluteus medius (mittlerer Gesäßmuskel), M. iliopsoas (Lenden-Darmbeinmuskel), M. psoas major (großer Lendenmuskel), M. psoas minor (kleiner Lendenmuskel), M. iliacus (Darmbeinmuskel)

- Entspannung durch die reziproke Inhibition, Dehnung

SA - serratus anterior und PM - pectoralis major Muskelketten sind Agonisten im ersten Übungsteil, LD - latissimus dorsi und TR - trapezius Muskelketten sind Agonisten im zweiten Übungsteil.

11. Übung - im ausgeglichenen stabilisierten Stand, mit der Stirn zur Befestigung des Seils und zwei Stöcken, die als Stütze dienen.

Doppelte kreuzweise ausgeführte Extension - Dehnung des Arms in der Schulter und des gegenüberliegenden Beins in der Hüfte.

Stabilisation SA, PM   Stabilisation TR, LD

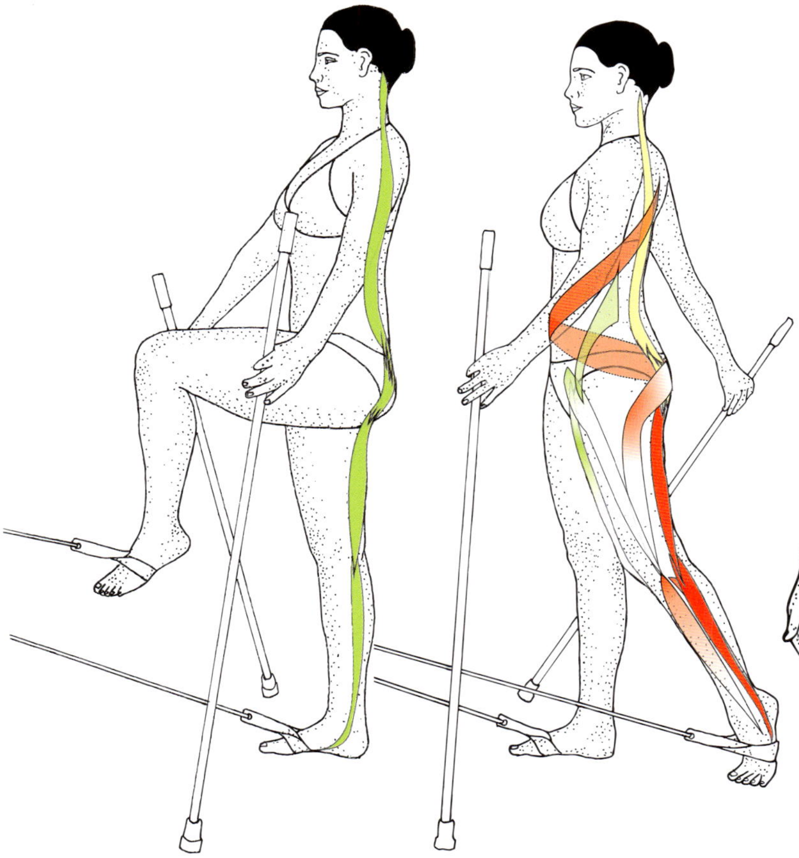

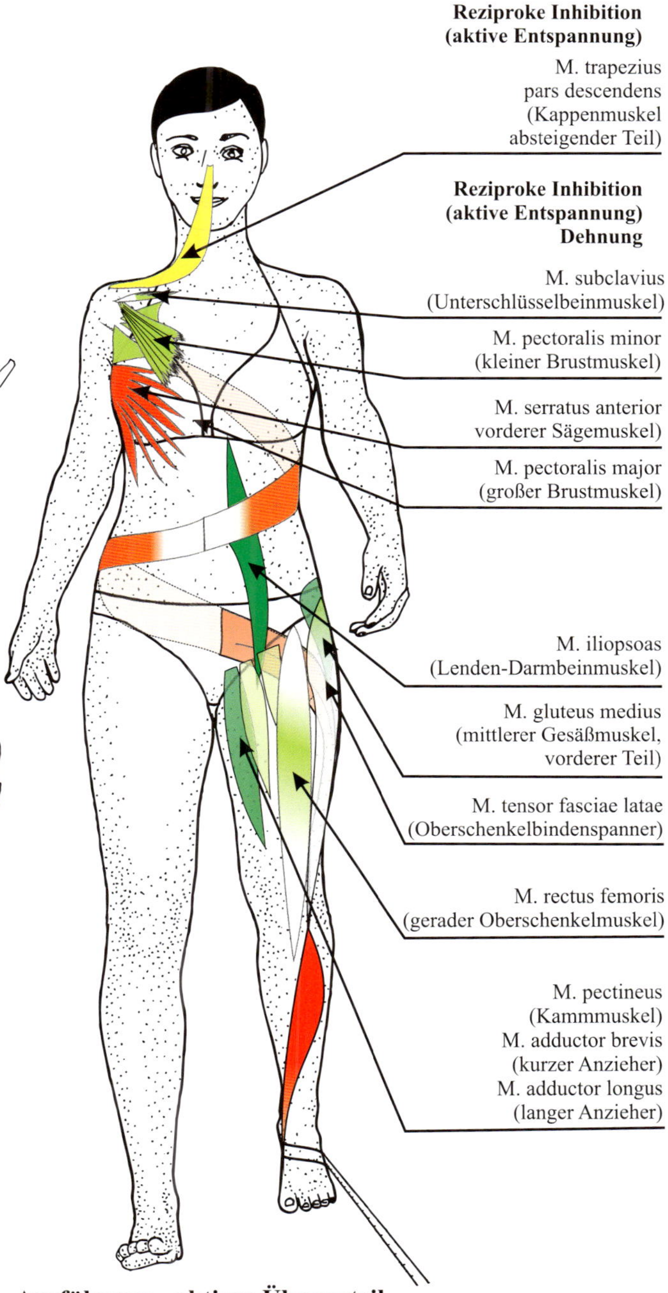

1 - Ausgangsposition - passiver Übungsteil

In der Ausgangsposition werden die Muskeln nicht gedehnt.

2 - Ausführung - aktiver Übungsteil

Im aktiven Übungsteil dehnen wir die Muskulatur an der vorderen Seite des Schultergürtels:
- M. subclavius (Unterschlüsselbeinmuskel)
- M. pectoralis minor (kleiner Brustmuskel)
- M. pectoralis major (großer Brustmuskel)
- M. serratus anterior (vorderer Sägemuskel)

Die Muskeln an der oberen Seite des Schultergürtels sind entspannt:
- M. trapezius pars descendens (Kappenmuskel absteigender Teil)
- M. levator scapulae (Schulterblattheber)
- Mm. scaleni (Rippenhalter)
- M. semispinalis capitis, cervicis (Halbdornmuskel des Kopfes und des Halses)

und andere Muskeln.

2 - Ausführung - aktiver Übungsteil

Im aktiven Übungsteil dehnen wir die Muskulatur an der vorderen Seite des Beckengürtels:
- M. iliopsoas (Lenden-Darmbeinmuskel)
- M. gluteus medius (mittlerer Gesäßmuskel, vorderer Teil)
- M. tensor fasciae latae (Oberschenkelbindenspanner)
- M. rectus femoris (gerader Oberschenkelmuskel)
- M. pectineus (Kammmuskel)
- M. adductor brevis (kurzer Anzieher)
- M. adductor longus (langer Anzieher)

M. pectineus, M. adductor brevis, M. adductor longus, M. adductor magnus

M. pectineus (Kammmuskel), M. adductor brevis (kurzer Anzieher), M. adductor longus (langer Anzieher), M. adductor magnus (großer Anzieher)

- Entspannung durch die reziproke Inhibition, Dehnung

TR - trapezius, LD - latissimus dorsi, SA - serratus anterior und PM - pectoralis major Muskelketten sind Agonisten in beiden Übungsteilen.

13. Übung - im ausgeglichenen stabilisierten Stand, seitlich zur Befestigung des Seils. Bei dieser Übung wird die Verwendung von zwei Stützstöcken möglich.

Abduktion in der Hüfte, mit einem Bein das Seil zur Seite ziehen, Gegenbewegung der Arme.

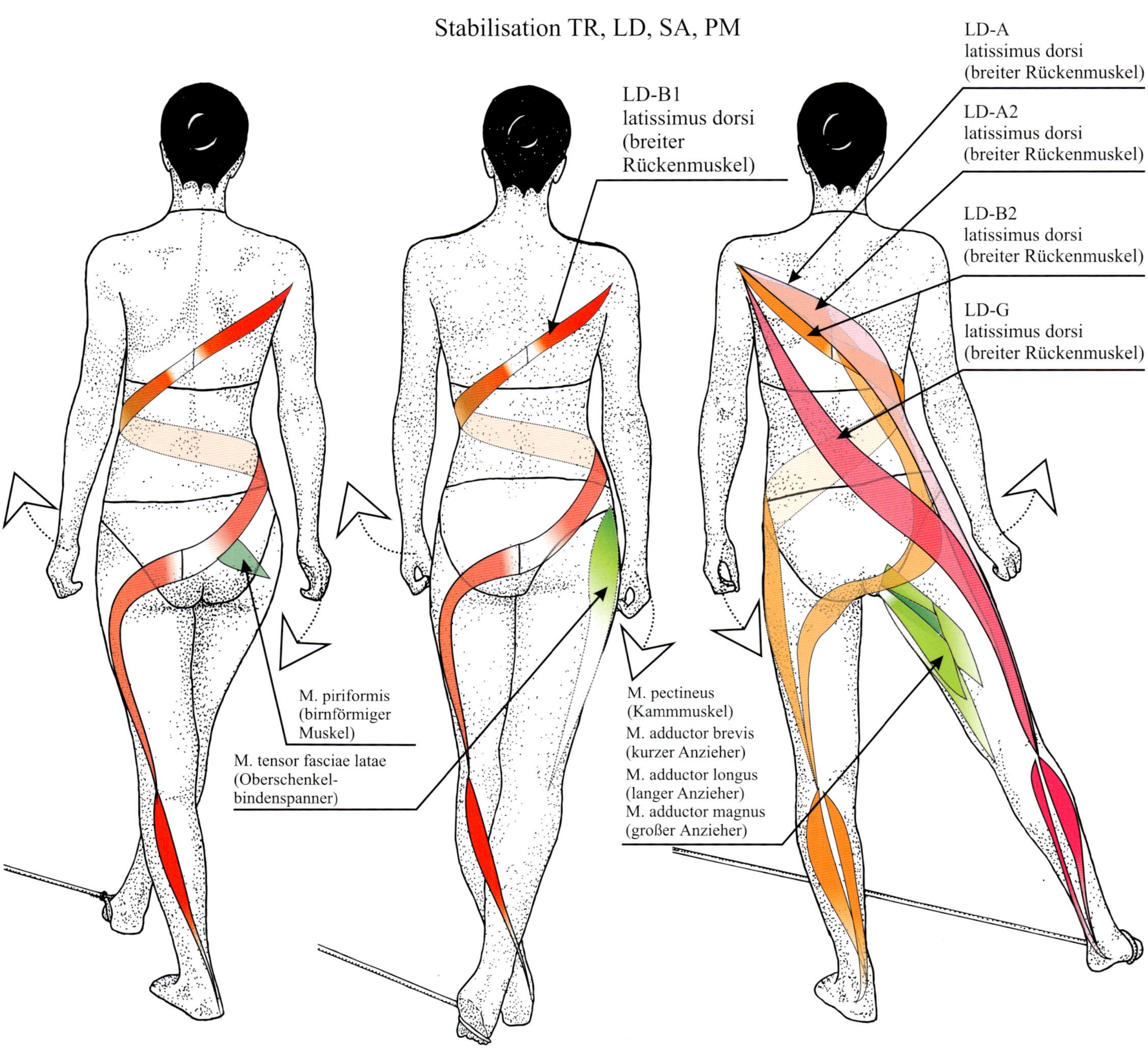

1 - Ausgangsposition - aktiver Übungsteil

Die Ausgangsposition wird durch die LD-B - latissimus dorsi spirale Muskelkette (breiter Rückenmuskel) aktiv stabilisiert.

2 - Ausführung - aktiver Übungsteil

Die Übung wird mit dem gegenüberliegenden Standbein ausgeführt.
Der aktive Übungsteil wird durch die LD-A, LD-A2, LD-B2 und LD-G - latissimus dorsi (breiter Rückenmuskel) spiralen Muskelketten stabilisiert.
Die vertikale Muskelkette ES - erector spinae ist entspannt.
An der aktiven Stabilisation beteiligen sich gleichzeitig folgende Muskelketten:
SA - serratus anterior (vorderer Sägemuskel) und
PM - pectoralis major (großer Brustmuskel).

2 - Ausführung - aktiver Übungsteil

Im aktiven Übungsteil dehnen wir die innere Oberschenkelmuskulatur:
- M. adductor brevis, longus (kurzer und langer Anzieher)
- M. pectineus (Kammmuskel)
- M. adductor magnus (großer Anzieher)

In der Ausgangsposition, mit dem nach vorn gestrecken Bein dehnen wir:
- M. piriformis (birnförmiger Muskel)

In der Ausgangsposition, mit dem nach hinten gestrecken Bein dehnen wir:
- M. tensor fasciae latae (Oberschenkelbindenspanner)

M. iliopsoas (Lenden-Darmbeinmuskel)

M. psoas major (großer Lendenmuskel), **M. psoas minor** (kleiner Lendenmuskel), **M. iliacus** (Darmbeinmuskel)

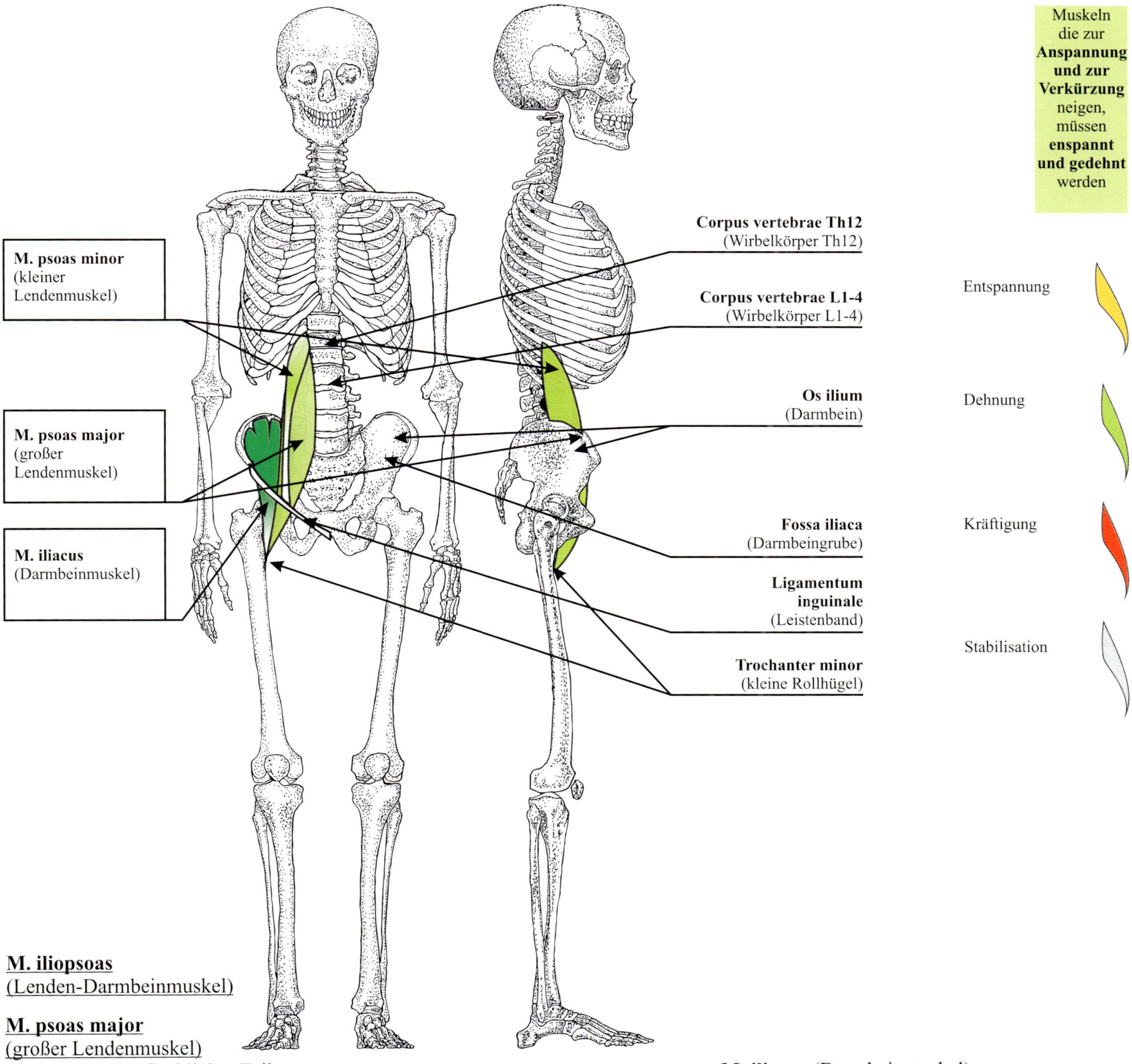

M. iliopsoas (Lenden-Darmbeinmuskel)

M. psoas major (großer Lendenmuskel)

Ursprung: - oberflächlicher Teil:
- Seitenflächen der Wirbelkörper Th12, L1-4, disci intervertebrales
  - tiefer Teil:
- Processus costarii L1-5

Ansatz:
- Trochanter minor osis femoris

Funktion: - Hüftgelenk
- Beugung (Flexion) und Auswärtsdrehung (Außenrotation)
  - Lendenwirbelsäule - einseitig:
- Lateroflexion des Rumpfs zur ipsilateralen Seite
  - Lendenwirbelsäule - beiderseitig:
- Flexion der Lendenwirbelsäule
- Anheben des Rumpfs aus der Liegeposition

Innervation:
- N. femoralis (Th12-L4), plexus lumbalis

M. psoas minor (kleiner Lendenmuskel)

Ursprung:
- seitlicher Teil der Wirbelkörper Th12, L1

Ansatz:
- Ligamentum inguinale

Funktion:
  - Lendenwirbelsäule - einseitig:
- Lateroflexion des Rumpfs zur ipsilateralen Seite
  - Lendenwirbelsäule - beiderseitig:
- Flexion der Lendenwirbelsäule
- Anheben des Rumpfs aus der Liegeposition

Innervation:
- N. femoralis (Th1-L4), plexus lumbalis

M. iliacus (Darmbeinmuskel)

Ursrung:
- Fossa iliaca (innere Fläche der Darmbeinschaufel)

Ansatz:
- Trochanter minor (kleine Rollhügel)

Funktion: - Hüftgelenk:
- Beugung (Flexion)
- Auswärtsdrehung (Außenrotation) des Oberschenkels
  - Wirbelsäule:
- Beugt die Wirbelsäule in Flexion (Inklination)
- beim Aufrichten bildet er eine Hyperlordose
- Aufrichten des Rumpfs aus der Liegeposition

Innervation:
- N. femoralis (2 - 4)
- gerade Äste aus dem plexus lumbalis (Lenden-Kreuz-Geflecht)

Vertikale Muskelkette **IP - iliopsoas** (Lenden-Darmbeinmuskel)

M. psoas major (großer Lendenmuskel), **M. psoas minor** (kleiner Lendenmuskel), **M. iliacus** (Darmbeinmuskel)

Ventrale (vordere) tiefe Vertikale

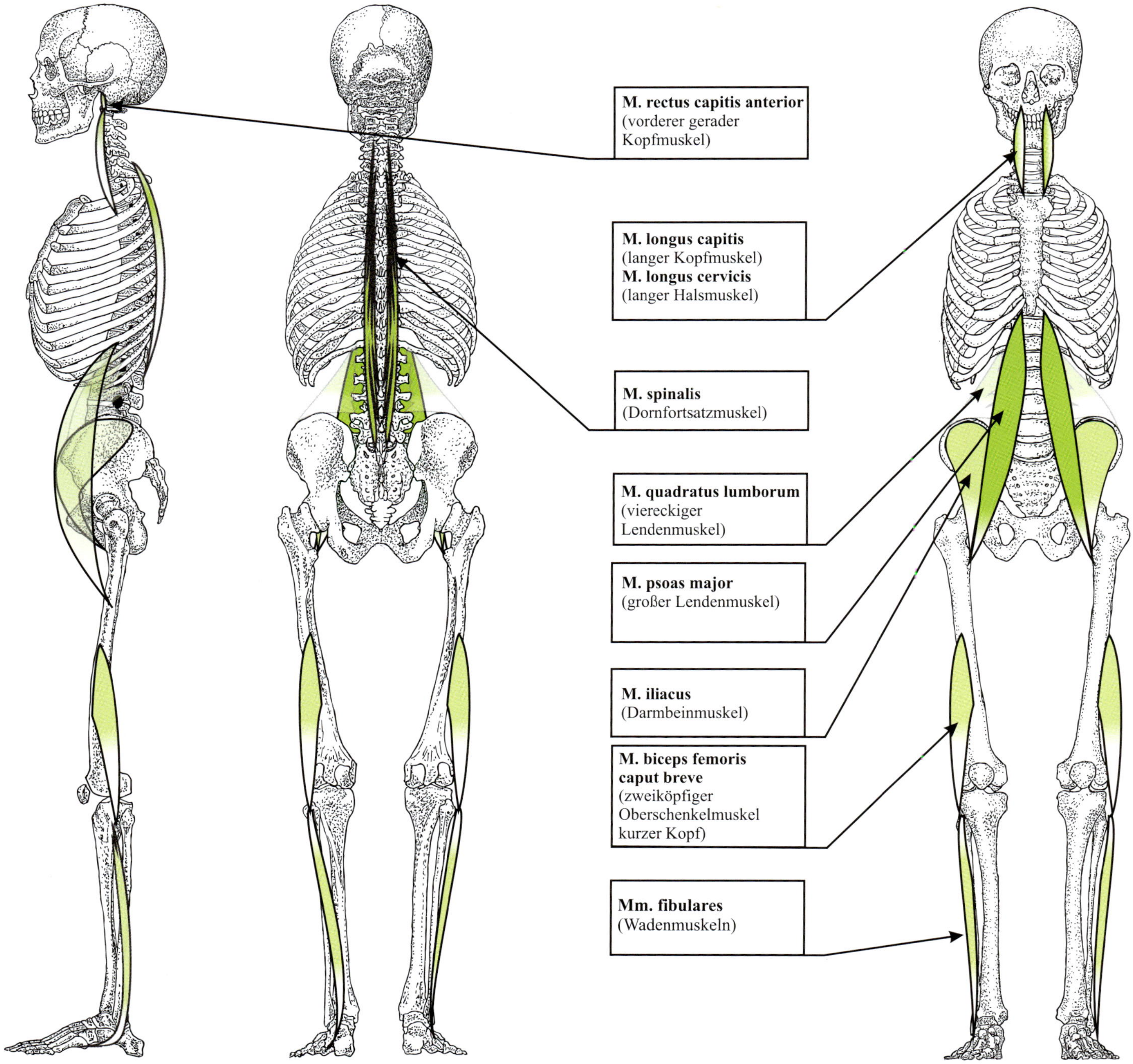

M. pectineus (Kammmuskel), M. adductor brevis (kurzer Anzieher), M. adductor longus (langer Anzieher)

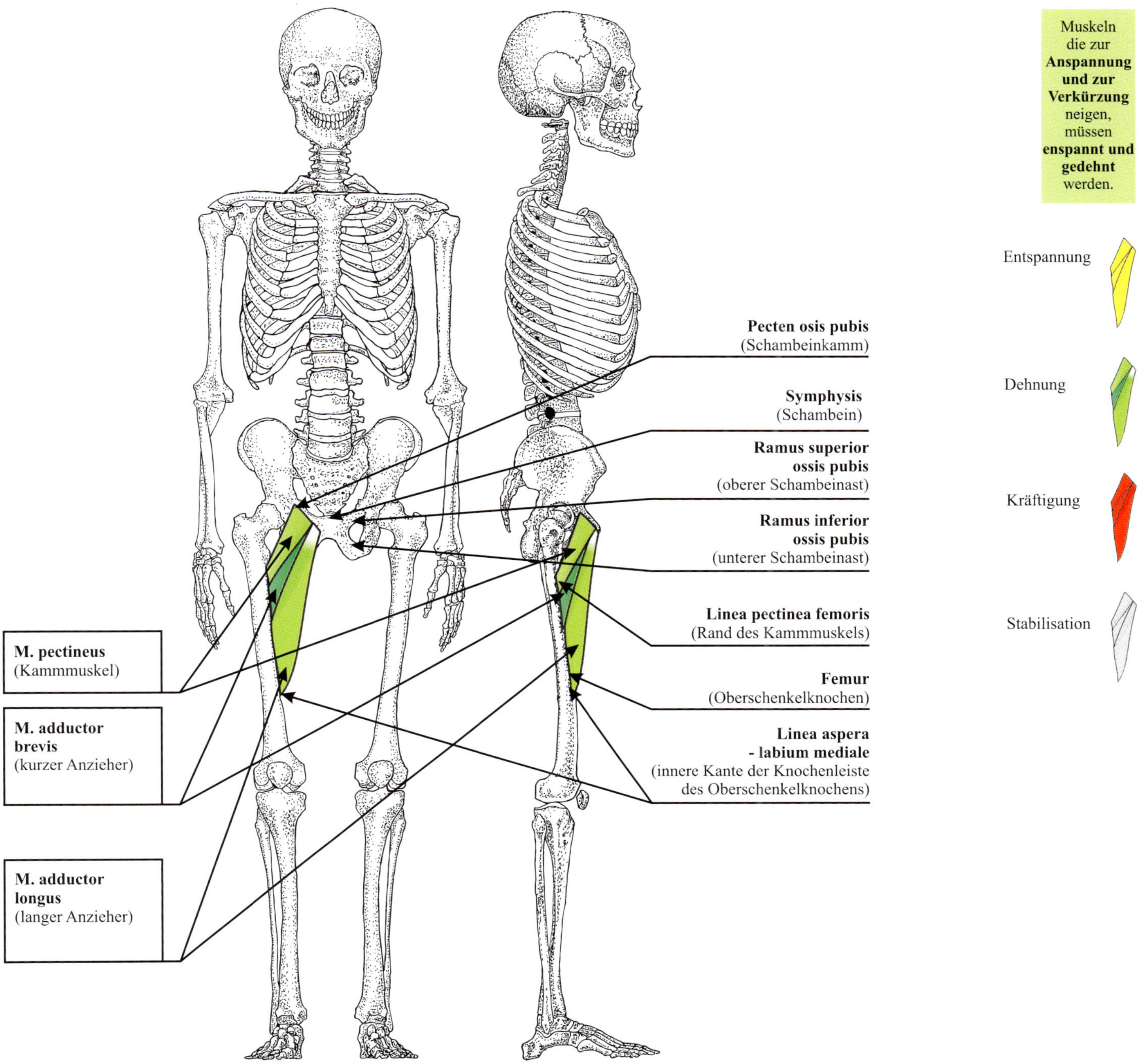

M. pectineus (Kammmuskel)
Ursprung:
- pecten ossis pubis (Schambein)

Ansatz:
- femur (Oberschenkelknochen), linea pectinea, proximaler Teil linea aspera - labium mediale

Funktion: - Hüftgelenk:
- Adduktion (Heranführung)
- Flexion (Beuger des Hüftgelenks)
- äussere Rotation
- Stabilisation des Beckens in der frontalen und sagitalen Ebene

Innervation:
- N. femoralis (Oberschenkelnerv)
- N. obturatorius L2-4 (Nerv des Lendengeflechts L2-4)

M. adductor brevis (kurzer Anzieher)
Ursprung:
- ramus inferior ossis pubis (unterer Schambeinast)

Ansatz:
- femur, linea aspera - labium mediale, oberes Drittel des Femurs

Funktion: - Hüftgelenk:
- Adduktion (Heranführung)
- Flexion bis 70° (Beugung)
- äussere Rotation

- Becken:
- Stabilisation des Beckens in der frontalen und sagitalen Ebene

Innervation:
- N. obturatorius L2-4 (Nerv des Lendengeflechts L2-4)

M. adductor longus (langer Anzieher)
Ursprung:
- ramus superior ossis pubis und die Vorderseite der Symphyse

Ansatz:
- femur, linea aspera - labium mediale, mittleres Drittel des Femurs

Funktion: - Hüftgelenk:
- Adduktion (Heranführung)
- Flexion bis 70° (Beugung)
- äussere Rotation

- Becken:
- Stabilisation des Beckens in der frontalen und sagitalen Ebene

Innervation:
- N. obturatorius L2-4 (Nerv des Lendengeflechts L2-4)

Spirale Muskelkette **LD-D - latissimus dorsi** (breiter Rückenmuskel)

Die LD Muskelkette wird durch die Bewegung des Arms nach hinten aktiviert - Extension.
Beim Gehen beteiligt sich die LD-D an der Flexion des Beins.

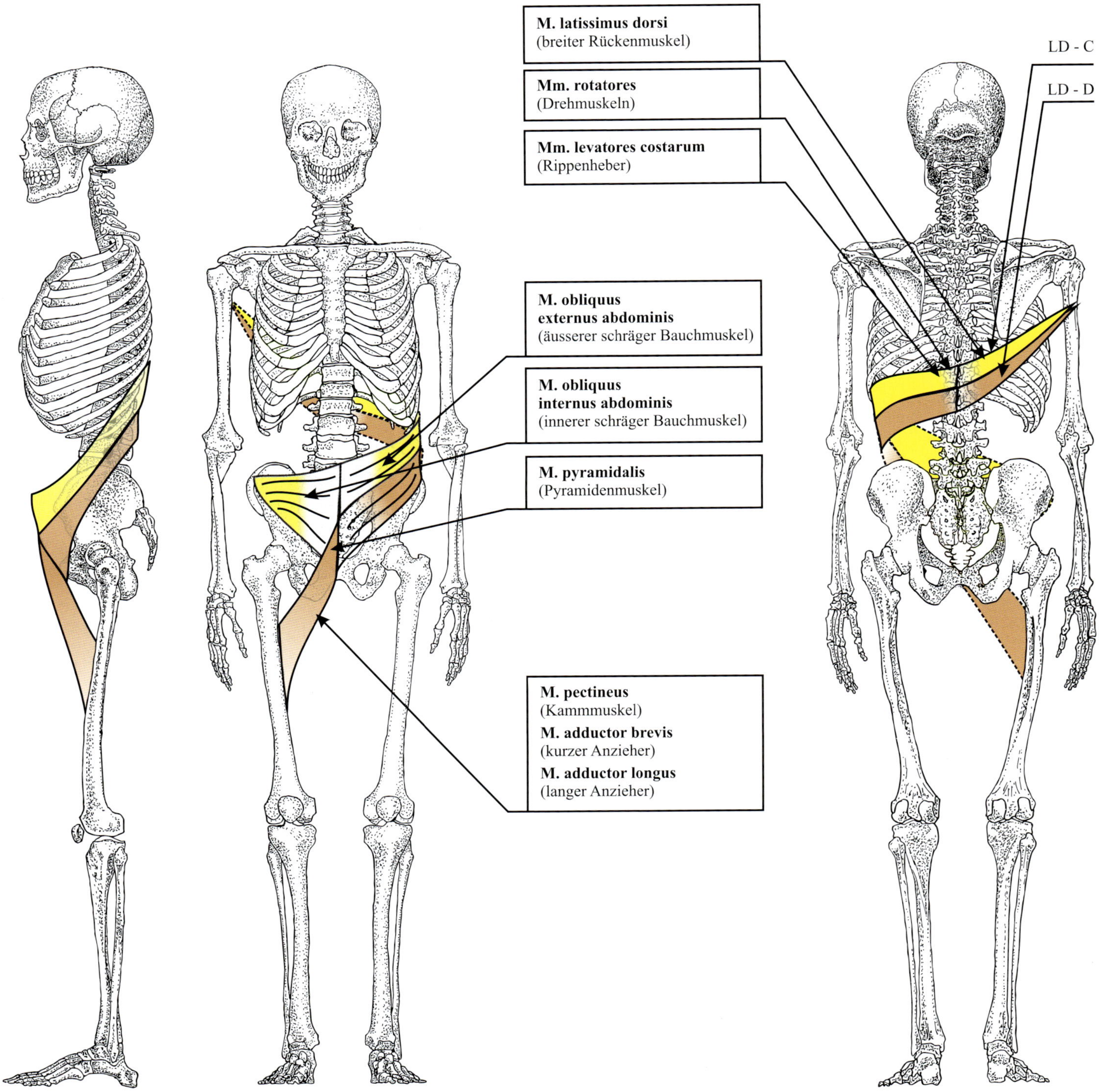

M. pectineus (Kammmukel), **M. adductor brevis** (kurzer Anzieher), **M. adductor longus** (langer Anzieher)

Vertikale stabilisierende Muskelkette RA - rectus abdominis
ventrale (vordere) oberflächliche Vertikale

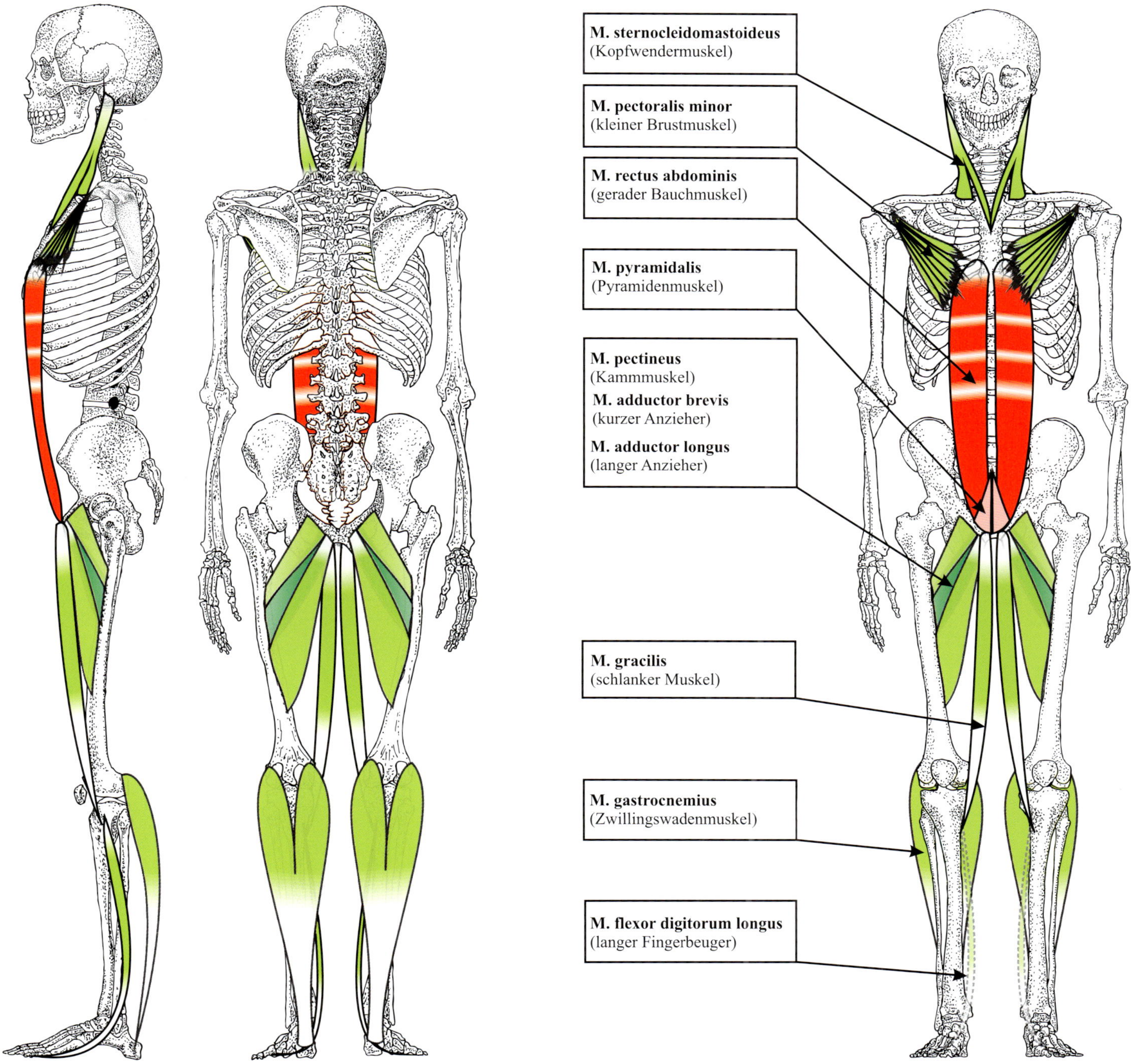

M. iliopsoas major (großer Lenden-Darmbeinmuskel), M. pectineus (Kammmuskel), M. adductor brevis (kurzer Anzieher), M. adductor longus (langer Anzieher)

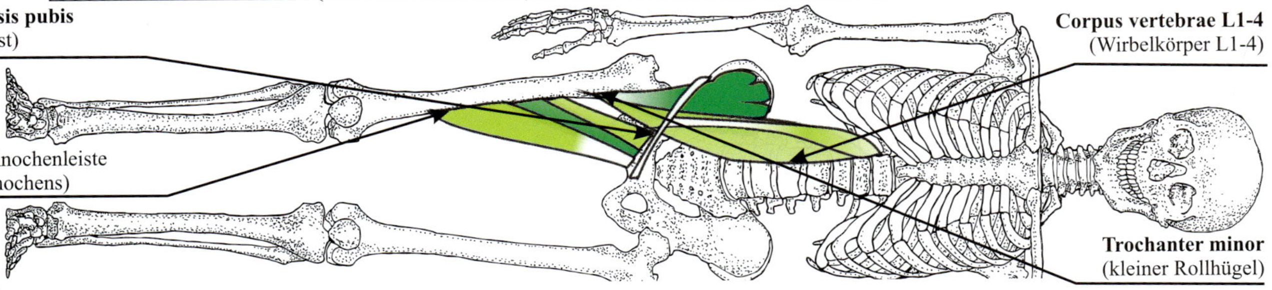

Ausgangsposition

Der Therapeut kniet hinter dem Patienten in Richtung Becken und mit Hilfe seines linken Beins stabilisiert er den Rumpf und das Becken des Patienten - punctum fixum. Er legt die Handfläche seiner linken Hand auf den SIAS spina iliaca anterior superior (vorderer oberer Darmbeinstachel) und breitet die gestreckten Finger fächerartig aus, sodass diese eine möglichst große Fläche sanft bedecken. Die rechte Hand des Therapeuten umfasst das rechte Knie des Patienten und sein Unterarm liegt somit unter dem Unterschenkel des Patienten. Das beanspruchte Bein liegt schräg nach oben (lateral). Der Patient atmet ein.

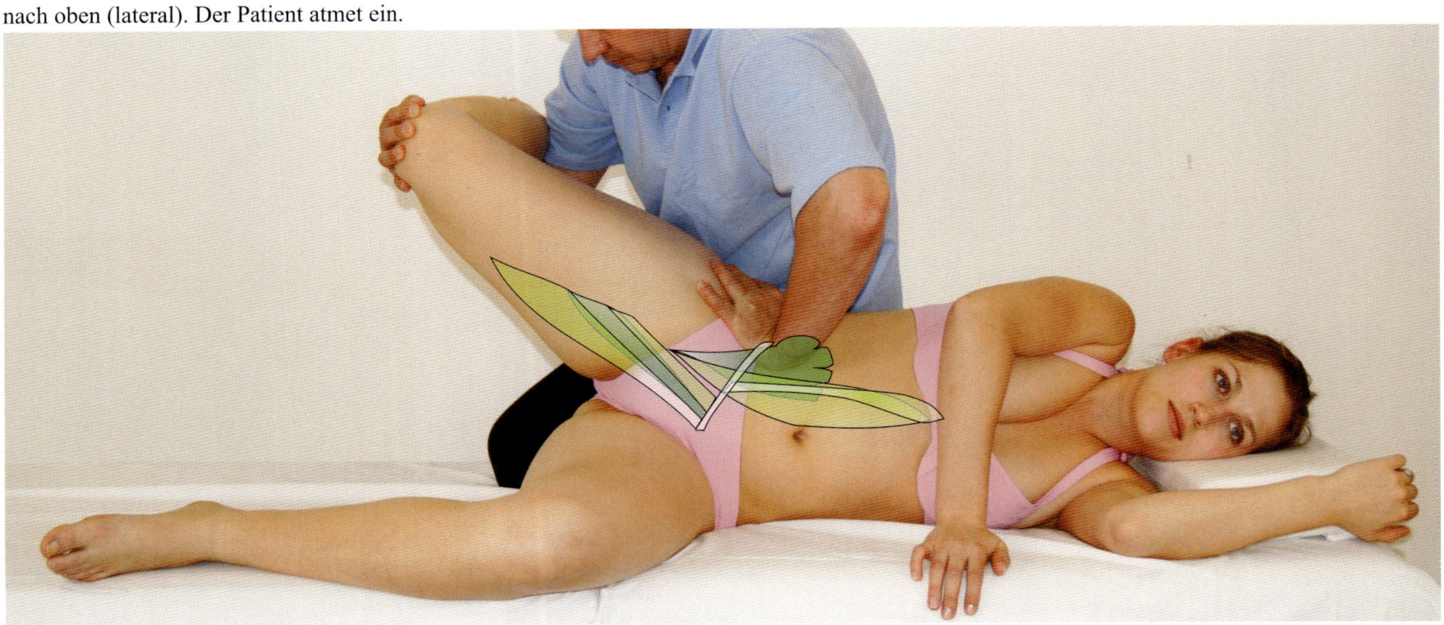

Ausführung

Der Therapeut verlagert sein Körpergewicht auf die linke Hand und stabilisiert das Becken des Patienten von vorn - punctum fixum. Mit dem rechten Arm zieht er den Oberschenkel des Patienten dorsal und lateral (nach hinten u. zur Seite). Damit dehnt er den M. iliopsoas und die Anzieher. Der Patient atmet langsam aus. Die Dehnung wird gelockert und 6x wiederholt. Nachdem die Behandlungstechnik beendet worden ist warten wir jedesmal ca. 3 sec.

PIR. Die erreichte Dehnung wird gehalten. Der Patient atmet ein und, der im Brustkorb entstehende Gegendruck, führt zur Anspannung seiner Muskeln. Beim folgenden Ausatmen entspannen sich die Muskeln wieder und dies ermöglicht eine weitere Dehnung. Die Technik wird 3x wiederholt. Reziproke Inhibition. Am Ende der passiven Dehnung fordern wir den Patienten auf, die Gesäßmuskeln anzuspannen und eine nach hinten führende Bewegung (Schritt nach hinten) auszuführen. Die Extensionsfähigkeit in der Hüfte vergrößert sich um 5-10 cm. Hier ist der M. gluteus maximus Agonist und der gehemmte M. iliopsoas ist Antagonist. Mit Hilfe dieser Technik werden M. iliopsoas und andere Muskeln an der vorderen Seite des Beckengürtels gedehnt. Gleichzeitig wird dem Patienten geholfen, den richtigen Bewegungsumfang des Beins nach hinten beim Üben und beim Gehen erreichen zu können.

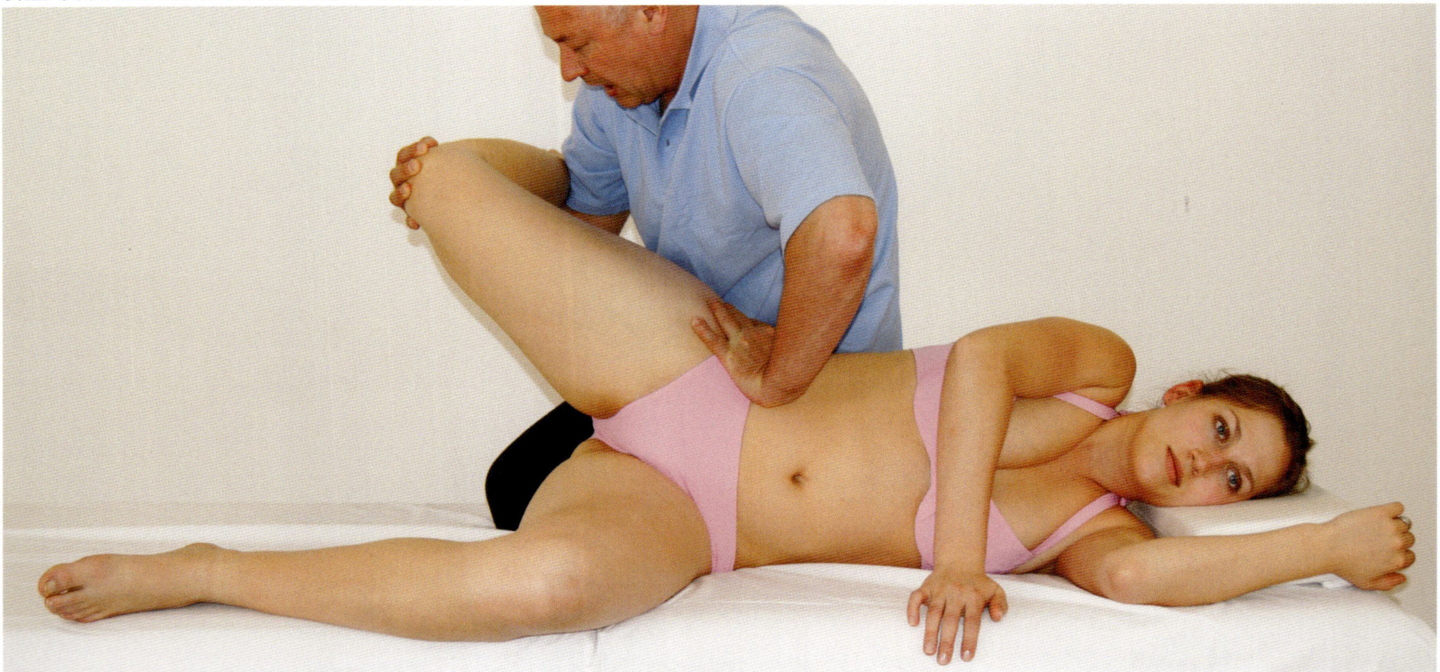

Manuelle Techniken in Seitenlage mit Lagerung im Schlingentisch

M. iliopsoas (Lenden-Darmbeinmuskel), **M. pectineus** (Kammmuskel), **M. adductor brevis** (kurzer Anzieher), **M. adductor longus** (langer Anzieher)

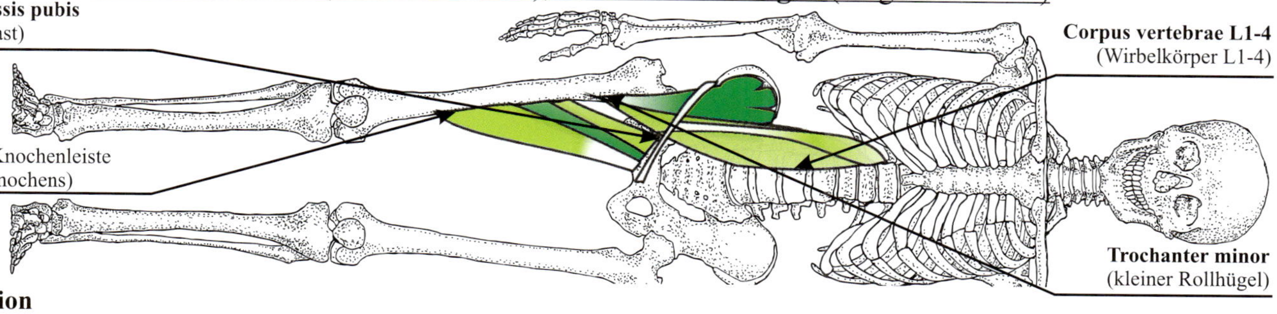

Ausgangsposition

Der Therapeut kniet hinter dem Patienten in Richtung Becken und mit Hilfe seines linken Beins stabilisiert er den Rumpf und das Becken des Patienten - punctum fixum. Er legt die Handfläche seiner linken Hand auf den SIAS spina iliaca anterior superior (vorderer oberer Darmbeinstachel) und breitet die gestreckten Finger fächerartig aus, sodass diese eine möglichst große Fläche sanft bedecken. Die rechte Hand des Therapeuten umfasst das rechte Knie des Patienten und sein Unterarm liegt somit unter dem Unterschenkel des Patienten. Das beanspruchte Bein liegt schräg nach oben (lateral) horizontal. Der Patient atmet ein.

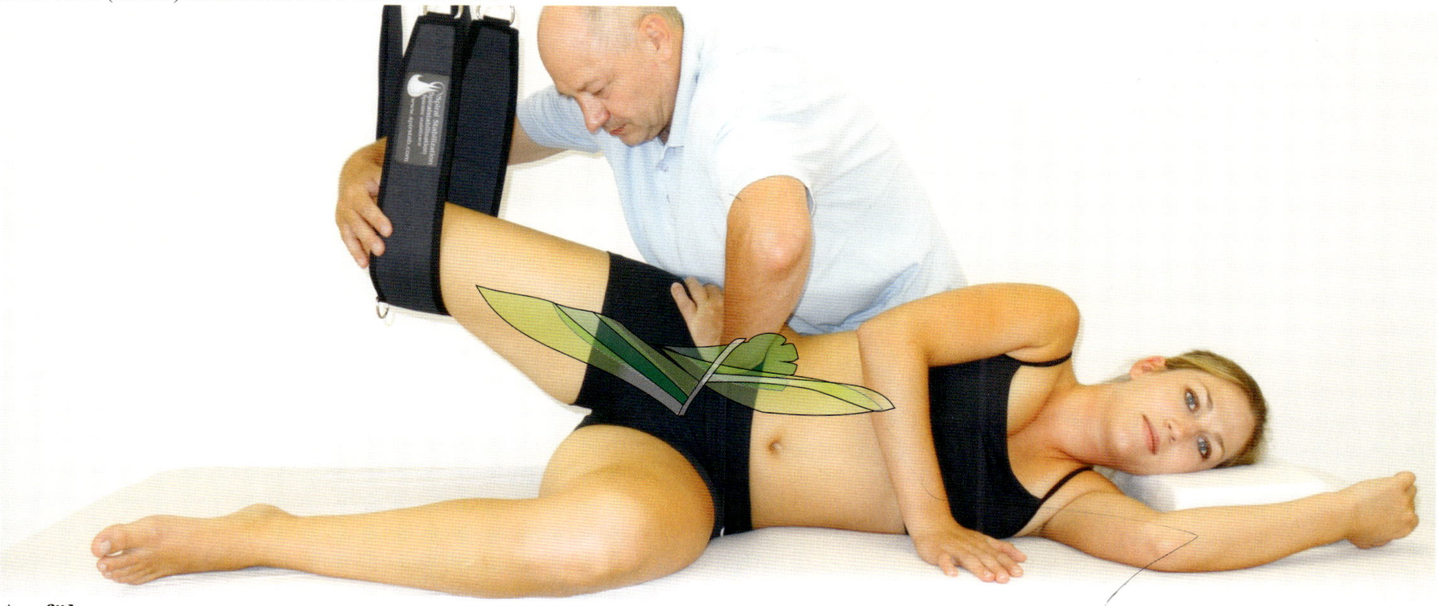

Ausführung

Der Therapeut verlagert sein Körpergewicht auf die linke Hand und stabilisiert das Becken des Patienten von vorn - punctum fixum.
Mit dem rechten Arm zieht er den Oberschenkel des Patienten dorsal und lateral (nach hinten und zur Seite), und damit dehnt er den M. iliopsoas und die Anzieher. Der Patient atmet langsam aus. Die Dehnung wird gelockert und 6x wiederholt. Nachdem die Behandlungstechnik beendet worden ist warten wir jedesmal ca. 3 sec.

PIR. Die erreichte Dehnung wird gehalten. Der Patient atmet ein und, der im Brustkorb entstehende Gegendruck, führt zur Anspannung seiner Muskeln. Beim folgenden Ausatmen entspannen sich die Muskeln wieder und dies ermöglicht eine weitere Dehnung. Die Technik wird 3x wiederholt. Reziproke Inhibition. Am Ende der passiven Dehnung fordern wir den Patienten auf, die Gesäßmuskeln anzuspannen und eine nach hinten führende Bewegung (Schritt nach hinten) auszuführen. Die Extensionsfähigkeit in der Hüfte vergrößert sich um 5-10 cm. Hier ist der M. gluteus maximus Agonist und der gehemmte M. iliopsoas ist Antagonist. Mit Hilfe dieser Technik werden M. iliopsoas und andere Muskeln an der vorderen Seite des Beckengürtels gedehnt. Gleichzeitig wird dem Patienten geholfen, den richtigen Bewegungsumfang des Beins nach hinten beim Üben und beim Gehen erreichen zu können.

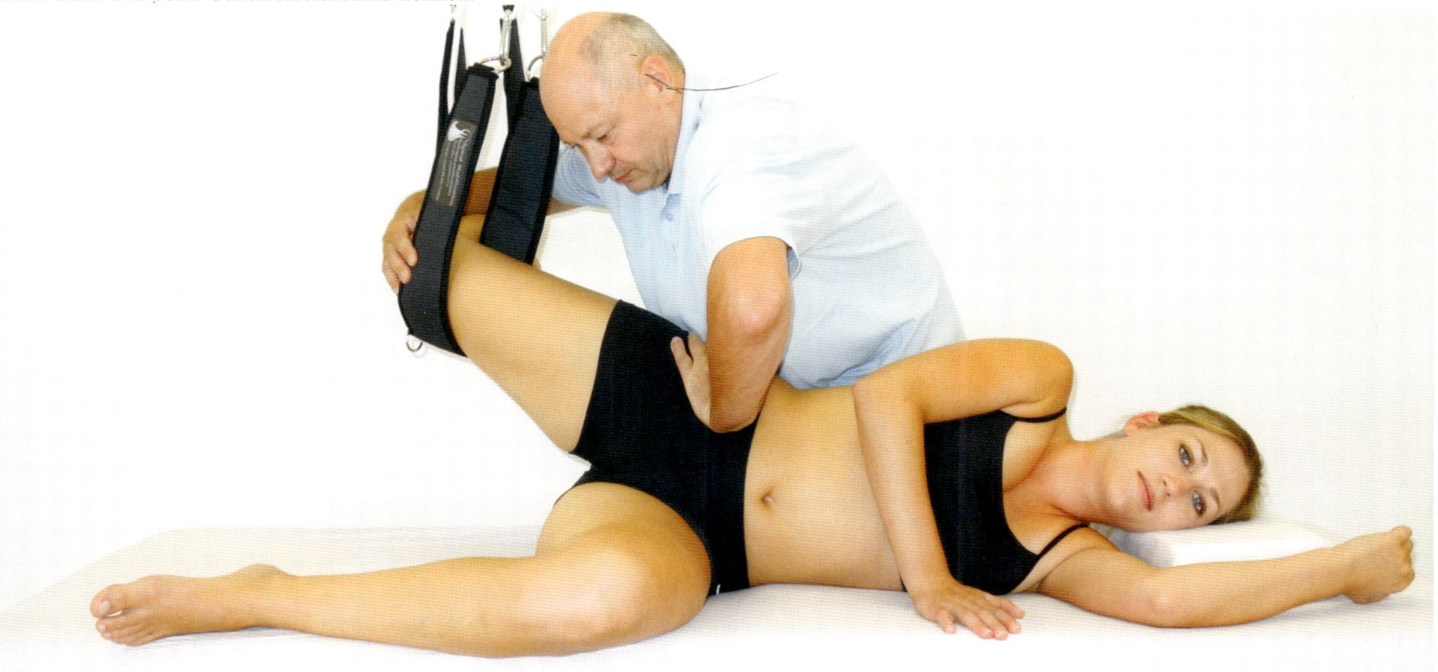

Manuelle Techniken im Kniestand und im Stehen

M. iliopsoas (Lenden-Darmbeinmuskel), **M. rectus femoris** (gerader Oberschenkelmuskel) - aktive Entspannung und Dehnung

4. Übung - knien auf einem Knie mit dem Rücken zur Befestigung des Seils. Die Arme werden nach hinten geöffnet, die Schulterblätter zueinander gezogen und das Becken nach vorn gedrückt.

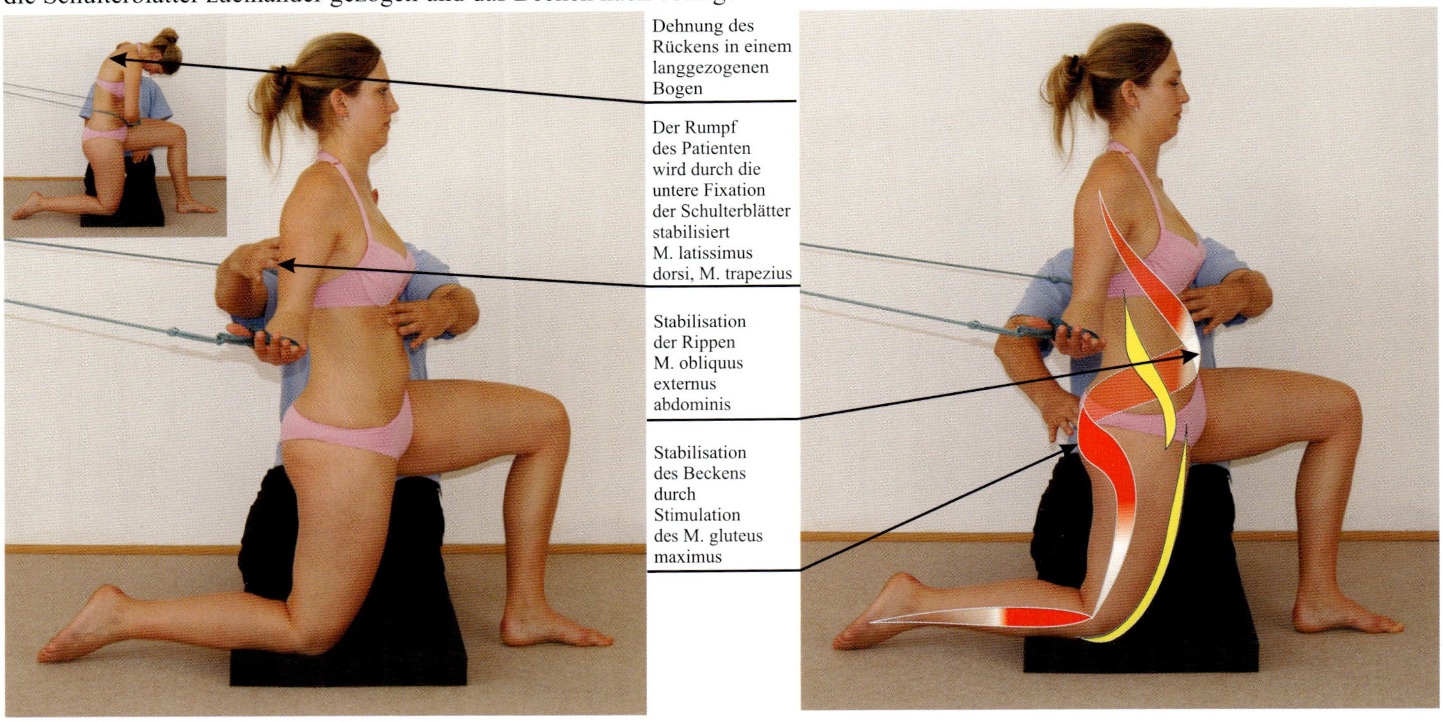

11. Übung - im ausgeglichenen stabilisierten Stand, mit der Stirn zur Befestigung des Seils und zwei Stöcken, die als Stütze dienen. Doppelte kreuzweise ausgeführte Extension - Dehnung des Arms in der Schulter und des gegenüberliegenden Beins in der Hüfte. Stabilisation des unteren Rückens und Dehnung der Schulter nach hinten.

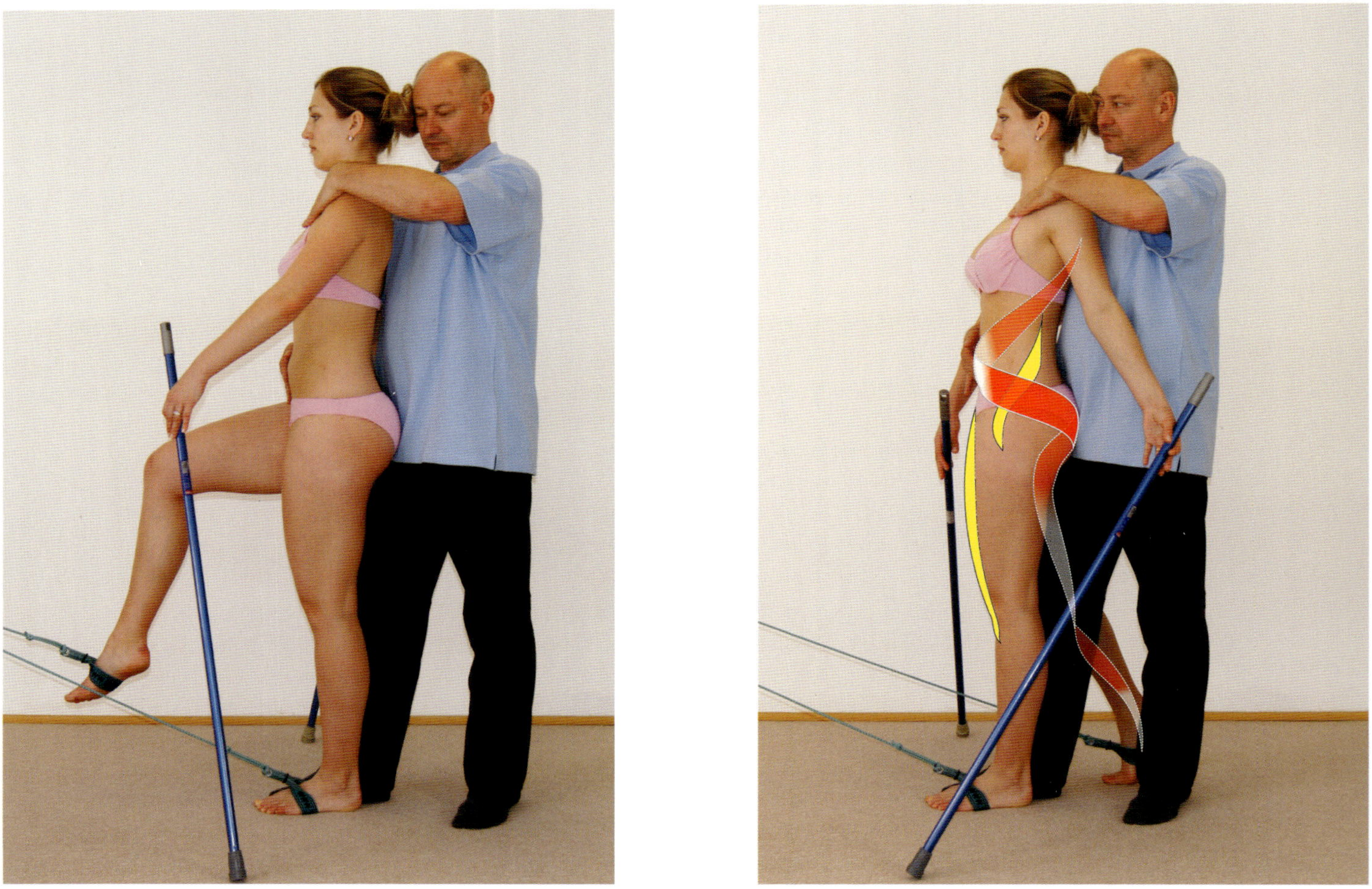

Übungen

M. rectus femoris (gerader Oberschenkelmuskel), **M. tensor fasciae latae** (Oberschenkelbindenspanner), **M. iliopsoas** (Lenden-Darmbeinmuskel), **M. gluteus medius** (mittlerer Gesäßmuskel), kurze Anzieher - aktive Entspannung und Dehnung

4. Übung - im Sitzen mit dem Rücken zur Befestigung des Seils, ein Bein ist nach hinten gestreckt.
Die Arme werden nach hinten geöffnet, die Schulterblätter zueinander gezogen und das Becken nach vorn gedrückt.

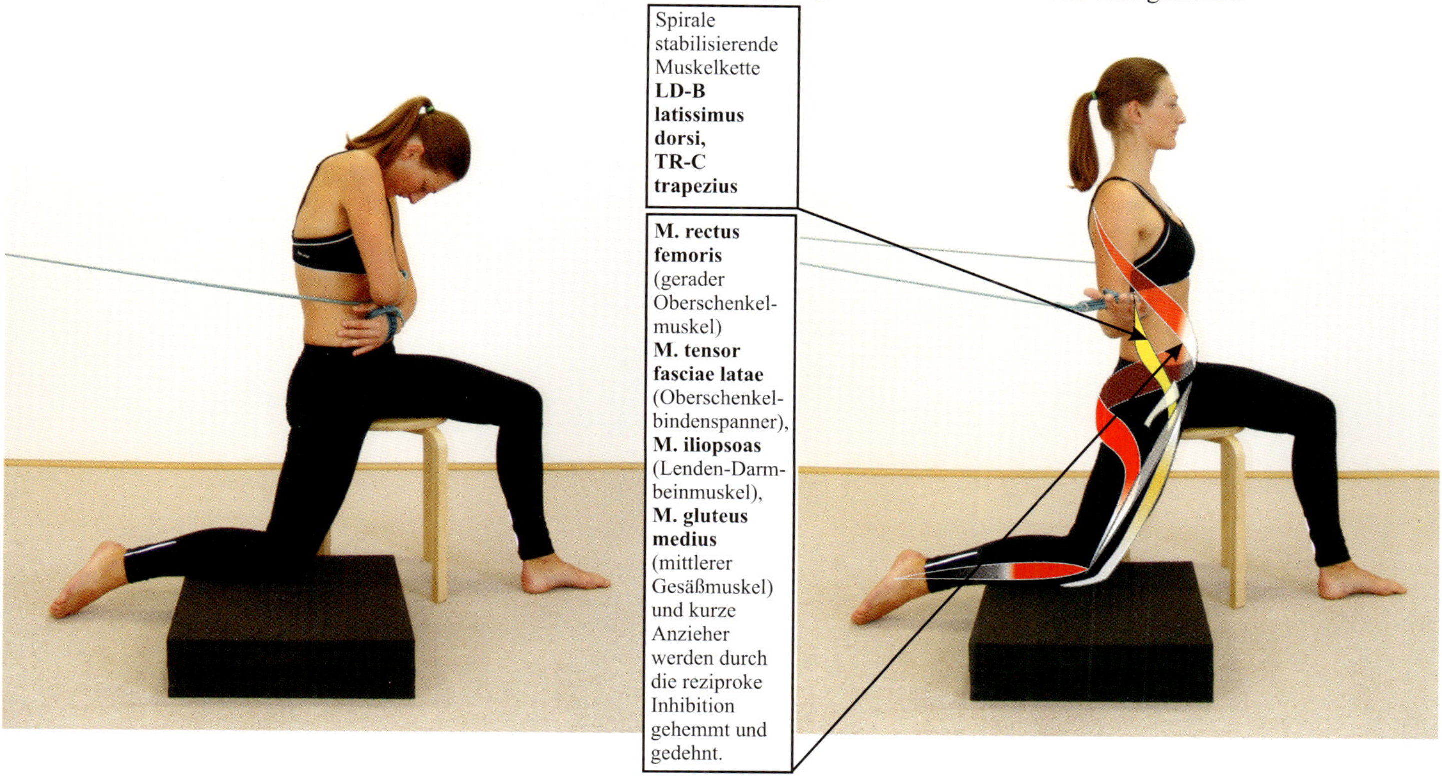

M. rectus femoris (gerader Oberschenkelmuskel), **M. tensor fasciae latae** (Oberschenkelbindenspanner), **M. iliopsoas** (Lenden-Darmbeinmuskel), **M. gluteus medius** (mittlerer Gesäßmuskel), kurze Anzieher - aktive Entspannung und Dehnung

4. Übung - knien auf einem Knie mit dem Rücken zur Befestigung des Seils.
Die Arme werden nach hinten geöffnet, die Schulterblätter zueinander gezogen und das Becken nach vorn gedrückt.

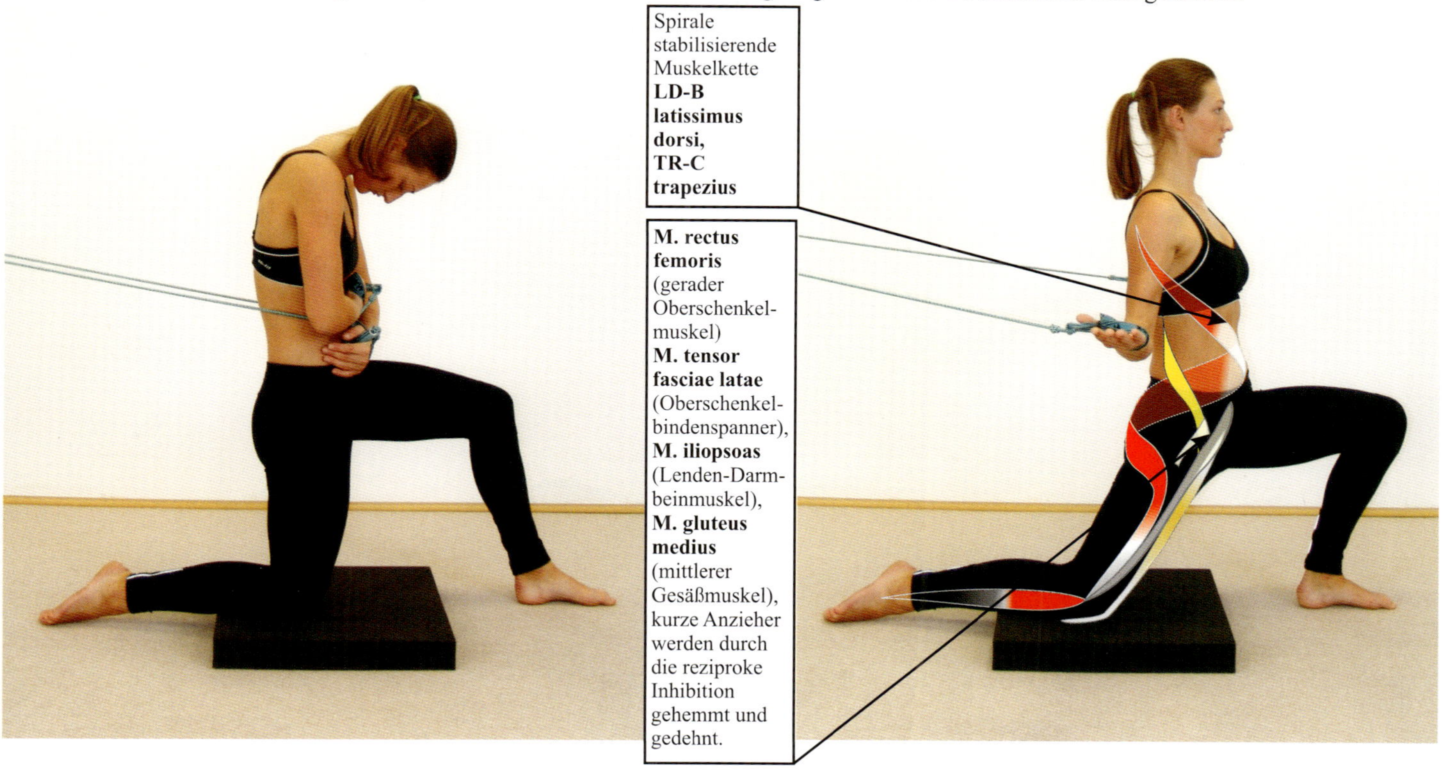

Dehnung des M. rectus femoris (gerader Oberschenkelmuskel), **M. tensor fasciae latae** (Oberschenkelbindenspanner), **M. iliopsoas** (Lenden-Darmbeinmuskel), **M. gluteus medius** (mittlerer Gesäßmuskel), **M. pectineus** (Kammmuskel), **M. adductor brevis** (kurzer Anzieher), **M. adductor longus** (langer Anzieher), **gehemmt durch die reziproke Inhibition.** Die LD und TR Spiralen fungieren als Agonisten und stabilisieren den Körper. Die Hüftflexoren werden durch die reziproke Inhibition gehemmt und gleichzeitig gedehnt.

Übungen

M. rectus femoris (gerader Oberschenkelmuskel), **M. tensor fasciae latae** (Oberschenkelbindenspanner), **M. iliopsoas** (Lenden-Darmbeinmuskel), **M. gluteus medius** (mittlerer Gesäßmuskel), kurze Anzieher - aktive Entspannung und Dehnung

4.Übung - knien auf beiden Knie, mit dem Rücken zur Befestigung des Seils. Die Arme werden nach hinten geöffnet, die Schulterblätter zueinander gezogen und das Becken nach vorn gedrückt.

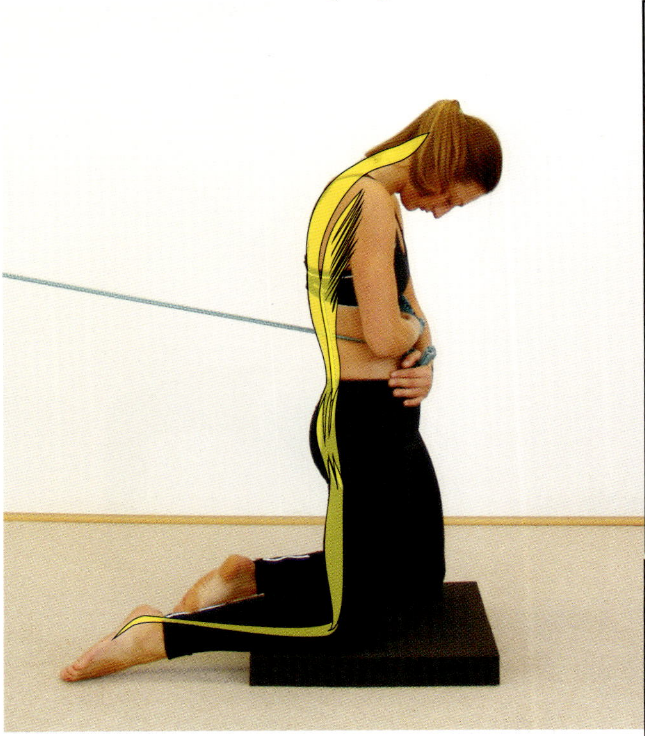

M. rectus femoris (gerader Oberschenkel-muskel) **M. tensor fasciae latae** (Oberschenkel-bindenspanner), **M. iliopsoas** (Lenden-Darm-beinmuskel), **M. gluteus medius** (mittlerer Gesäßmuskel) und kurze Anzieher werden durch die reziproke Inhibition gehemmt und gedehnt.

Spirale stabilisierende Muskelkette **LD-B latissimus dorsi, TR-C trapezius**

M. rectus femoris (gerader Oberschenkelmuskel), **M. tensor fasciae latae** (Oberschenkelbindenspanner), **M. iliopsoas** (Lenden-Darmbeinmuskel), **M. gluteus medius** (mittlerer Gesäßmuskel), kurze Anzieher - aktive Entspannung und Dehnung

3. Übung - im Stand mit dem Rücken zur Befestigung des Seils, ein Bein ruht auf dem Step. Die Arme werden nach hinten geöffnet die Schulterblätter zueinander gezogen und das Körpergewicht auf das vordere Bein übertragen.

M. rectus femoris (gerader Oberschenkel-muskel) **M. tensor fasciae latae** (Oberschenkel-bindenspanner), **M. iliopsoas** (Lenden-Darm-beinmuskel), **M. gluteus medius** (mittlerer Gesäßmuskel), kurze Anzieher werden durch die reziproke Inhibition gehemmt und gedehnt.

Spirale stabilisierende Muskelkette **LD-B latissimus dorsi, TR-C trapezius**

Übungen

M. rectus femoris (gerader Oberschenkelmuskel), **M. tensor fasciae latae** (Oberschenkelbindenspanner), **M. iliopsoas** (Lenden-Darmbeinmuskel), **M. gluteus medius** (mittlerer Gesäßmuskel), kurze Anzieher - aktive Entspannung und Dehnung

11. Übung - im ausgeglichenen stabilisierten Stand, mit der Stirn zur Befestigung des Seils und zwei Stöcken, die als Stütze dienen. Doppelte kreuzweise ausgeführte Extension - Dehnung des Arms in der Schulter und des gegenüberliegenden Beins in der Hüfte.

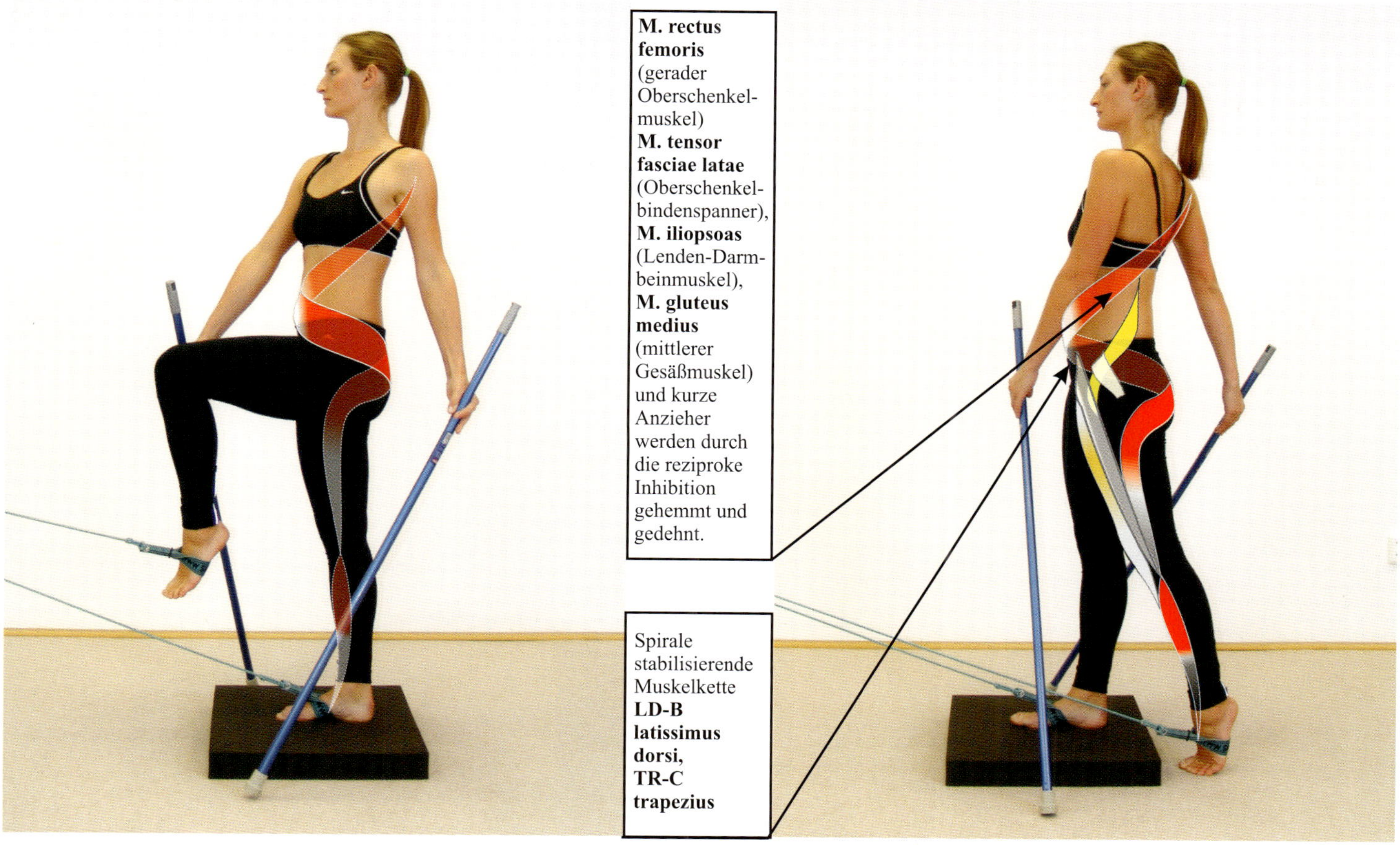

M. pectineus (Kammmuskel), **M. adductor brevis** (kurzer Anzieher) **M. adductor longus** (langer Anzieher) - aktive Entspannung und Dehnung

13. Übung - im ausgeglichenen stabilisierten Stand, seitlich zur Befestigung des Seils und fakultativer Verwendung der zwei Stützstöcken. Abduktion (Abspreizen in der Hüfte), ein Bein zieht das Seil zur Seite, gefolgt von der Gegenbewegung der Arme.

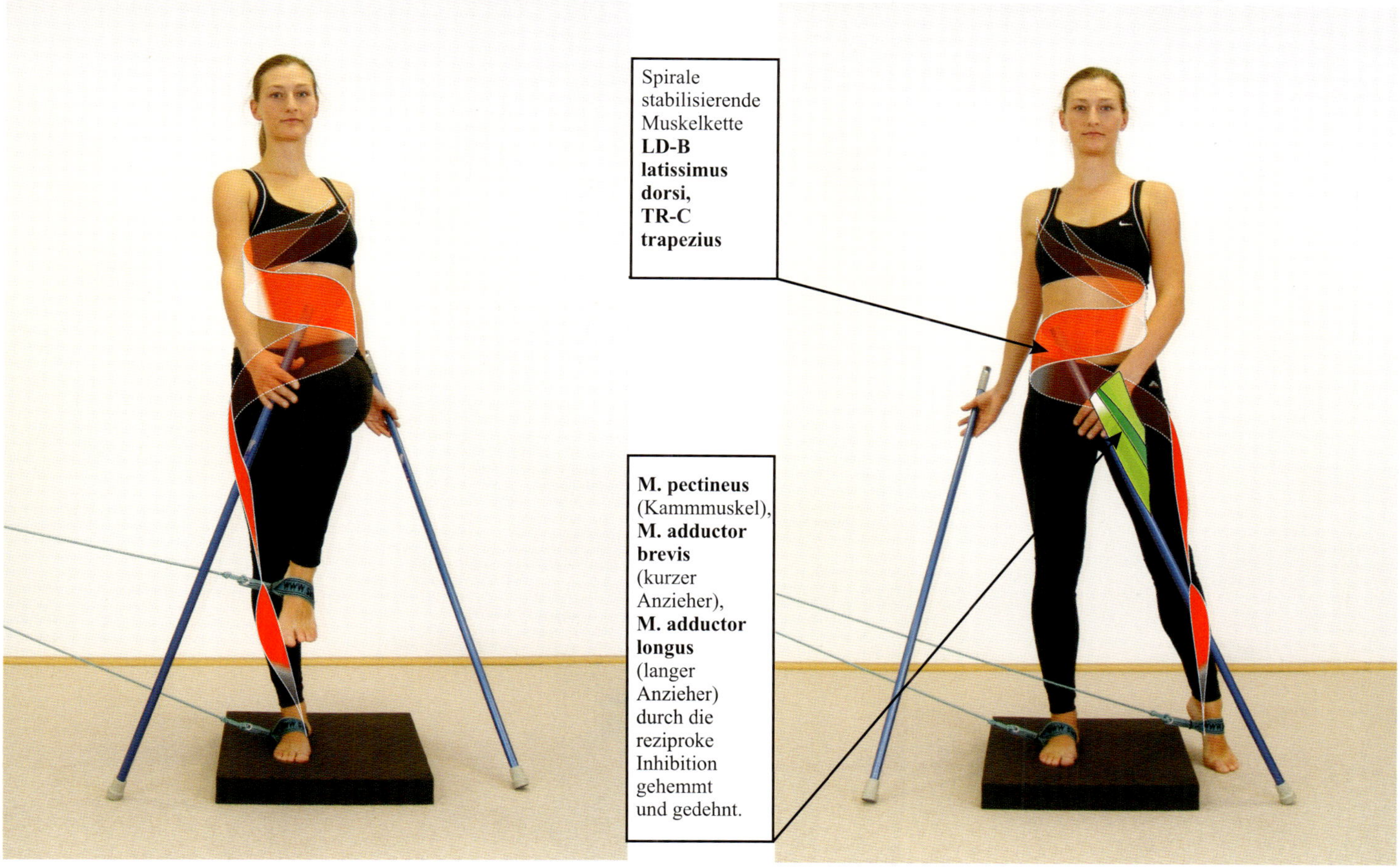

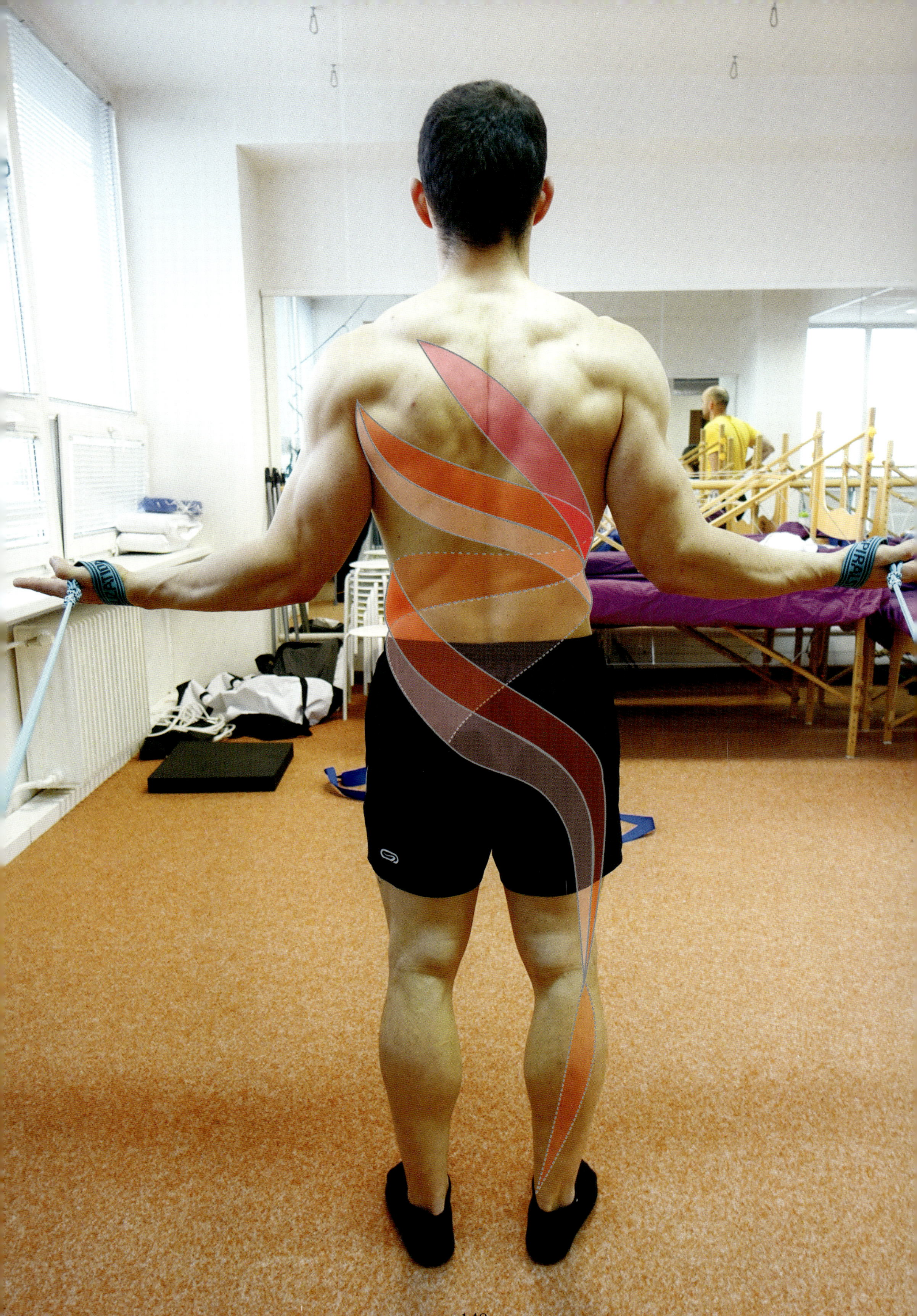

MANUELLE TECHNIKEN UND ÜBUNGEN NACH MUSKELANALYSE

Schultergürtel, hintere, untere Muskelgruppe

Muskeln, die zur Abschwächung neigen:

M. trapezius (Kappenmuskel)
M. latissimus dorsi (breiter Rückenmuskel)

Wirbelsäule, Oberkörper, autochtone Muskulatur und Zwischenrippenmuskeln

Muskeln, die zur Abschwächung neigen:

Mm. rotatores breves et longi (kurze und lange Drehmuskeln)
Mm. semispinales (Halbdornmuskeln)
Mm. multifidi (vielgeteilte Muskeln)
Mm. levatores costarum (Rippenheber)
Mm. intercostales externi (äußere Zwischenrippenmuskeln)

M. trapezius (Kappenmuskel)

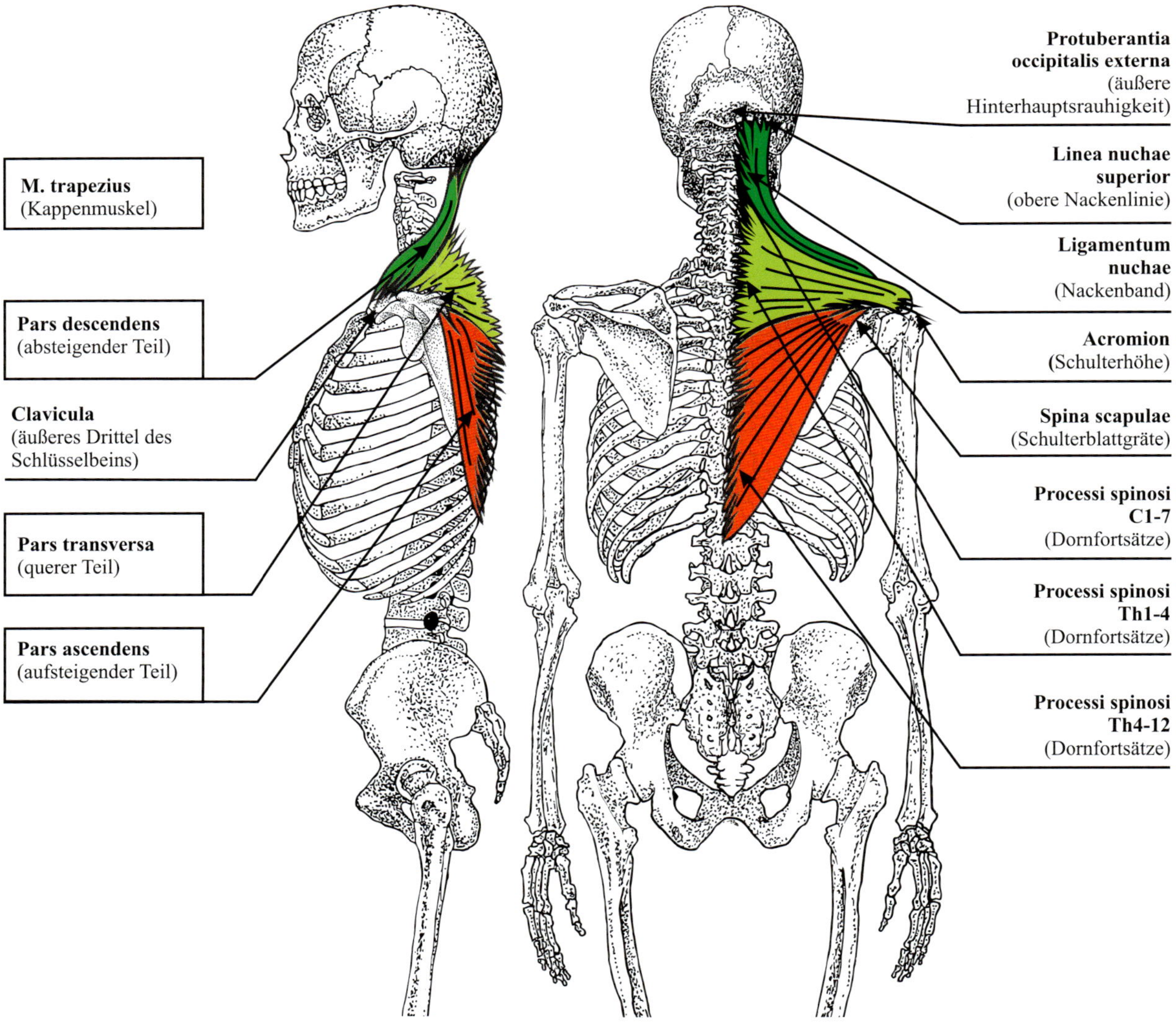

Muskel mit Tendenz zur **inneren Muskeldysbalance**

Muskelfasern mit Tendenz zur **Abschwächung,** müssen **gekräftigt** werden.

Muskelfasern mit Tendenz zur **Anspannung** und zur **Verkürzung.** Diese müssen **entspannt und gedehnt** werden.

Spiraler Teil des M. trapezius hat Tendenz zur **Abschwächung.**

Entspannung

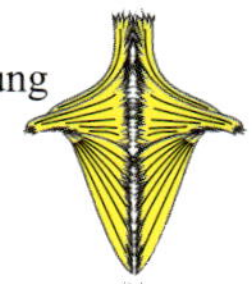

Dehnung

Kräftigung

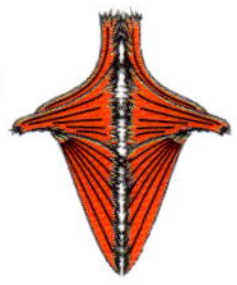

Stabilisation

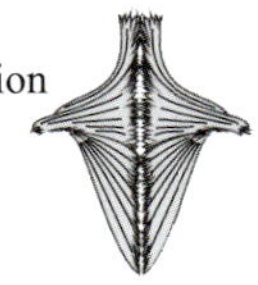

M. trapezius (Kappenmuskel)

Ursprung: **- pars descendens** (absteigender Teil)
- os occipitale (linea nuchalis superior, protuberantia occipitalis externa)
- ligamentum nuchae, processi spinosi C1-7

- pars transversa (querer Teil)
- processi spinosi Th1-4 (Dornfortsätze Th1-4)

- pars ascendens (aufsteigender Teil)
- processi spinosi Th5-12 (Dornfortsätze Th5-12)

Ansatz: **- pars descendens** (absteigender Teil)
- clavicula (äußeres Drittel des Schlüsselbeins)

- pars transversa (querer Teil)
- acromion (Schulterhöhe)

- pars ascendens (aufsteigender Teil)
- spina scapulae (Schulterblattgräte)

Funktion: **- pars descendens** (absteigender Teil)
- zieht das Schulterblatt nach oben
- dreht das Schulterblatt nach außen (in Synergie mit unterem Teil des M. serratus anterior - Sägemuskel)
- neigt den Kopf zur ipsilateralen Seite und dreht ihn zur kontralateralen Seite (punktum fixum ist am Schulterblatt)

- pars transversa (querer Teil)
- zieht das Schulterblatt medial

- pars ascendens (aufsteigender Teil)
- zieht das Schulterblatt kaudal und medial
- unterstützt die Rotationswirkung des absteigenden Teils

- gesamter Muskel
- fixiert das Schulterblatt auf dem Brustkorb

Innervation:
- N. accesorius XI, plexus cervicalis (C2-4)

M. trapezius (Kappenmuskel)

Muskel mit innerer Muskeldysbalance

- pars descendens
hat Tendenz zur Verspannung / Verkürzung

- pars transversa
hat Tendenz zur Abschwächung

- pars ascendens
hat Tendenz zur Abschwächung

Spirale Muskelkette **TR - trapezius** (Kappenmuskel)

Die Muskelkette TR wird durch die Bewegung des Schulterblatts nach hinten aktiviert - Extension.

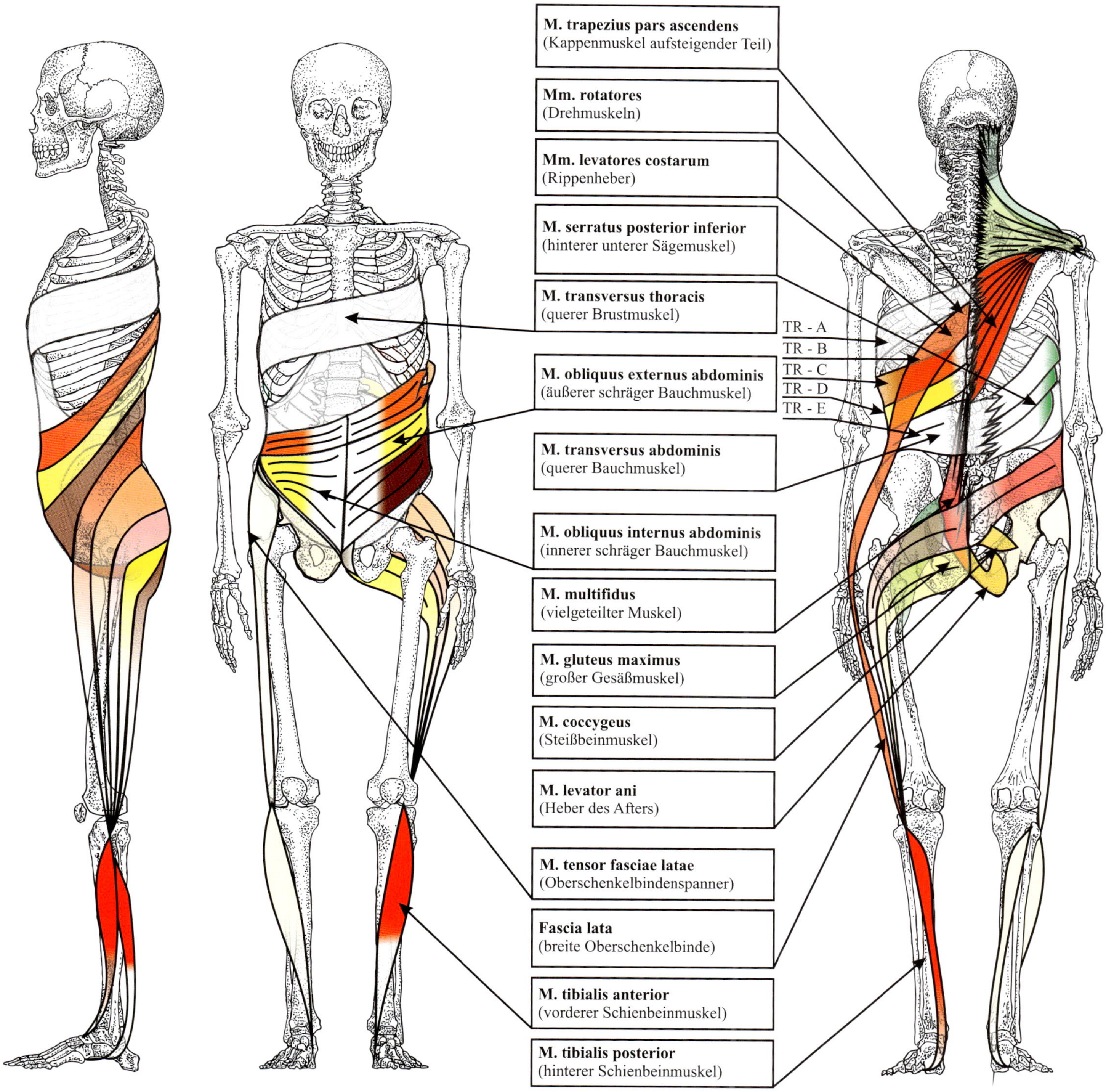

M. latissimus dorsi (breiter Rückenmuskel)

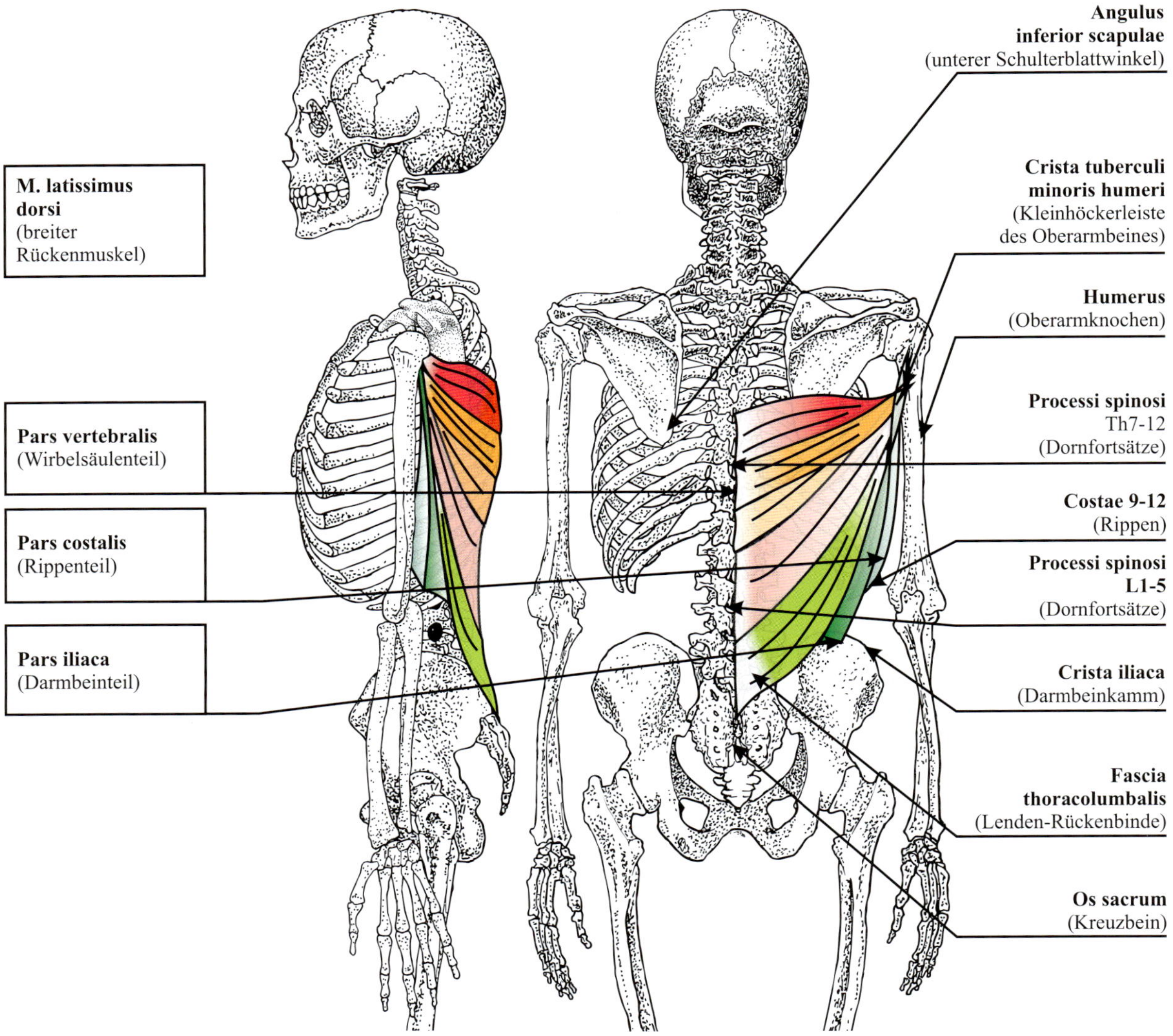

Muskel hat Tendenz zur **inneren Muskeldysbalance**

Muskelfasern haben Tendenz zur **Abschwächung,** müssen **gekräftigt** werden.

Muskelfasern haben Tendenz zur **Anspannung** und zur **Verkürzung,** müssen **entspannt und gedehnt** werden.

Spiraler Teil des M. latissimus dorsi hat Tendenz zur Abschwächung

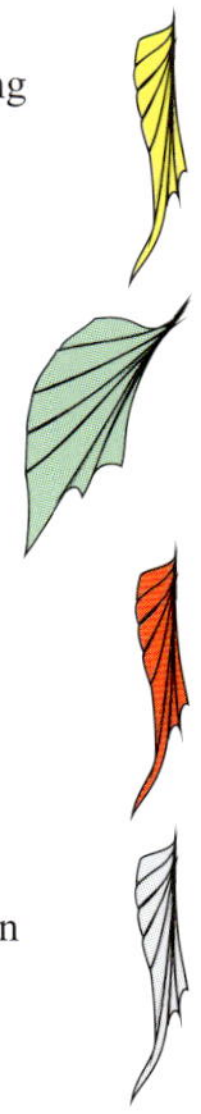

M. latissimus dorsi (breiter Rückenmuskel)

Ursprung: **- pars vertebralis: (**Wirbelsäulenteil)
- processus spinosus (Dornfortsatz) Th7-12
- L1-5 über die Thorakolumbale Faszie
- os sacrum (Kreuzbein)

- pars iliaca: (Darmbeinteil)
- hinteres Drittel des Darmbeinkamms

- pars costalis: (Rippenteil)
- 9.-12. Rippe

Ansatz:
- crista tuberculi minoris humeri (Kleinhöckerleiste des Oberarmbeines)

Funktion:
- innere Rotation
- Adduktion - (seitliche Heranführung bzw. das Anlegen eines Körperteils zur Körpermitte)
- Retroversion - (zieht die Schulter nach hinten und unten)
- Extension - (Streckbewegung eines Gelenks)
- unterstützt das Ausatmen
- hebt den Rumpf im Hang

Innervation:
- N. thoracodorsalis C6-C8

M. latissimus dorsi (breiter Rückenmuskel)
Muskel mit innerer Muskeldysbalance

- pars vertebralis
hat Tendenz zur Abschwächung

- pars iliaca
hat Tendenz zur Anspannung und zur Verkürzung

- pars costalis
hat Tendenz zur Anspannung und zur Verkürzung

Spirale Muskelkette **LD - latissimus dorsi** (breiter Rückenmuskel)

Die Muskelkette LD wird durch die Bewegung des Arms nach hinten aktiviert - Extension.

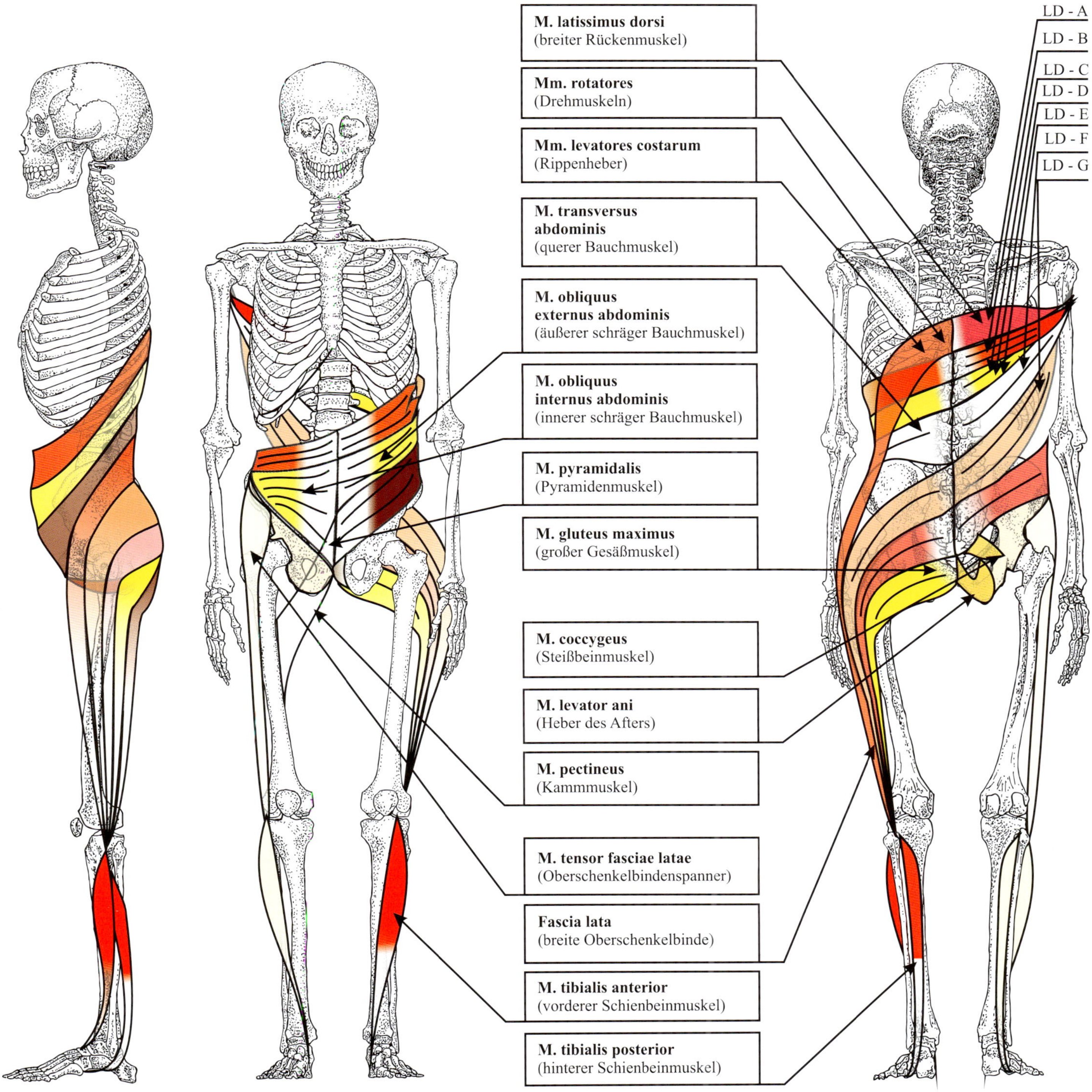

Mm. rotatores breves et longi (kurze und lange Drehmuskeln), **Mm. semispinales** (Halbdornmuskeln), **Mm. multifidi** (vielgeteilte Muskeln)

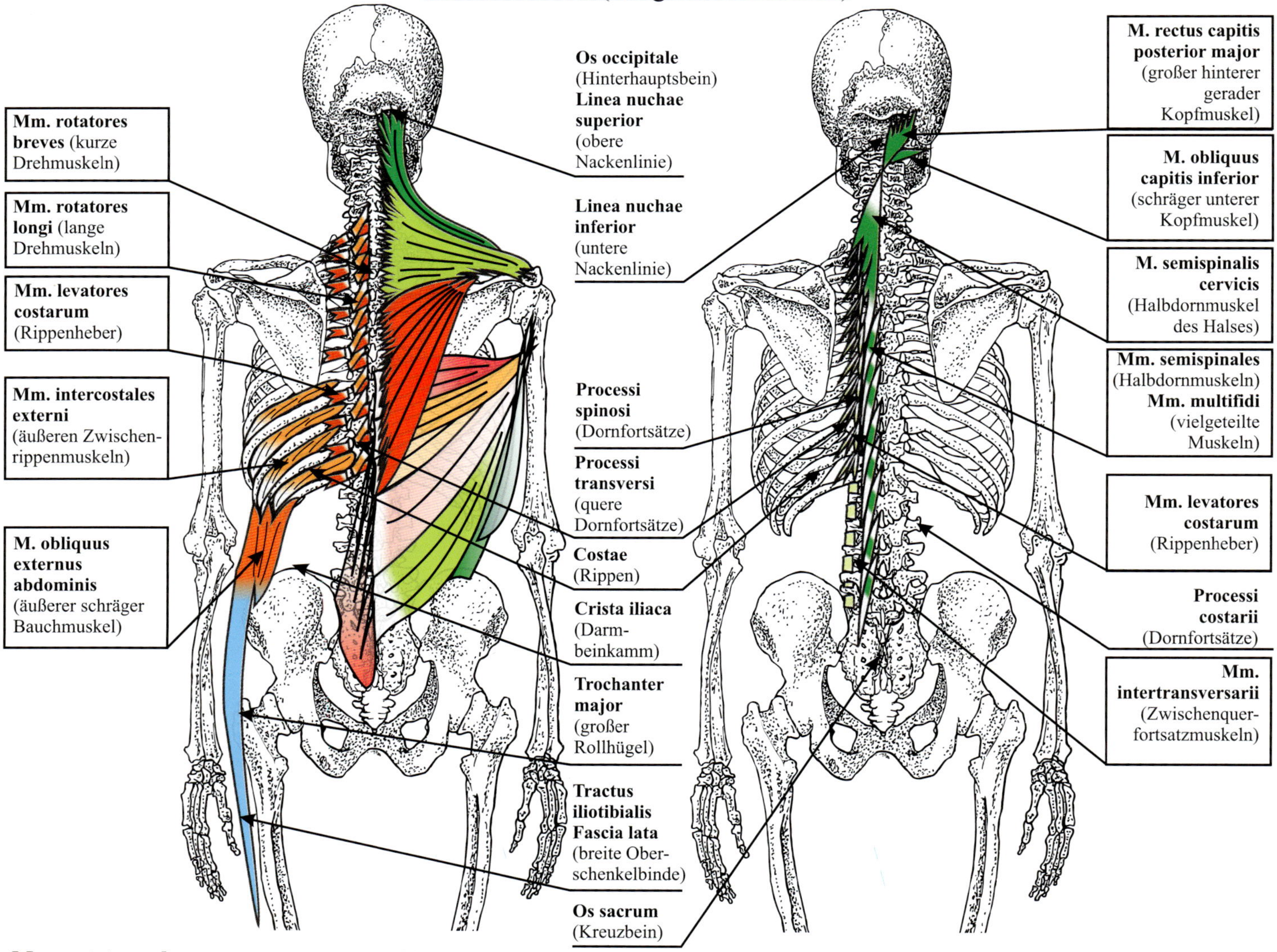

Mm. rotatores breves,
(kurze und lange Drehmuskeln)
Ursprung:
- processi transversi Th1-12
Ansatz:
- processi spinosi Th1-12
- breves - nächster oberer Wirbel
- longi - zweitnächster oberer Wirbel
Funktion:
- beidseitige Kontraktion - dorsale Extension der Brustwirbel
- einseitige Kontraktion - Rotation zur kontralateralen Seite
- Lateralflexion zur ipsilateralen Seite.
Innervation:
- Rr. dorsale Äste von Spinalnerven Th

Mm. levatores costarum breves, longi
(kurze und lange Rippenheber)
Ursprung:
- processi transversi C7-Th1-11
Ansatz:
- breves - angulus costae - an der nächsten tieferen Rippe.
- longi - angulus costae an der übernächsten tieferen Rippe.
Funktion:
- beidseitige Kontraktion - dorsale Extension der Brustwirbel
- einseitige Kontraktion - Rotation zur kontralateralen Seite
- Lateralflexion zur ipsilateralen Seite.
Innervation:
- Rr. dorsale Äste von Spinalnerven Th

Mm. intertransversarii
(Zwischenquerfortsatzmuskeln)
Ursrung und Ansatz:
- Mm. intertransversarii mediales lumborum
- processi mamilares (Zitzenfortsatz)
- Mm. intertransversarii laterales lumborum
- processi costales (Rippenfortsätze der Lendenwirbel)
- Mm. intertransversarii posteriores cervicis
- Mm. intertransversarii anteriores cervicis
- Tubercula anteriora 2.-7. Halswirbel
Funktion:
- beidseitige Kontraktion - dorsale Extension der Brust- und Halswirbel
- einseitige Kontraktion - Rotation zur kontralateralen Seite
- Lateralflexion zur ipsilateralen Seite.
Innervation:
- Rr. dorsale Äste von Spinalnerven L, C:
- Mm. intertransversarii mediales lumborum
- Mm. intertransversarii posteriores lumborum
- Mm. intertransversarii posteriores cervicis

- Rr. ventrale Äste von Spinalnerven L, C:
- Mm. intertransversarii laterales lumborum
- Mm. intertransversarii anteriores cervicis

Mm. semispinales thoracis (Halbdornmuskeln der Brust)
Ursprung:
- Processi transversi Th6-12
Ansatz:
- Processi spinosi C6-Th4
Funktion:
- beidseitige Kontraktion - dorsale Extension der Brust- und Halswirbel
- einseitige Kontraktion - Rotation zur kontralateralen Seite
- Lateralflexion zur ipsilateralen Seite.
Innervation:
- Rr. dorsale Äste von Spinalnerven Th

Reziproke Beziehungen zwischen den

Muskelketten latissimus dorsi, trapezius und erector spinae

Die Beziehung zwischen Agonist - Antagonist in den Muskelketten, aktive Entspannung und aktives Stretching.
Spiralen LD - latissimus dorsi und TR - trapezius (Innervation N. acessorius, C1-S2)
hemmt die ES - erector spinae Vertikale (Innervation C1-L5).

Antagonist
(Gegenspieler, gehemmte Muskelkette)

Vertikale
ES - Erector spinae
(Rückenstrecker)

Agonist
(Spieler, aktivierte Muskelkette)

Spirale
LD - Latissimus dorsi
(breiter Rückenmuskel)

Spirale
TR - Trapezius
(Kappenmuskel)

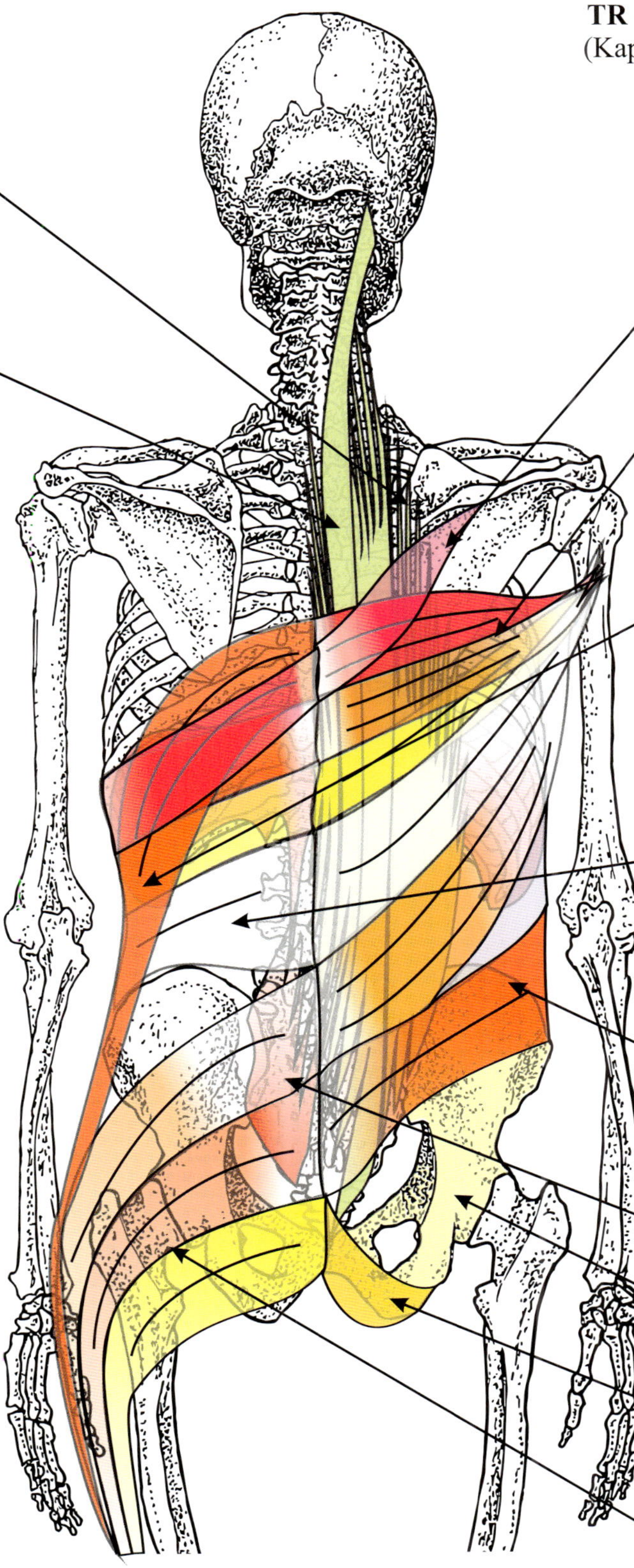

Reziproke Beziehungen zwischen den
Muskelketten latissimus dorsi, trapezius und erector spinae

Die Beziehung zwischen Agonist - Antagonist in den Muskelketten, die Spirale LD - latissimus dorsi, hemmt die Vertikale ES - erector spinae

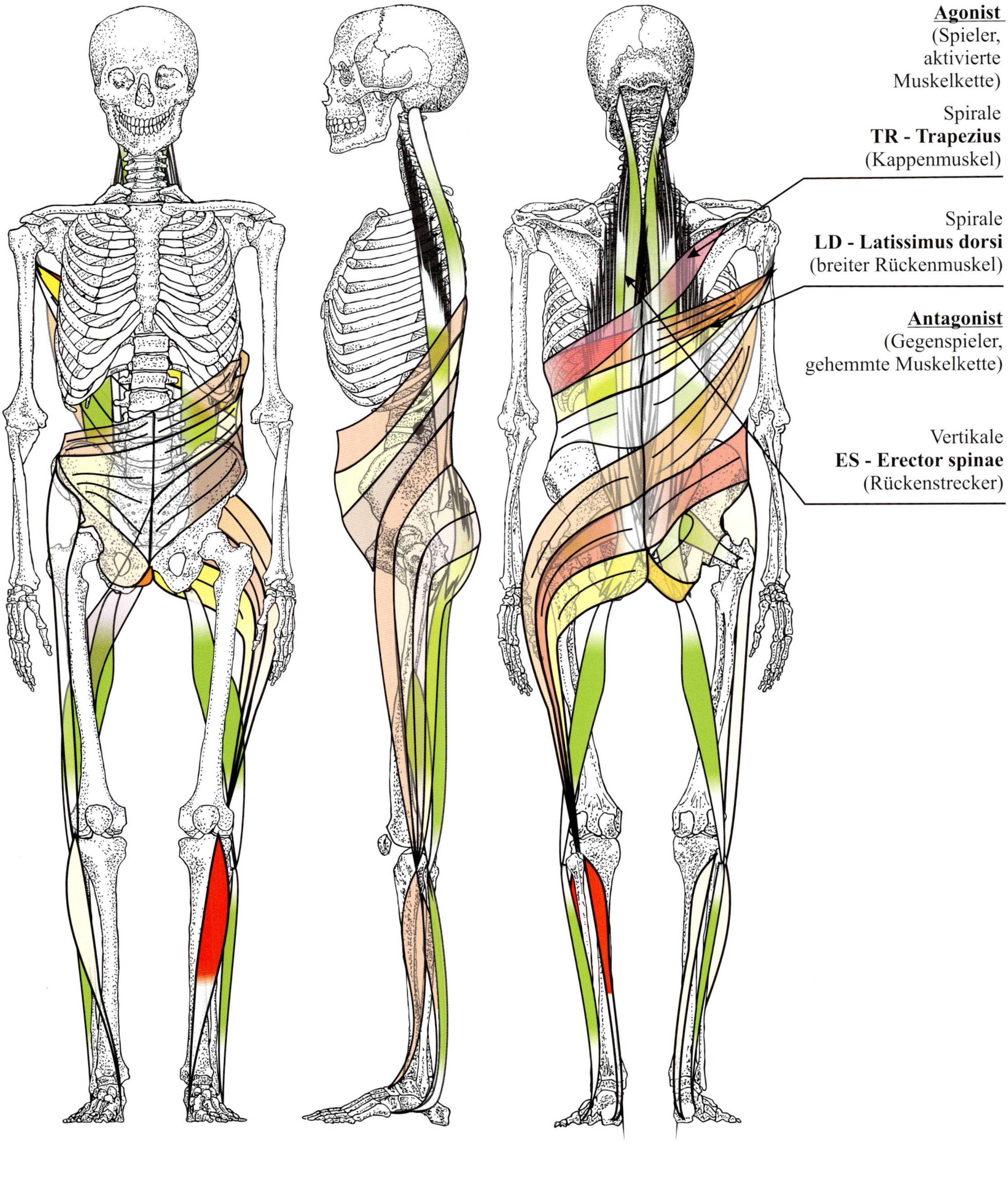

Manuelle Techniken im Sitzen

M. latissimus dorsi (breiter Rückenmuskel), **M. trapezius** (Kappenmuskel) - passive Dehnung und Kräftigung

1. Übung - im Sitzen mit der Stirn zur Befestigung des Seils, das Seil wird mit beiden Arme nach hinten gezogen.

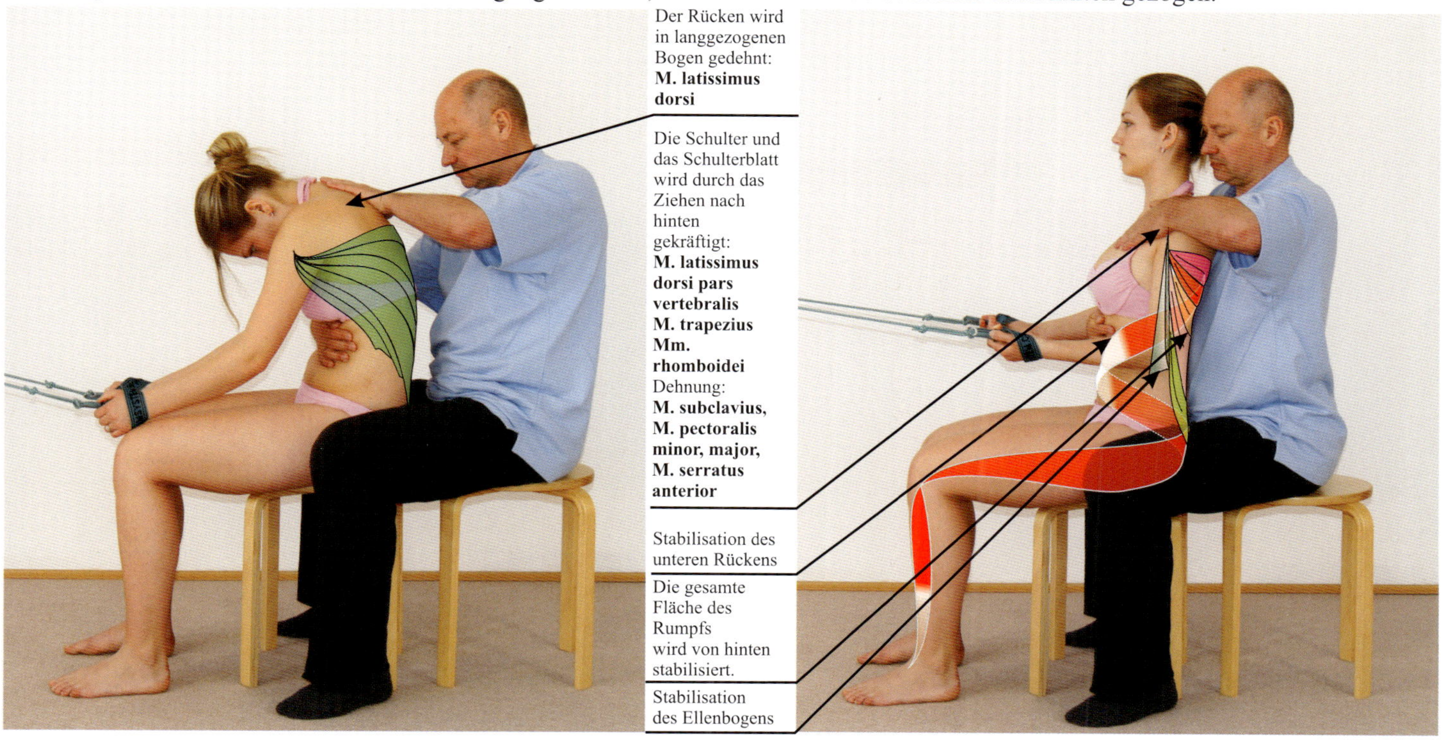

M. latissimus dorsi (breiter Rückenmuskel) - Dehnung pars spinalis, Kräftigung pars costalis

6. Übung - im Sitzen mit dem Rücken zur Befestigung des Seils, die beiden Arme kreisen nach vorn.

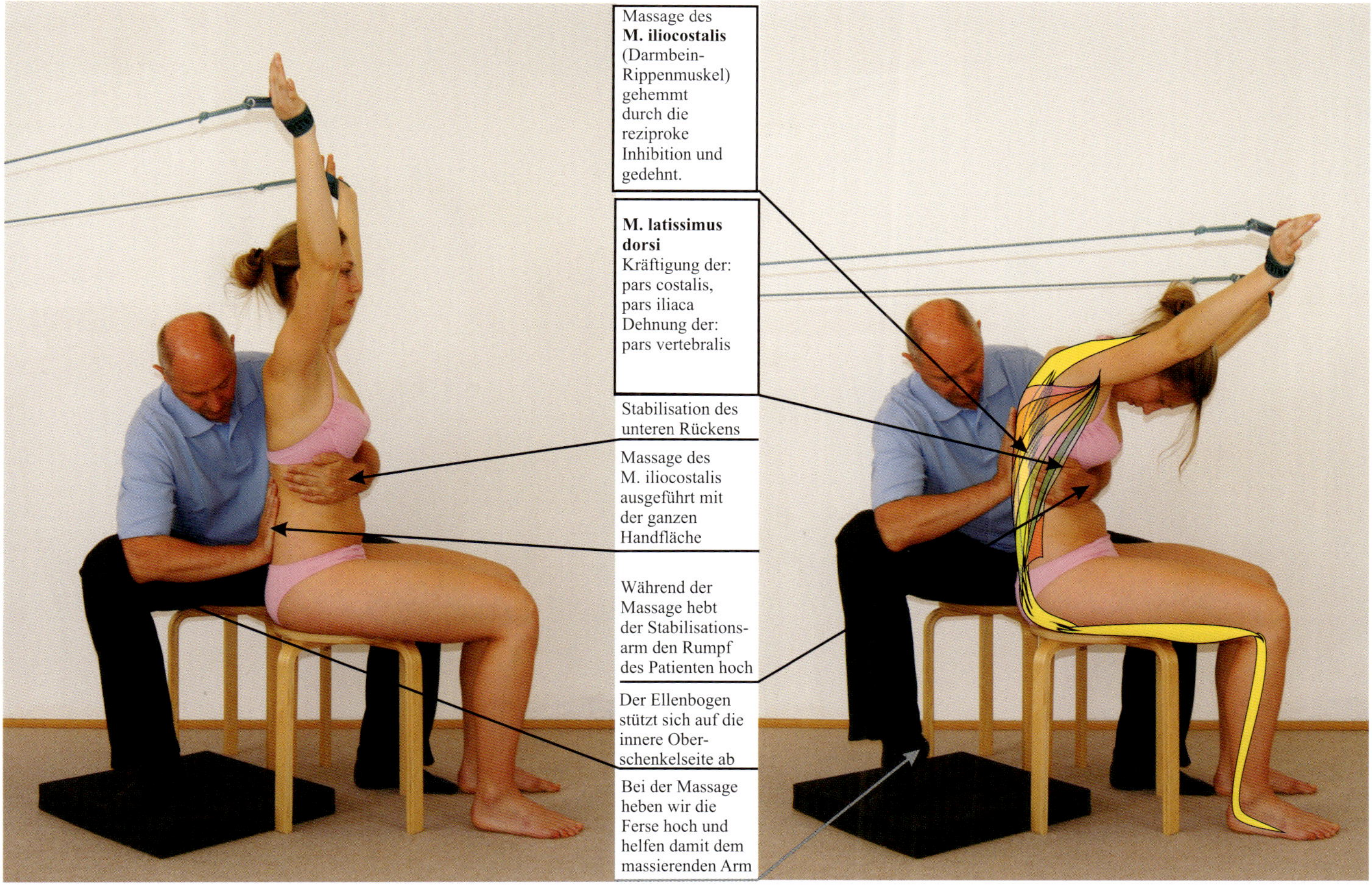

M. trapezius (Kappenmuskel), **M. latissimus dorsi** (breiter Rückenmuskel) - Kräftigung und Dehnung

M. erector spinae - wird durch die reziproke Inhibition entspannt und gedehnt

LD - latissimus dorsi und TR - trapezius Muskelketten sind Agonisten im zweiten Übungsteil.

1. Übung - im Stehen mit der Stirn zur Befestigung des Seils, die Beine sind in Grundposition.

Das Seil mit beiden Armen nach hinten ziehen.

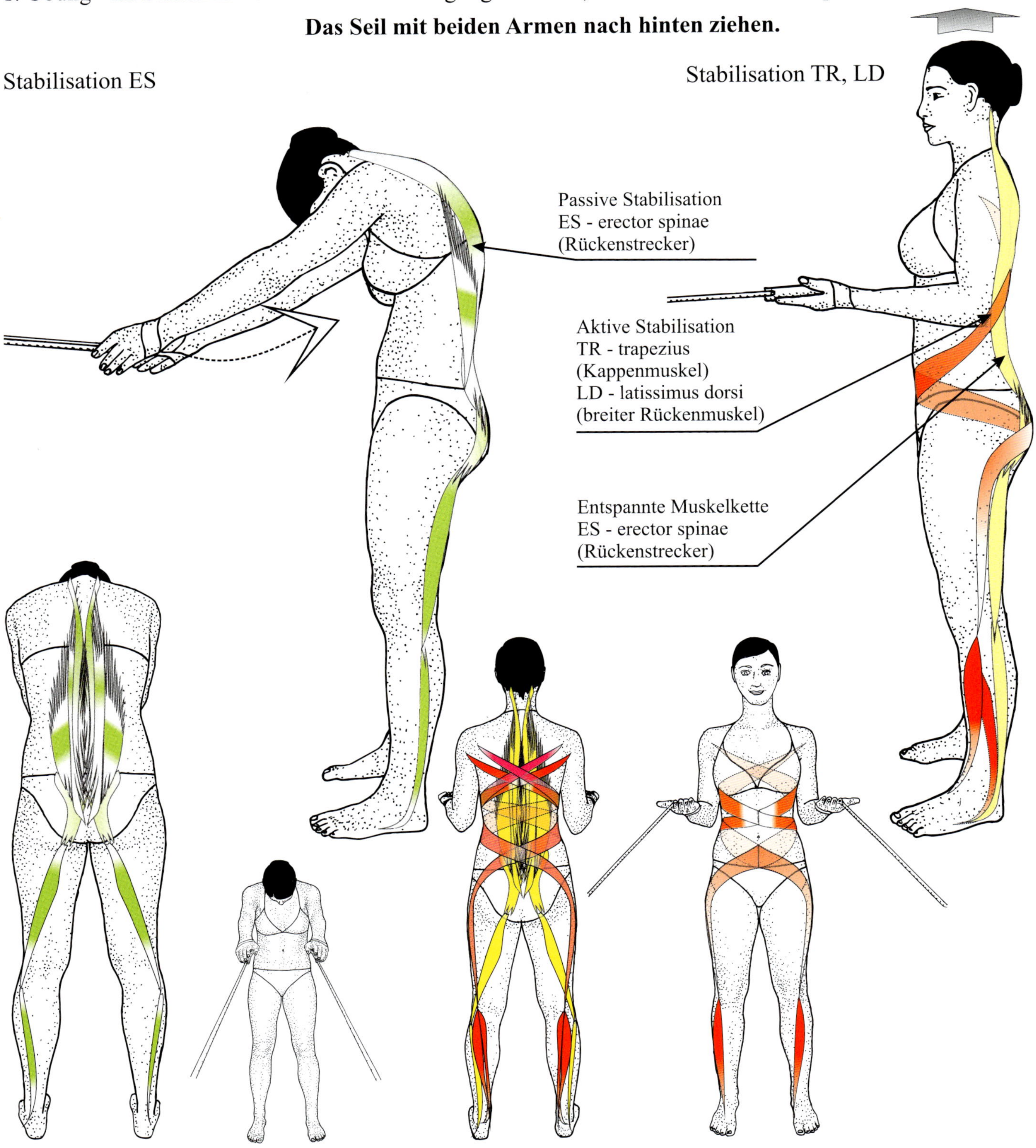

1 - Ausgangsposition - passiver Übungsteil
Die vertikale ES - erector spinae (Rückenstrecker) Muskelkette stabilisiert passiv die Ausgangsposition und wird dabei gleichzeitig gedehnt.

2 - Ausführung - aktiver Übungsteil
Der aktive Übungsteil wird durch die spiralen Muskelketten stabilisiert. In dieser Variante wird die LD-B - latissimus dorsi (breiter Rückenmuskel) Muskelkette von der TR-C - trapezius (Kappenmuskel) dominiert.
Vertikale Muskelkette ES - erector spinae entspannt sich durch die reziproke Inhibition.

M. trapezius (Kappenmuskel), M. latissimus dorsi (breiter Rückenmuskel) - Kräftigung, Dehnung

M. erector spinae - wird durch die reziproke Inhibition entspannt und gedehnt

LD - latissimus dorsi und TR - trapezius Muskelketten sind Agonisten im zweiten Übungsteil.

2. Übung - im Stehen seitlich zur Befestigung des Seils, die Beine bleiben in Grundposition.

Das Seil mit einem Arm zur Seite ziehen.

Stabilisation ES

Stabilisation TR, LD

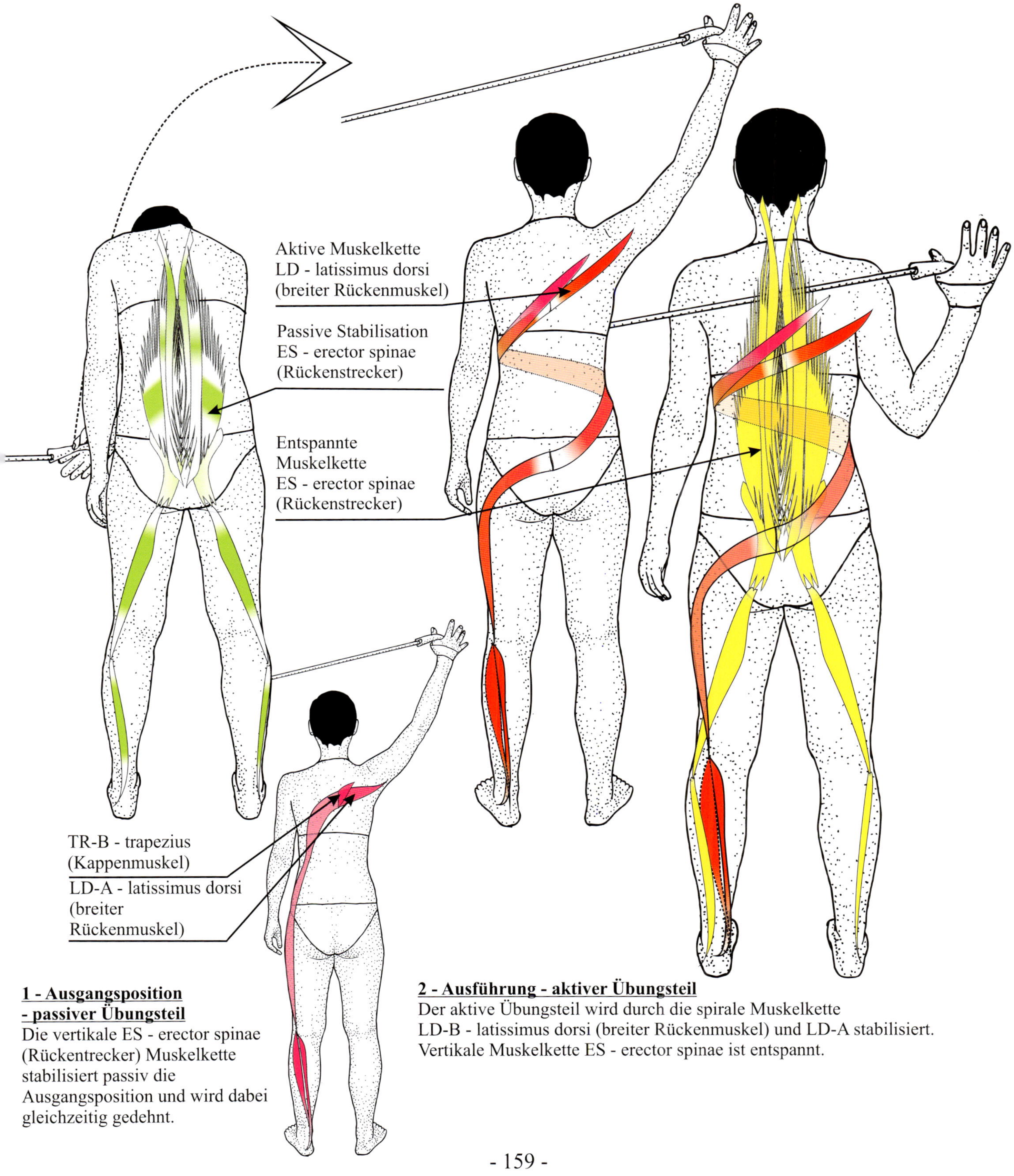

1 - Ausgangsposition - passiver Übungsteil

Die vertikale ES - erector spinae (Rückentrecker) Muskelkette stabilisiert passiv die Ausgangsposition und wird dabei gleichzeitig gedehnt.

2 - Ausführung - aktiver Übungsteil

Der aktive Übungsteil wird durch die spirale Muskelkette LD-B - latissimus dorsi (breiter Rückenmuskel) und LD-A stabilisiert. Vertikale Muskelkette ES - erector spinae ist entspannt.

M. trapezius (Kappenmuskel), **M. latissimus dorsi** (breiter Rückenmuskel) - Kräftigung, Dehnung

1. Übung - im Stehen mit der Stirn zur Befestigung des Seils, die Beine bleiben in Grundposition und das Seil wird mit beiden Armen nach hinten gezogen.

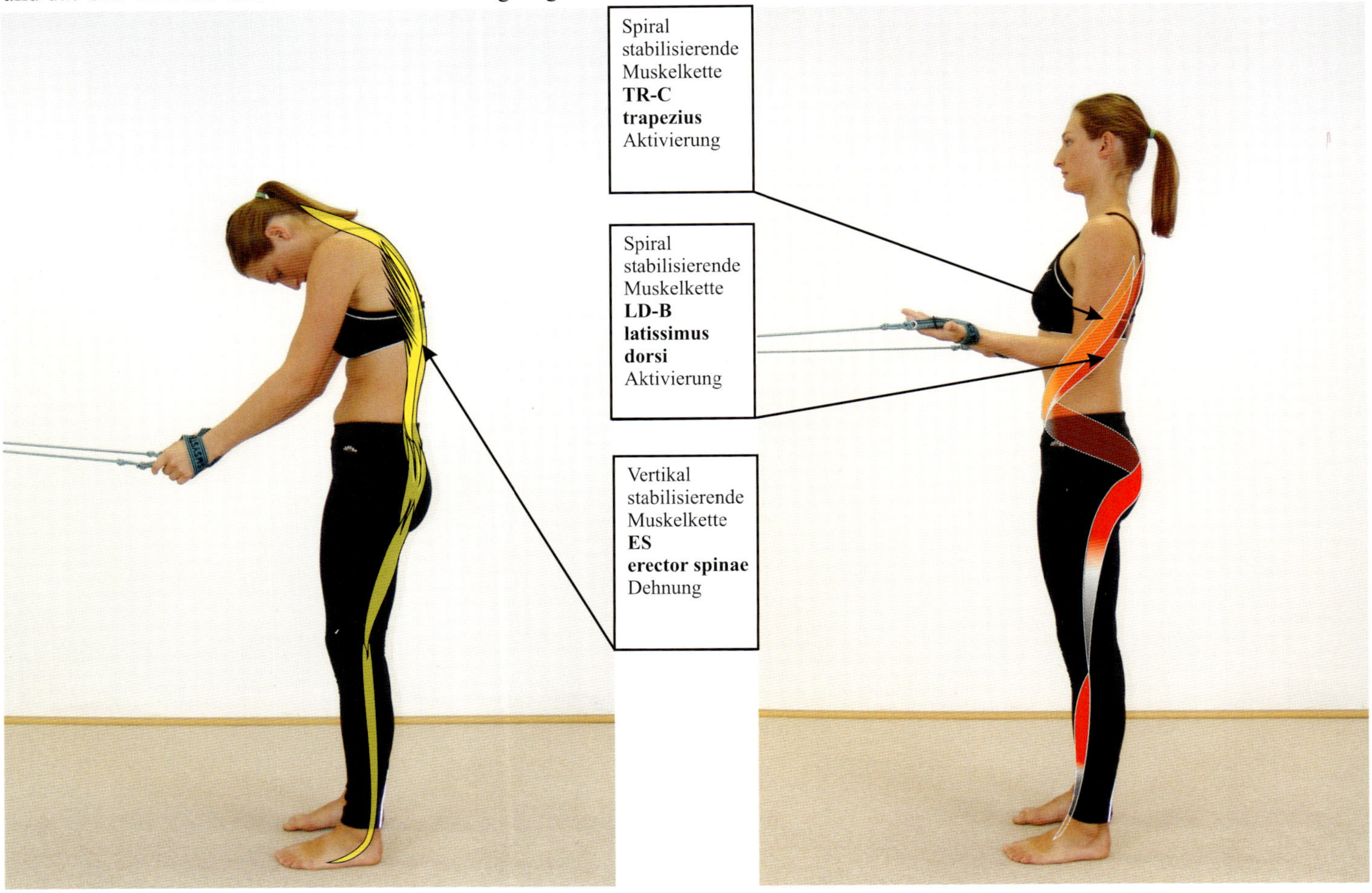

M. trapezius (Kappenmuskel), **M. latissimus dorsi** (breiter Rückenmuskel) - Kräftigung, Dehnung

2. Übung - im Stehen seitlich zur Befestigung des Seils, die Beine bleiben in Grundposition und das Seil wird mit einem Arm zur Seite gezogen.

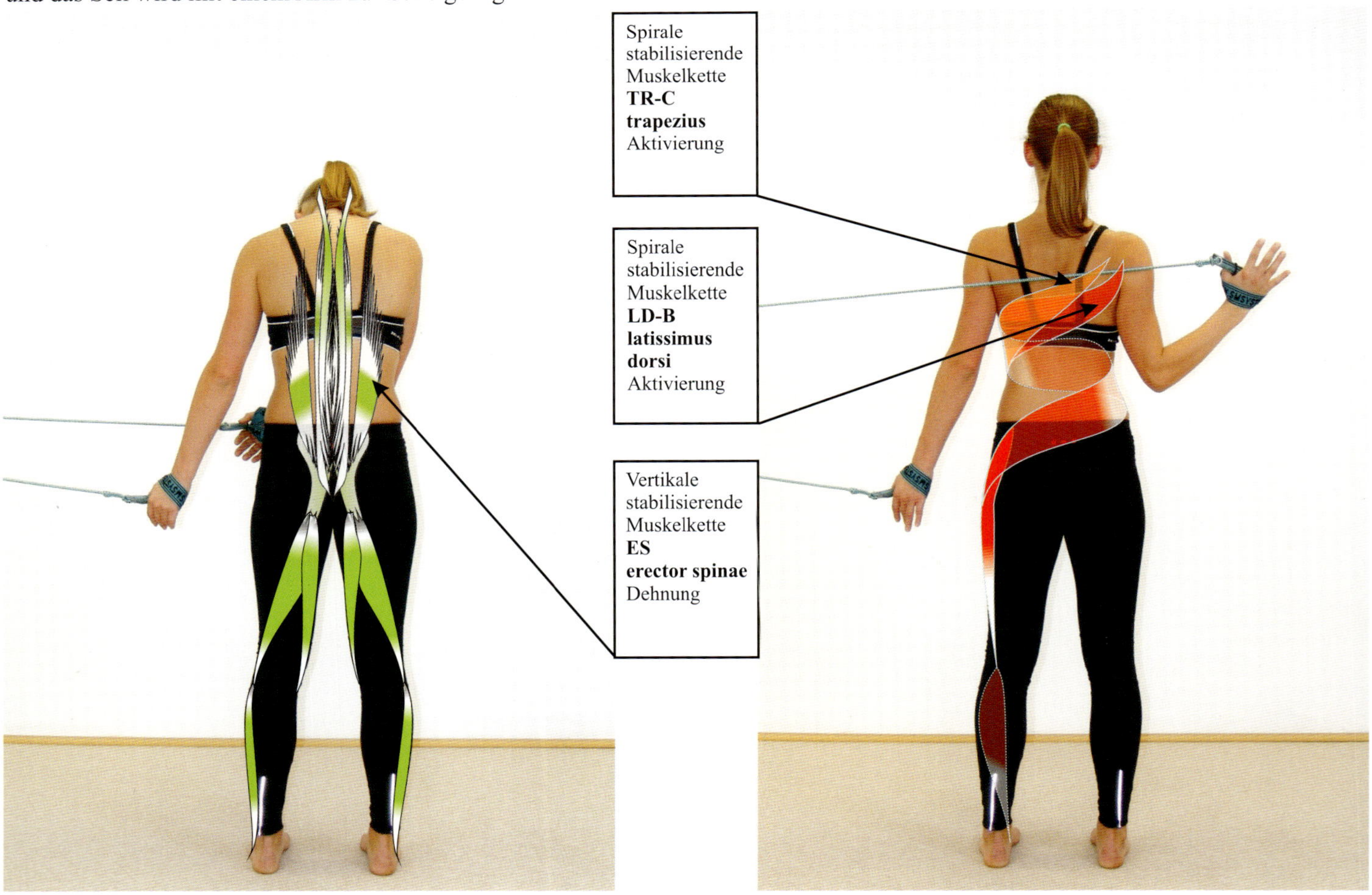

M. trapezius (Kappenmuskel), **M. latissimus dorsi** (breiter Rückenmuskel) - Kräftigung, Dehnung

M. erector spinae - Entspannung durch die reziproke Inhibition, Dehnung

PM - pectoralis major Muskelkette ist Agonist im ersten Übungsteil,
LD - latissimus dorsi und TR - trapezius im zweiten Übungsteil.

3. Übung - im Stehen mit dem Rücken zur Befestigung des Seils, die Beine bleiben in Grundposition.

Die Arme nach hinten öffnen und die Schulterblätter zueinander ziehen.

Stabilisation TR, LD

Stabilisation PM

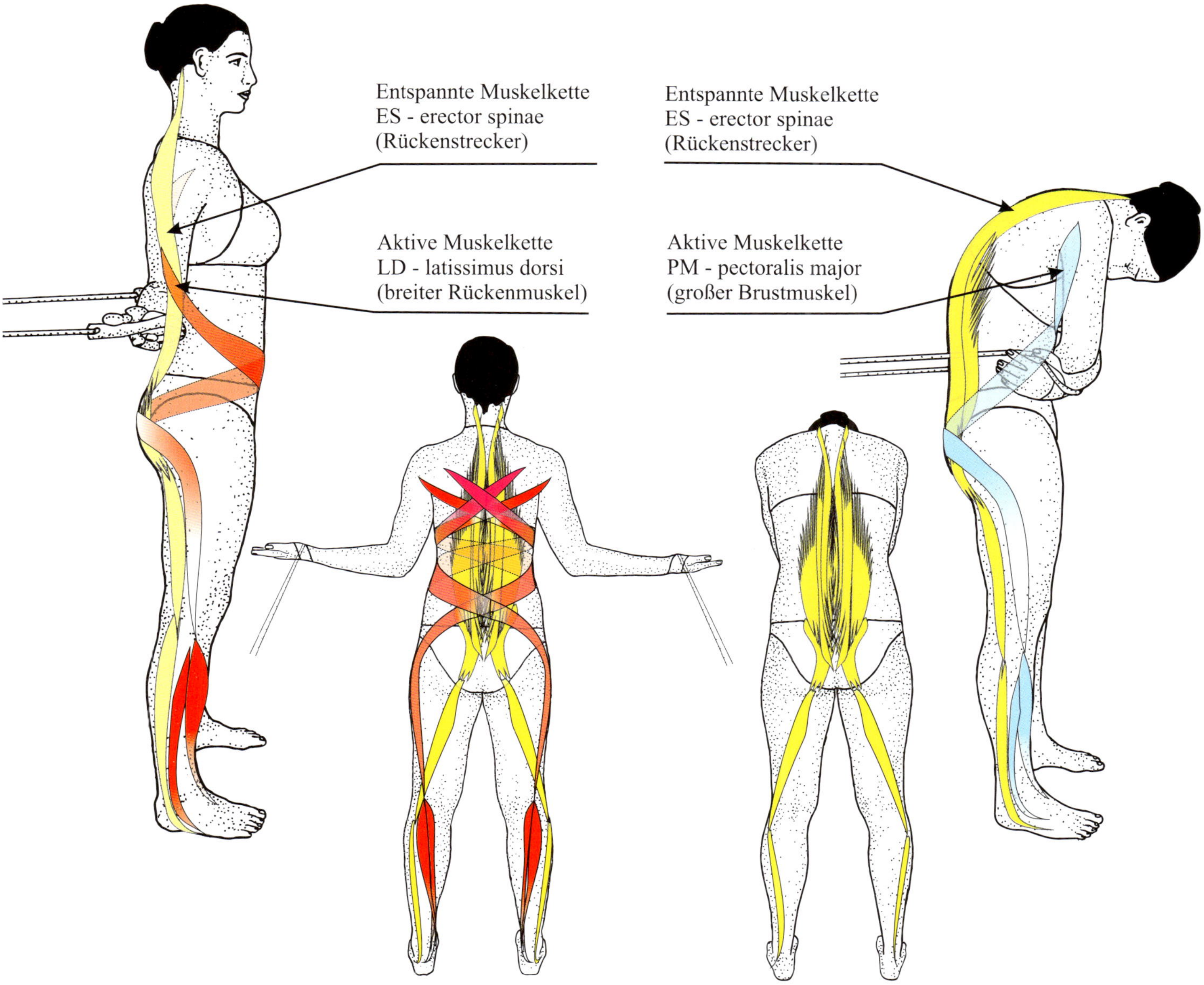

2 - Ausführung - aktiver Übungsteil
Die spirale Muskelkette LD-B - latissimus dorsi (breiter Rückenmuskel) stabilisiert den aktiven Übungsteil
TR-C - trapezius (Kappenmuskel)
vertikale Muskelkette ES - erector spinae ist entspannt.

1 - Ausgangsposition - aktiver Übungsteil
Die spirale Muskelkette PM - pectoralis major (großer Brustmuskel) stabilisiert die Ausgangsposition. Es handelt sich um eine aktive Stabilisation der Wirbelsäule.
Vertikale Muskelkette ES - erector spinae ist entspannt.
Während der Entspannung wird der ES - erector spinae gedehnt über den aktiven Bauch.

M. trapezius (Kappenmuskel), M. latissimus dorsi (breiter Rückenmuskel) - Kräftigung, Dehnung

3. Übung - im Stehen mit dem Rücken zur Befestigung des Seils, die Beine bleiben in Grundposition, die Arme werden nach hinten geöffnet und die Schulterblätter zueinander gezogen.

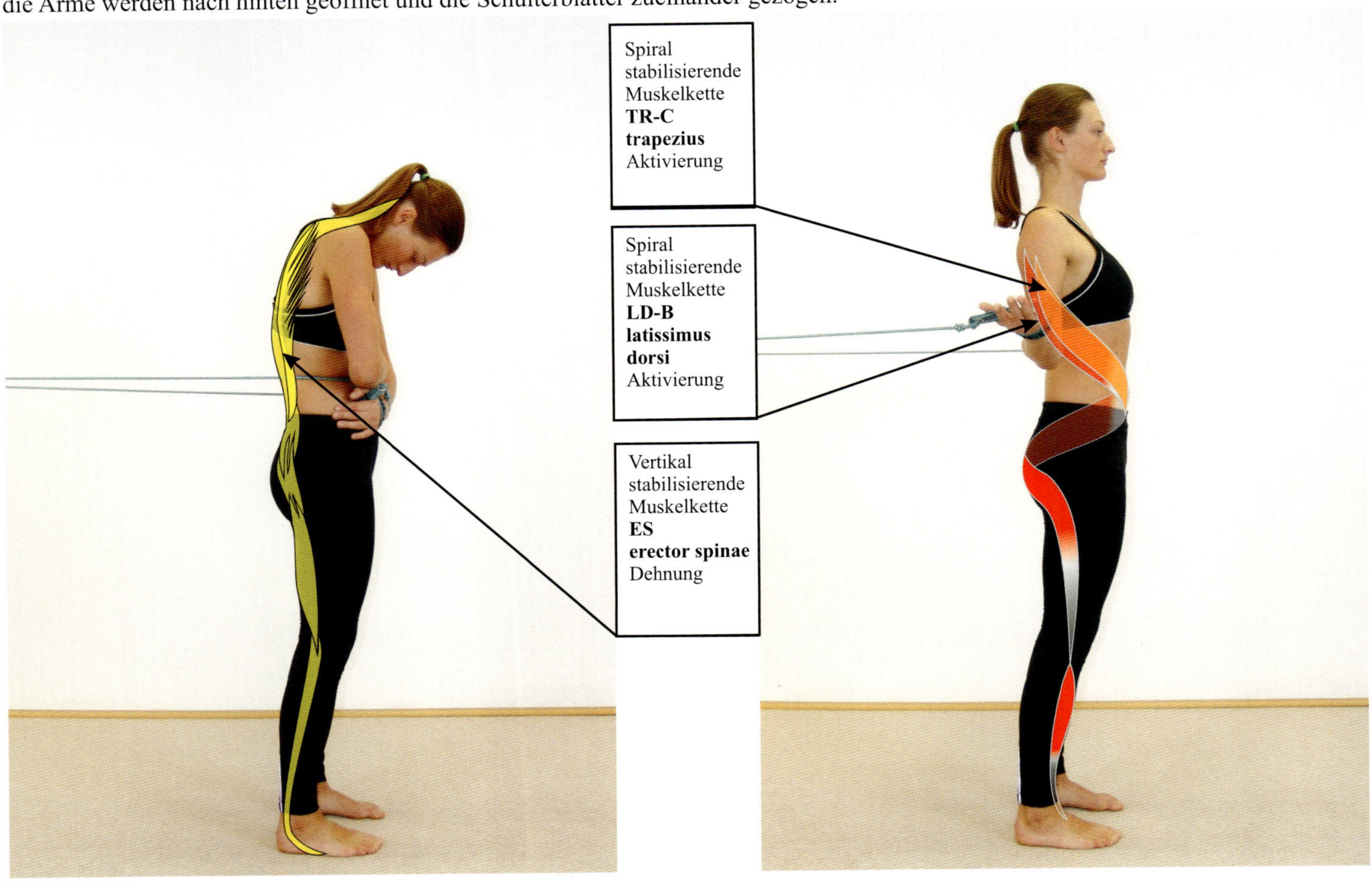

M. trapezius (Kappenmuskel), M. latissimus dorsi (breiter Rückenmuskel) - Kräftigung, Dehnung

11. Übung - im Stehen zur Befestigung des Seils, kreuzweise ausgeführtes Bewegungsmuster, Extension des Arms im Schultergürtel und Extension des gegenüberliegenden Beins im Beckengürtel.

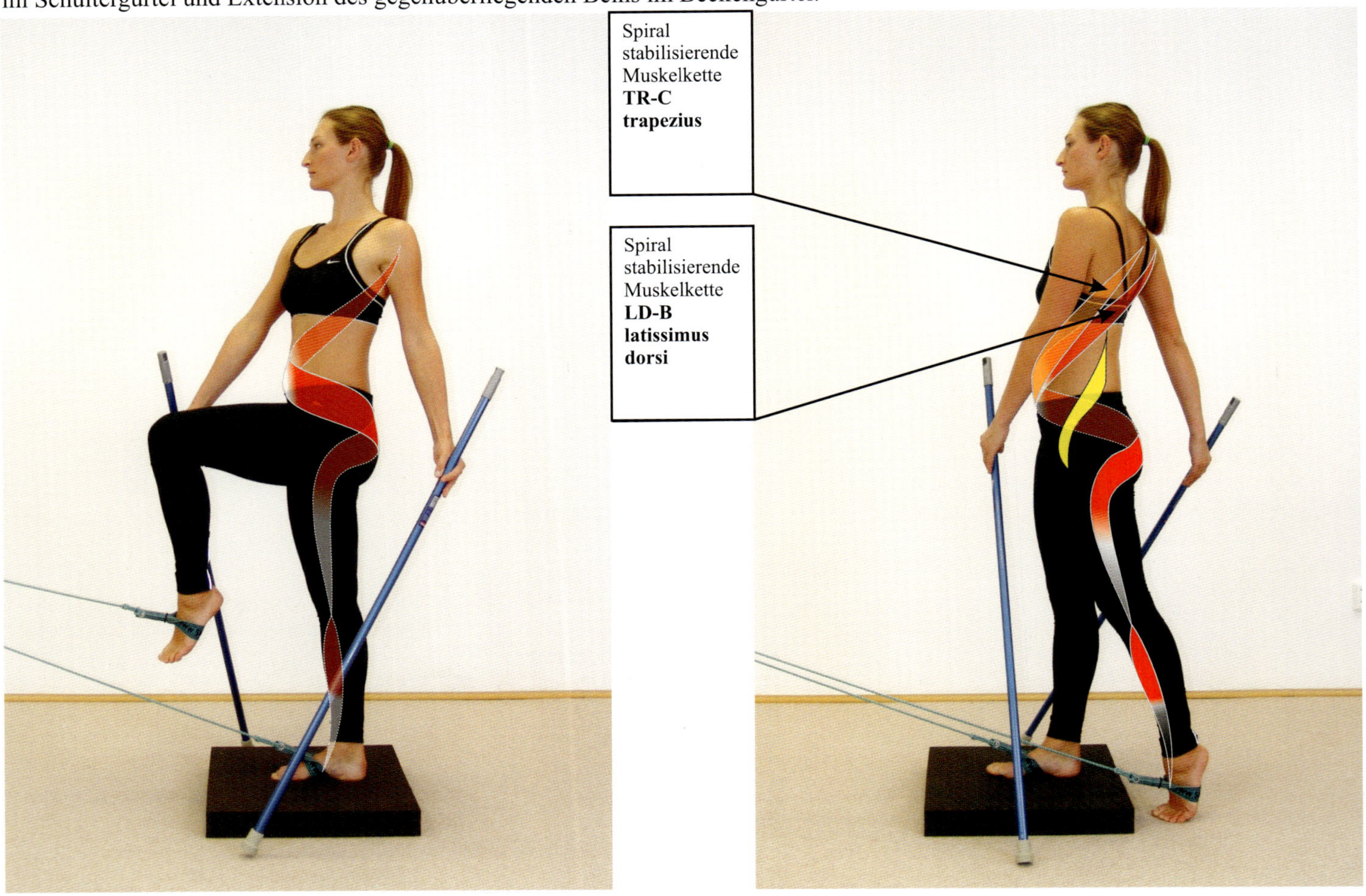

M. trapezius (Kappenmuskel), **M. latissimus dorsi** (breiter Rückenmuskel) - Kräftigung, Dehnung

M. erector spinae - Entspannung durch die reziproke Inhibition, Dehnung

LD - latissimus dorsi und TR - trapezius Muskelketten sind Agonisten im zweiten Übungsteil.

7. Übung - im Stehen mit der Stirn zur Befestigung des Seils, ein Bein ruht vorn auf dem Step.

Das Seil mit einem Arm nach hinten ziehen, Rotation des Rumpfs.

Stabilisation ES

Stabilisation TR, LD

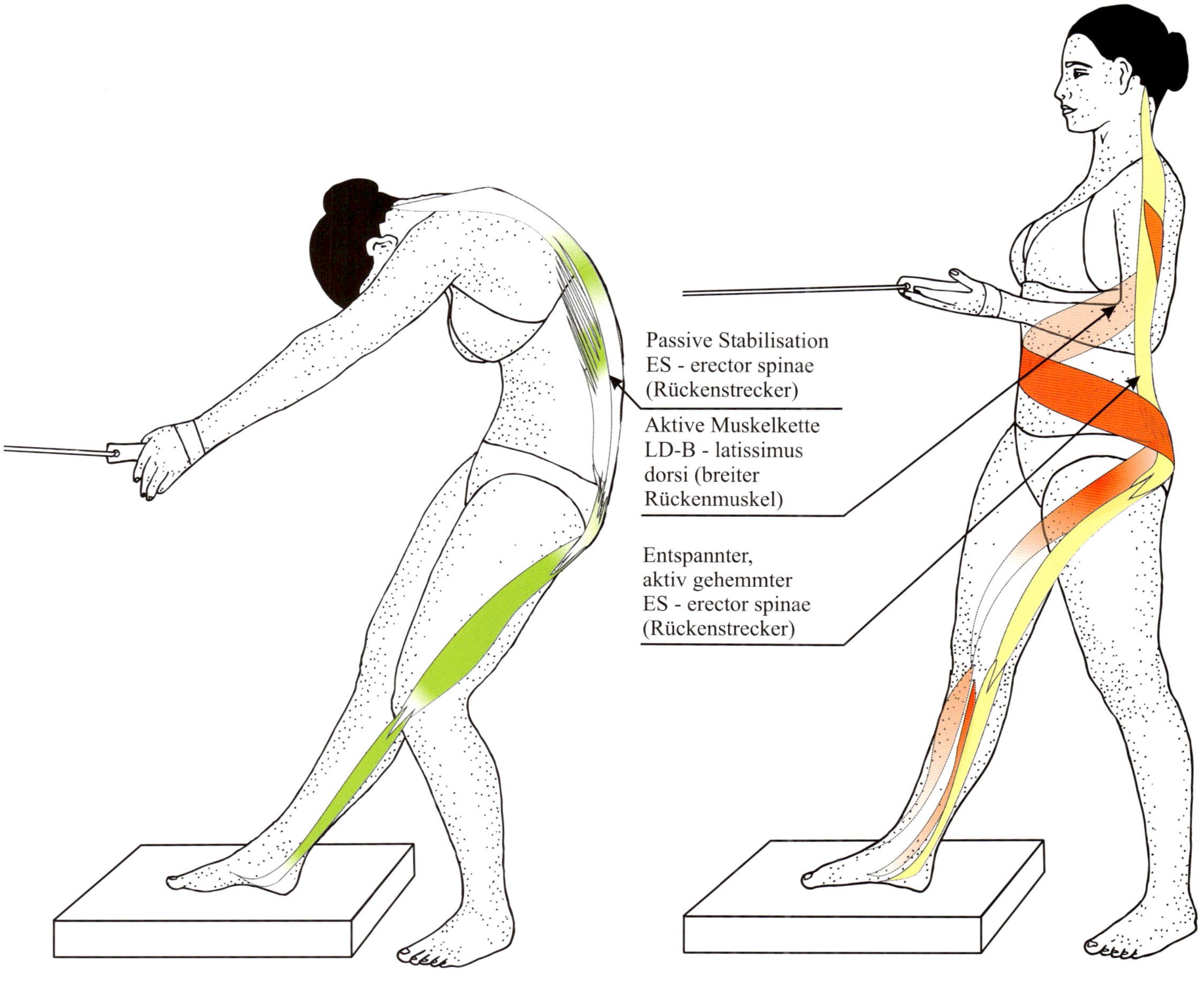

1 - Ausgangsposition - aktiver Übungsteil

Die vertikale Muskelkette ES - erector spinae (Rückenstrecker), stabilisiert passiv die Ausgangsposition und wird dabei gleichzeitig gedehnt.

2 - Ausführung - aktiver Übungsteil

Die spirale Muskelkette LD-B - latissimus dorsi (breiter Rückenmuskel) stabilisiert den aktiven Übungsteil.
Die vertikale Muskelkette ES - erector spinae ist entspannt.

Am Ende der Arm- und Schulterblattbewegung nach hinten, folgt die Rotation des Rumpfs und dies führt zur deutlichen Aktivierung der Rotatoren der Wirbelsäule.

- Mm. rotatores breves, longi (kurze und lange Drehmuskeln)
- Mm. semispinales (Halbdornmuskeln)
- Mm. multifidi (vielgeteilte Muskeln)
- Mm. levatores costarum (Rippenheber)

M. trapezius (Kappenmuskel), **M. latissimus dorsi** (breiter Rückenmuskel) - Kräftigung, Dehnung

M. erector spinae - Entspannung durch die reziproke Inhibition, Dehnung

LD - latissimus dorsi und TR - trapezius Muskelketten sind Agonisten im zweiten Übungsteil.

8. Übung - im Stehen seitlich zur Befestigung des Seils, ein Bein ruht vorn auf dem Step.

Das Seil mit einem Arm zur Seite ziehen, Rotation des Rumpfs.

Stabilisation ES

Stabilisation TR, LD

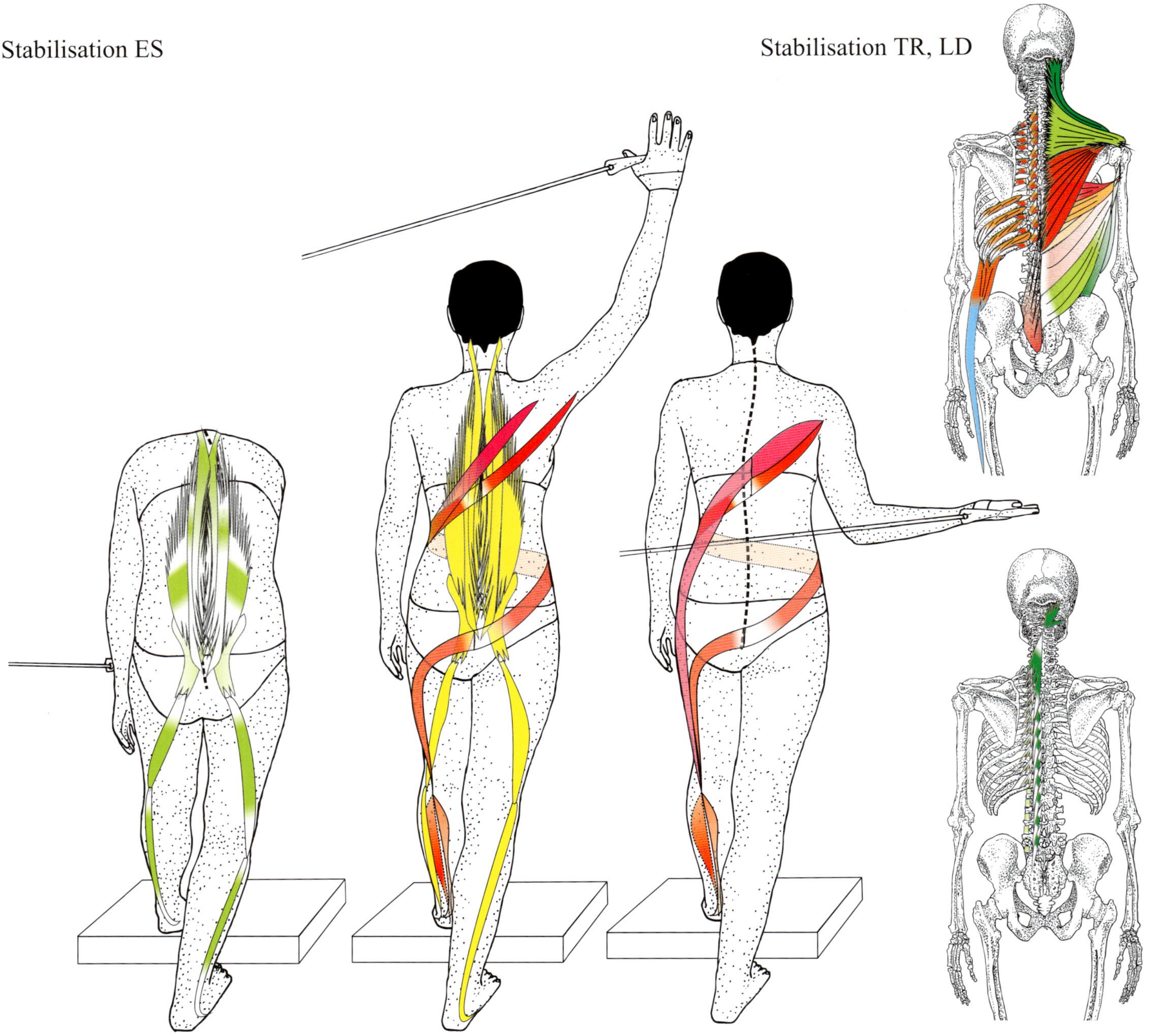

1 - Ausgangsposition - aktiver Übungsteil
Die vertikale ES - erector spinae (Rückenstrecker) Muskelkette stabilisiert passiv die Ausgangsposition und wird dabei gleichzeitig gedehnt.

2 - Ausführung - aktiver Übungsteil
Die spirale Muskelkette LD-B - latissimus dorsi (breiter Rückenmuskel) stabilisiert den aktiven Übungsteil.
Die vertikale Muskelkette ES - erector spinae ist entspannt.

Am Ende der Arm- und Schulterblattbewegungen nach hinten, folgt die Rotation des Rumpfs und dies führt zur deutlichen Aktivierung der Rotatoren der Wirbelsäule.

- Mm. rotatores breves, longi (kurze und lange Drehmuskeln)
- Mm. semispinales (Halbdornmuskeln)
- Mm. multifidi (vielgeteilte Muskeln)
- Mm. levatores costarum (Rippenheber)

M. trapezius (Kappenmuskel), **M. latissimus dorsi** (breiter Rückenmuskel) - Kräftigung, Dehnung

7. Übung - im Stehen mit der Stirn zur Befestigung des Seils, ein Bein ruht vorn auf dem Step, ein Arm zieht das Seil nach hinten und der Rumpf rotiert.

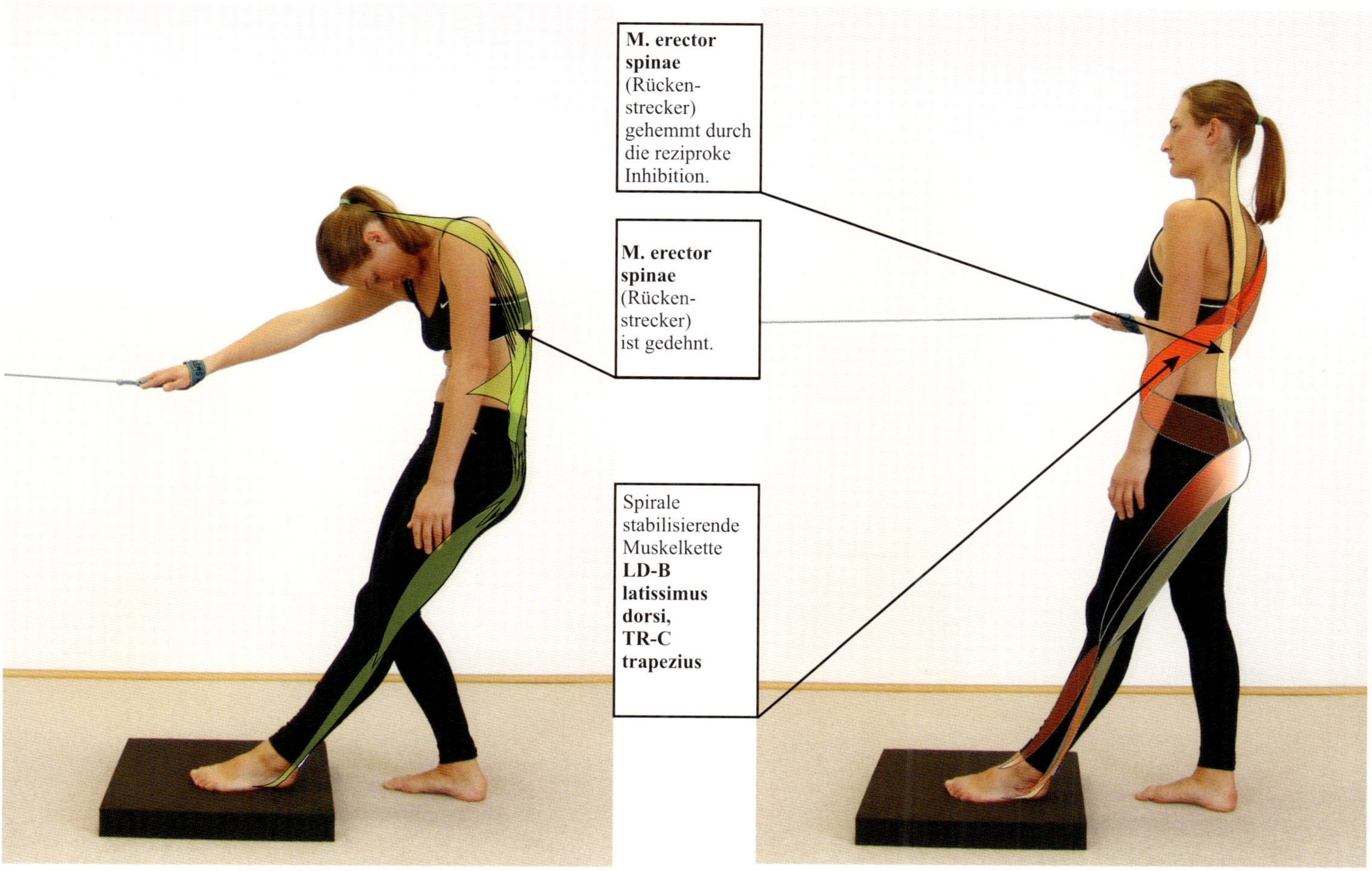

M. trapezius (Kappenmuskel), **M. latissimus dorsi** (breiter Rückenmuskel) - Kräftigung, Dehnung

8. Übung - im Stehen seitlich zur Befestigung des Seils, ein Bein ruht vorn auf dem Step, ein Arm zieht das Seil zur Seite und der Rumpf rotiert.

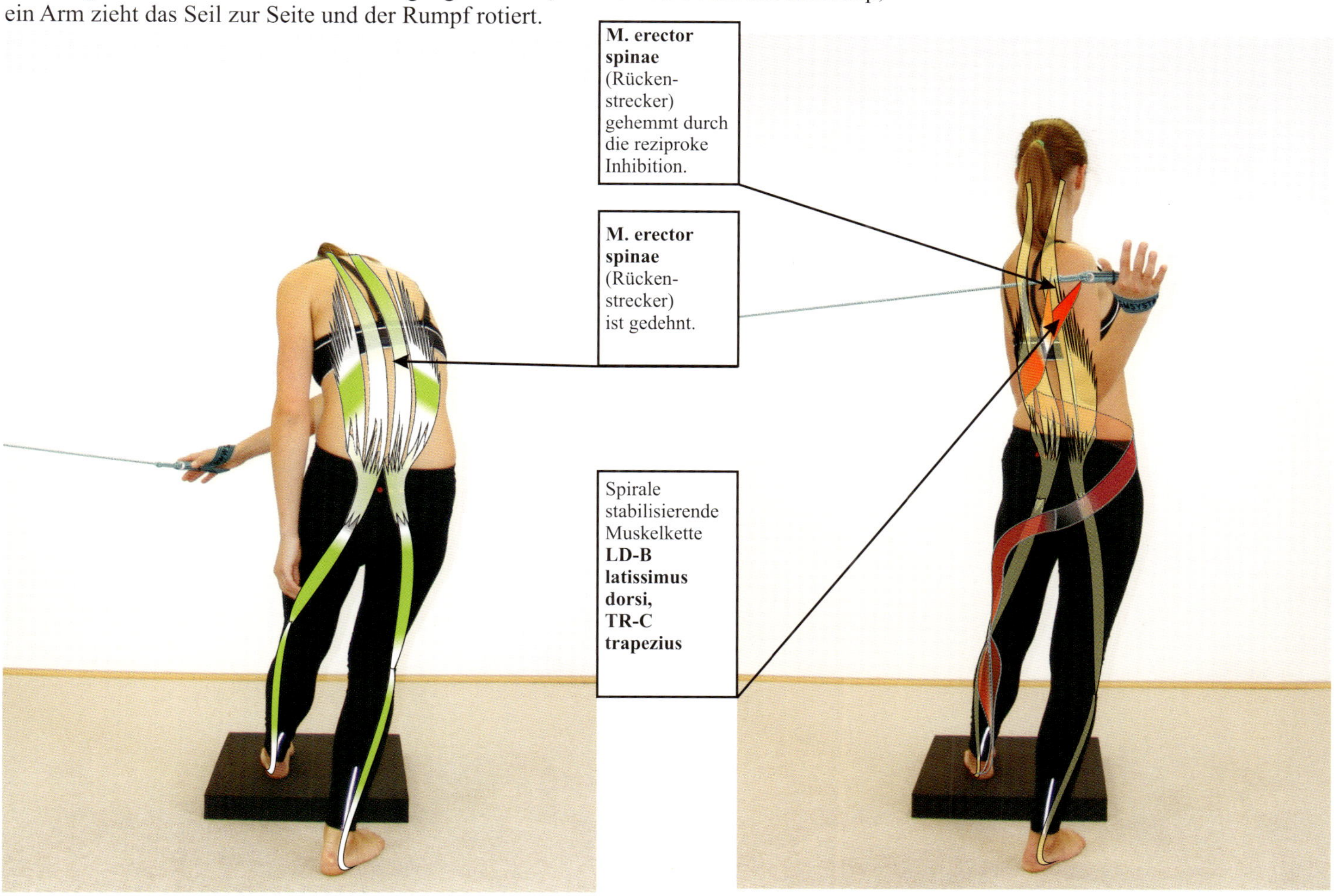

MANUELLE TECHNIKEN UND ÜBUNGEN NACH DER MUSKELANALYSE

Schultergürtel, seitliche Muskelgruppe

Muskeln, die zur Abschwächung neigen:

M. serratus anterior (vorderer Sägemuskel)
M. rhomboideus minor, major (kleiner, großer Rautenmuskel)

M. serratus anterior (vorderer Sägemuskel)

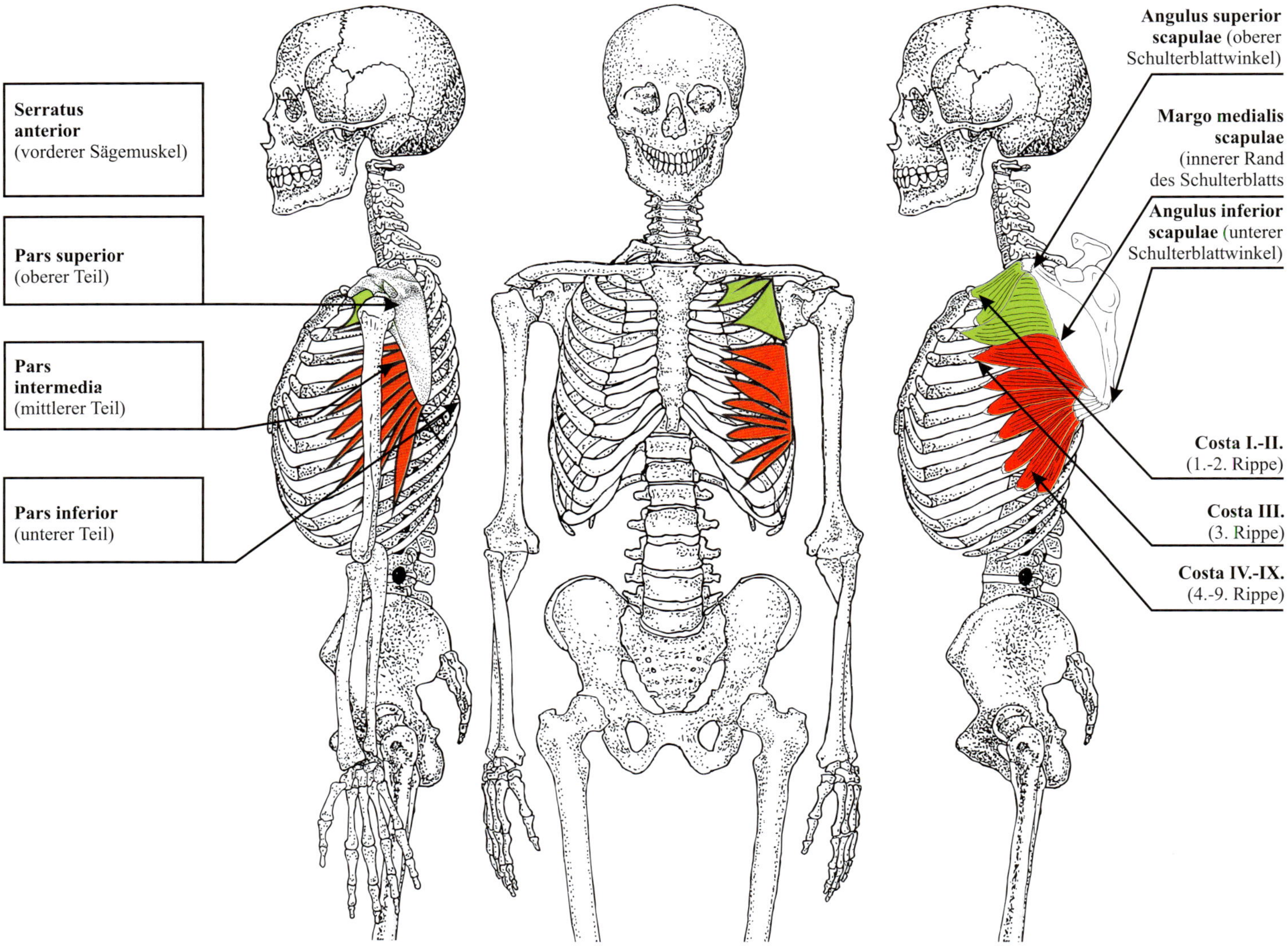

M. serratus anterior (vorderer Sägemuskel)

Ursprung: **- pars superior**

- 1. - 2. Rippe

- pars intermedia

- 3. Rippe

- pars inferior

- 4. - 9. Rippe

Ansatz: scapula

- pars superior

- angulus superior

- pars intermedia

- margo medialis

- pars inferior

- angulus inferior

Funktion:

- der Muskel serratus anterior zieht die Scapula lateral und ventral (gesamter Muskel)
- bei fixiertem Schultergürtel unterstützt der Muskel als Atemhilfsmuskel die Inspiration
- pars inferior:
  - erleichtert die Rotation der Scapula, die Drehung des angulus inferior lateral und ventral und ermöglicht die Elevation des Arms über 90°
- pars superior:
  - Rückführung des elevierten Arms (arbeitet antagonistisch gegen pars inferior)

Innervation:

- N. thoracicus longus (C5-7)

Muskel mit Tendenz zur **inneren Muskeldysbalance.**

Muskelfasern mit Tendenz zur **Abschwächung** müssen **gekräftigt** werden.

Muskelfasern mit Tendenz zur **Anspannung** und zur **Verkürzung** müssen **entspannt** und **gedehnt** werden.

Der spirale Teil des M. serratus anterior hat Tendenz zur Abschwächung.

M. serratus anterior (vorderer Sägemuskel)
der Muskel mit innerer Muskeldysbalance

- pars superior
hat Tendenz zur Anspannung und zur Verkürzung

- pars intermedia
hat Tendenz zur Abschwächung

- pars inferior
hat Tendenz zur Abschwächung

Spirale Muskelkette **SA - serratus anterior** (vorderer Sägemuskel)

Die Muskelkette SA wird durch die Bewegung des Schulterblatts nach vorn aktiviert - Flexion.

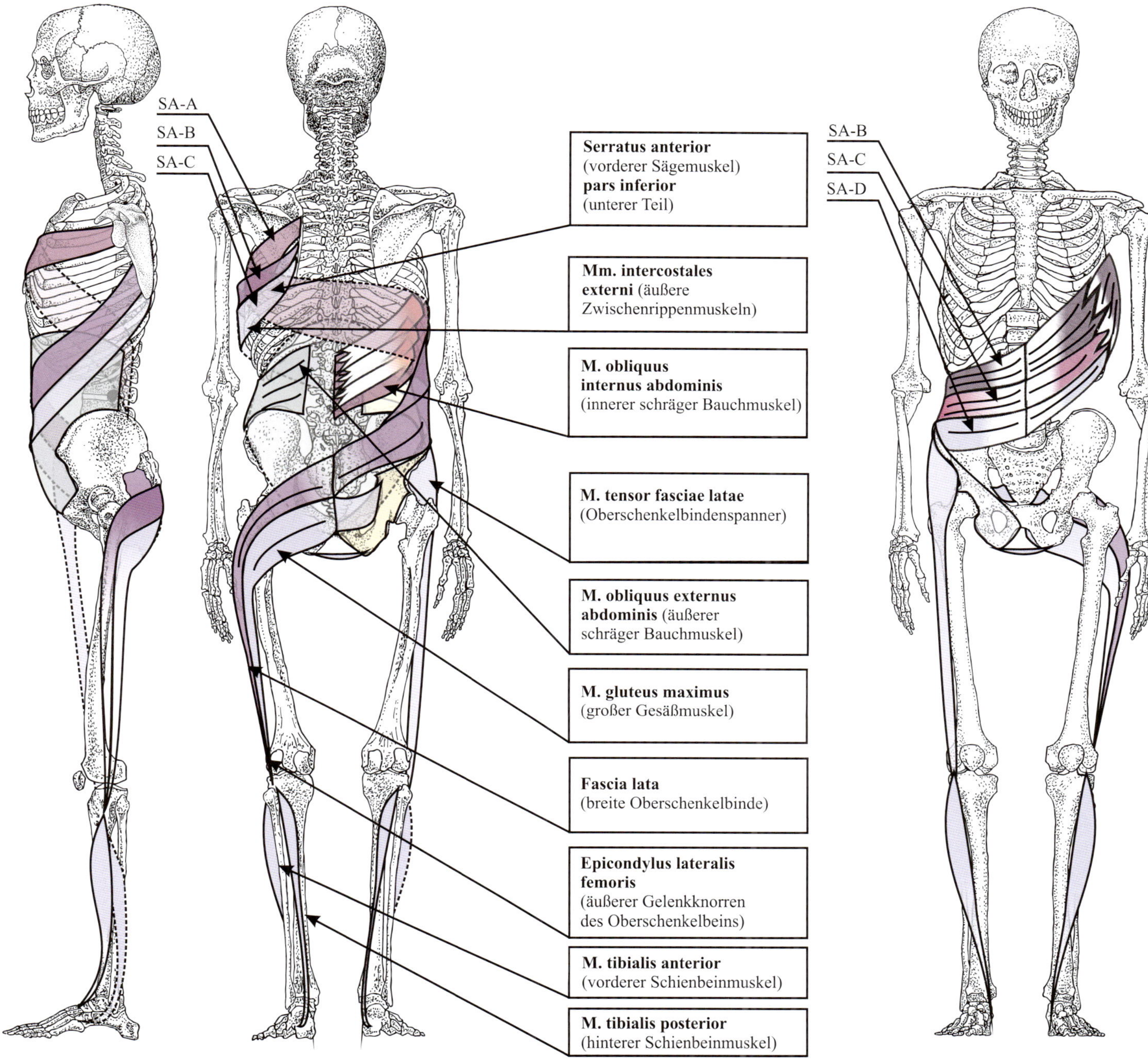

M. rhomboideus minor, major (kleiner, großer Rautenmuskel)

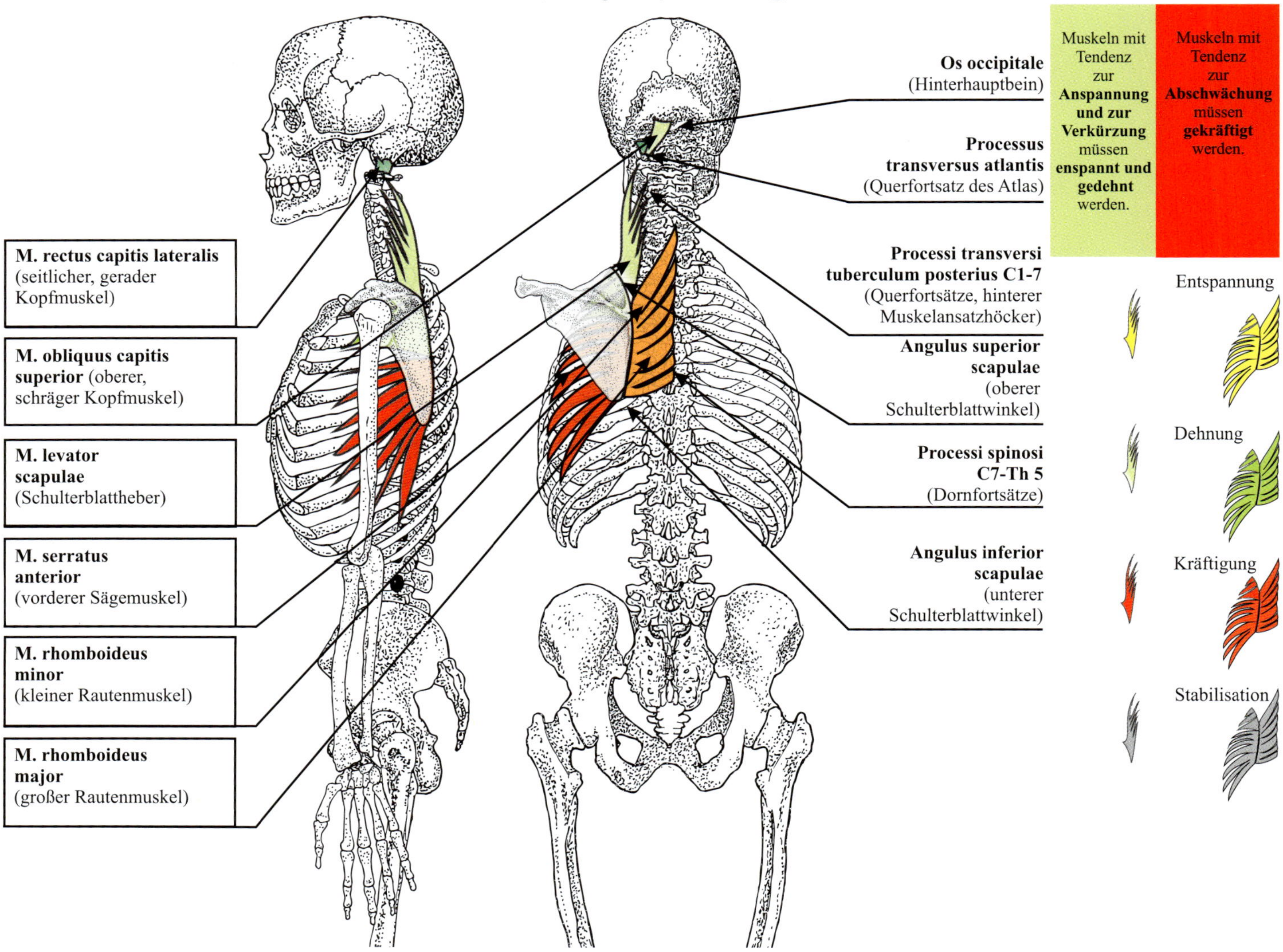

M. rhomboideus minor (kleiner Rautenmuskel)

Ursprung:
- processi spinosi C6-7

Ansatz:
- margo medialis scapulae, oberhalb der spina scapulae

Funktion:
- untere Fixation des Schulterblatts
- hebt das Schulterblatt nach kraniomedial (nach oben und zur Mitte)

Innervation:
- n. dorsalis scapulae C4-5

M. rhomboideus major (großer Rautenmuskel)

Ursprung:
- processi spinosi Th1-4

Ansatz:
- margo medialis scapulae, unterhalb der spina scapulae

Funktion:
- untere Fixation des Schulterblatts
- hebt das Schulterblatt bei Kontraktion nach kraniomedial (nach oben und zur Mitte)

Innervation:
- N. dorsalis scapulae C4-5

M. levator scapulae (Schulterblattheber)

Ursprung:
- processi transversi C1-4

Ansatz:
- angulus superior scapulae

Funktion:
- hebt das Schulterblatt bei Kontraktion nach kraniomedial (nach oben und zur Mitte)
- bei fixiertem Schulterblatt neigt er den Hals zur selben (ipsilateralen) Seite.

Innervation:
- N. dorsalis scapulae C4-5

M. rectus capitis lateralis (gerader seitlicher Kopfmuskel)

Ursprung:
- processus transversus atlantis

Ansatz:
- os occipitale, pars basilaris, lateral von condyli occipitales

Funktion:
- Lateralflexion im Atlantookzipitalgelenk - einseitig
- Ventralflexion im Atlantookzipitalgelenk - beidseitig
- verbindet den M. levator scapulae und M. scalenus anterior in Richtung Kopf

Innervation:
- ramus ventralis C1

M. serratus anterior (vorderer Sägemuskel) - Massage, Entspannung und passive Dehnung

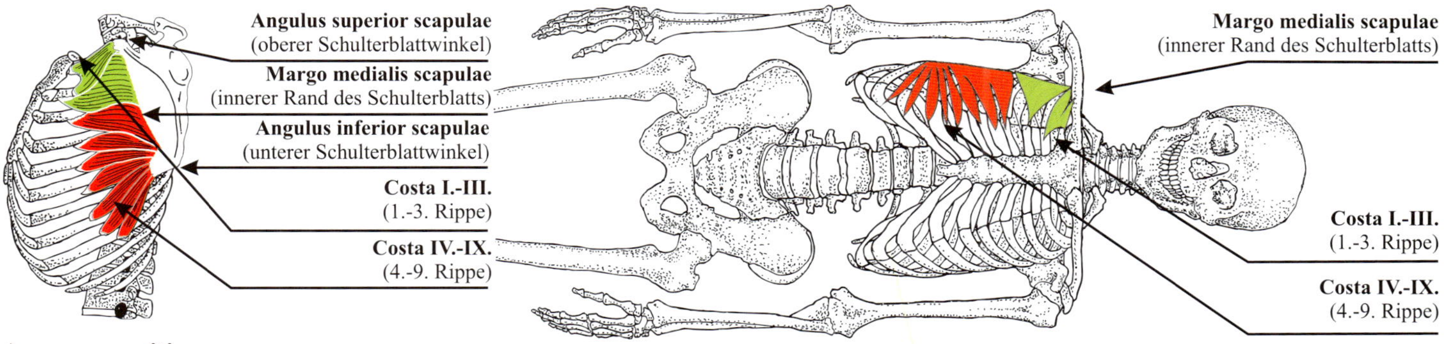

Ausgangsposition

Der Therapeut kniet hinter dem Patienten und mit seinem rechten Bein stabilisiert er den Rumpf des Patienten - punctum fixum. Die Handfläche der rechten Hand des Therapeuten liegt auf der Schulter des Patienten und die Finger sind dorsal (nach hinten gerichtet). Die Handfläche der linken Hand des Therapeuten drückt von hinten gegen das Schulterblatt. Der Patient atmet ein.

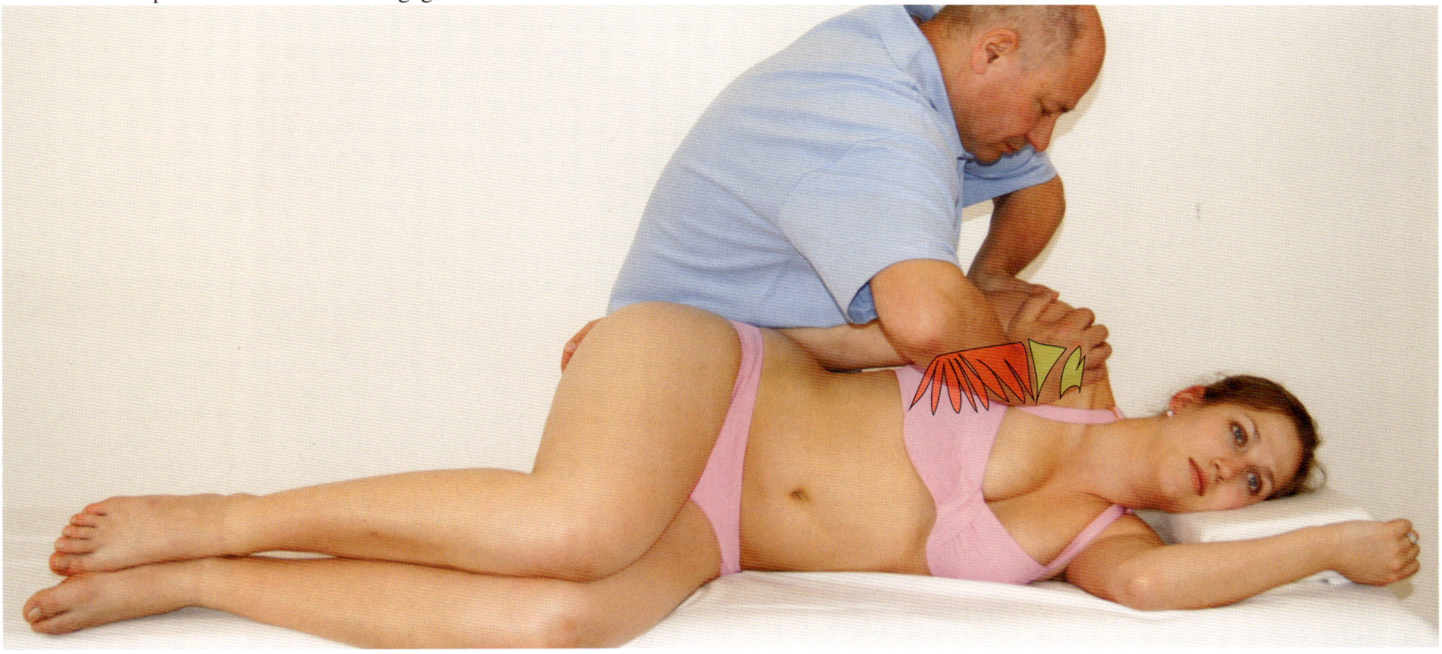

Ausführung

Der Therapeut verlagert sein Körpergewicht auf die rechte Hand, schiebt die Schulter und das Schulterblatt des Patienten dorsal (nach hinten) - punctum mobile. Mit Hilfe dieser Technik können außer dem M. serratus anterior auch andere Muskeln an der vorderen Seite des Schultergürtels vollumfänglich gedehnt werden. Dies führt auch zur Massage des M. serratus anterior und des M. subscapularis. Die Dehnung wird kurz unterbrochen, die Muskeln werden gelockert und der Patient sollte jetzt langsam ausatmen. Wir warten ca. 3 sec. und wiederholen die Dehnung 6x hintereinander.

PIR - Das Auseinanderziehen wird fortgesetzt. Durch das Einatmen des Patienten entsteht ein Gegendruck und beim Ausatmen erreichen wir die Entspannung und eine weitere Dehnung. Diese Technik hilft gleichzeitig dem Patienten, den richtigen Bewegungsumfang des Schulterblatts nach hinten beim Üben zu erzielen. Sie wird 3x wiederholt und auf die gleiche Weise in Richtung 3., 4. und 5. Rippe ausgeführt.

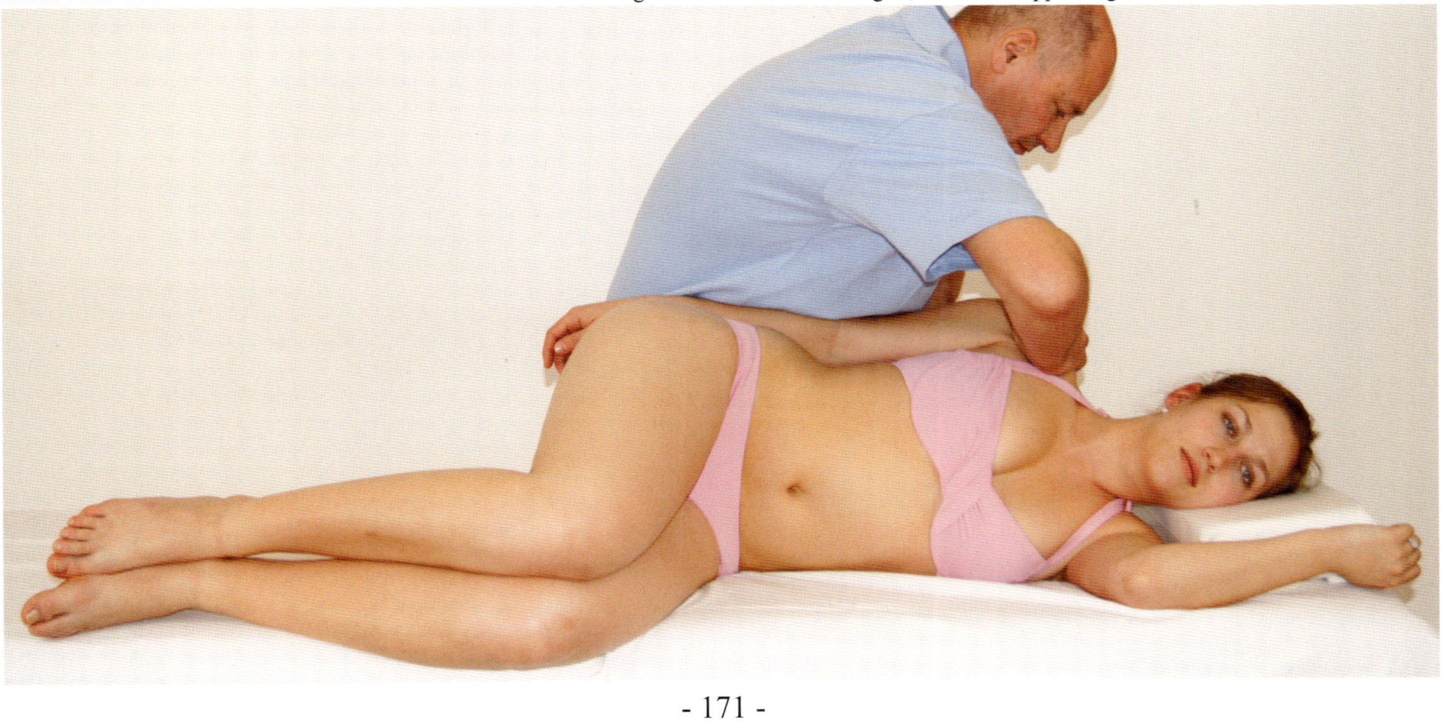

M. serratus anterior (vorderer Sägemuskel) - Massage, Entspannung und passive Dehnung

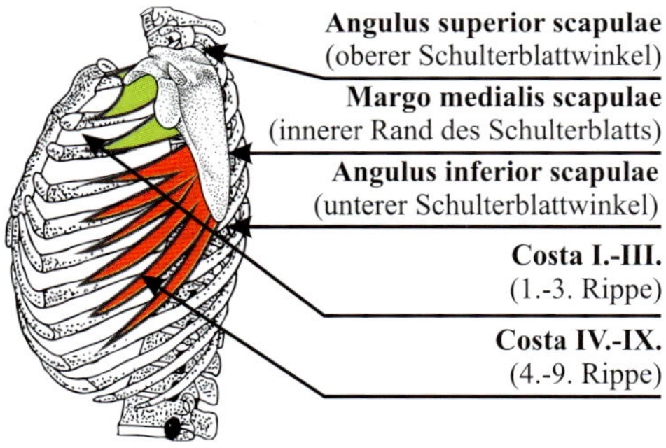

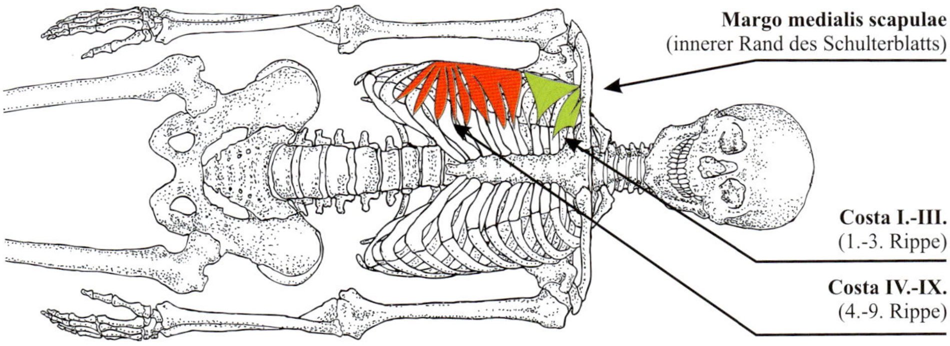

Ausgangsposition

Der Therapeut kniet hinter dem Patienten und mit seinem rechten Bein stabilisiert er den Rumpf des Patienten - punctum fixum. Die Handfläche der rechten Hand des Therapeuten liegt auf der Schulter des Patienten, die Finger sind nach unten gerichtet und der Ellenbogen in Richtung Kopf hochgehoben. Die Handinnenfläche der linken Hand sowie die Finger drücken gegen das Schulterblatt von hinten. Der Patient atmet ein.

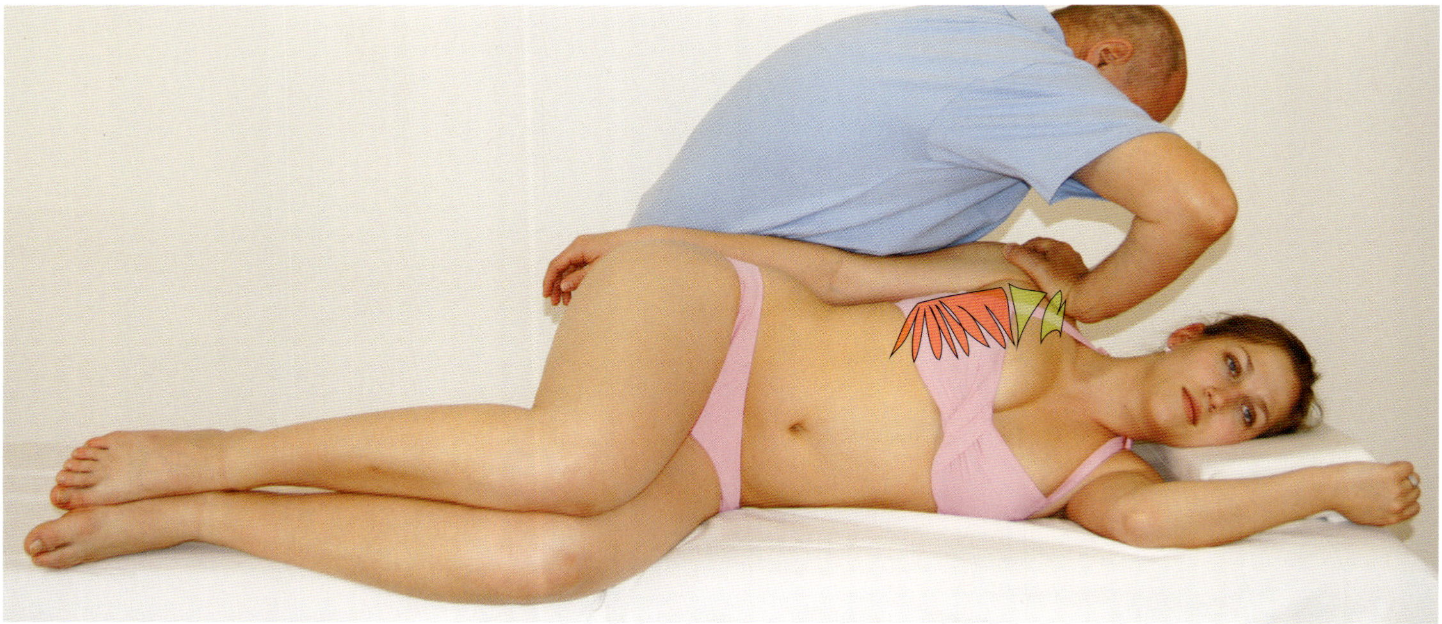

Ausführung

Der Therapeut verlagert sein Körpergewicht auf die rechte Hand, schiebt und das Schulterblatt des Patienten kaudal (nach unten) - punctum mobile, drückt sie mit der linken Hand zum Rumpf und damit dehnt er den oberen Teil des M. serratus anterior, der an der 1. - 3. Rippe entspringt. Der obere Teil des M. serratus anterior, hat eine ausgeprägte Tendenz zur Anspannung und zur Verkürzung und muss deshalb gedehnt werden. Die Dehnung wird kurz unterbrochen, die Muskeln werden gelockert und der Patient sollte jetzt langsam ausatmen. Wir warten ca. 3 sec. und wiederholen die Dehnung 6x hintereinander.

PIR. Das Auseinanderziehen wird fortgesetzt. Durch das Einatmen des Patienten entsteht ein Gegendruck und somit erreichen wir beim Ausatmen eine weitere Dehnung. Diese Technik hilft gleichzeitig dem Patienten, den richtigen Bewegungsumfang des Schulterblatts nach hinten beim Üben zu erzielen. Sie wird 3x wiederholt und auf die gleiche Weise in Richtung 3., 4. und 5. Rippe ausgeführt. Mit Hilfe dieser Technik können außer dem M. serratus anterior auch andere Muskeln an der vorderen Seite des Schultergürtels vollumfänglich gedehnt werden. Gleichzeitig wir dem Patienten geholfen, den richtigen Bewegungsumfang des Schulterblatts nach hinten beim Üben zu erzielen. Die Technik kann auf einmal ausgeführt werden. Wir fangen mit der Bewegung des Schulterblatts nach hinten an und fügen die Bewegung nach unten hinzu.

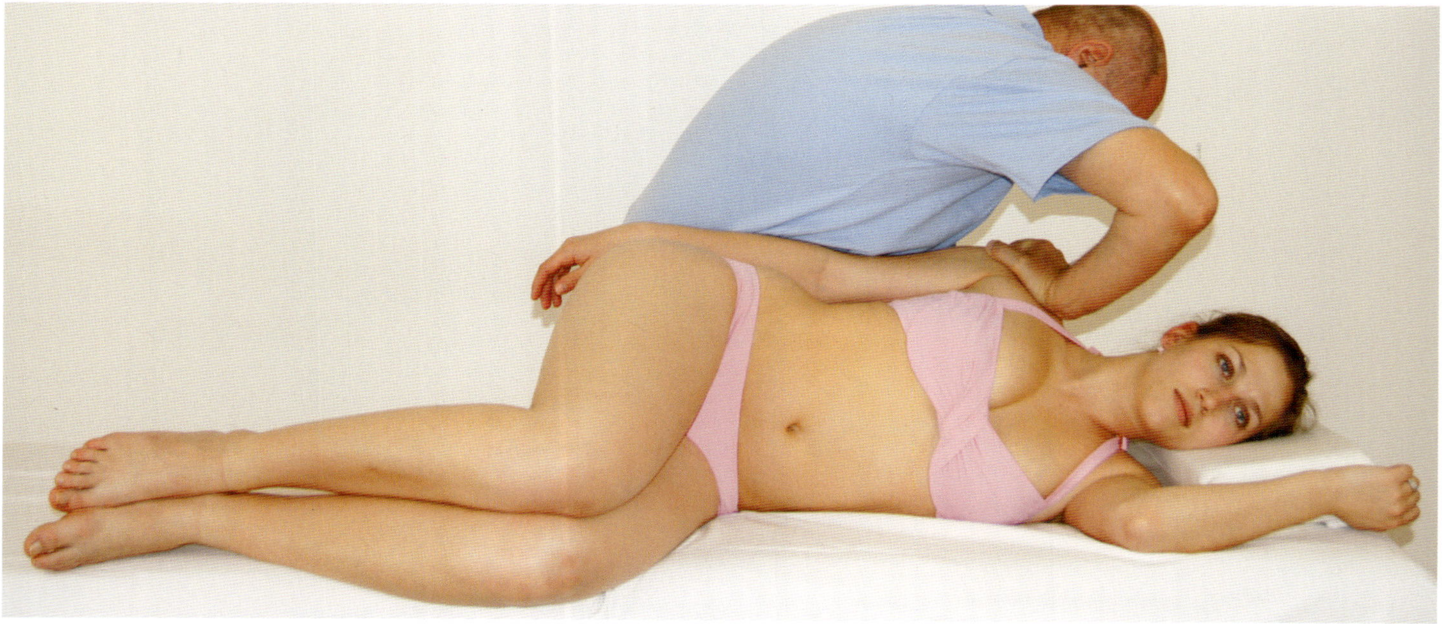

M. serratus anterior (vorderer Sägemuskel, oberer Teil) - aktive Entspannung, Dehnung

3. Übung - im Sitzen, mit dem Rücken zur Befestigung des Seils, die Arme werden nach hinten geöffnet und die Schulterblätter zueinander gezogen. Diese Technik führt der Therapeut mit Hilfe von Massagen und Korrekturen aus.

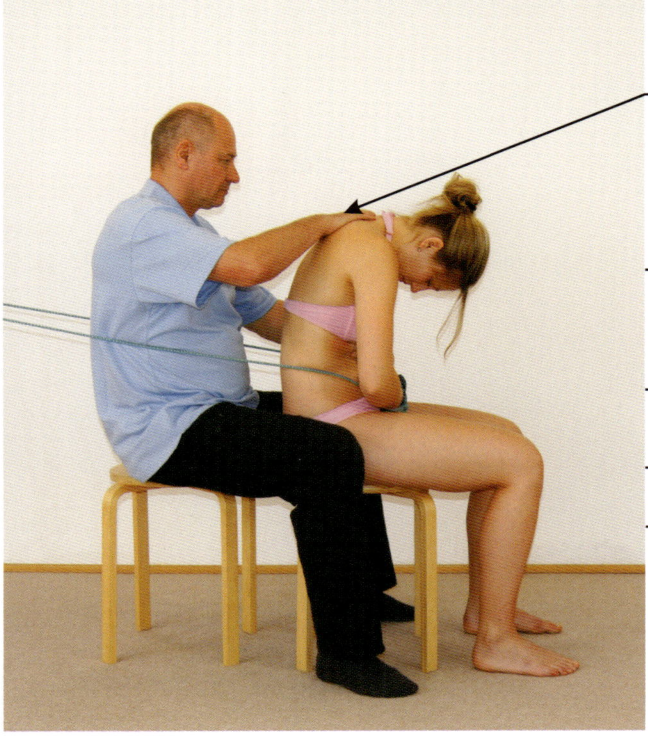

Der Rücken wird im langgezogenen Bogen gedehnt.

Die Schulter und das Schulterblatt werden nach hinten gezogen und der M. serratus anterior gedehnt.

Die gesamte Rumpffläche des Patienten wird von hinten stabilisiert.

Stabilisation des Ellenbogens.

Stabilisation der unteren Rippen

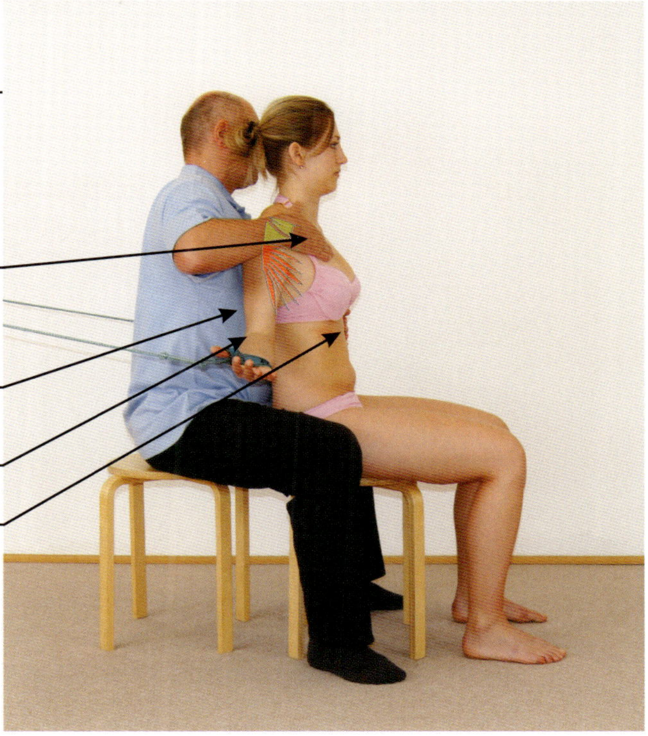

M. serratus anterior (vorderer Sägemuskel, oberer Teil) - aktive Entspannung, Dehnung

3. Übung - im Sitzen, mit dem Rücken zur Befestigung des Seils, die Arme werden nach hinten geöffnet und die Schulterblätter zueinander gezogen. Diese Technik führt der Therapeut mit Hilfe von Massagen und Korrekturen aus.

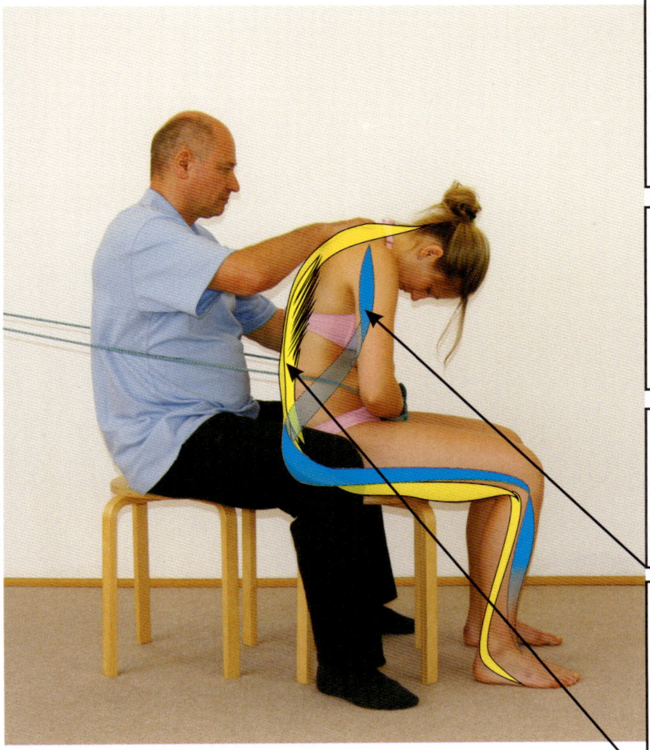

M. serratus anterior (vorderer Sägemuskel) wird durch die reziproke Inhibition gehemmt und gedehnt.

Spirale stabilisierende Muskelkette **LD-B latissimus dorsi, TR-C trapezius**

Spirale stabilisierende Muskelkette **PM pectoralis major**

M. erector spinae (Rückenstrecker) wird durch die reziproke Inhibition gehemmt und gedehnt.

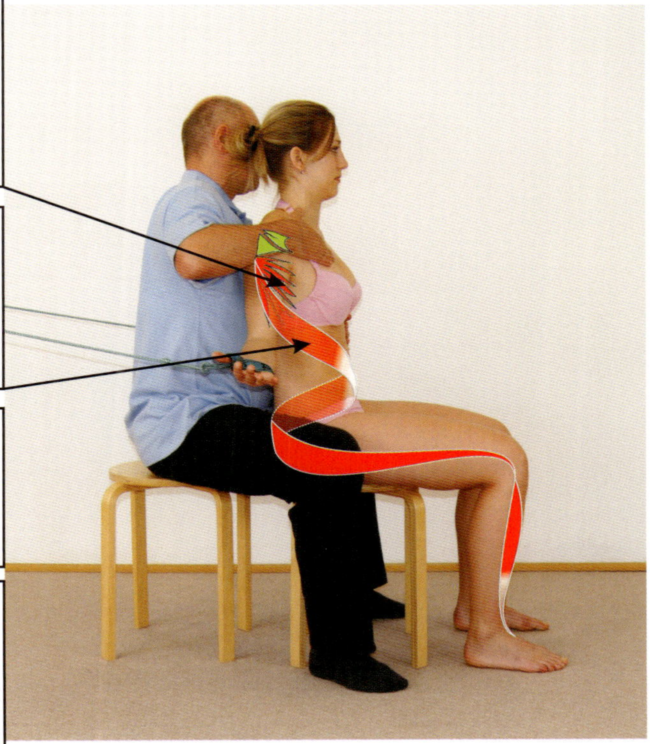

Dehnung des M. serratus anterior gehemmt durch die reziproke Inhibition.

Die Spiralen TR und LD fungieren als Agonisten, die den Körper stabilisieren.

M. serratus anterior wird durch die reziproke Inhibition gehemmt und gleichzeitig gedehnt.

M. serratus anterior (vorderer Sägemuskel, unterer Teil) - Entspannung, Dehnung und Kräftigung

M. erector spinae - Entspannung durch die reziproke Inhibition und folgende Dehnung

LD - latissimus dorsi und TR - trapezius Muskelketten sind Agonisten im ersten Übungsteil, SA - serratus anterior im zweiten Übungsteil.

6.Übung - im Stehen mit dem Rücken zur Befestigung des Seils, ein Bein ruht vorn auf dem Step.

Mit beiden Armen nach vorn kreisen.

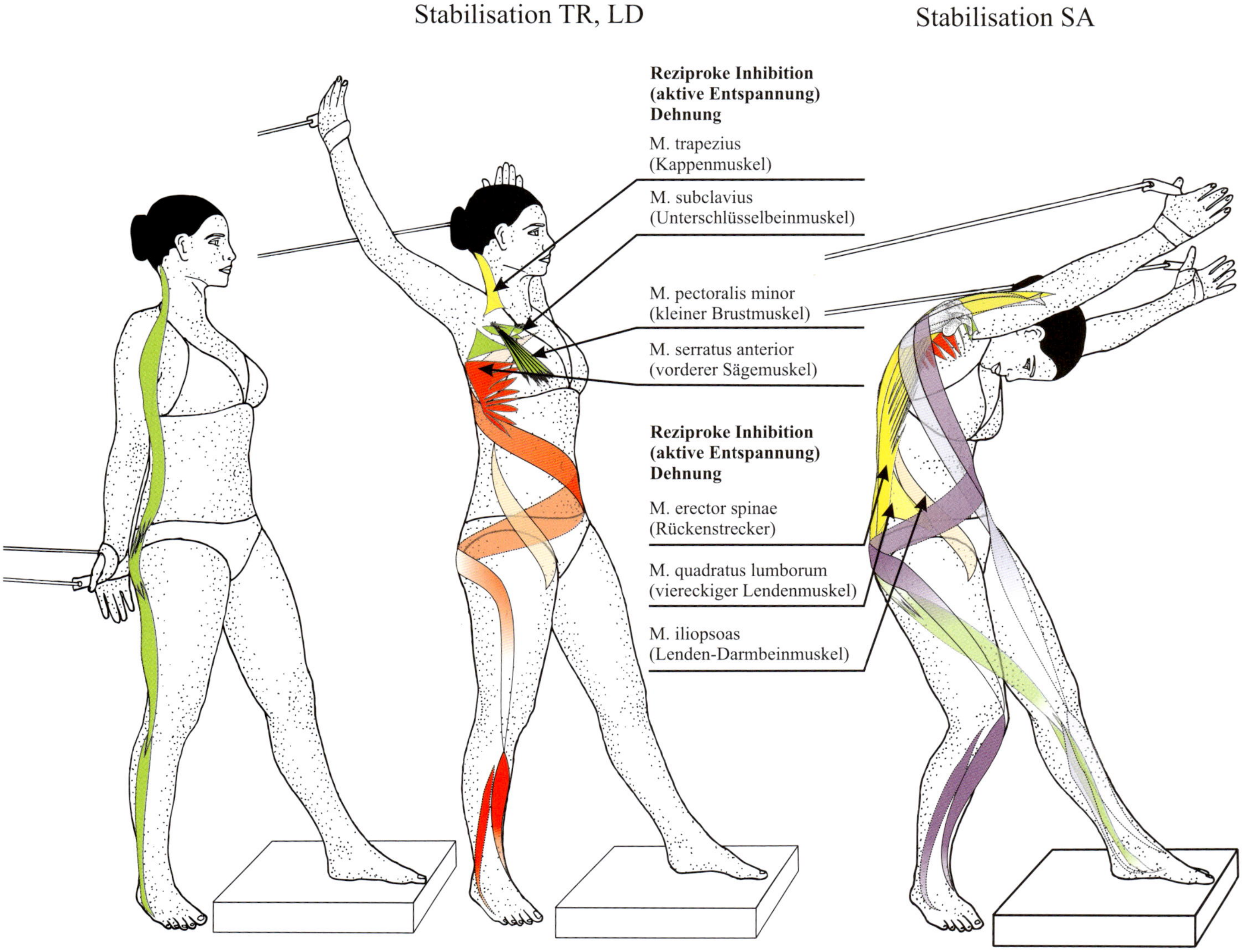

1 - Im ersten Ausführungsteil - aktiver Übungsteil

Dehnen wir die Muskeln an der vorderen Seite des Schultergürtels:
- M. subclavius (Unterschlüsselbeinmuskel)
- M. pectoralis minor (kleiner Brustmuskel)
- M. pectoralis major (großer Brustmuskel)
- M. serratus anterior (vorderer Sägemuskel)

Die Muskeln an der oberen Seite des Schultergürtels sind entspannt:
- M. trapezius pars descendens (Kappenmuskel absteigender Teil)
- M. levator scapulae (Schulterblattheber)
- Mm. scaleni (Rippenhalter)
- M. semispinalis capitis, cervicis (Halbdornmuskel des Kopfes, des Halses) und andere Muskeln.

Der erste Übungsteil wird durch die Muskelketten LD und TR stabilisiert.

2 - Im zweiten Ausführungsteil - aktiver Übungsteil

Dehnen wir die aktiv gehemmten Rückenmuskeln:
- M. erector spinae (Rückenstrecker)
- M. quadratus lumborum (viereckiger Lendenmuskel)
- M. iliopsoas (Lenden-Darmbeinmuskel)

Der zweite Übungsteil wird durch die Muskelkette SA stabilisiert.

M. serratus anterior (vorderer Sägemuskel, oberer Teil) - aktive Entspannung, Dehnung und Kräftigung

6. Übung - im Sitzen mit dem Rücken zur Befestigung des Seils, mit beiden Armen nach vorn kreisen.

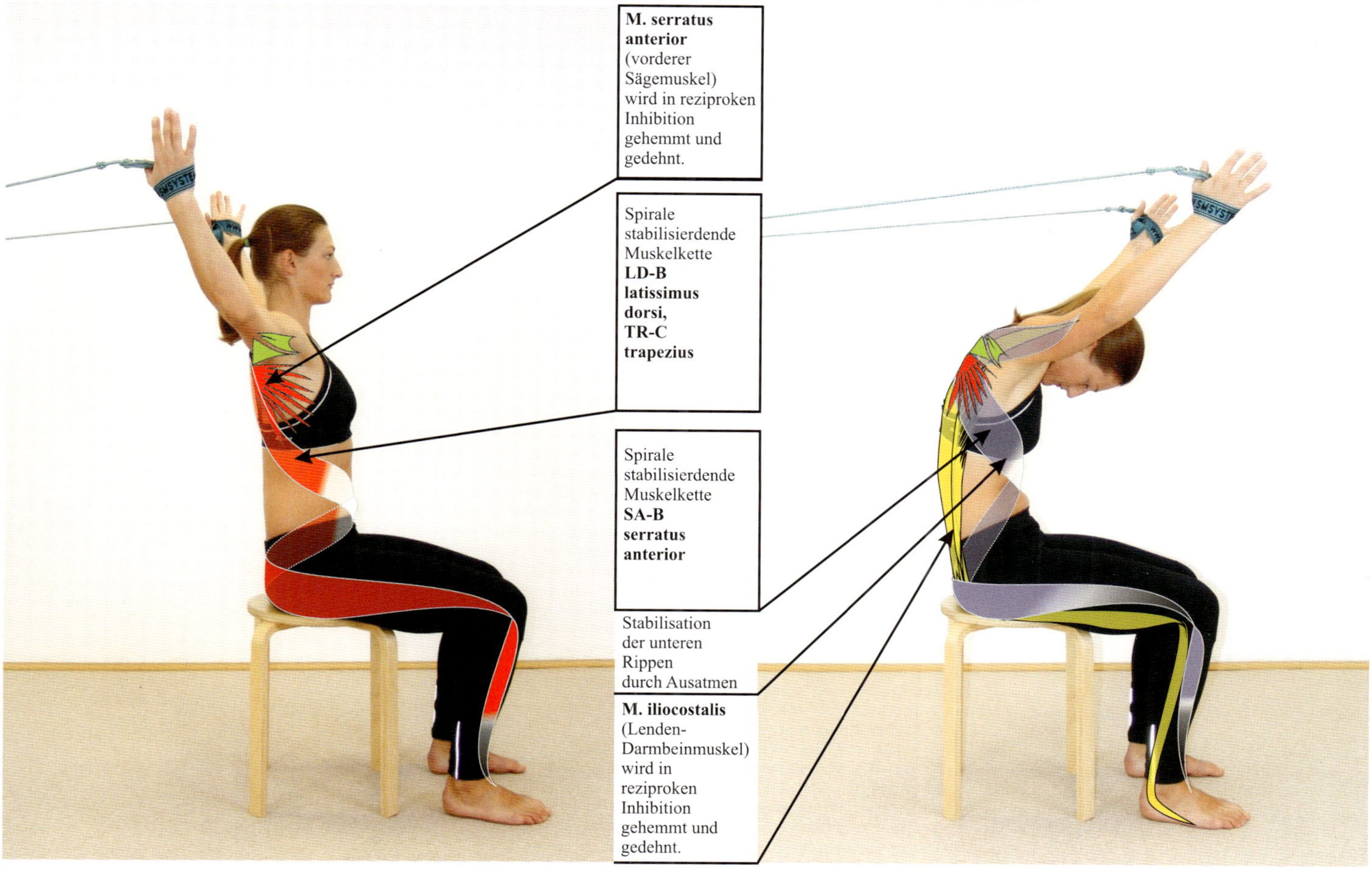

M. serratus anterior (vorderer Sägemuskel, oberer Teil) - aktive Entspannung, Dehnung und Kräftigung

6. Übung - im Stehen mit dem Rücken zur Befestigung des Seils, ein Bein ruht vorn auf dem Step, mit beiden Armen nach vorn kreisen.

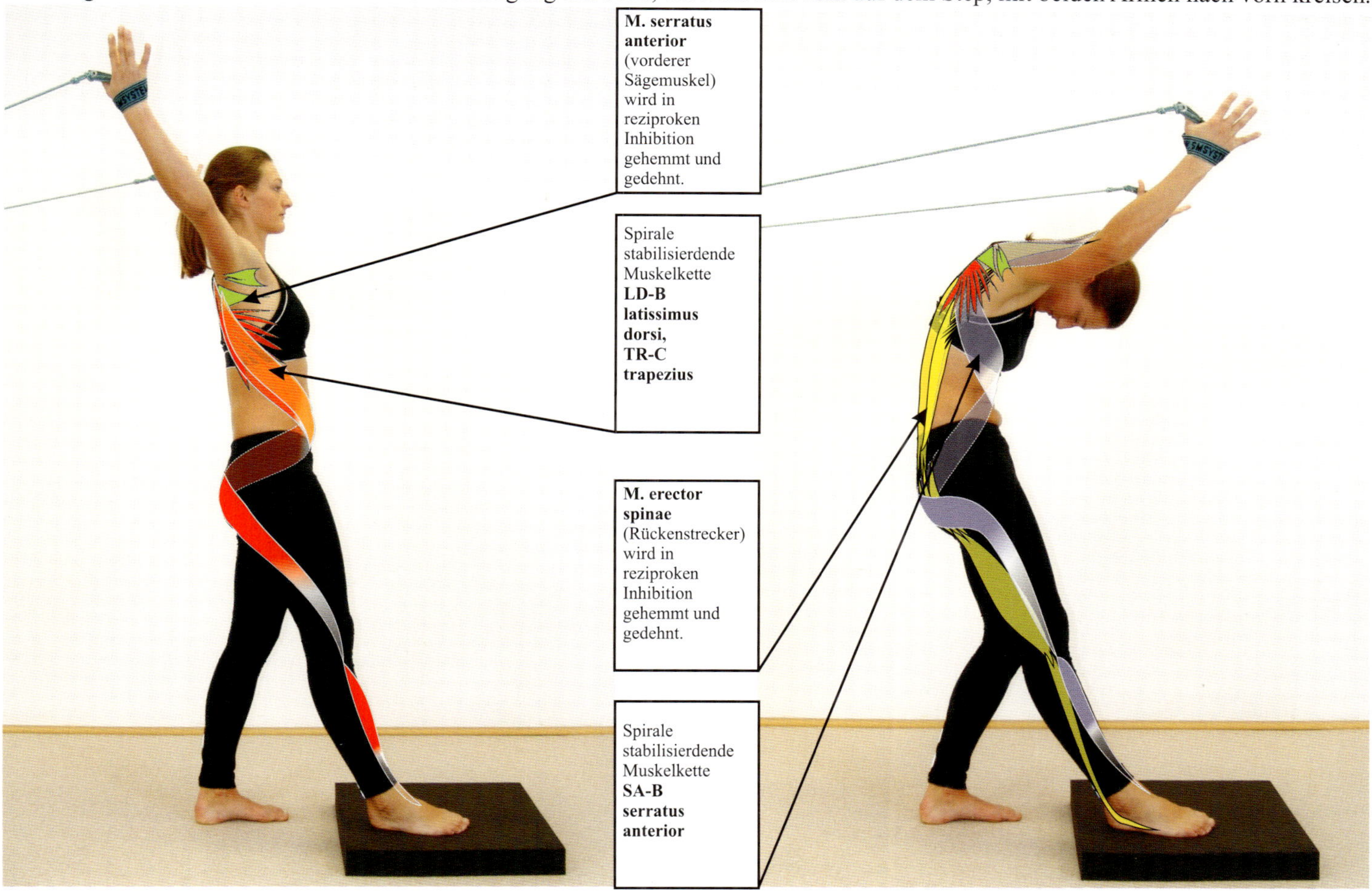

M. serratus anterior (vorderer Sägemuskel, unterer Teil) - Entspannung, Dehnung

M. subclavius (Unterschlüsselbeinmuskel), M. pectoralis minor (kleiner Brustmuskel), M. serratus anterior (vorderer Sägemuskel, oberer Teil)

- Entspannung durch die reziproke Inhibition, Dehnung

SA - serratus anterior und PM - pectoralis major Muskelketten sind Agonisten im ersten Übungsteil, LD - latissimus dorsi und TR - trapezius im zweiten Übungsteil.

3. Übung - im Stehen mit dem Rücken zur Befestigung des Seils, die Beine bleiben in Grundposition.

Die Arme werden nach hinten geöffnet und die Schulterblätter zueinander gezogen.

Stabilisation TR, LD

Stabilisation PM

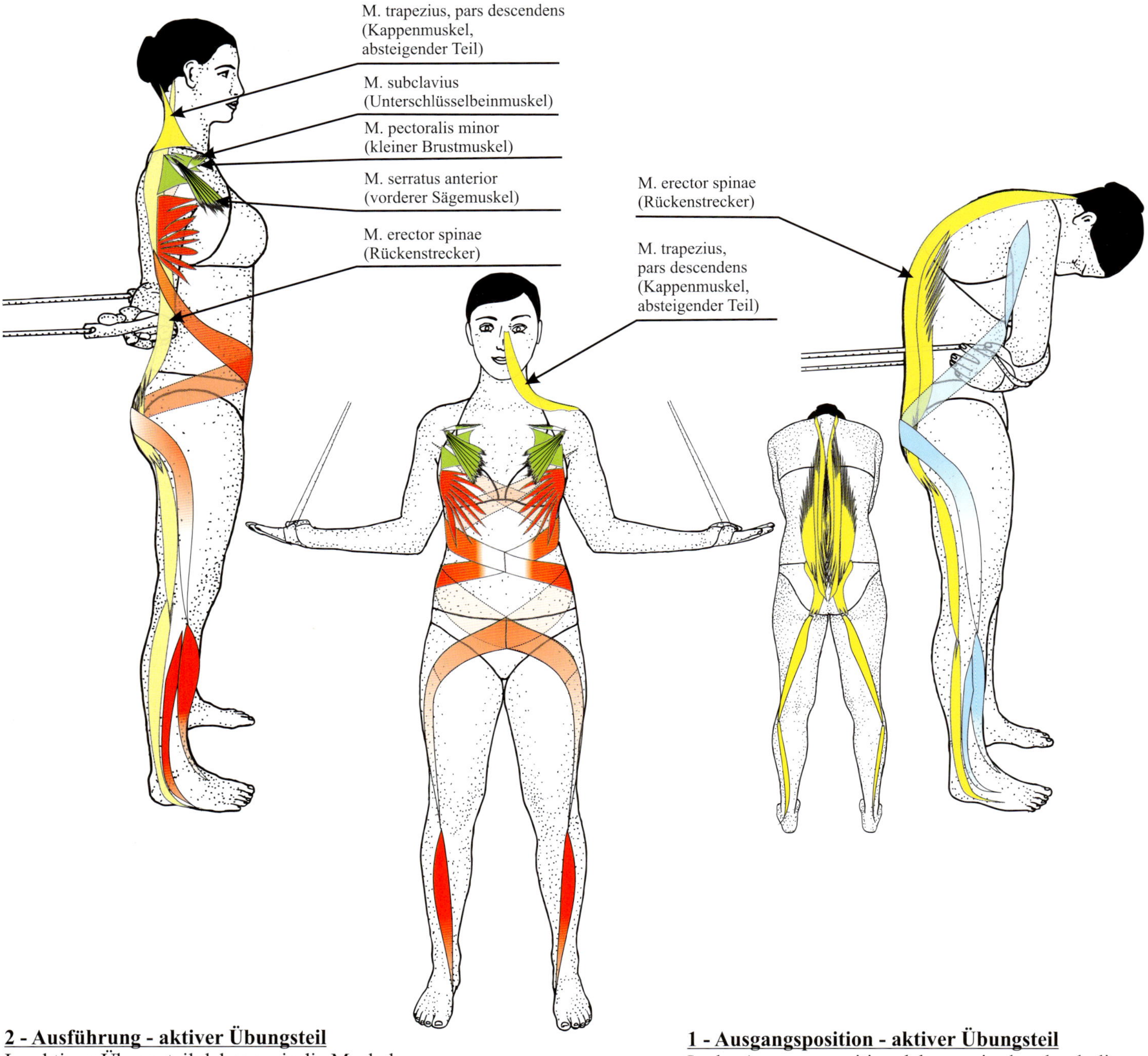

2 - Ausführung - aktiver Übungsteil

Im aktiven Übungsteil dehnen wir die Muskeln an der vorderen Seite des Schultergürtels:
- M. subclavius (Unterschlüsselbeinmuskel)
- M. pectoralis minor (großer Brustmuskel)
- M. pectoralis major (großer Brustmuskel)
- M. serratus anterior (vorderer Sägemuskel)

Die Halsmuskeln an der oberen Seite des Schultergürtels sind entspannt:
- M. trapezius pars descendens (Kappenmuskel, absteigender Teil)
- M. levator scapulae (Schulterblattheber)
- Mm. scaleni (Rippenhalter)
- Mm. semispinalis capitis, cervicis (Halbdornmuskel des Kopfes, des Halses)
und andere Muskeln.

1 - Ausgangsposition - aktiver Übungsteil

In der Ausgangsposition dehnen wir, den durch die Aktivität der PM - pectoralis major Muskelkette aktiv gehemmten M. erector spinae (Rückenstrecker). Die nach vorn gerichtete Dehnungsbewegung wird durch die Anspannung der ligamenta interspinalia (Zwischendornband) gestoppt.

M. serratus anterior (vorderer Sägemuskel, oberer Teil) - aktive Entspannung und Dehnung

3. Übung - im Sitzen mit dem Rücken zur Befestigung des Seils, die Beine bleiben in Grundposition, die Arme werden nach hinten geöffnet und die Schulterblätter zueinander gezogen.

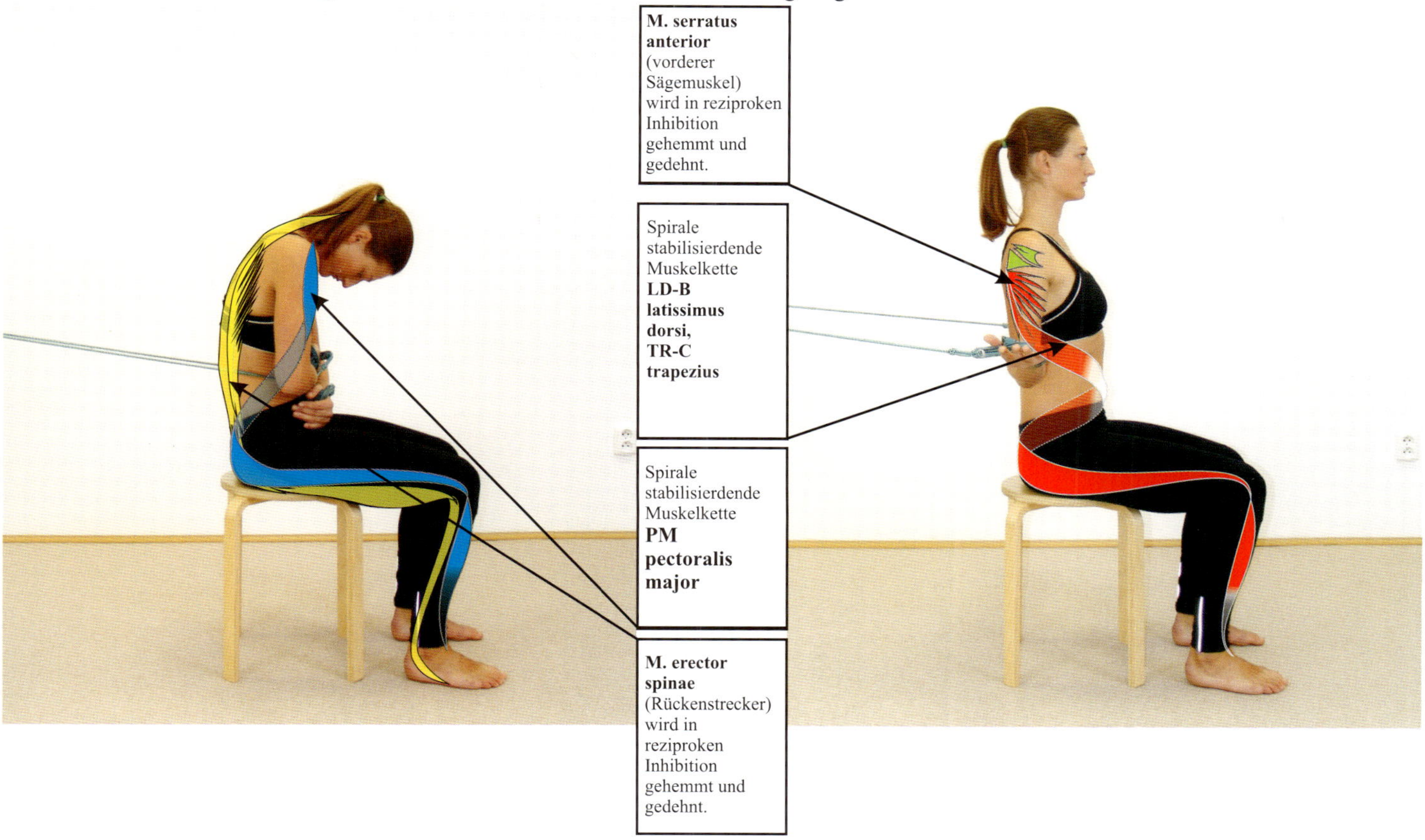

M. serratus anterior (vorderer Sägemuskel, oberer Teil) - aktive Entspannung und Dehnung

3. Übung - im Stehen mit dem Rücken zur Befestigung des Seils, die Beine bleiben in Grundposition, die Arme werden nach hinten geöffnet und die Schulterblätter zueinander gezogen.

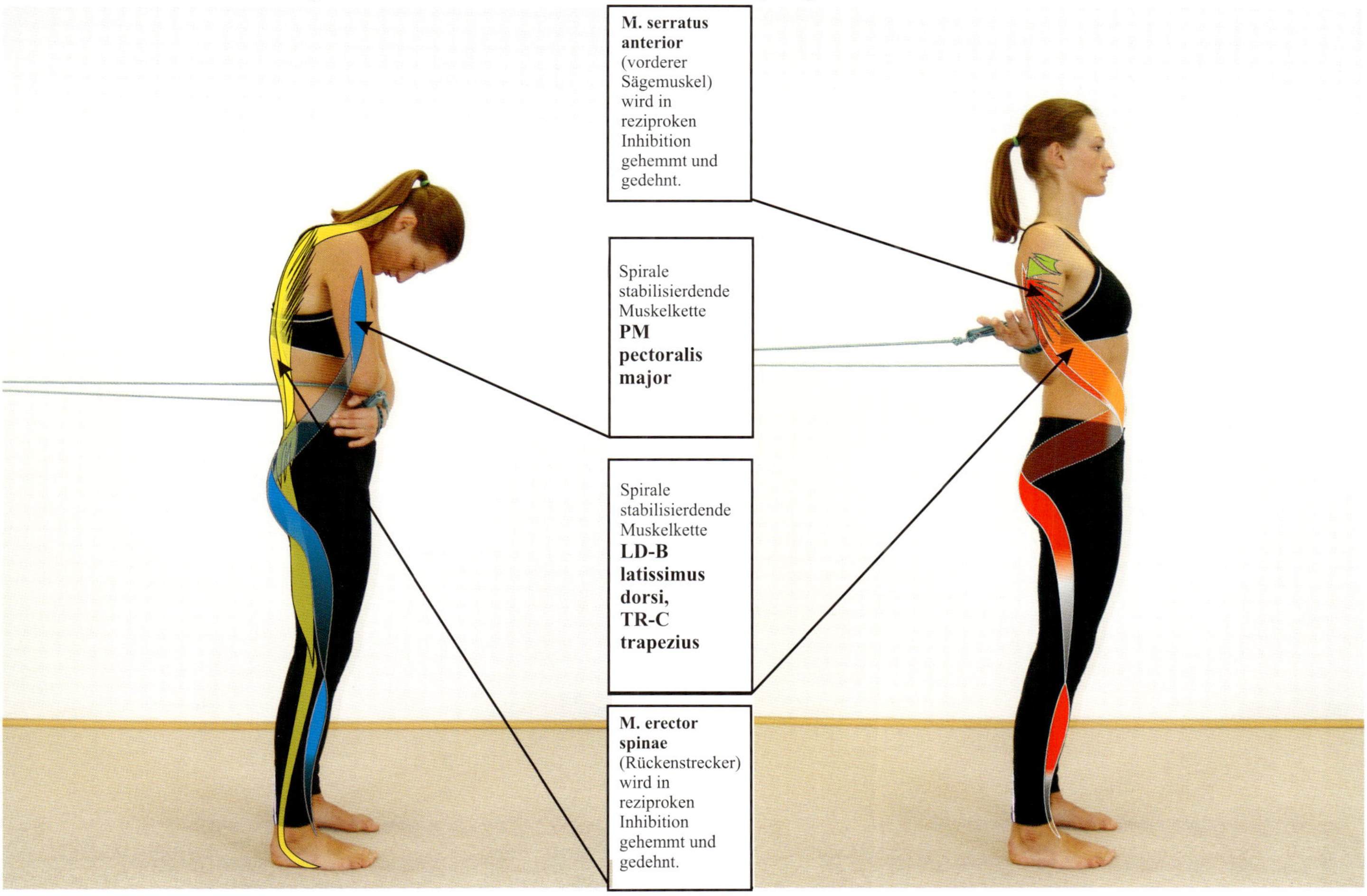

Dehnung des M. serratus anterior gehemmt durch die reziproke Inhibition.

Die Spiralen TR und LD fungieren als Agonisten, die den Körper stabilisieren. M. serratus anterior wird durch die reziproke Inhibition gehemmt und gleichzeitig gedehnt.

M. serratus anterior (vorderer Sägemuskel) - Entspannung, Dehnung und Kräftigung

6. Übung - im Stehen mit dem Rücken zur Befestigung des Seils, ein Bein ruht vorn auf dem Step, beide Arme kreisen nach vorn.

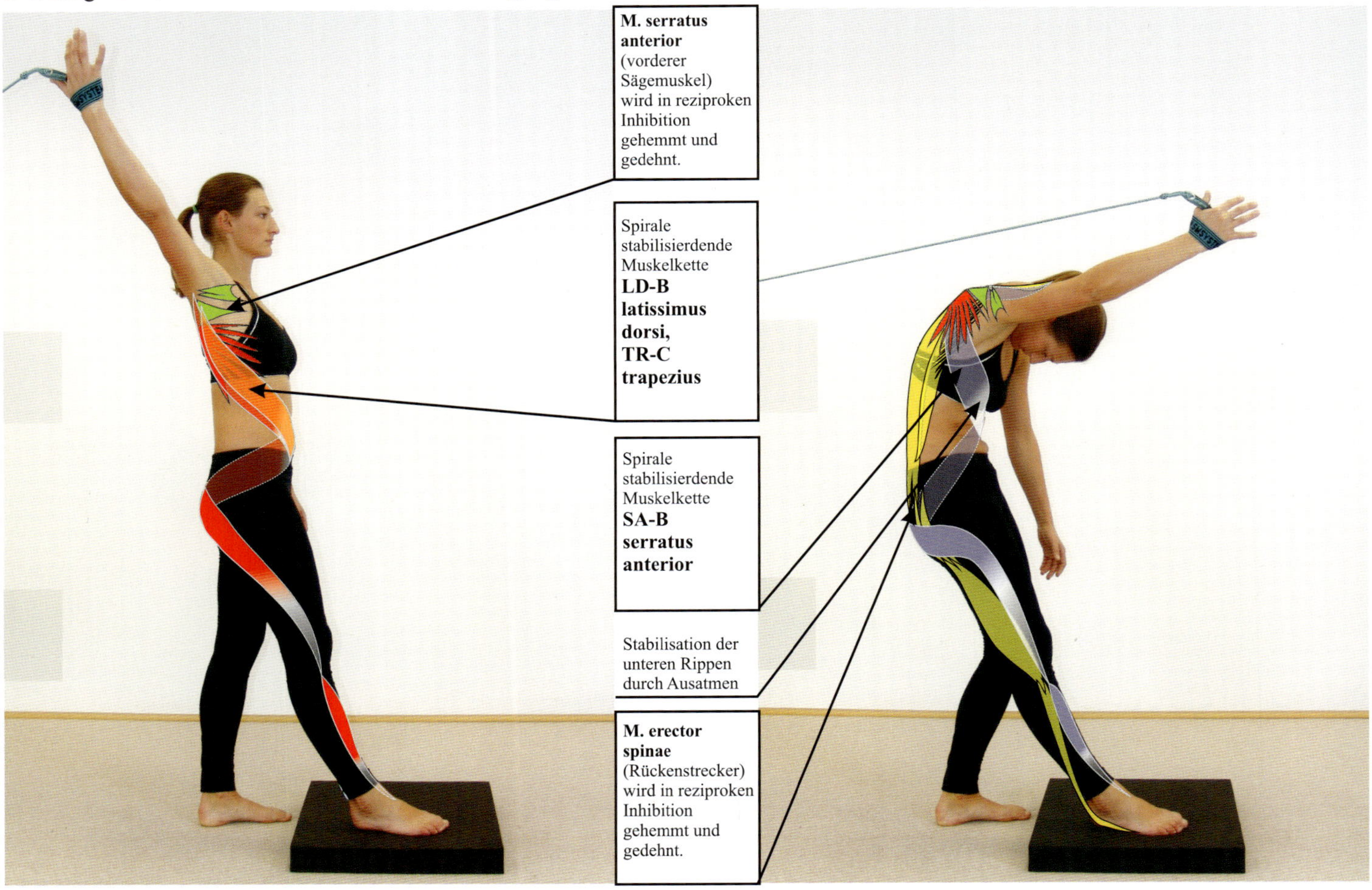

M. serratus anterior (vorderer Sägemuskel, unterer Teil) - Kräftigung, Dehnung

11. Übung - im Stehen mit der Stirn zur Befestigung des Seils, kreuzweise ausgeführtes Bewegungsmuster, Extension des Arms im Schultergürtel und Extension des gegenüberliegenden Beins im Beckengürtel. In beiden Übungsphasen werden gleichzeitig die TR, LD, SA und PM aktiviert.

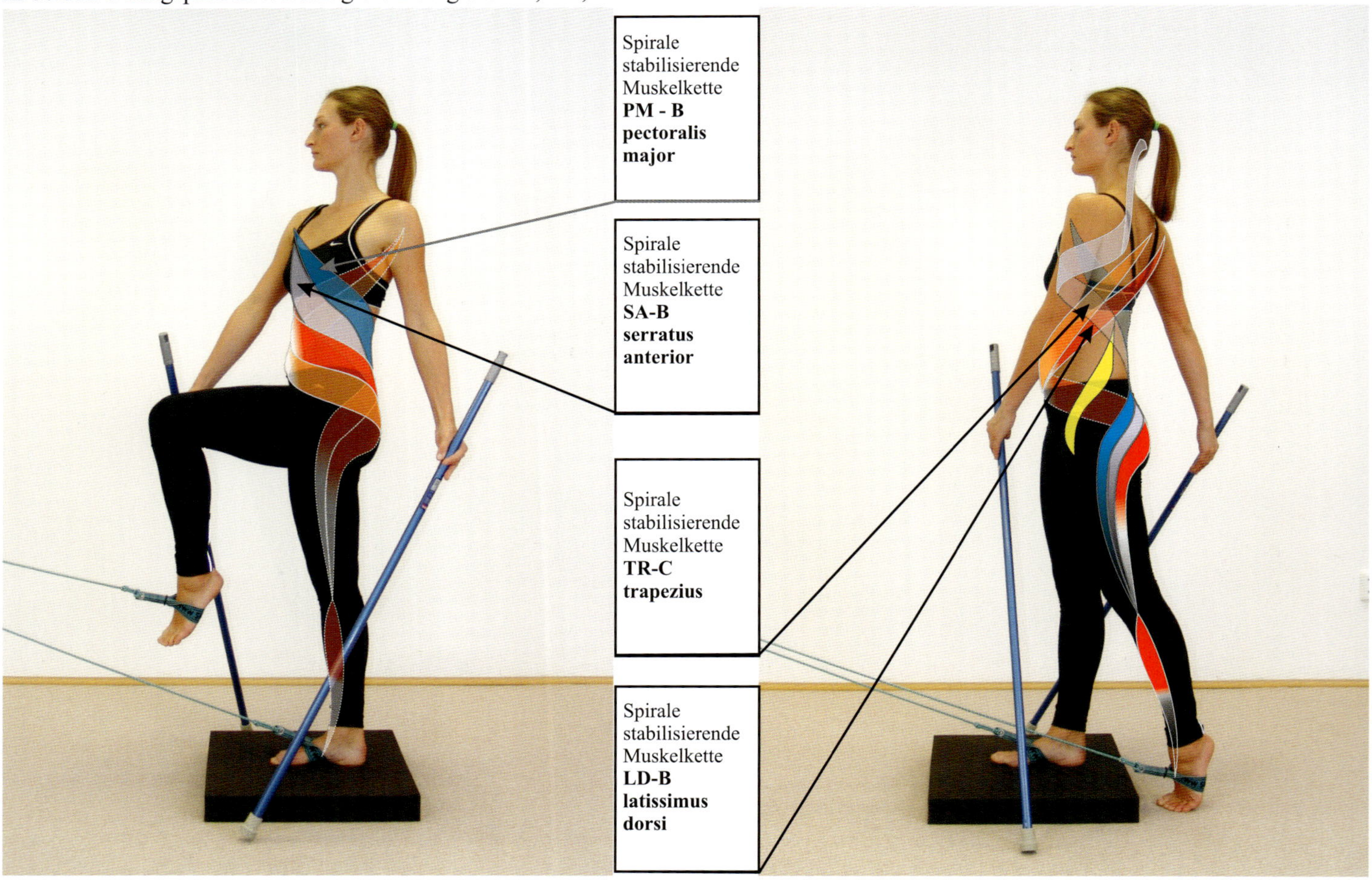

MANUELLE TECHNIKEN UND ÜBUNGEN NACH DER MUSKELANALYSE

Schultergürtel
vordere Muskelgruppe

Muskeln, die zur Abschwächung neigen:

M. pectoralis major (großer Brustmuskel)

M. pectoralis major (großer Brustmuskel)

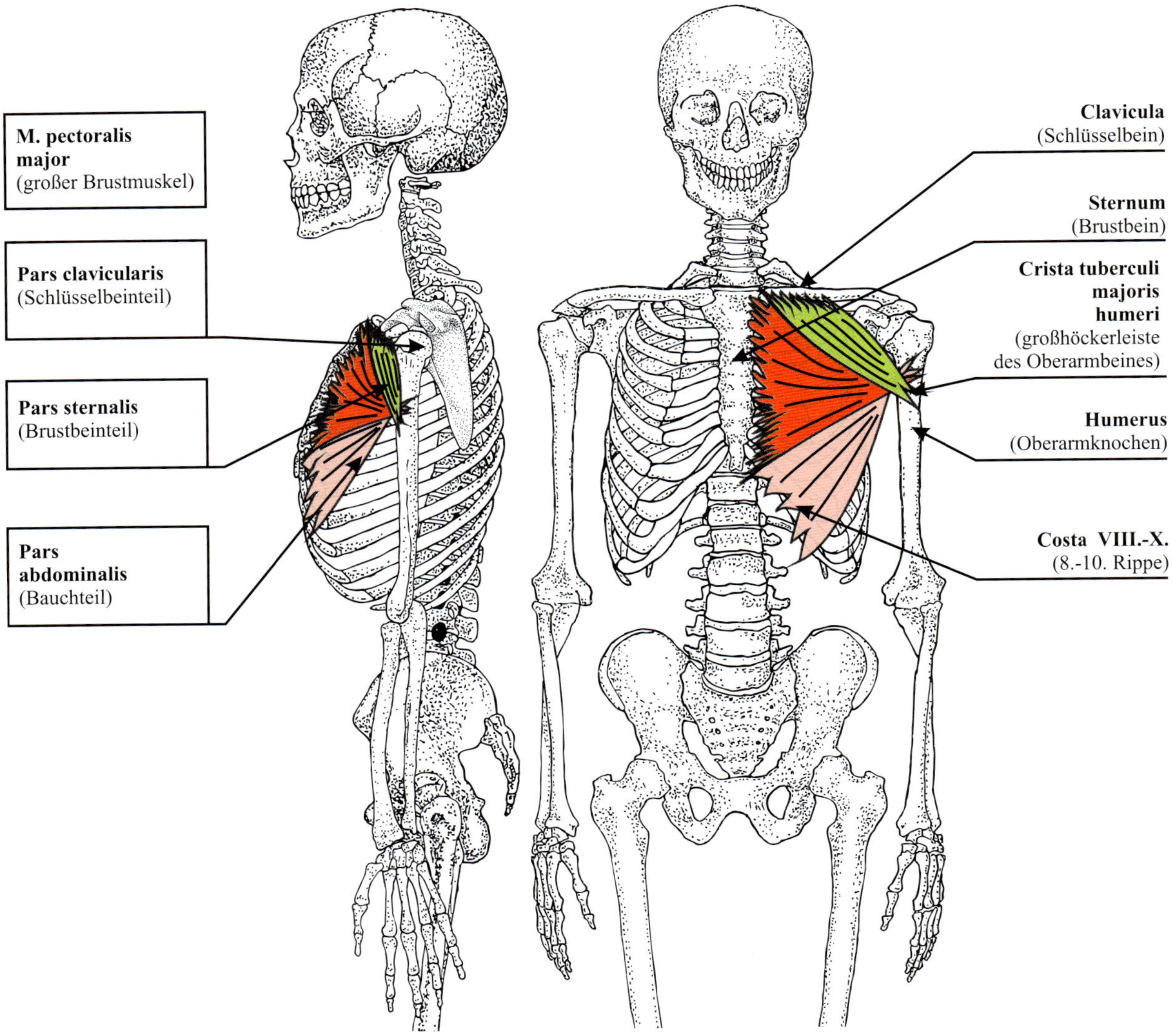

Muskel, der zur inneren **Muskeldysbalance** neigt.

Muskelfasern, die zur **Abschwächung** neigen, müssen **gekräftigt** werden.

Muskelfasern, die zur **Anspannung** und zur **Verkürzung** neigen, müssen **entspannt** und **gedehnt** werden.

Spiraler Teil des M. pectoralis major neigt zur Anschwächung.

M. pectoralis major (großer Brustmuskel)

Ursprung: **- pars clavicularis**

- an der medialen Hälfte der Clavicula (Schlüsselbein)

- pars sternalis

- am ipsilateralen Rand des Sternums, sowie an den Knorpeln der 2.-7. Rippe

- pars abdominalis

- an den Knorpeln der 8.-10. Rippe, lamina anterior M. recti abdominis

Ansatz:

- crista tuberculi majoris humeri

Funktion:

- Adduktion, und Innenrotation des Arms (gesamter Muskel)
- Anteversion (pars clavicularis, sternalis)
- bei fixierten (aufgestützen) Armen dient er als Atemhilfsmuskel.

Innervation:

- Nn. pectorales mediales et laterales (C5-Th1)

M. pectoralis major (großer Brustmuskel)

Muskel mit innerer Muskeldysbalance

- pars clavicularis
neigt zur Anspannung und zur Verkürzung

- pars sternalis
neigt zur Abschwächung

- pars abdominalis
neigt zur Abschwächung

Spirale Muskelkette **PM - pectoralis major** (großer Brustmuskel)

Die Muskelkette PM wird durch die Bewegung des Arms nach vorn aktiviert - Flexion.

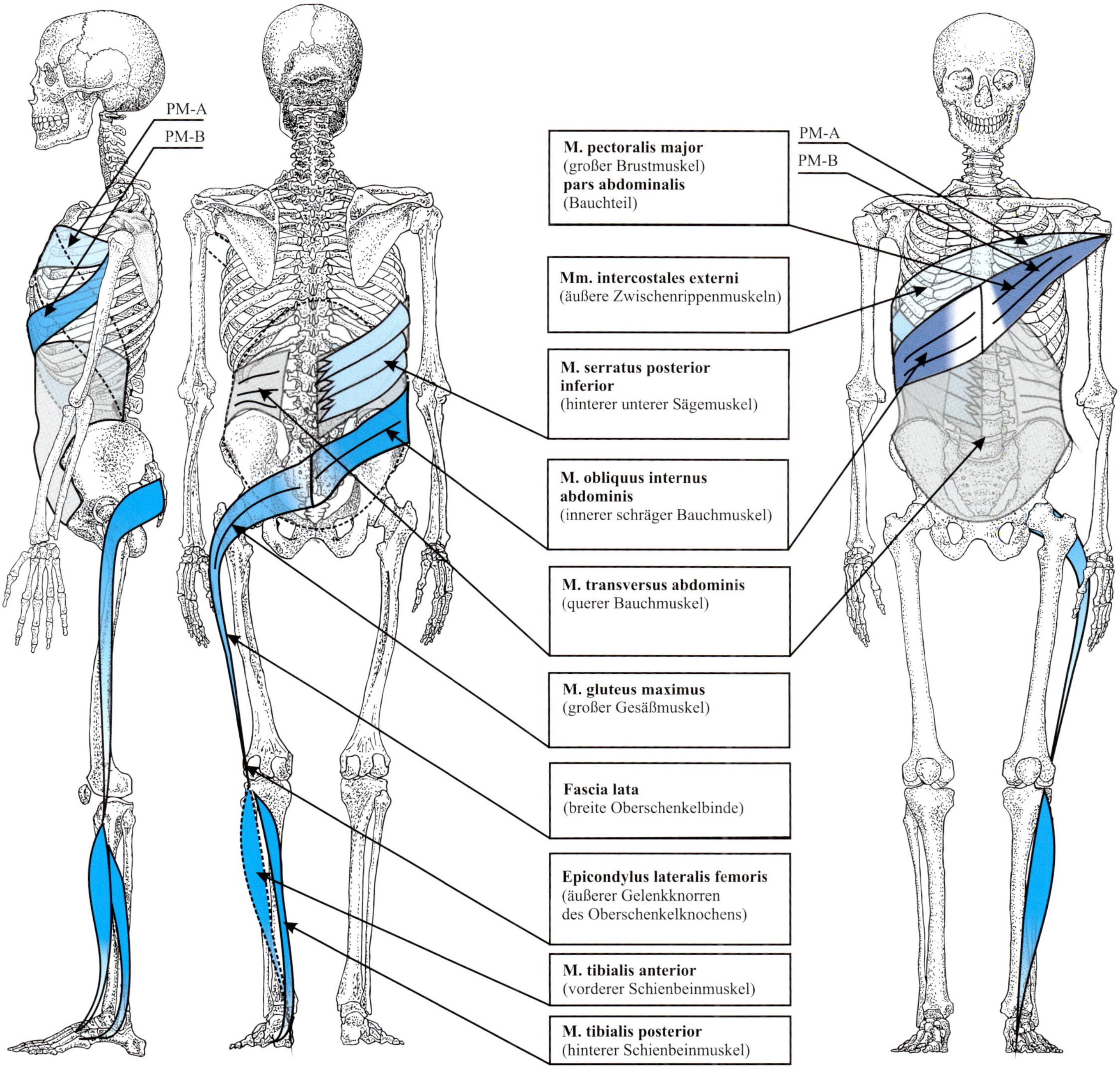

M. pectoralis major (großer Brustmuskel) - Dehnung

1. Übung - mit der Stirn zur Befestigung des Seils, das Seil mit beiden Armen nach hinten ziehen.

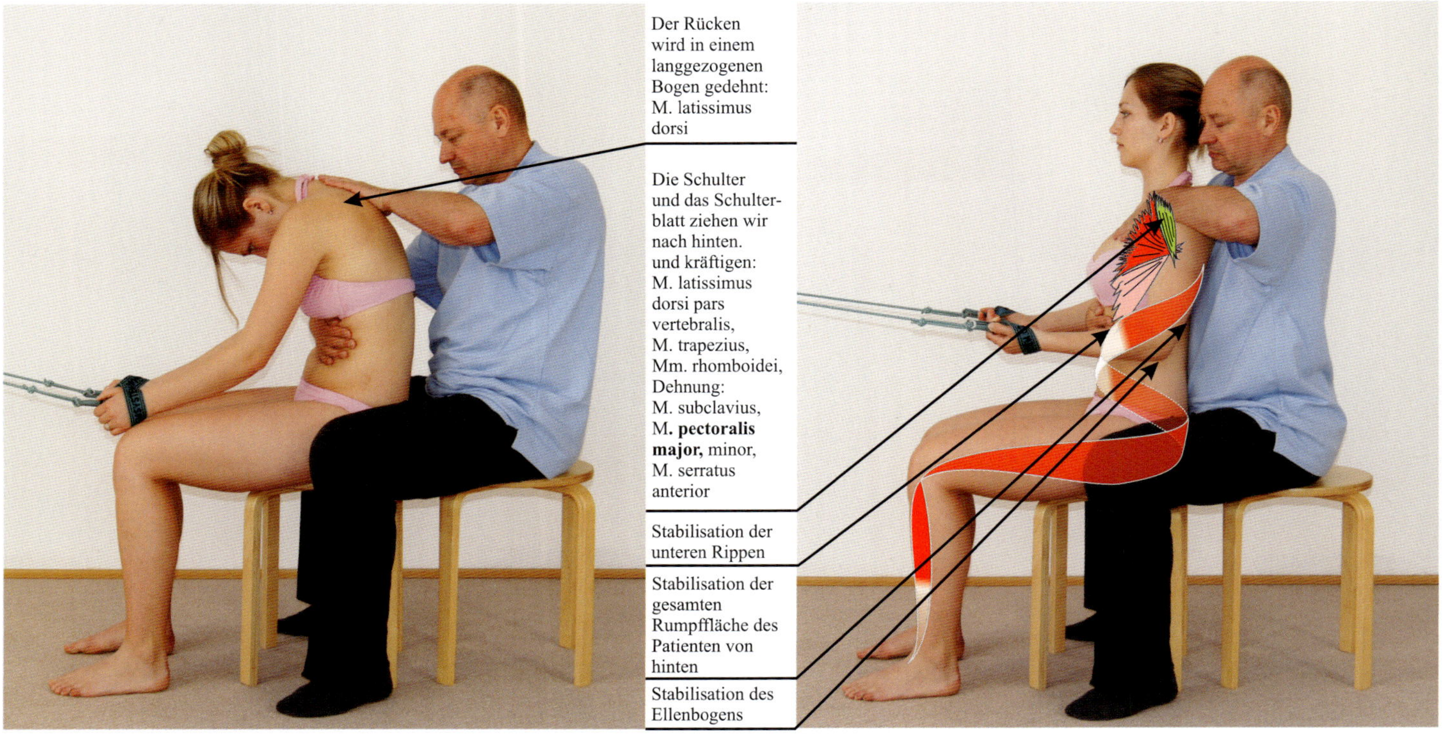

M. pectoralis major (großer Brustmuskel) - Dehnung

2. Übung - im Sitzen seitlich zur Befestigung des Seils, das Seil mit einem Arm erst zur Seite und dann weiter über den Kopf ziehen. Die Übung wird mit Hilfe von Massagen und Korrekturen ausgeführt.

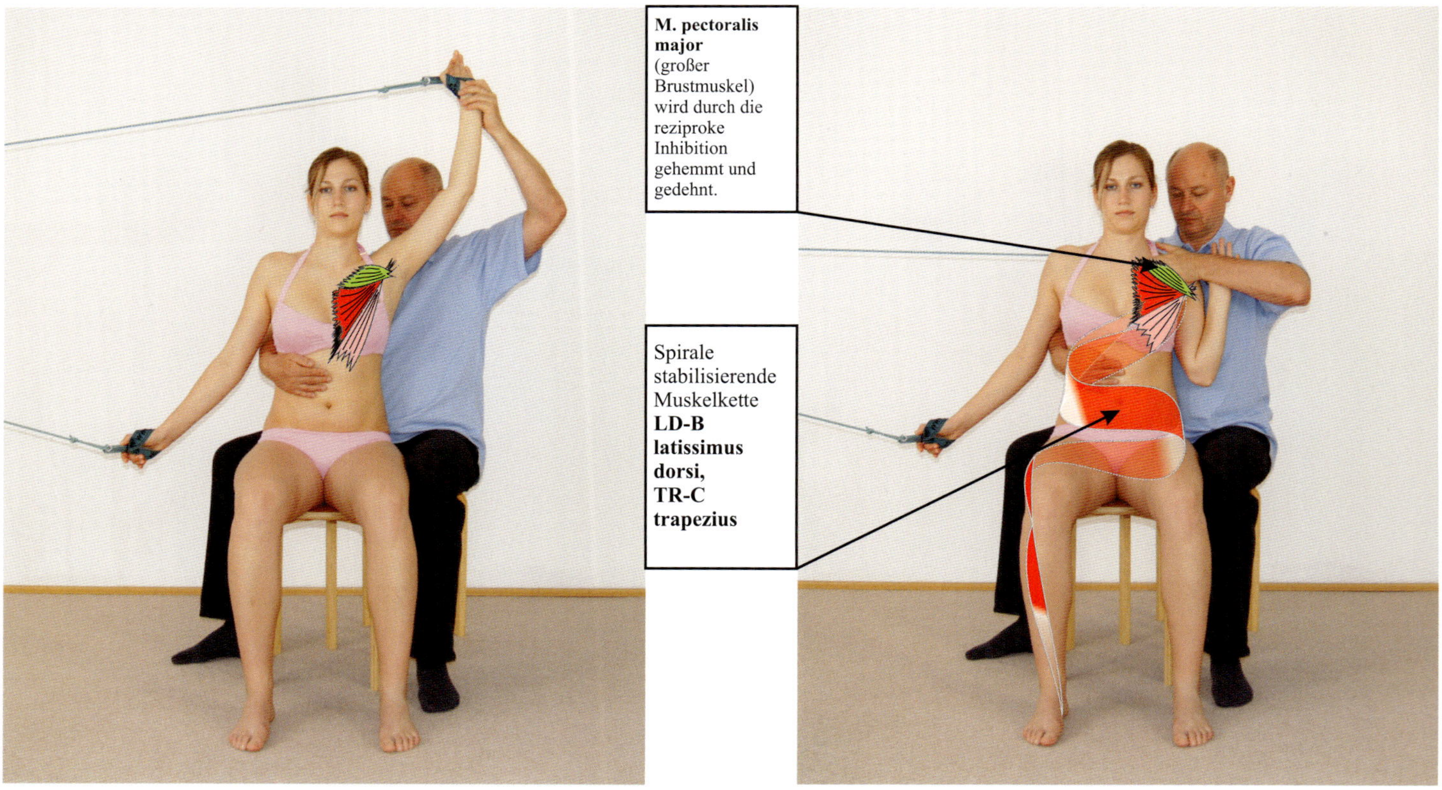

Dehnung des durch die reziproke Inhibition gehemmten M. pectoralis major
Die Spiralen TR und LD sind Agonisten, die den Körper gleichzeitig stabilisieren.
M. pectoralis major wird durch die reziproke Inhibition gehemmt und gleichzeitig gedehnt.

M. pectoralis major (großer Brustmuskel) - Kräftigung

LD - latissimus dorsi und TR - trapezius Muskelketten sind Agonisten im ersten Übungsteil, PM - pectoralis major und SA - serratus anterior im zweiten Übungsteil.

10. Übung - im Stehen seitlich zur Befestigung des Seils, ein Bein ruht vorn auf dem Step.

Das Seil wird mit einem Arm nach vorn zur Bauchmitte geführt. Rotation des Rumpfs.

Stabilisation TR, LD

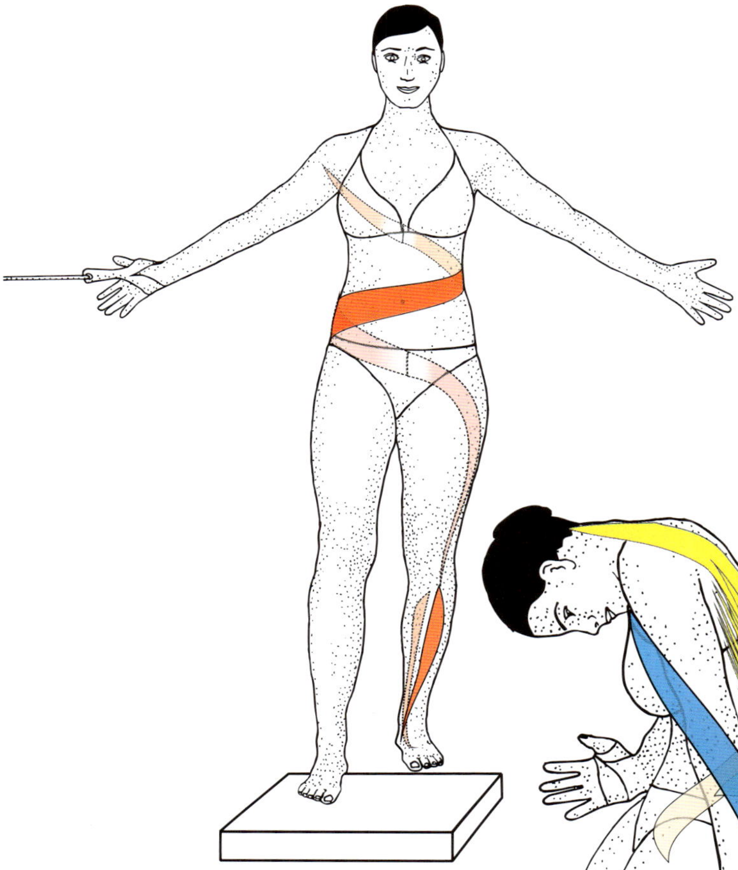

Stabilisation SA, PM

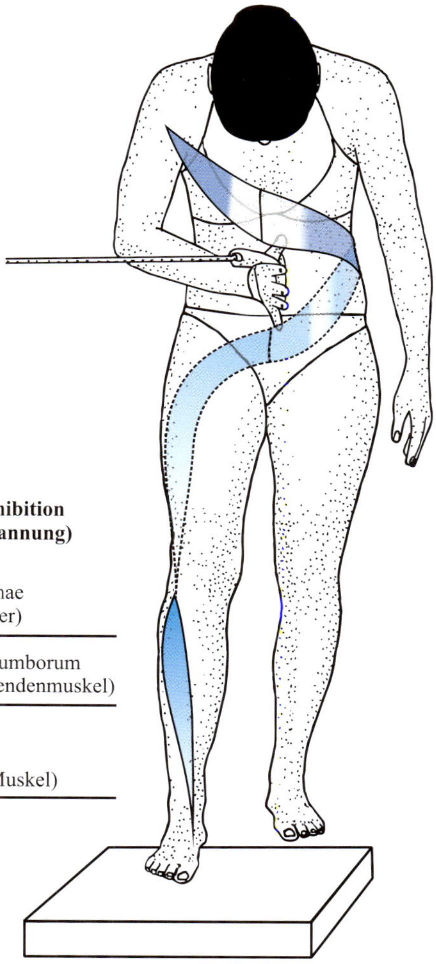

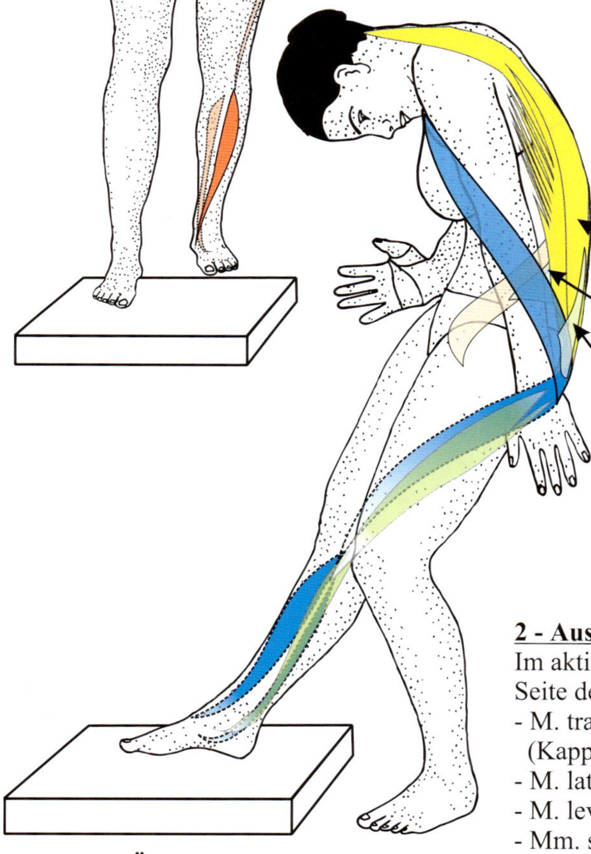

2 - Ausführung - aktiver Übungsteil

Im aktiven Übungsteil dehnen wir die Muskeln an der hinteren Seite des Schultergürtels:
- M. trapezius, pars descendens (Kappenmuskel, absteigender Teil)
- M. latissimus dorsi (breiter Rückenmuskel)
- M. levator scapulae (Schulterblattheber)
- Mm. scalenus posterior (hinterer Rippenhalter)
- M. semispinalis capitis, cervicis (Halbdornmuskel des Kopfes, des Halses)

und andere Muskeln.

Weiterhin dehnen wir auch die entlang der Wirbelsäule liegenden Muskeln:
- M. erector spinae (Rückenstrecker)
- M. quadratus lumborum (viereckiger Lendenmuskel)
- M. multifidus (vielgeteilter Muskel)

1 - Ausgangsposition - aktiver Übungsteil

In der Ausgangsposition dehnen wir die Muskeln an der vorderen Seite des Schultergürtels:
- M. subclavius (Unterschlüsselbeinmuskel)
- M. pectoralis minor (kleiner Brustmuskel)
- M. pectoralis major (großer Brustmuskel)
- M. serratus anterior (vorderer Sägemuskel)

M. pectoralis major (großer Brustmuskel) - Kräftigung

10. Übung - im Stehen seitlich zur Befestigung des Seils, ein Bein ruht vorn auf dem Step und das Seil wird mit einem Arm nach vorn zur Bauchmitte geführt. Rotation des Rumpfs.

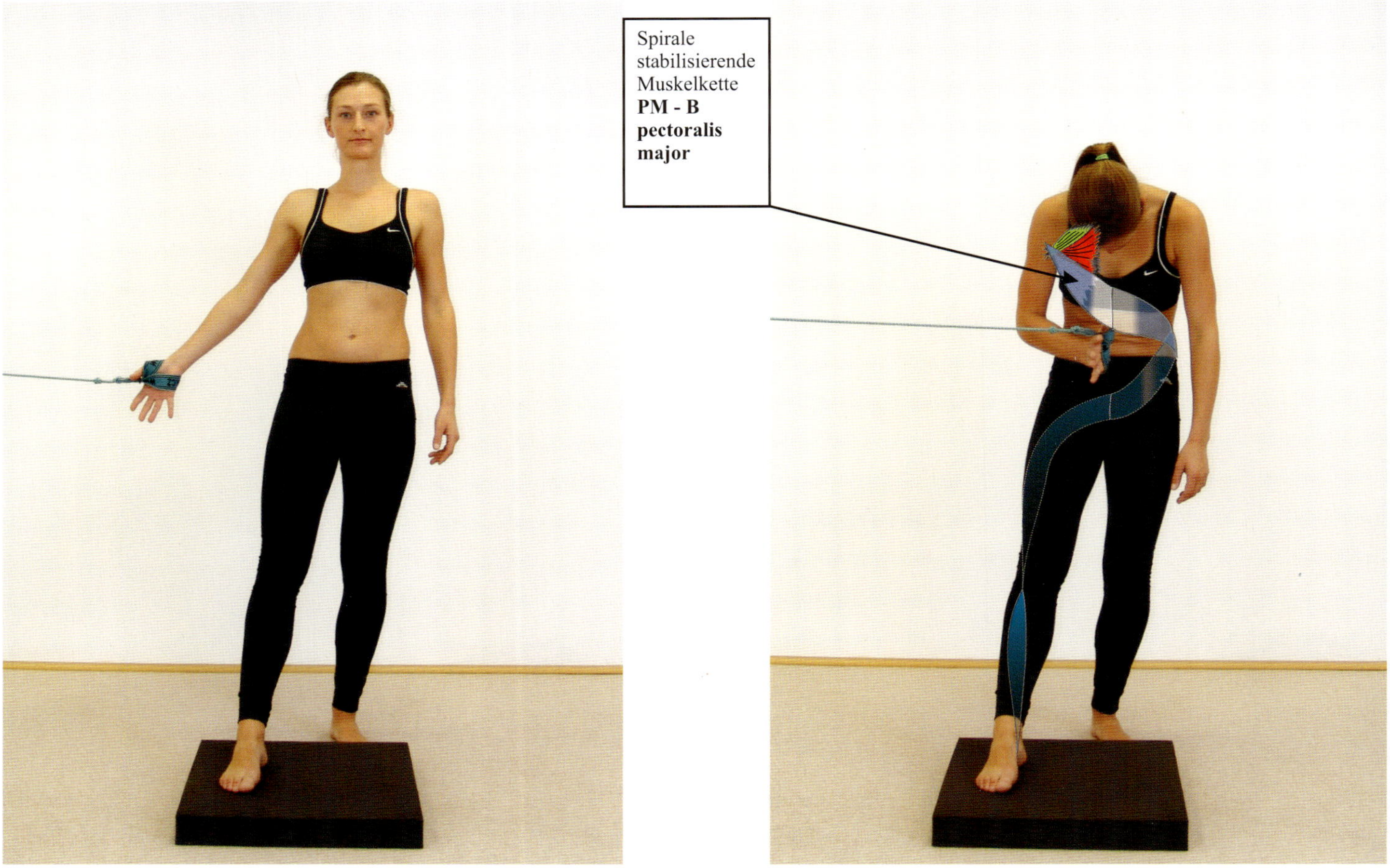

M. pectoralis major (großer Brustmuskel) - Kräftigung, Dehnung

11. Übung - im Stehen mit der Stirn zur Befestigung des Seils und kreuzweise ausgeführtem Bewegungsmuster. Extension des Arms im Schultergürtel und die des gegenüberliegenden Beins im Beckengürtel.
In den beiden Übungsphasen werden gleichzeitig die Spiralen TR, LD, SA und PM aktiviert.

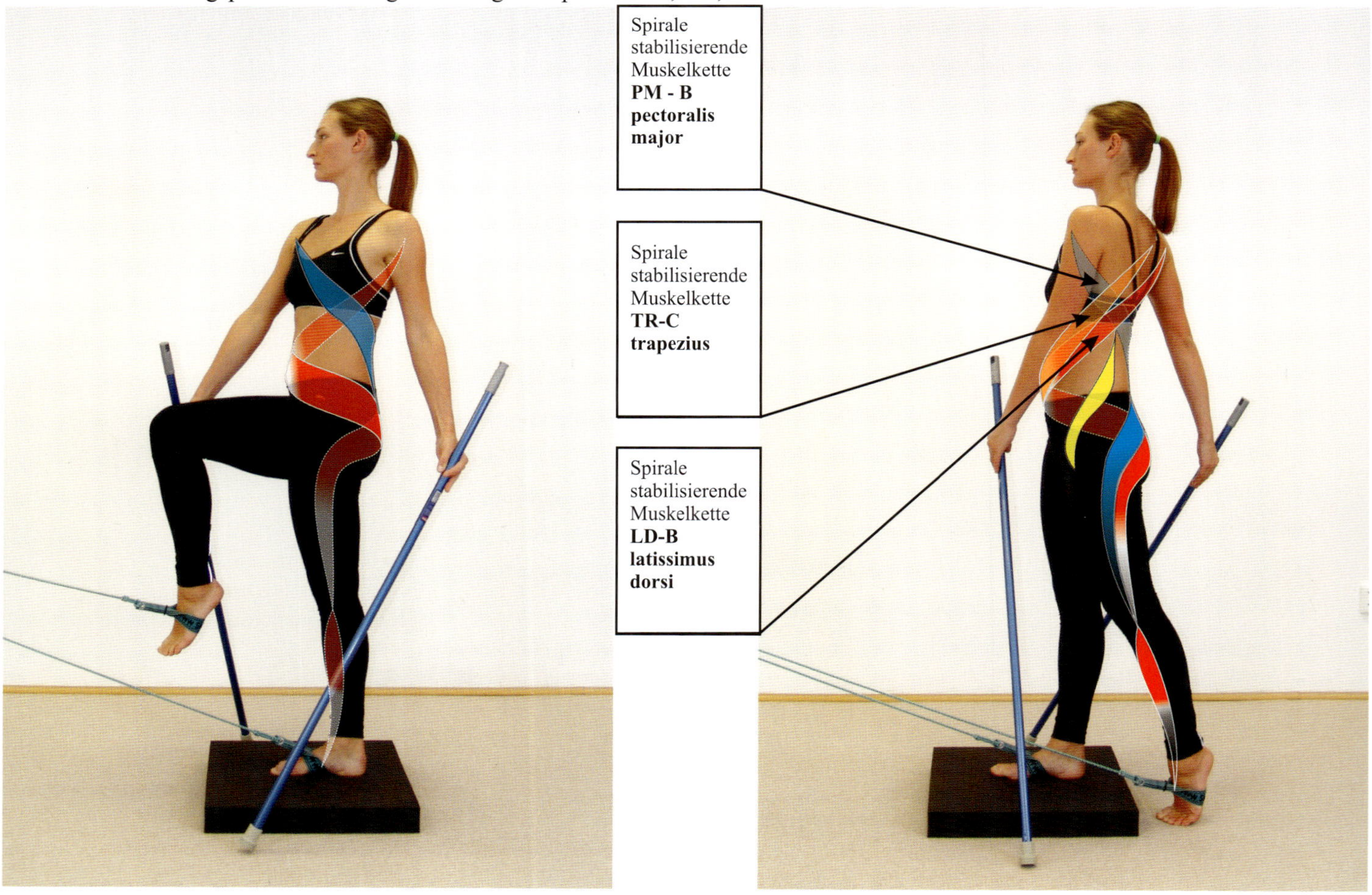

M. pectoralis major (großer Brustmuskel) - Kräftigung, Entspannung, Dehnung

3. Übung - im Stehen mit dem Rücken zur Befestigung des Seils, die Beine bleiben in Grundposition, die Arme werden nach hinten geöffnet und die Schulterblätter zueinander gezogen.

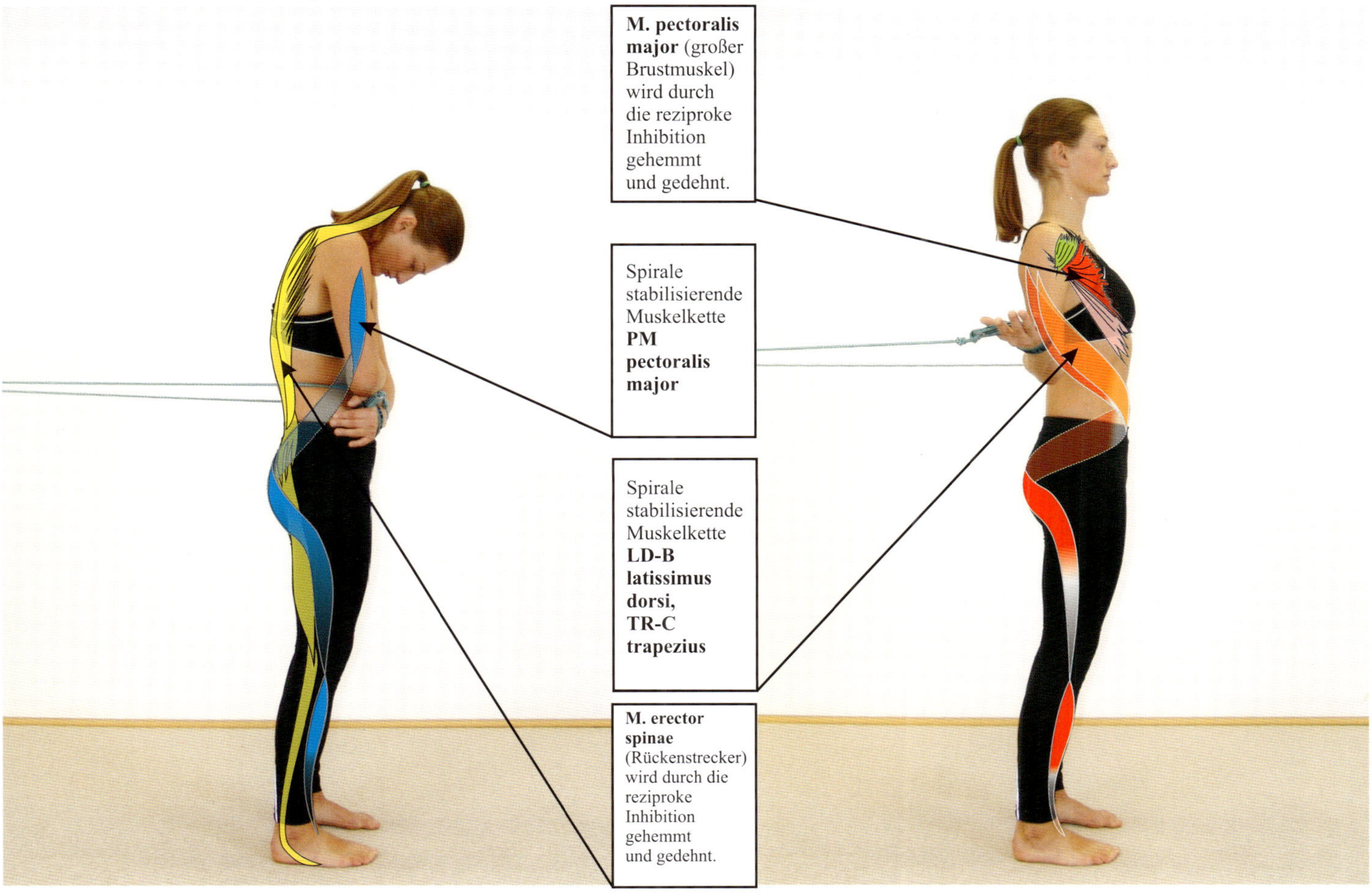

M. pectoralis major (großer Brustmuskel) - Kräftigung, Entspannung, Dehnung

3. Übung - im Stehen mit dem Rücken zur Befestigung des Seils, ein Bein ruht vorn auf dem Step, die Arme werden nach hinten geöffnet und die Schulterblätter zueinander gezogen.

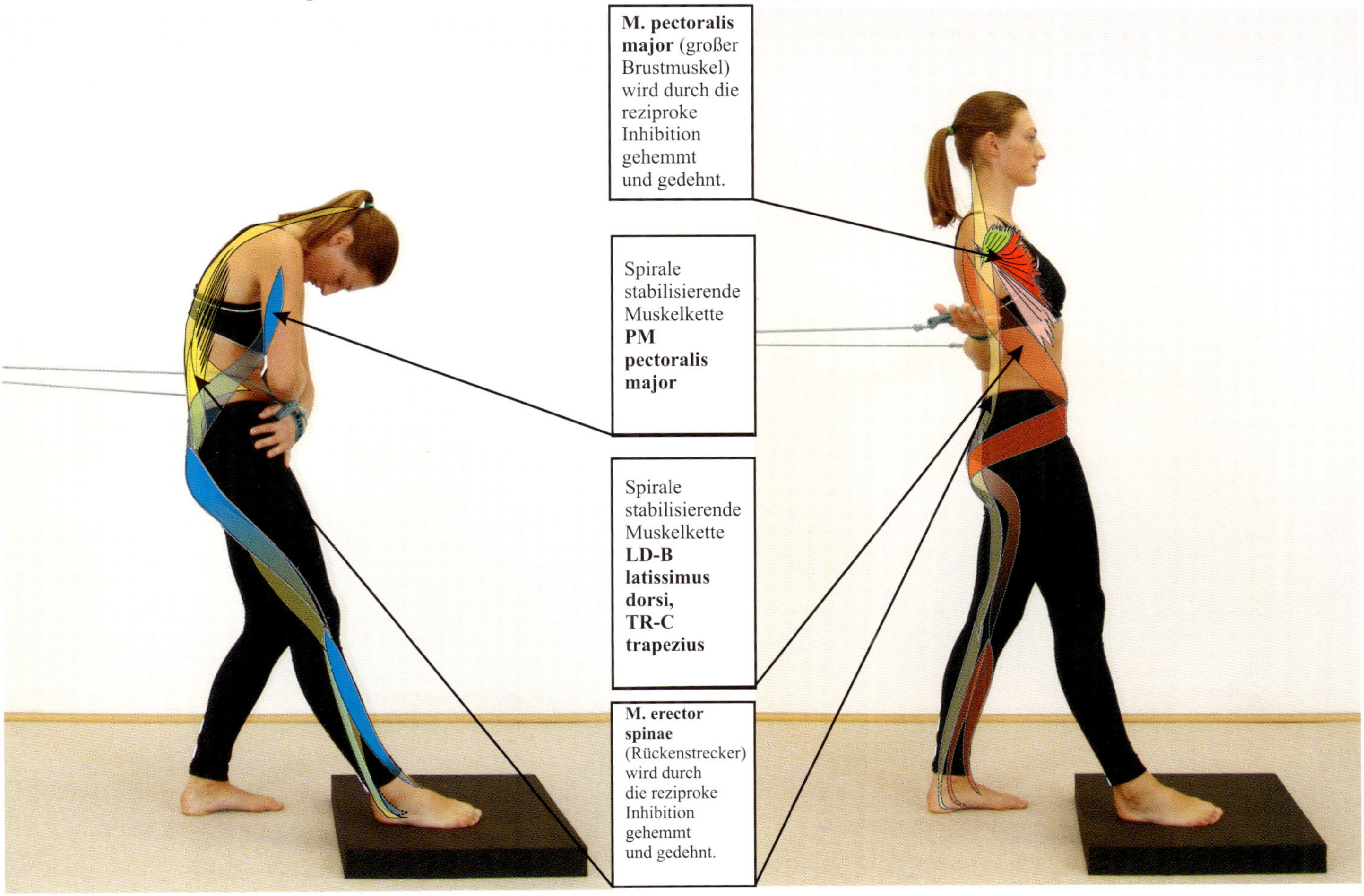

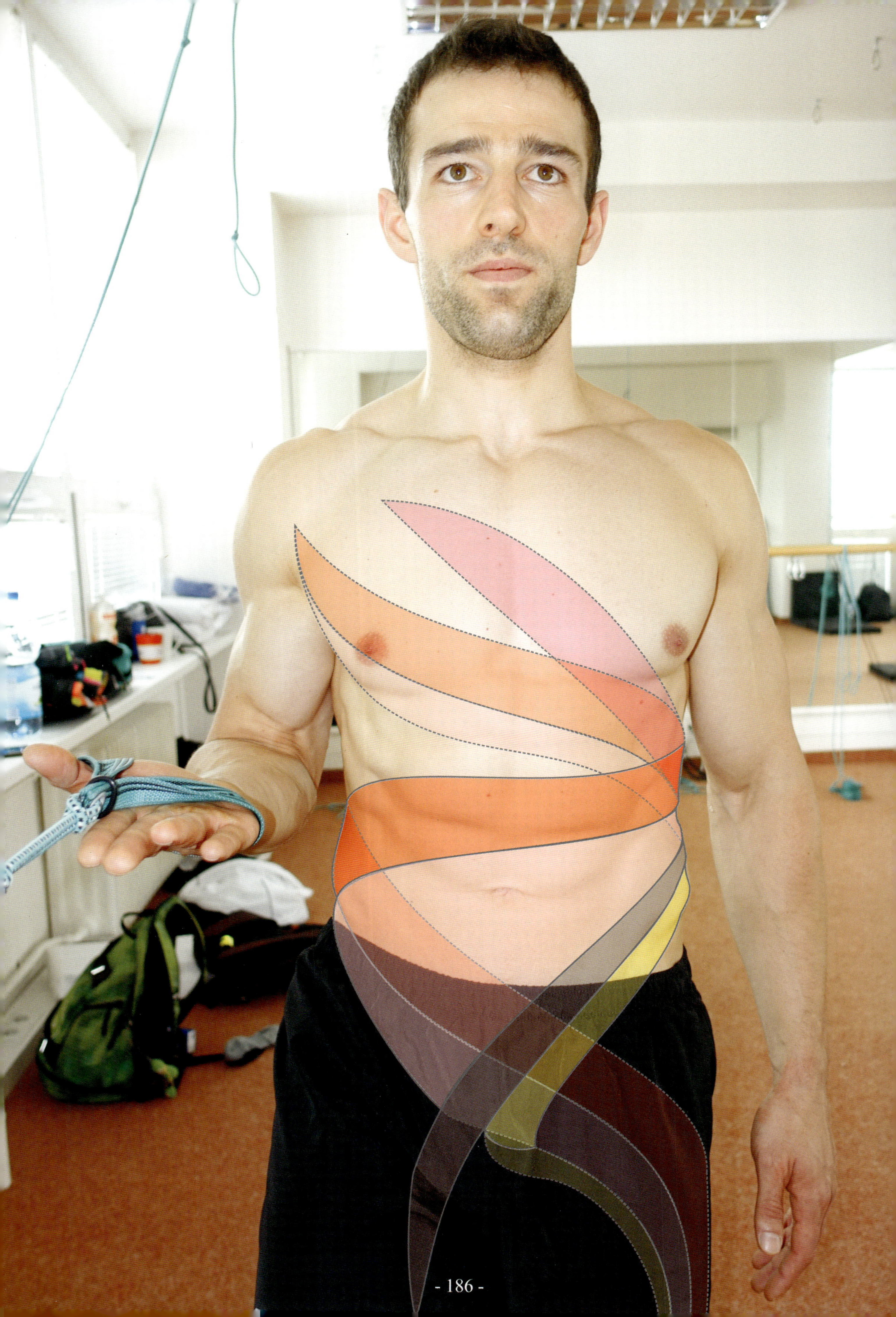

MANUELLE TECHNIKEN UND ÜBUNGEN NACH DER MUSKELANALYSE

Rumpf
vordere Muskelgruppe

Muskeln, die zur Abschwächung neigen:

M. obliquus externus abdominis (äußerer schräger Bauchmuskel)
M. obliquus internus abdominis (innerer schräger Bauchmuskel)
M. transversus abdominis (querer Bauchmuskel)
M. rectus abdominis (gerader Bauchmuskel)

M. obliquus externus abdominis (äußerer schräger Bauchmuskel)

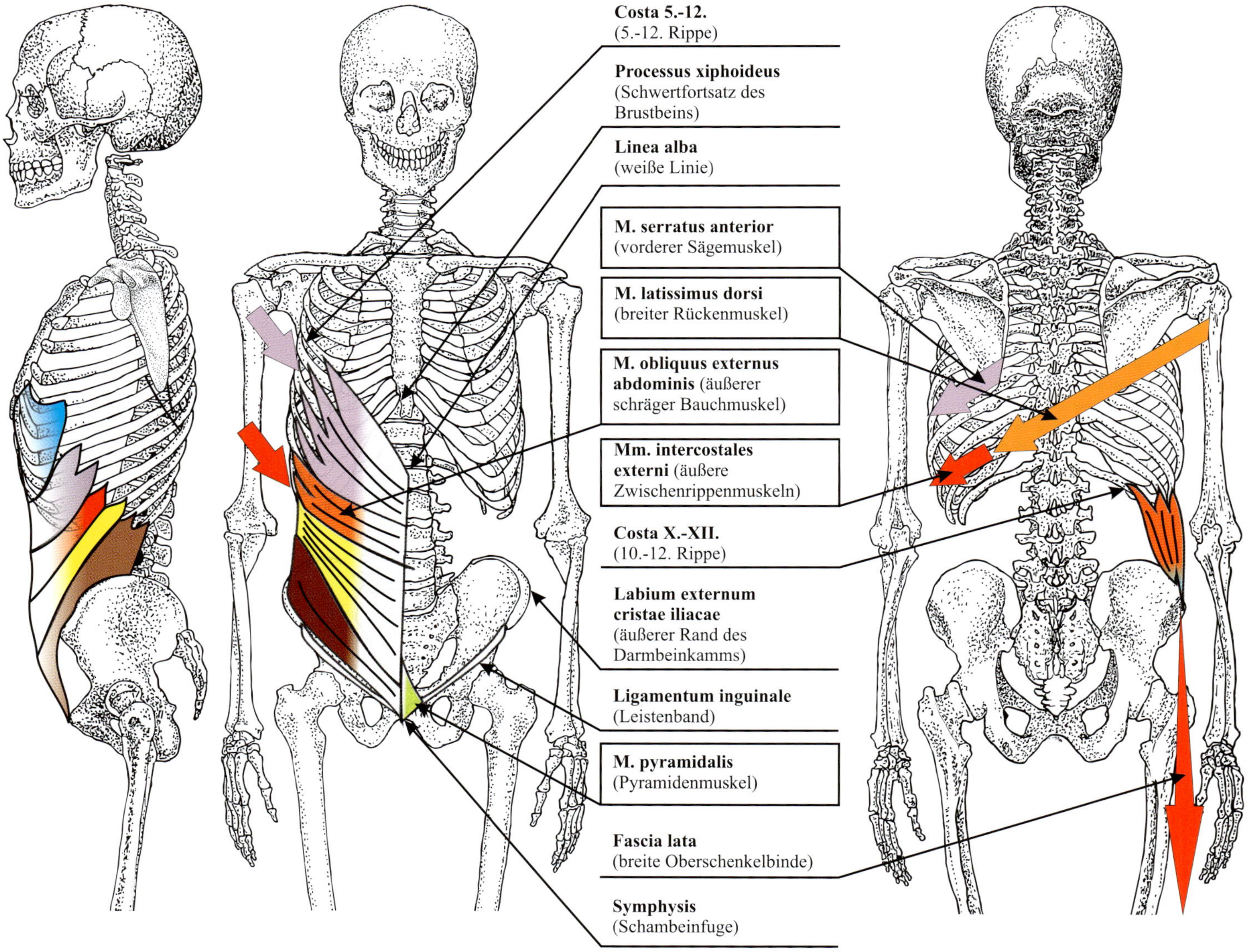

M. obliquus externus abdominis
(äußerer schräger Bauchmuskel)

Ursprung:
- Außenflächen der 5. bis 12. Rippenknorpel

Ansatz:
- crista iliaca, labium externum
- vorderes Blatt der Rektusscheide der geraden Bauchmuskeln
- linea alba
- os pubis

Funkon: - einseitig:
- laterale Flexion (Seitwärtsneigung) des Rumpfs zur ipsilateralen Seite
- Rotation des Rumpfs zur Gegenseite

- beiderseitig:
- Ventralflexion des Rumpfs
- Ausgleichen des Rückens
- Bauchpresse
- Atemmuskel - Exspiration (Ausatmung)

Innervation:
- Nn. intercostales (Th5-Th12)
- N. iliohypogastricus

M. obliquus internus abdominis (innerer schräger Bauchmuskel)

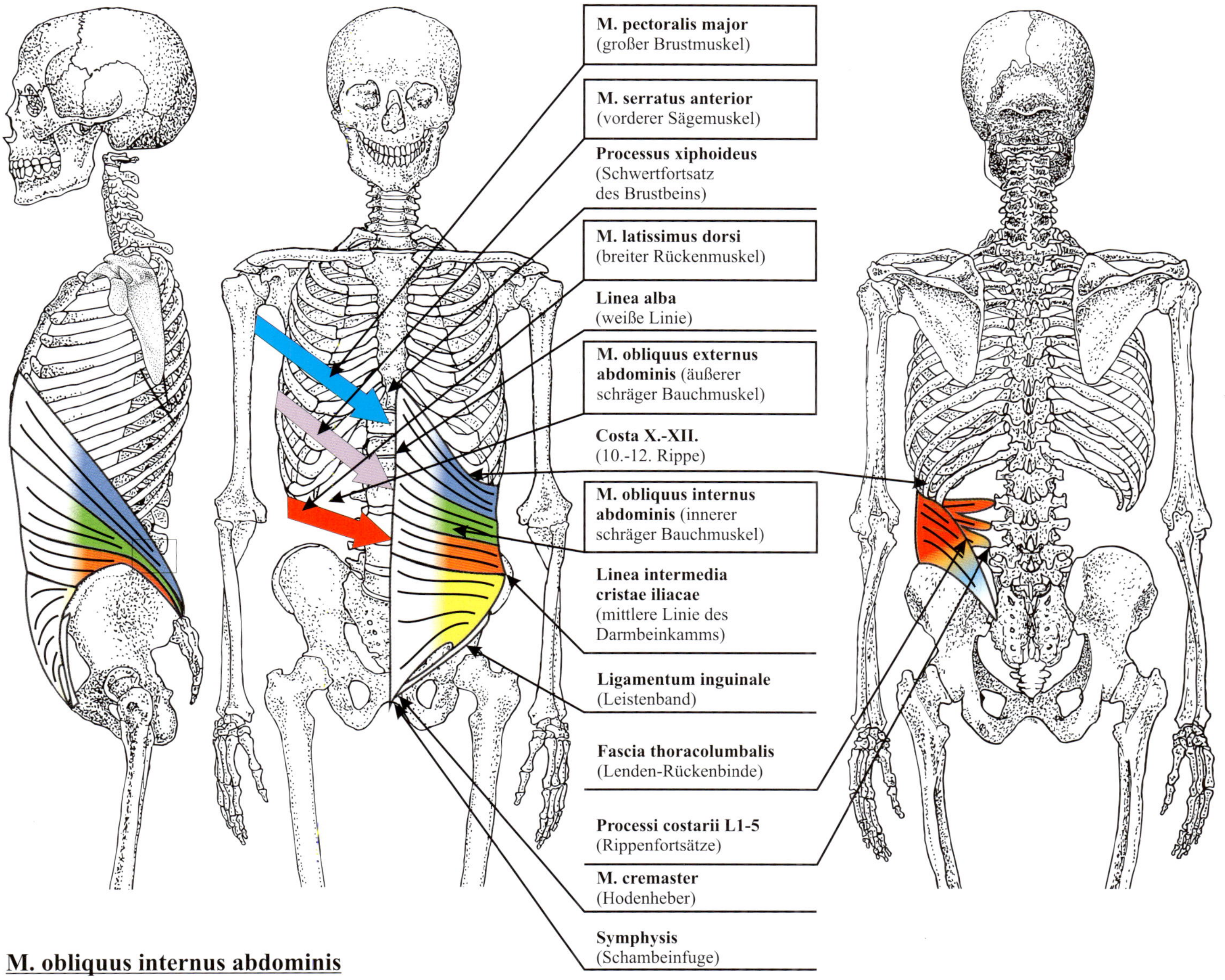

M. obliquus internus abdominis
(innerer schräger Bauchmuskel)

Ursprung:
- tiefes Blatt der thorakolumbalen Faszie - processi costarii
- crista iliaca, linea intermedia
- spina iliaca anterior superior
- laterale Hälfte des ligamentum inguinale

Ansatz:
- unterer Rand der 10.-12. Rippe
- vorderes und hinteres Blatt der Rektusscheide der geraden Bauchmuskeln
- linea alba
- Übergang zum M. cremaster

Funktion: - einseitig:
- laterale Flexion (Seitwärtsneigung) des Rumpfs zur ipsilateralen Seite
- Rotation des Rumpfs zur ipsilateralen Seite

- beiderseitig:
- Ventralflexion des Rumpfs
- Ausgleichen des Rückens
- Bauchpresse
- Atemmuskel - Exspiration (Ausatmung)

Innervation:
- Nn. intercostales (Th8-Th12)
- N. iliohypogastricus
- N. ilioinguinalis
- M. cremaster: - ramus genitalis nervi genitofemoralis

M. obliquus externus abdominis (äußerer schräger Bauchmuskel), M. obliquus internus abdominis (innerer schräger Bauchmuskel)

Aktivierung des M. obliquus externus abdominis, M. obliquus internus abdominis und M. transversus abdominis durch die M. pectoralis major, M. serratus anterior, M. latissimus dorsi und M. trapezius.

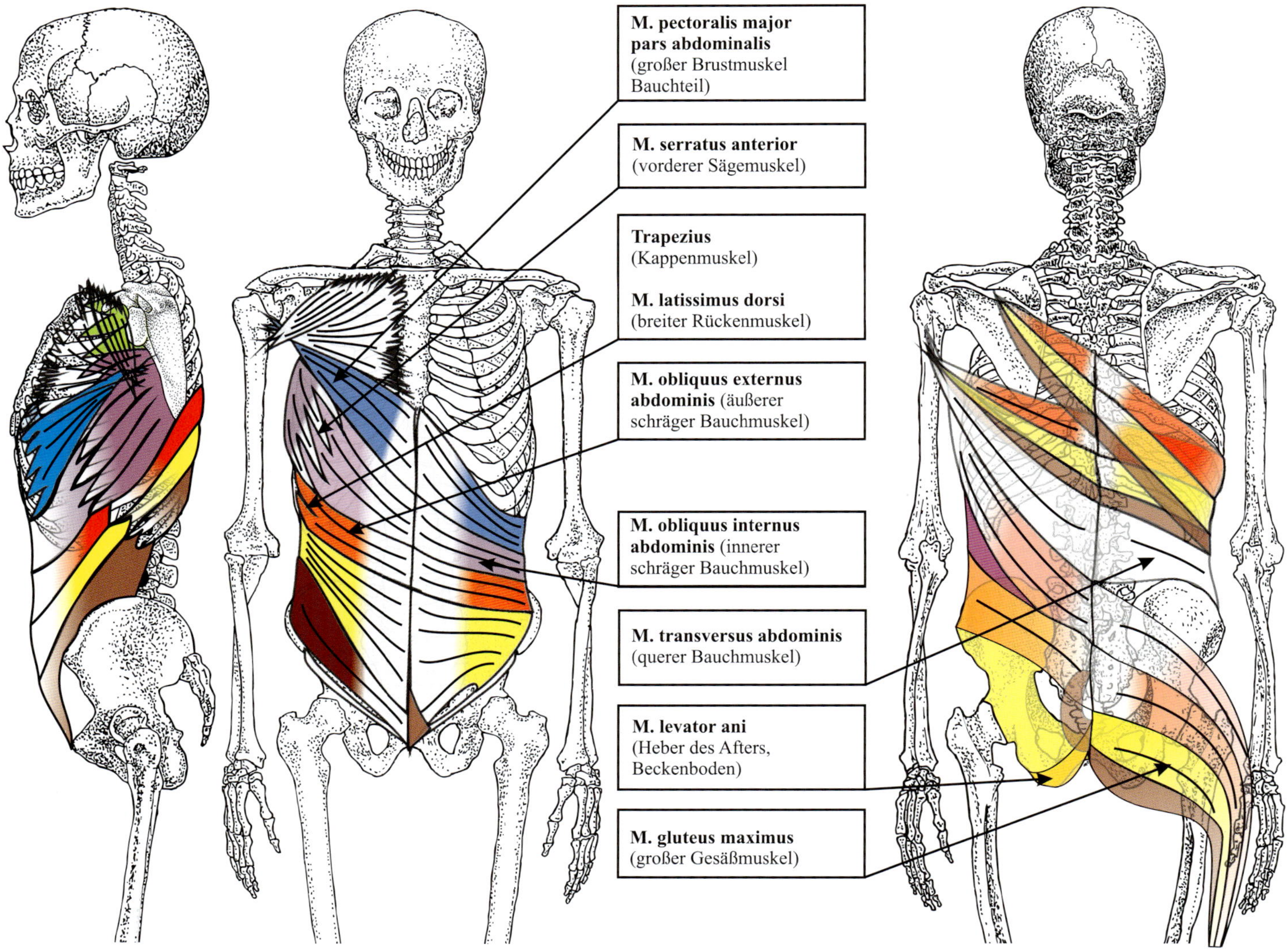

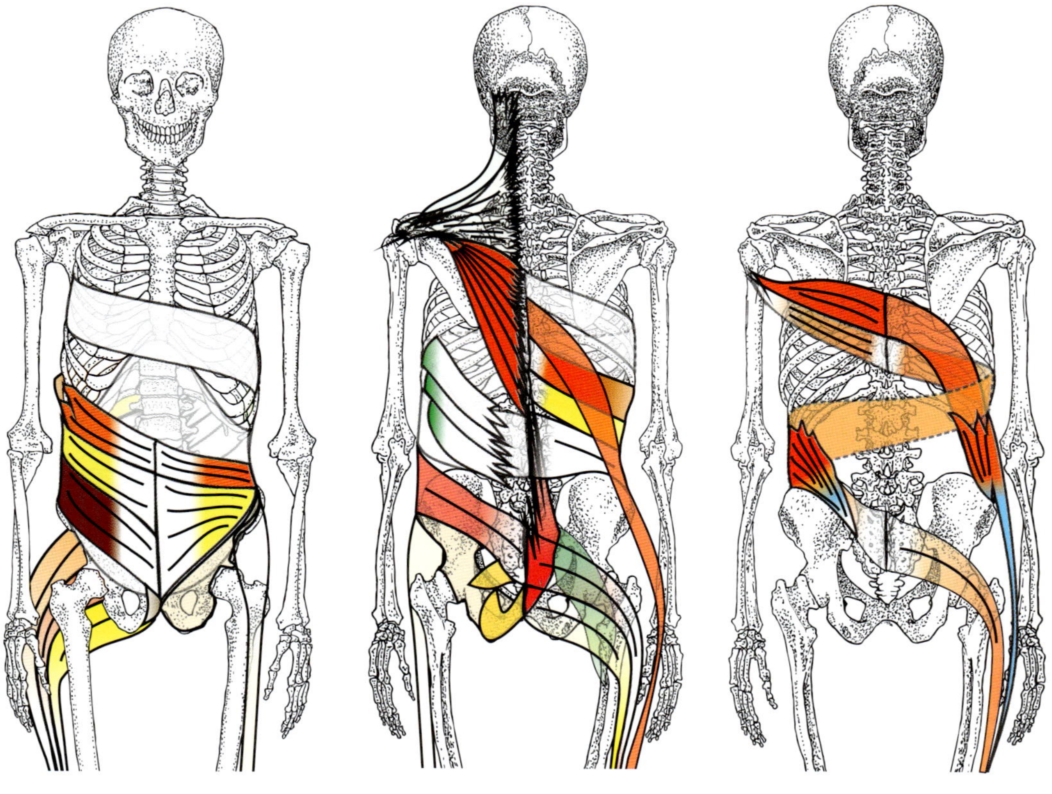

M. transversus abdominis (querer Bauchmuskel)

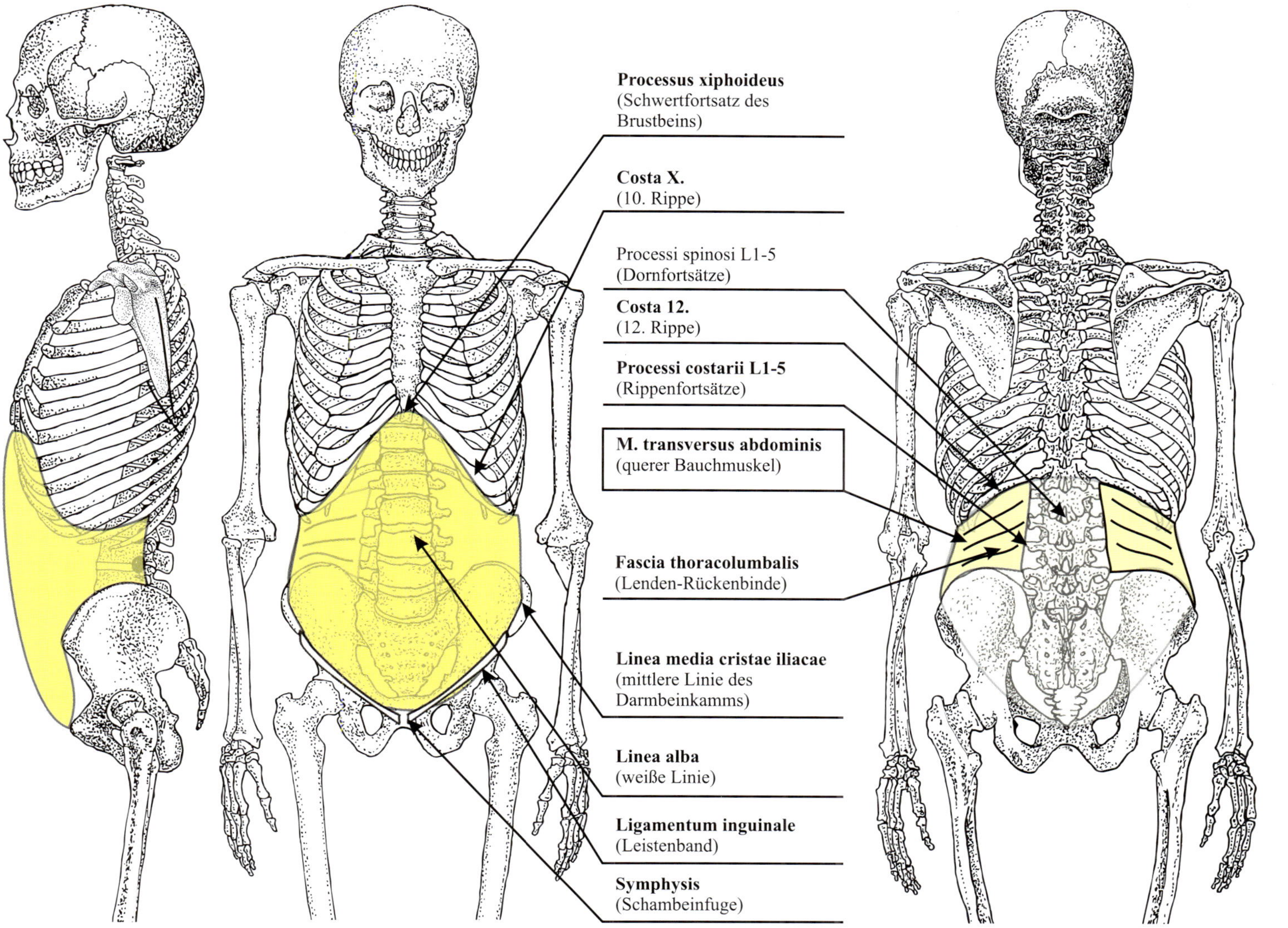

M. transversus abdominis (querer Bauchmuskel)

Ursprung:
- Innenflächen der 7. - 10. Rippenknorpel
- tiefes Blatt der thorakolumbalen Faszie
- processi costarii
- crista iliaca, labium internum
- spina iliaca anterior superior

Ansatz:
- inneres Blatt der Rektusscheide der geraden Bauchmuskeln

Funktion: - einseitig:
- Rotation des Rumpfes zur ipsilateralen Seite

 - beiderseitig:
- Bauchpresse
- Atemmuskel - Exspiration (Ausatmung)

Innervation:
- Nn. intercostales (Th5-Th12)
- N. iliohypogastricus
- N. ilioinguinalis
- N. genitofemoralis

Aktivierung **M. transversus abdominis** (querer Bauchmuskel) durch die **Spirale Trapezius**

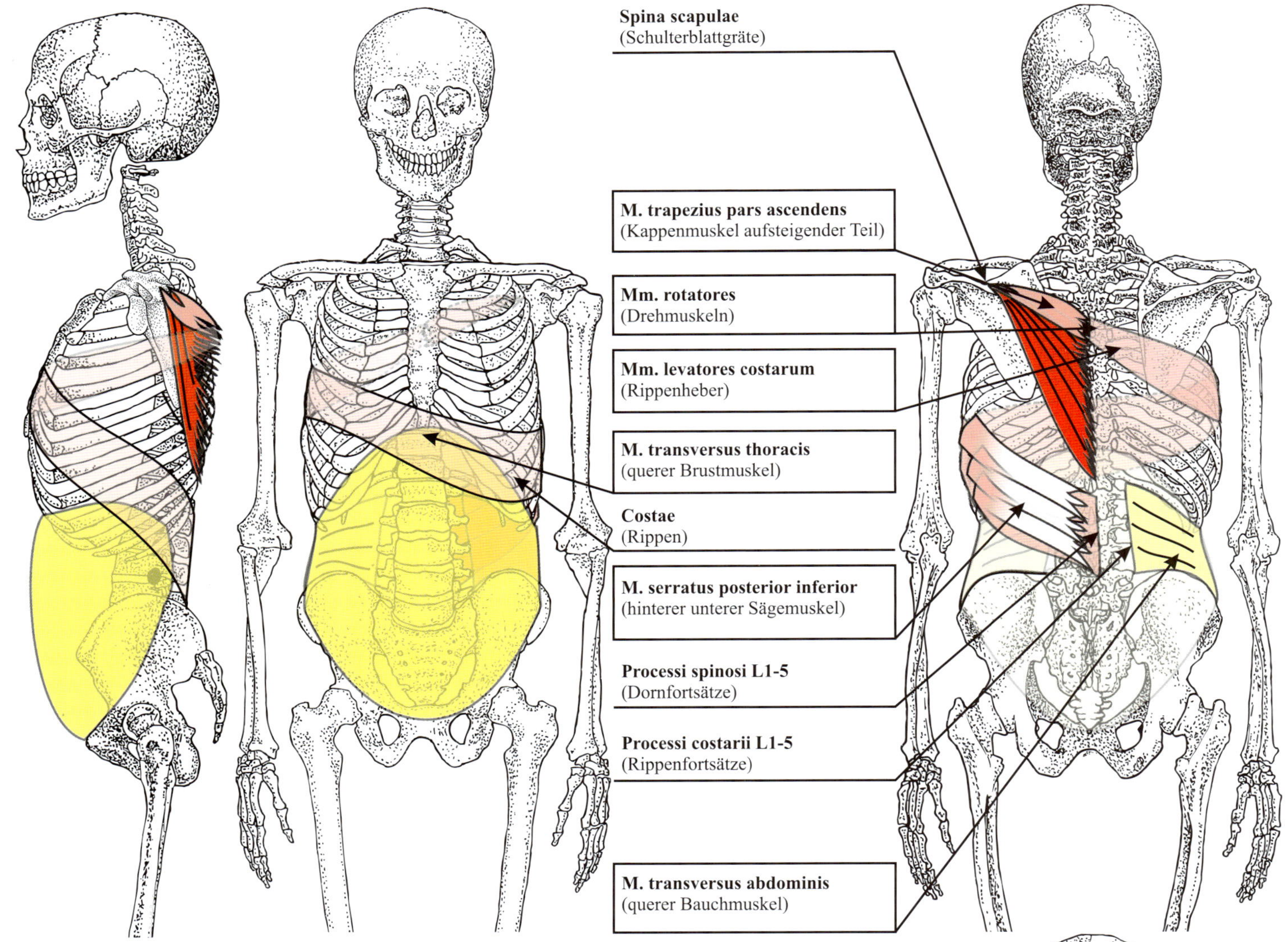

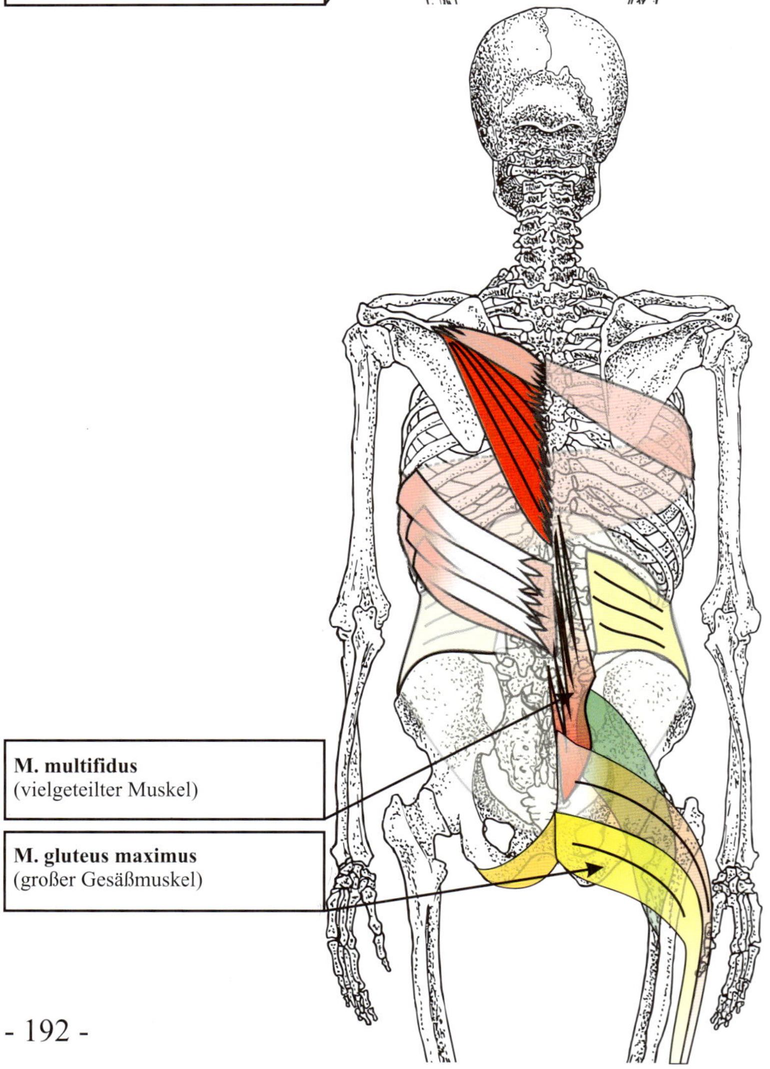

Aktivierung des **M. transversus abdominis** (querer Bauchmuskel) durch die **Spirale Latissimus dorsi**

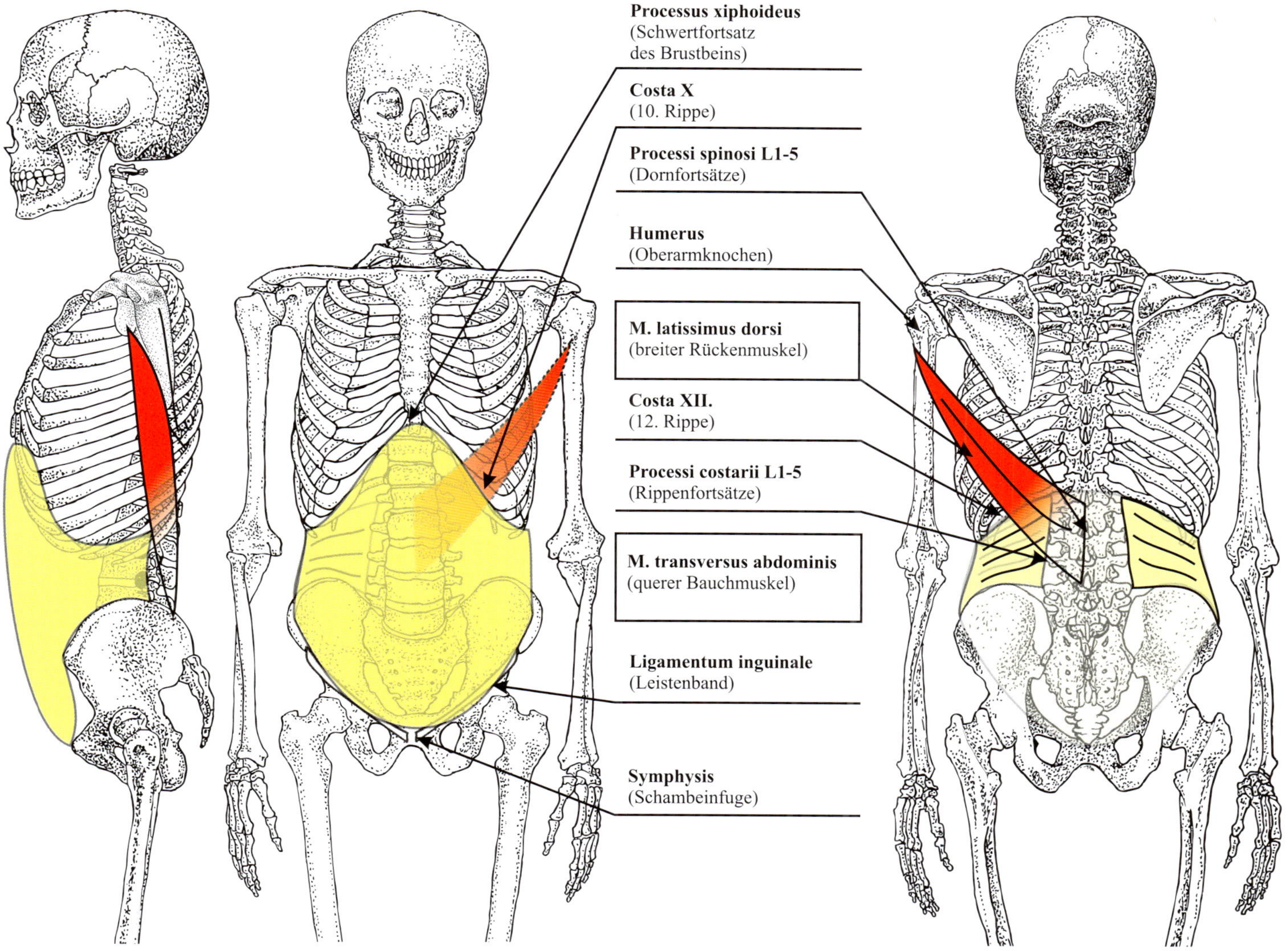

Aktivierung des **M. transversus abdominis** (querer Bauchmuskel) durch die **Spirale Serratus anterior**

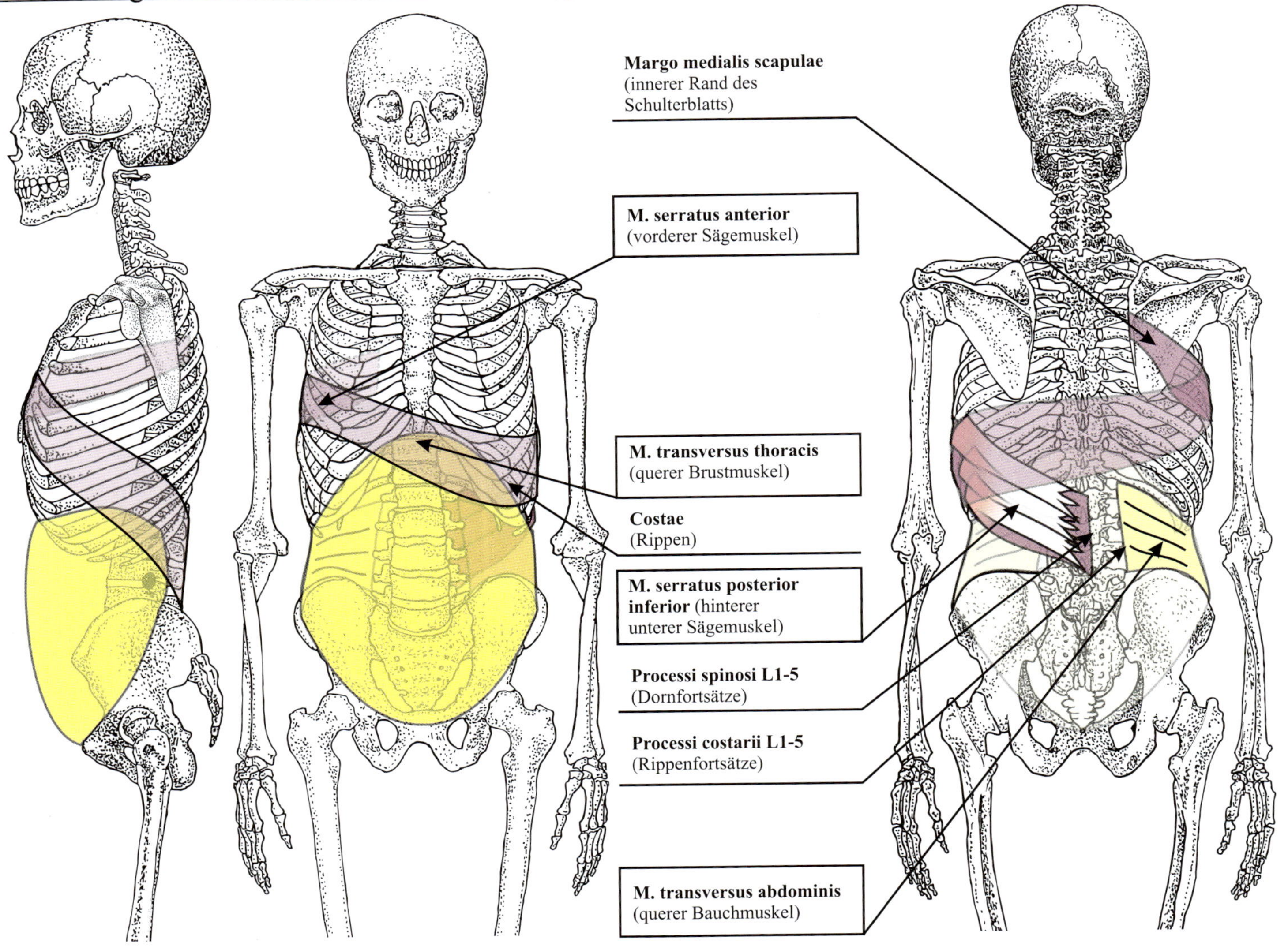

Aktivierung des **M. transversus abdominis** (querer Bauchmuskel) durch die **Spirale Pectoralis major**

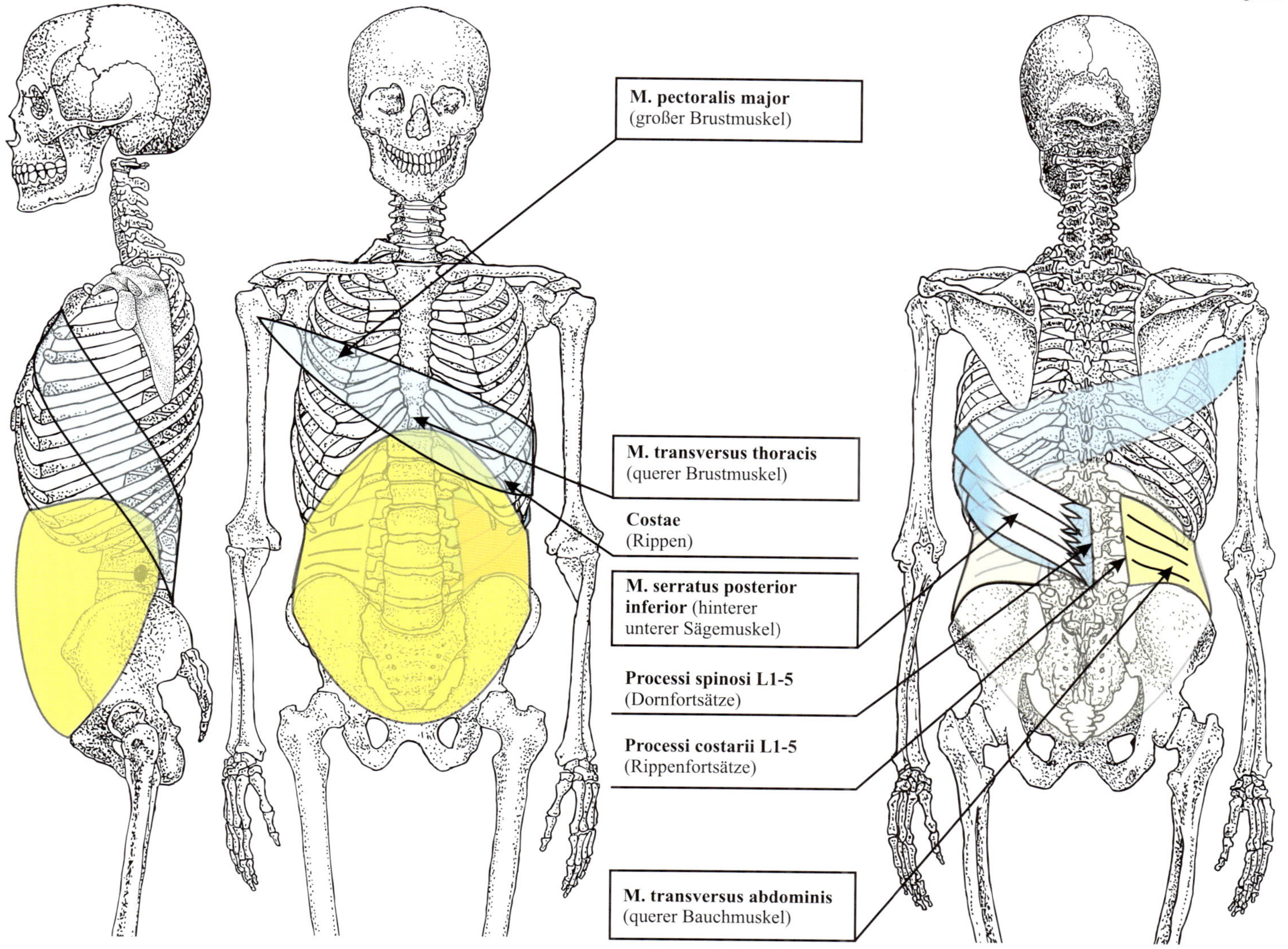

M. rectus abdominis (gerader Bauchmuskel)

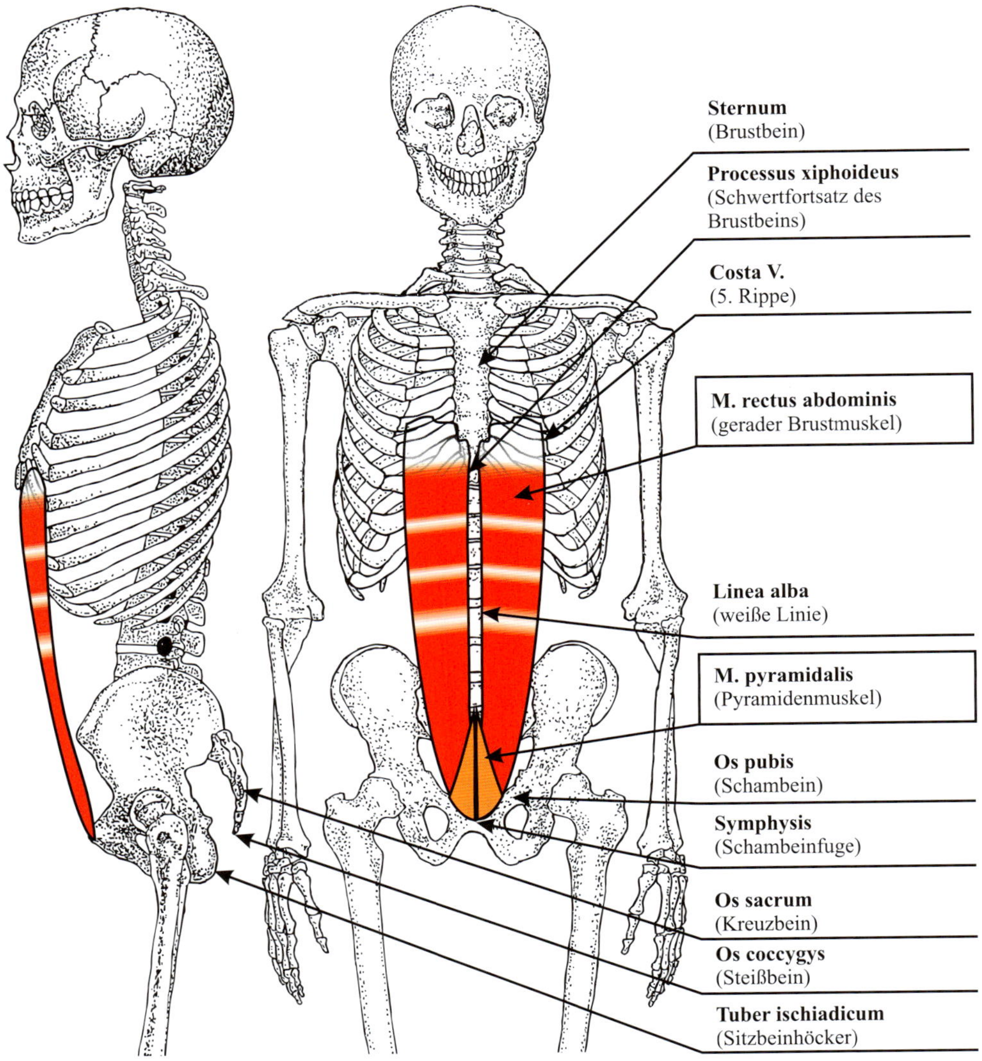

M. rectus abdominis (gerader Bauchmuskel)

Ursprung:
- 5. - 7. Rippenknorpel
- processus xiphoideus

Ansatz:
- Schambein zwischen dem Schambeinhügel und der Schambeinfuge

Funktion:
- Ventralflexion des Rumpfs
- Dehnung des Rückens
- Bauchpresse
- Atemmuskel - Exspiration (Ausatmung)

Innervation:
- Nn. intercostales (Th5-Th12)

M. pyramidalis (Pyramidenmuskel)

Ursprung:
- Schambein ventral vom M. rectus abdominis

Ansatz:
- Linea alba

Funktion:
- spannt die Linea alba

Innervation:
- N. subcostalis (N. intercostalis Th12)

M. rectus abdominis (gerader Bauchmuskel) - anatomische Verhältnisse

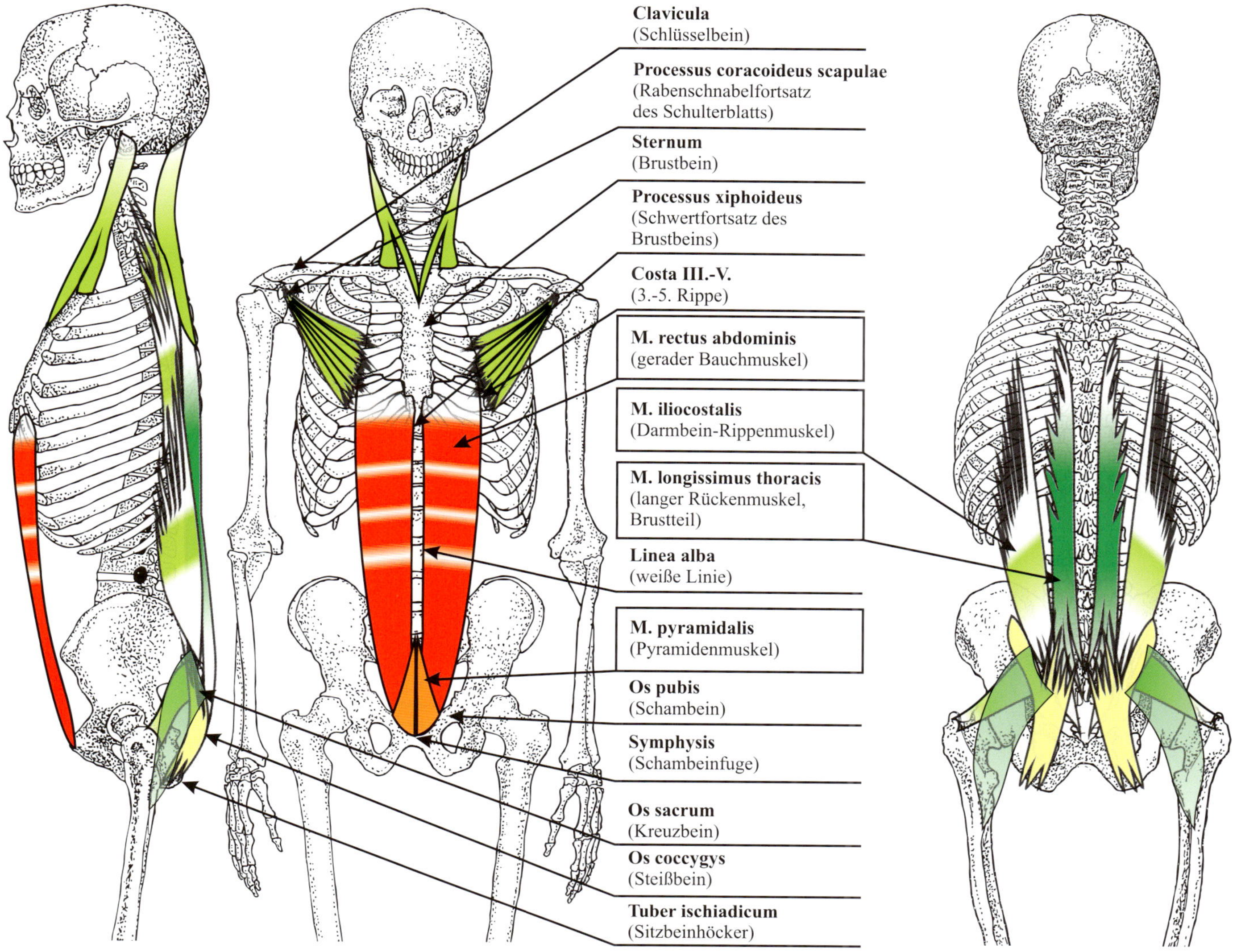

Das gegenseitige Gleichgewicht zwischen der vorderen und hinteren Vertikale

M. rectus abdominis (gerader Bauchmuskel) von vorn, M. iliocostalis (Darmbein-Rippenmuskel), sowie der M. longus thoracis (langer Rückenmuskel, Brustteil) von hinten, gleichen die Stellung des Brustkorbs und des Beckens gegenseitig aus. Somit beteiligen sie sich bedeutend an der Unterstützung der aufrechten Körperhaltung während der Ruheposition.

M. rectus abdominis (gerader Bauchmuskel)

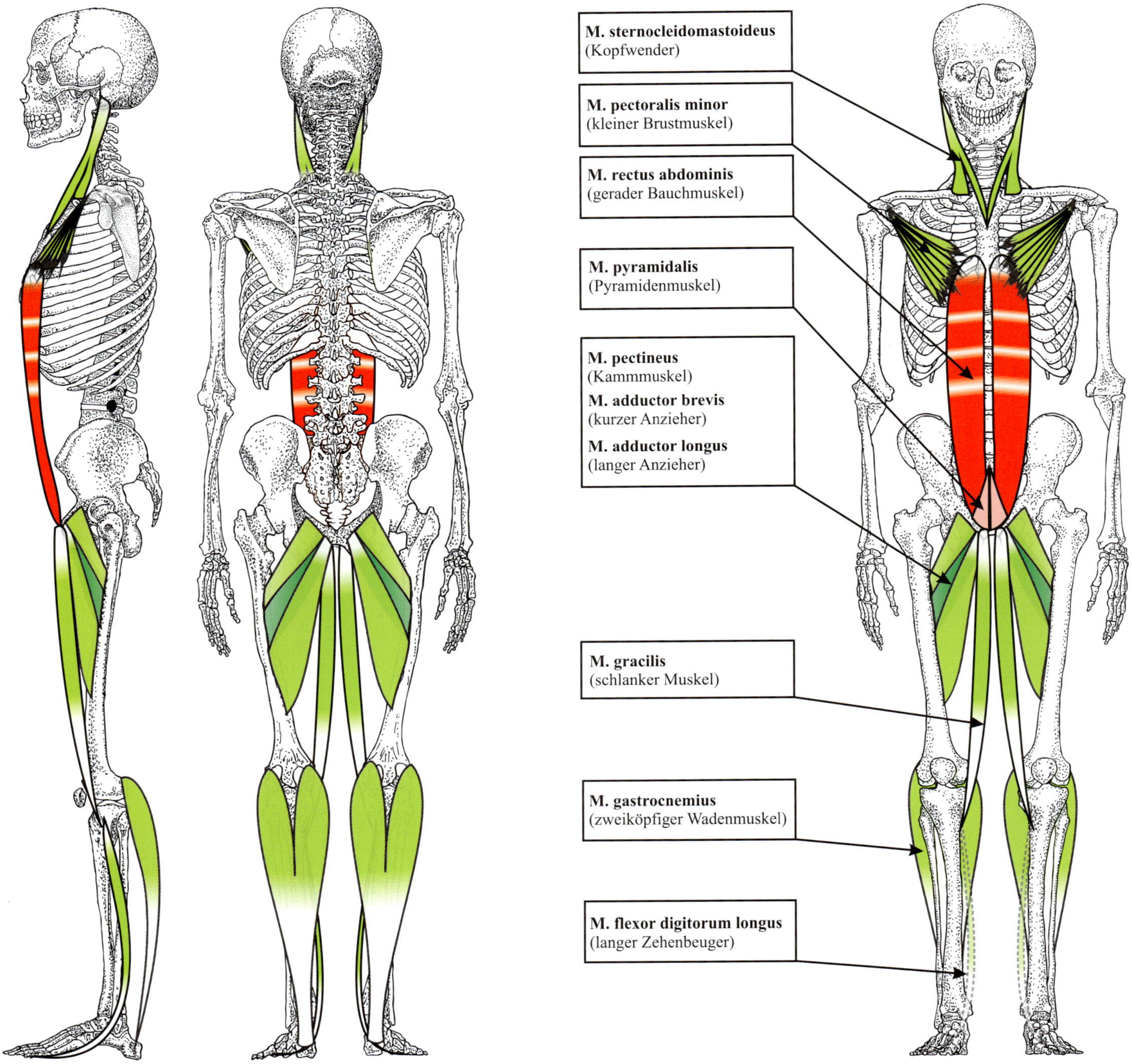

MANUELLE TECHNIKEN UND ÜBUNGEN NACH DER MUSKELANALYSE

Beckengürtel und hintere, untere Muskelgruppe

Muskeln, die zur Abschwächung neigen:

M. gluteus maximus (großer Gesäßmuskel)

M. gluteus maximus (großer Gesäßmuskel)

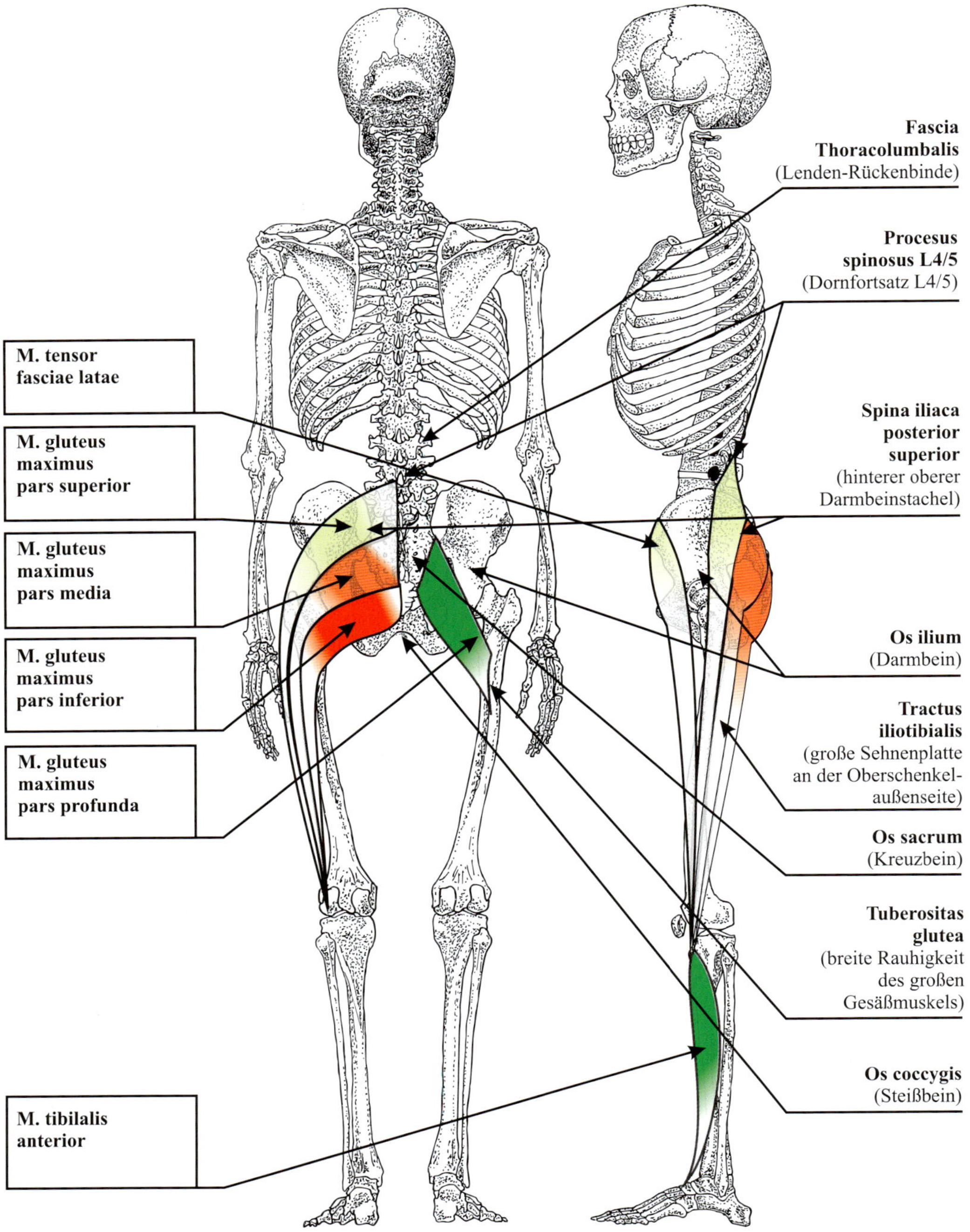

M. gluteus maximus (großer Gesäßmuskel)
- **pars superior**
  hat Tendenz zur Anspannung und zur Verkürzung
- **pars media**
  hat Tendenz zur Abschwächung
- **pars inferior**
  hat Tendenz zur Abschwächung
- **pars profunda**
  hat Tendenz zur Anspannung und zur Verkürzung

M. gluteus maximus (großer Gesäßmuskel)
- pars superior (oberer Teil)
Ursprung:
- fascia thoracolumbalis
- processi spinosi L4, 5
- os ilium facies glutea

Ansatz:
- tractus iliotibialis - pars media (große Sehnenplatte an der Außenseite des Oberschenkels)
- fascia lata (breite Oberschenkelbinde)

Funktion: - Hüfte:
- Streckung (Extension) des Hüftgelenks
- Abspreizen (Abduktion) des Oberschenkels
- Außenrotation des Oberschenkels
- Stabilisation der Hüfte

  - Becken:
- Ausgleich der Becken-Anteversion

  - Knie:
- Streckung (Extension)
- Außenrotation
- laterale Stabilisation

Innervation - alle Teile:
- N. gluteus inferior (unterer Gesäßnerv L4-S2)

- pars media (mittlerer Teil)
Ursprung:
- os sacrum - (Kreuzbein) knüpft sich an M. obliquus internus abdominis an
- ligamentum sacrotuberale

Ansatz:
- tractus iliotibialis - pars media (große Sehnenplatte an der Außenseite des Oberschenkels)
- fascia lata (Oberschenkelbinde)

Funktion: - Hüfte:
- Streckung (Extension) des Hüftgelenks
- Abspreizen (Abduktion) des Oberschenkels
- Außenrotation des Oberschenkels
- Stabilisation der Hüfte

  - Becken:
- Ausgleich der Becken-Anteversion

  - Knie:
- Streckung (Extension)
- Außenrotation
- laterale Stabilisation

- pars inferior (unterer Teil)
Ursprung:
- os coccygis (Steißbein) (knüpft sich an M. levator ani - Beckenboden an)

Ansatz:
- tractus iliotibialis - pars posterior tractus iliotibialis - pars media (große Sehnenplatte an der Außenseite des Oberschenkels)
- fascia lata (breite Oberschenkelbinde)

Funktion: - Hüfte:
- Hyperextension (erhöhte Spannung) des Hüftgelenks von der Vertikallinie bis zur vollen Extension (Sprint)
- Adduktion (Heranführen) des Oberschenkels
- Außenrotation des Oberschenkels
- Stabilisation der Hüfte

  - Becken:
- Ausgleich der Becken-Anteversion

  - Knie:
- Streckung (Extension)
- Außenrotation
- laterale Stabilisation

- pars profunda (tiefer Teil)
Ursprung:
- os sacrum - (knüpft sich an M. iliocostalis an)

Ansatz:
- tuberositas glutea

Funktion: - Hüfte:
- Streckung (Extension) des Hüftgelenks
- Abduktion (Abspreizen) des Oberschenkels
- Außenrotation des Oberschenkels
- Stabilisation der Hüfte

  - Becken:
- Ausgleich der Becken-Anteversion

Spirale Muskelkette **TR - trapezius** (Kappenmuskel)

Die Bewegung des Schulterblatts nach hinten aktiviert die TR Muskelkette, und diese aktiviert wiederum den M. gluteus maximus - Extension.

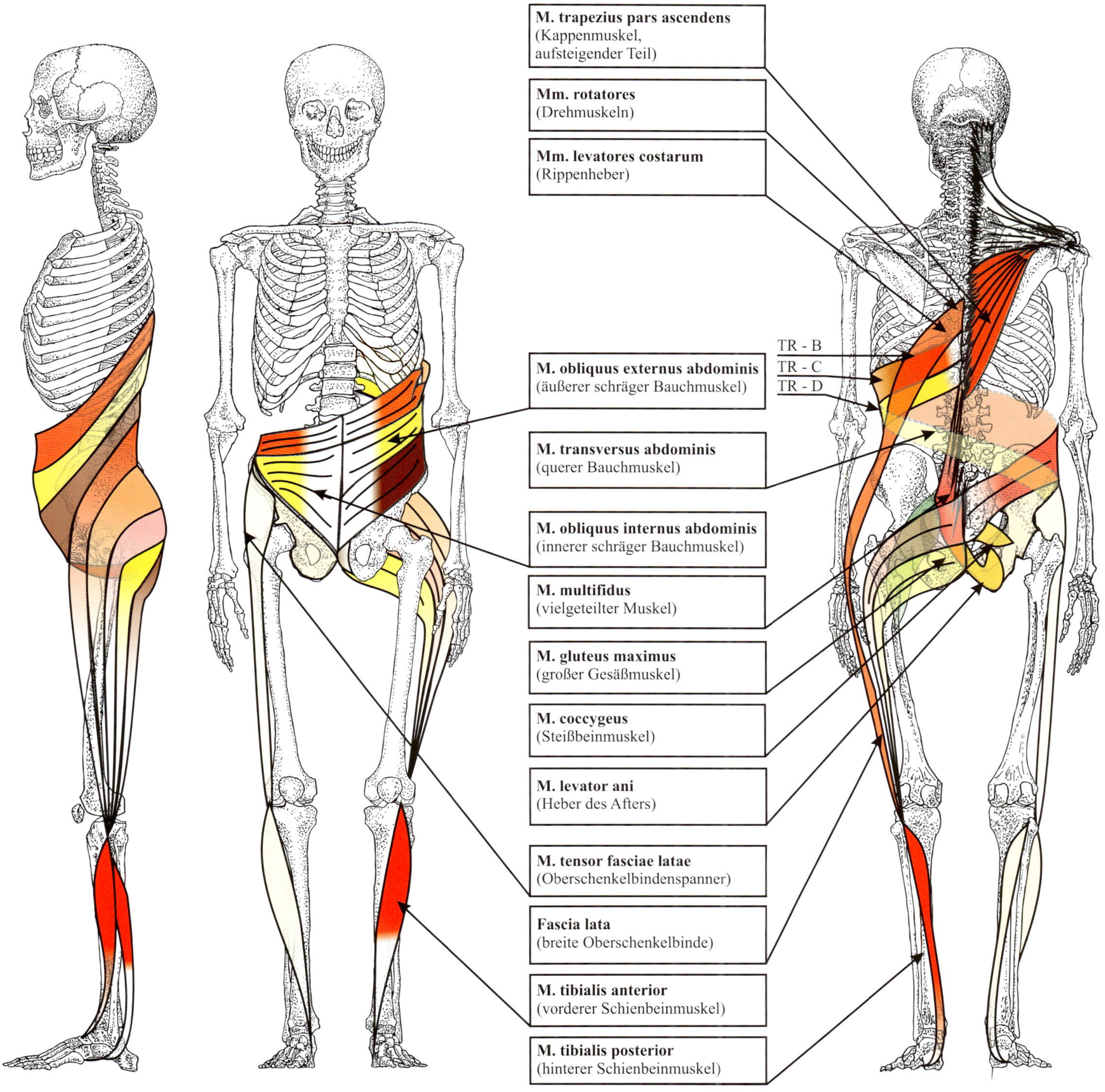

Spirale Muskelkette **LD - latissimus dorsi** (breiter Rückenmuskel)

Die Bewegung des Arms nach hinten aktiviert die LD Muskelkette, und diese aktiviert wiederum den M. gluteus maximus - Extension.

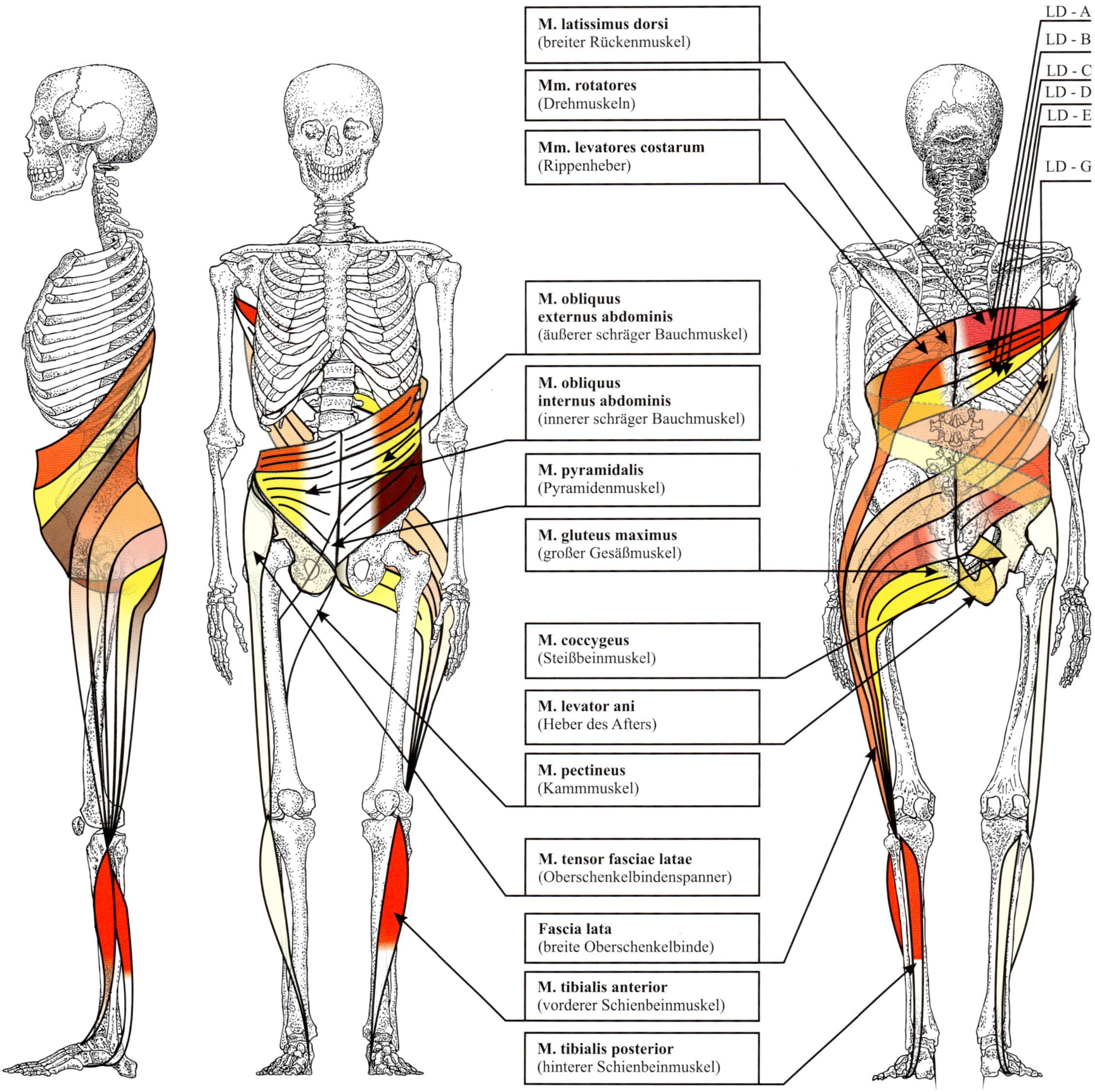

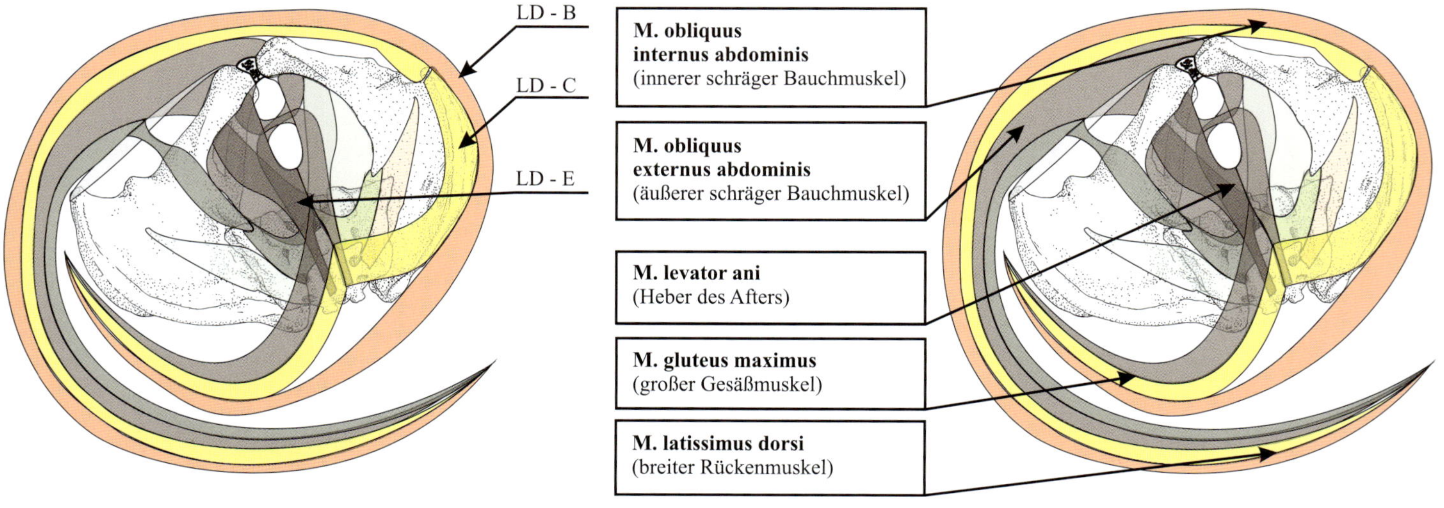

Spirale Muskelkette **LD-E - latissimus dorsi** (breiter Rückenmuskel)

Die Bewegung des Arms nach hinten aktiviert die LD Muskelkette,
und diese aktiviert wiederum den M. gluteus maximus - Extension.

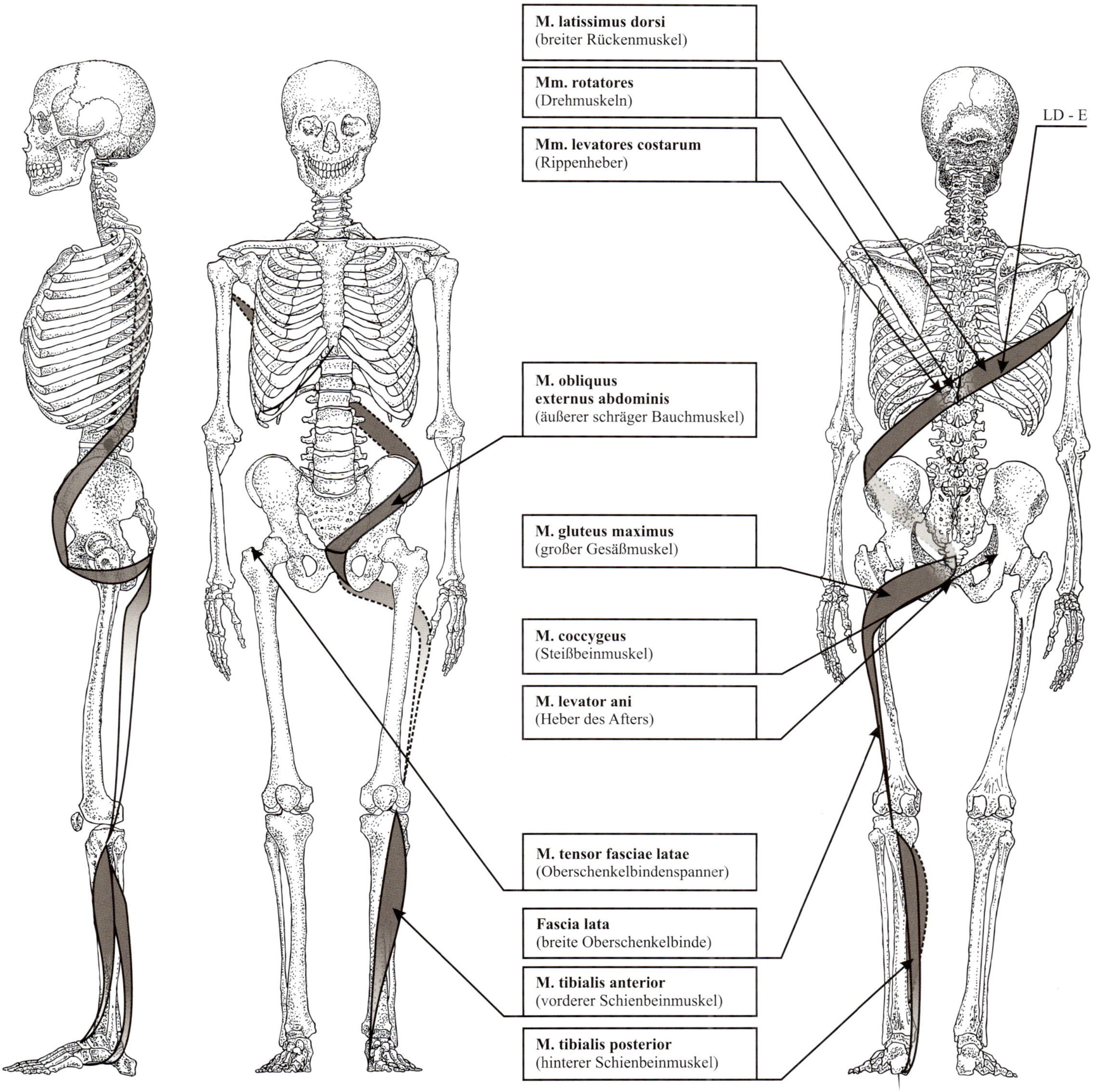

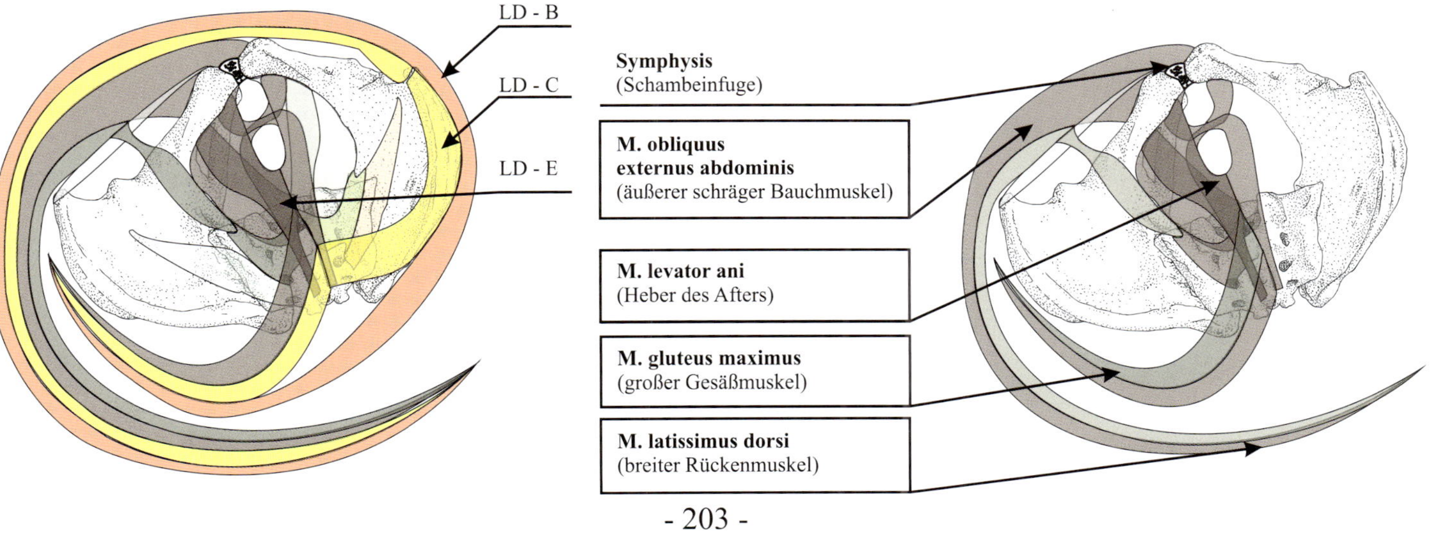

Spirale Muskelkette **SA - serratus anterior** (vorderer Sägemuskel)

Die Bewegung des Schulterblatts nach vorn, aktiviert die SA Muskelkette,
und diese aktiviert wiederum den M. gluteus maximus - Flexion.
Die zuerst ausgeführte Extension ist Voraussetzung für eine Aktivierung.

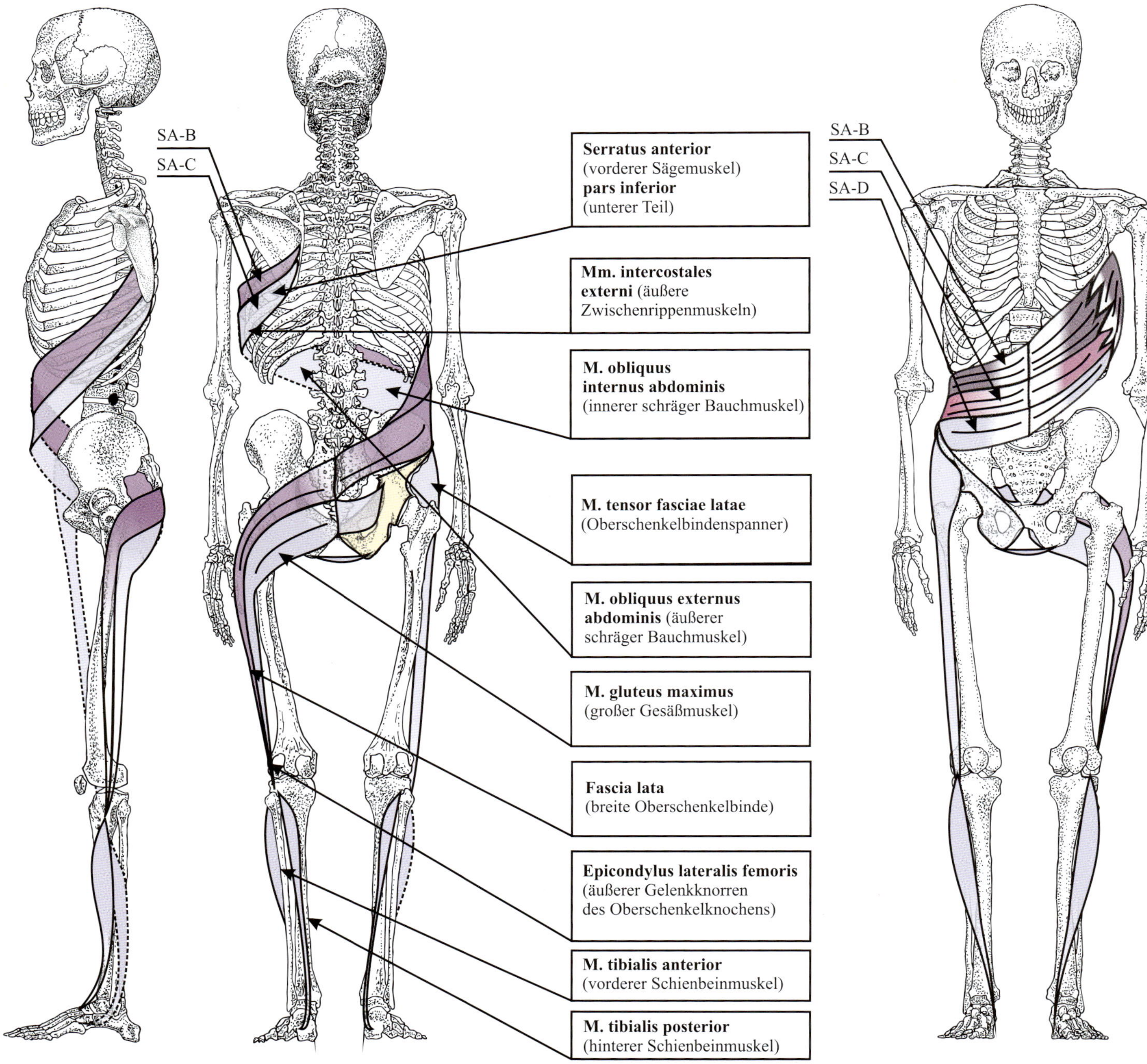

Spirale Muskelkette **PM - pectoralis major** (großer Brustmuskel)

Die Bewegung des Arms nach vorn, aktiviert die PM Muskelkette
und diese aktiviert wiederum den M. gluteus maximus - Flexion.
Die zuerst ausgeführte Extension ist Voraussetzung für eine Aktivierung.

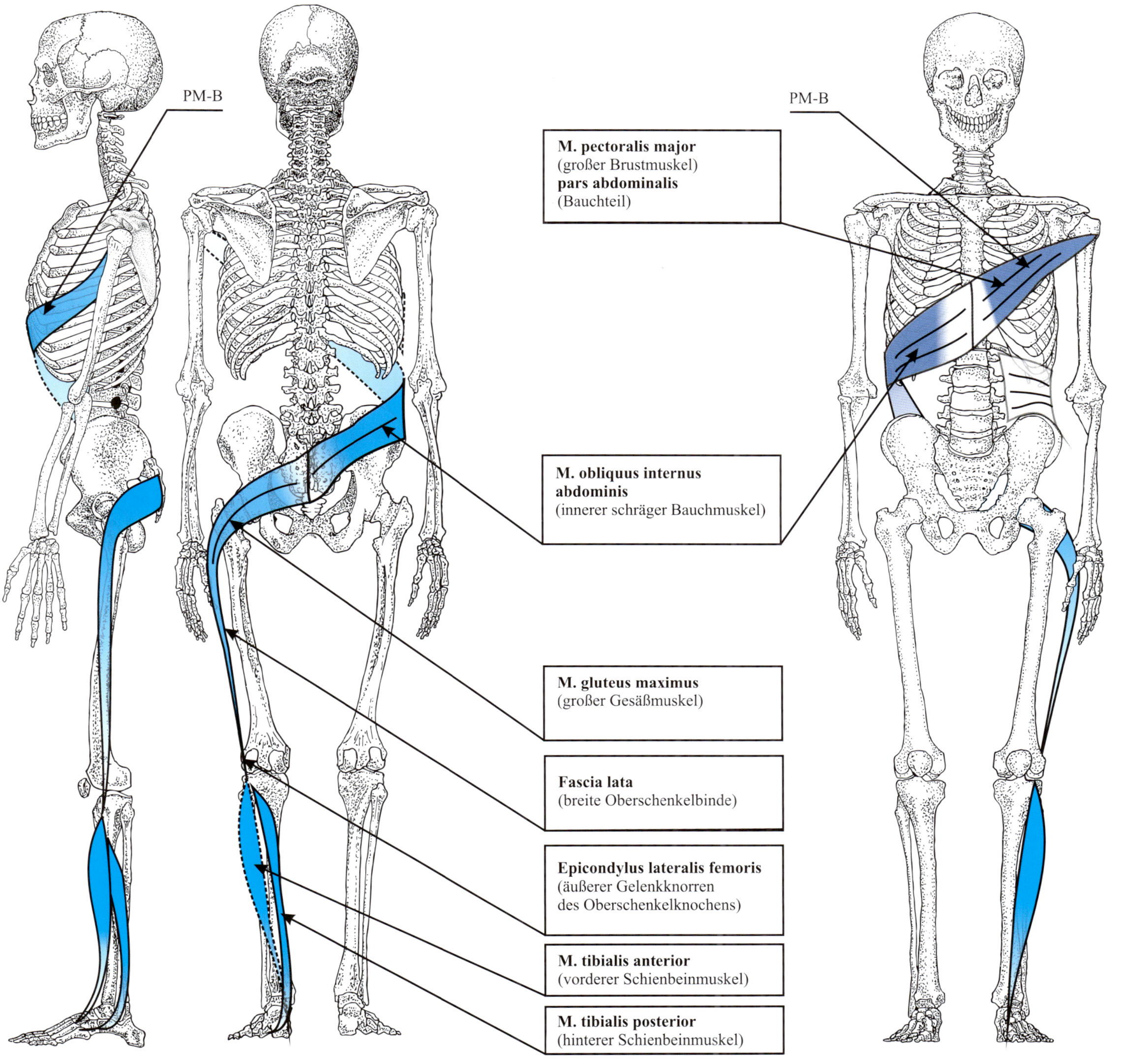

<u>**M. gluteus maximus** (großer Gesäßmuskel) - Kräftigung, Dehnung</u>

11. Übung - im Stehen mit der Stirn zur Befestigung des Seils und kreuzweise ausgeführtem Bewegungsmuster.
Extension des Arms im Schultergürtel und die des gegenüberliegenden Beins im Beckengürtel.
In den beiden Übungsphasen werden gleichzeitig die Spiralen TR, LD, SA und PM aktiviert.

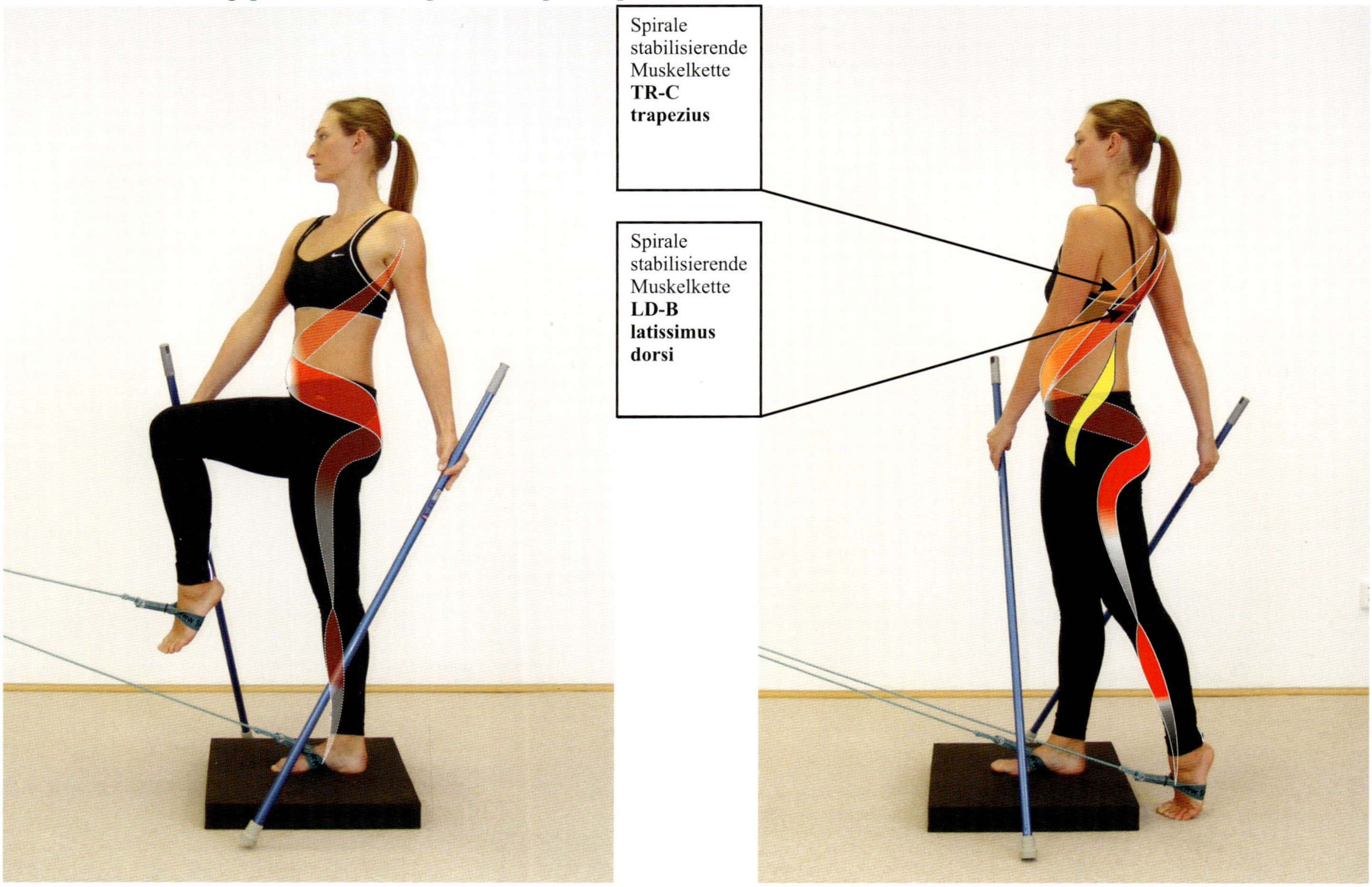

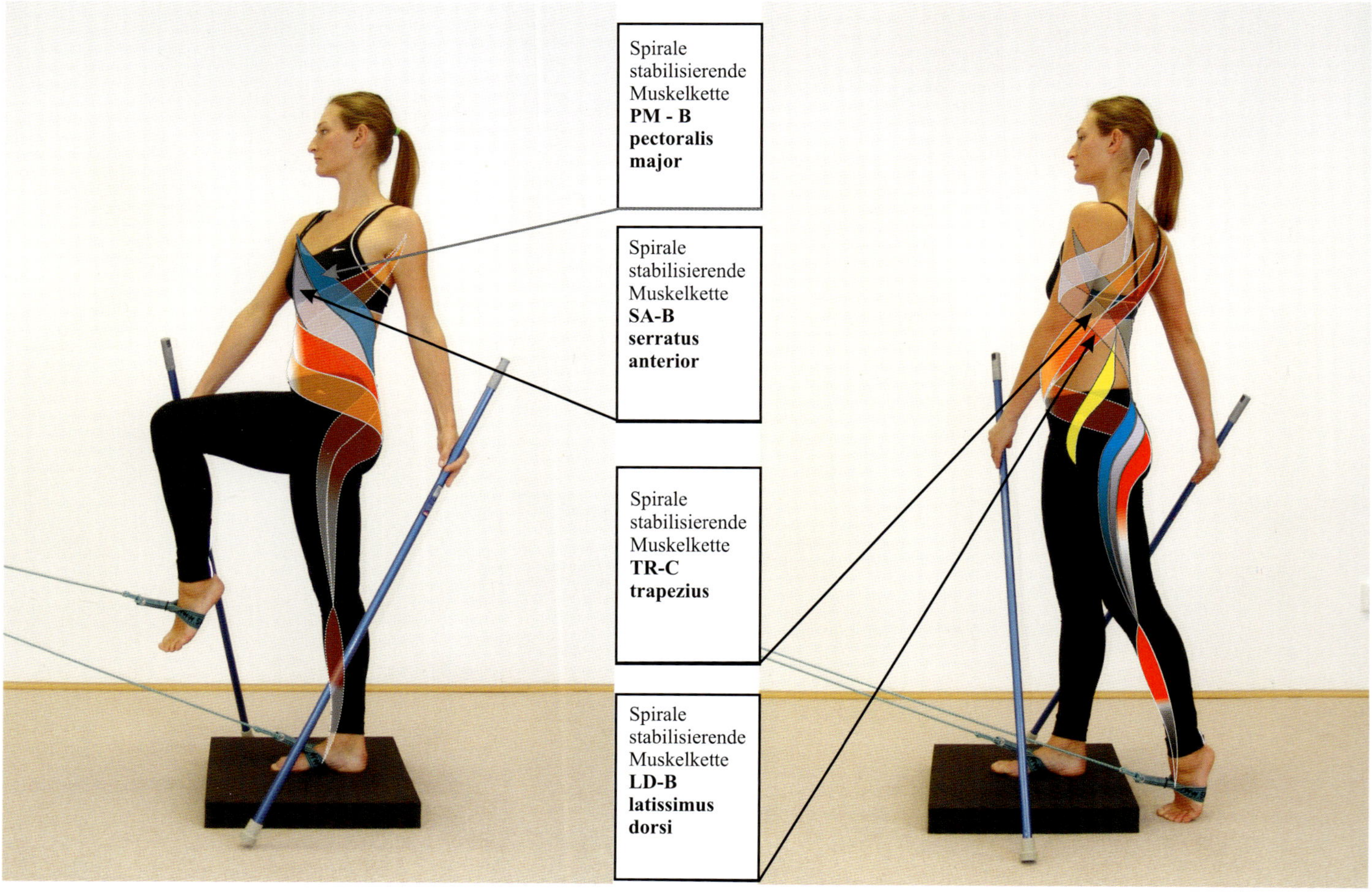

STÖRUNG DER MUSKELDEKONTRAKTION
TP - trigger ponts - Auslösepunkte
Fibromyalgie

Beseitigung der pathologischen Muskelanspannung und der TP - trigger points

Muskel, Muskelzelle und Sarkomer

Quergestreifter Skelettmuskel
Der Muskel setzt sich zunächst aus einer großen Anzahl von Faserbündeln zusammen, in denen sich die Muskelfasern (Muskelzellen) befinden. Der Muskel als Ganzes ist von einer besonders straffen, silbrig-weißen Bindegewebshaut umgeben. Jeder Muskel ist mit Nerven und Blutgefäßen versorgt. Die zuführenden Arterien dringen durch das Bindegewebe in den Muskel ein und verzweigen sich dort zu einem feinen Kapillarnetz.

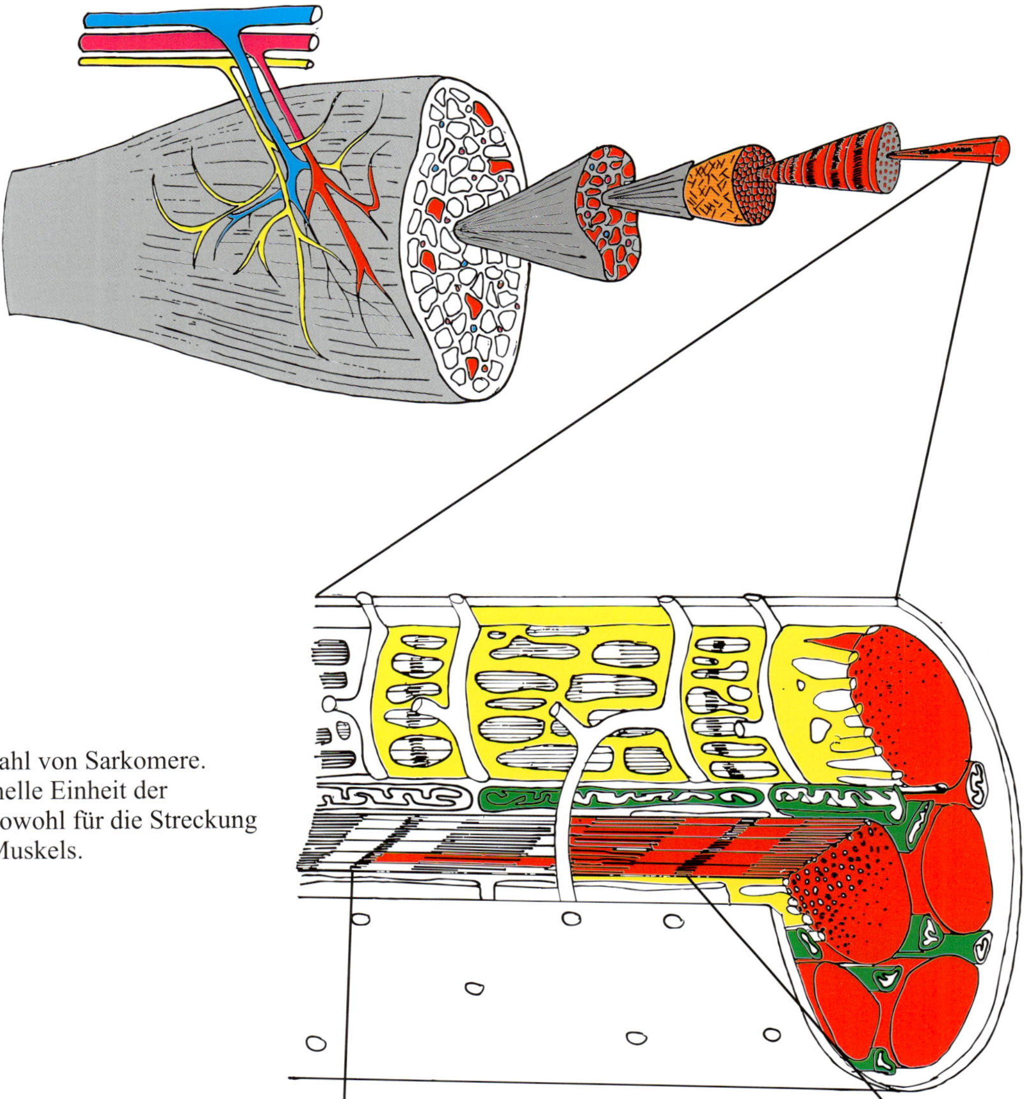

Muskelzelle
Die Muskelzelle enthält eine große Anzahl von Sarkomere. Jedes Sakomer ist eine kleinste funktionelle Einheit der Muskelfibrille (Myofibrille) und sorgt sowohl für die Streckung als auch für das Zusammenziehen des Muskels.

Sarkomera
Sarkomera ist eine funktionelle Einheit.
Die Muskelkontraktion kann in der Gleitfilamenttheorie begründet werden. Sie besagt, dass die Verkürzung des Muskels durch das Ineinandergleiten der beiden Filamente Aktin und Myosin im Sarkomer geschieht.
Da das Myosinfilament dicker ist als das Aktinfilament, wird es auch als dickes Filament und das Aktinfilament als dünnes Filament bezeichnet.

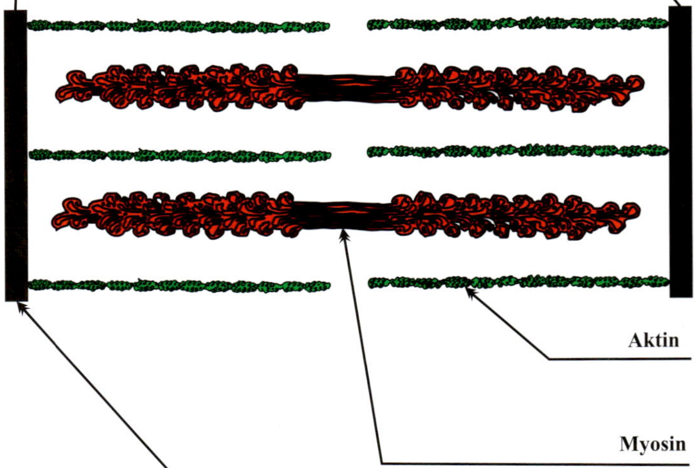

Linie Z
Eine dunkle Querlinie inmitten eines relativ hellen Abschnitts bildet den Z-Streifen und so kommt es zum Phänomen der Querstreifung.

Muskelkontraktion und Dekontraktion

Versorgung des Muskels durch die zuständigen Blutgefäße während der Muskelkontraktion und Dekontraktion, Muskelpumpe.

Versorgung des Muskels durch das Venenblut, Stoffwechsel, Ernährung. Muskelpumpe.

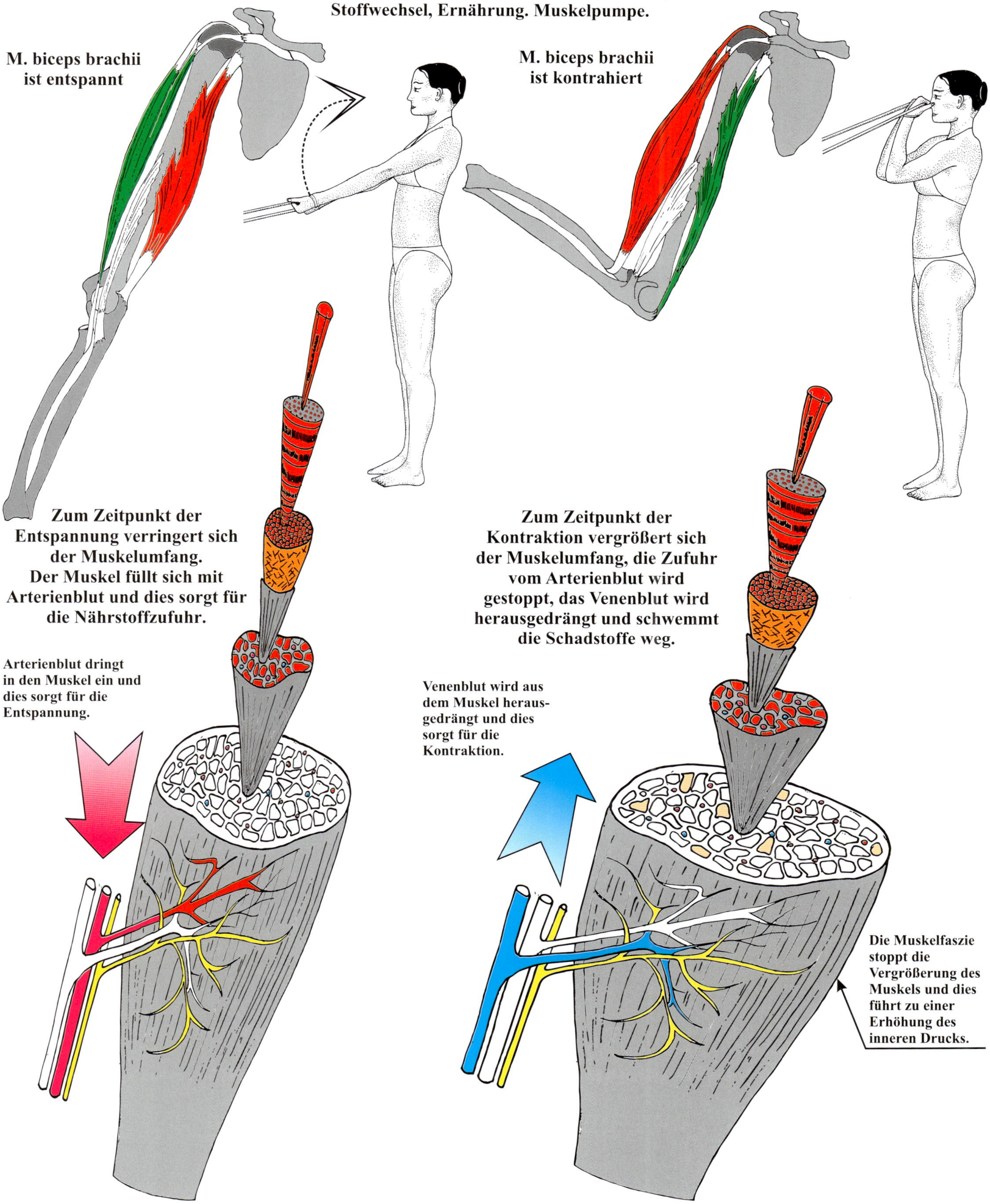

Die quergestreiften Muskeln benötigen eine wechselnde Kontraktion und Dekontraktion. Der Wechsel zwischen der Anspannung und Entspannug des Muskels sorgt für seine gute Durchblutung und ausreichenden Stoffwechsel.

Die andauernde Muskelanspannung verursacht Stoffwechselstörungen und der Muskel fängt an, unter einer Energiekrise zu leiden. Wenn Mitochondrien, die sich im Muskel befinden, sowohl keine ausreichende Versorgung mit Stoffen, die für den Stoffwechsel erforderlich sind, als auch keine ATP Energie (Adenosintriphosphat) die für eine Muskelentspannung benötigt wird, erzeugen zu können, bleibt der Muskel in ständiger Anspannung und verhindert damit die eigene Blutversorgung. Dieser Zustand führt zur Muskeldegeneration.

Muskelkontraktion entsteht in den Sarkomeren durch die Annäherung der Z Streifen. Sarkomer ist eine funktionelle Einheit, die aus Aktin und Myosin zusammengesetzt ist. Das Sarkomer ist mit schwarzen Streifen umrandet. Die feinen, charakteristischen Querstreifen verleihen dem Skelettmuskel das Aussehen und den Namen - quergestreifter Muskel.

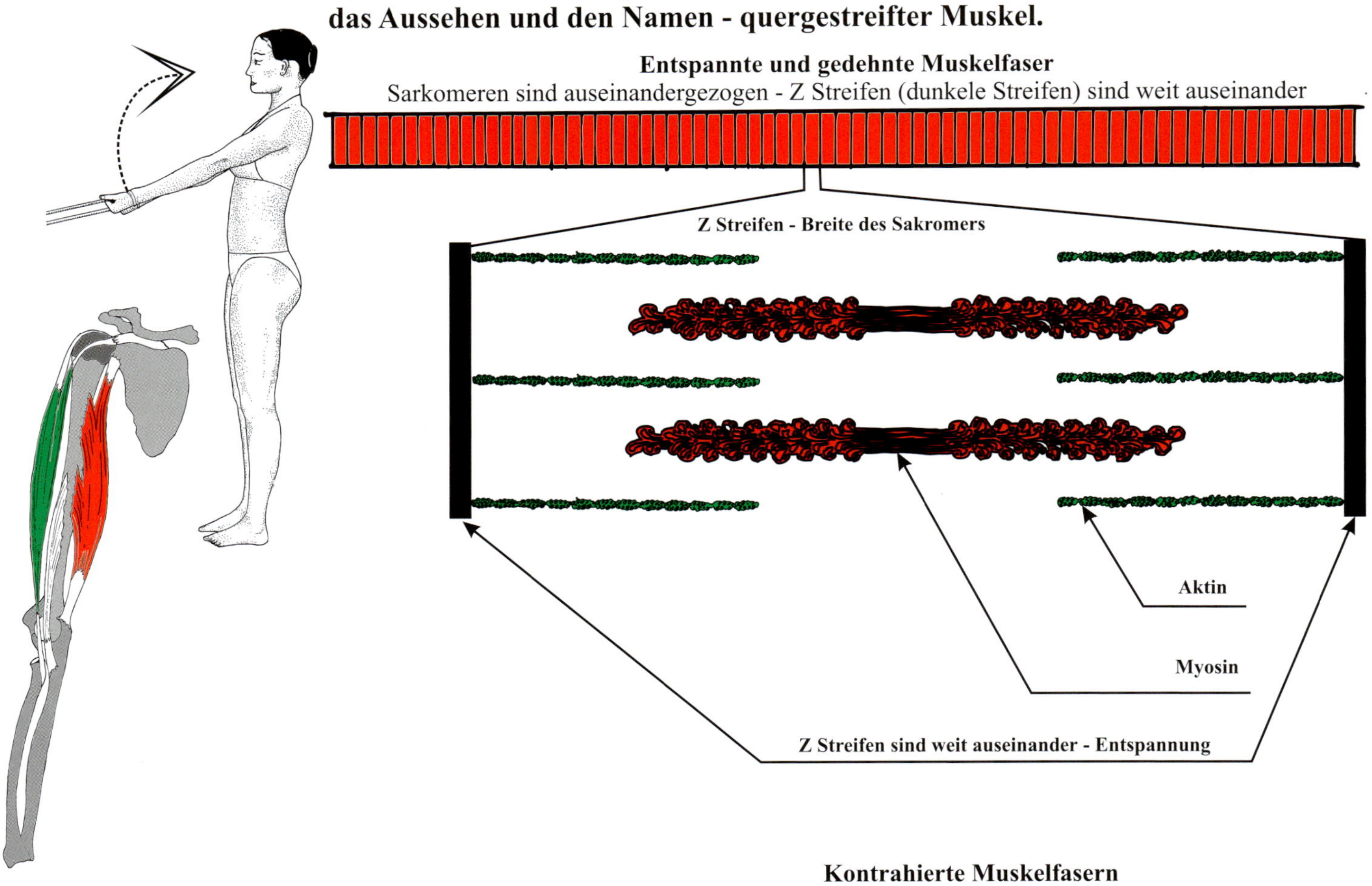

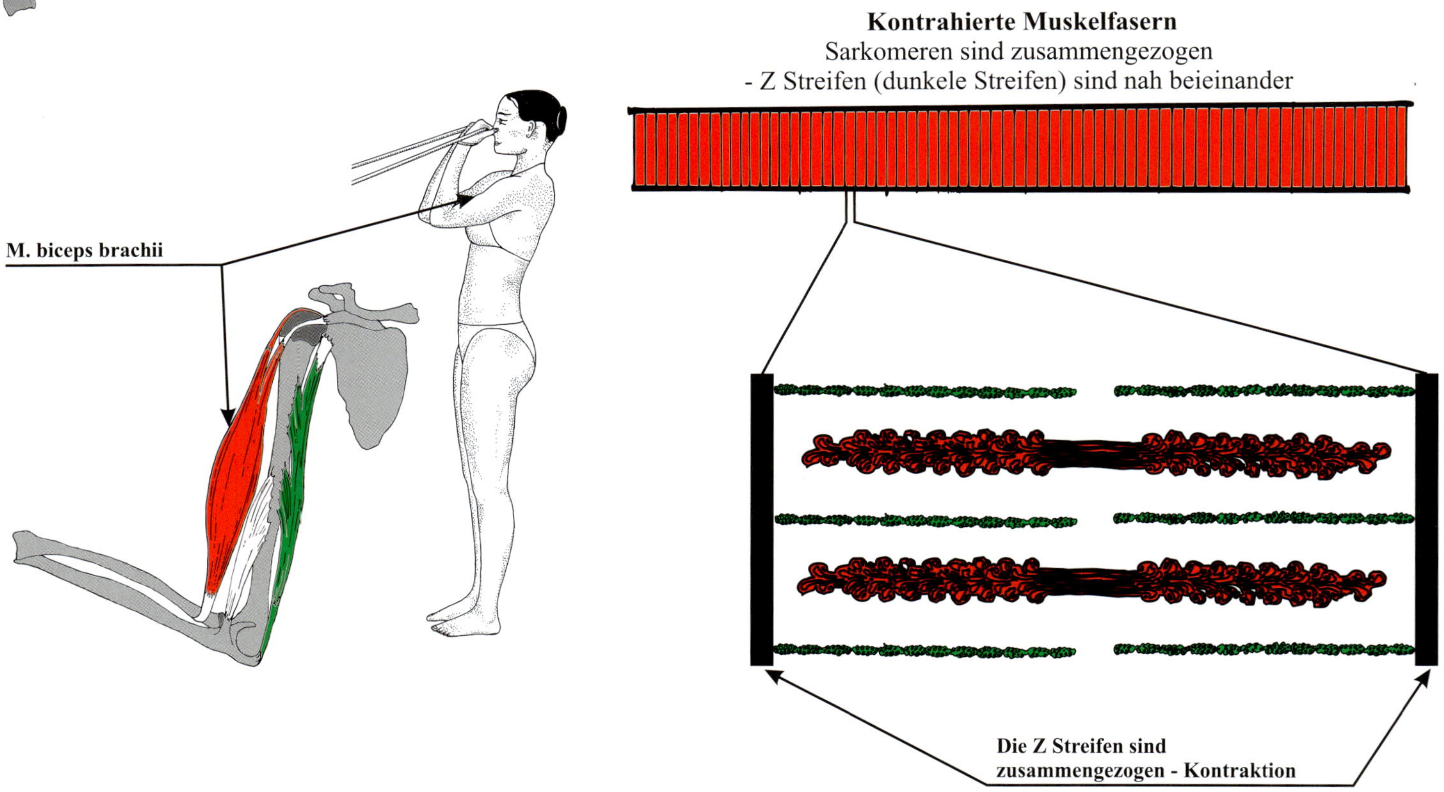

Zusammenziehen der Z Streifen in den Sarkomeren führt zur Muskelkontraktion.
Auseinanderziehen der Z Streifen führt zur Muskeldekontraktion.

Die Muskelkontraktion (Zusammenziehung) entsteht in den Sarkomeren durch die Annäherung der Z Streifen. Die Z Streifen nähern sich an, die im sarkoplasmatischen Retikulum gespeicherten Calciumionen werden ausgeschüttet und so kommt zur chemischen Verbindung mit dem Aktin und Myosin. Muskeldekontraktion (Entspannung) erweist sich durch das Auseinanderziehen der Z Streifen. Bei der Muskeldekontraktion müssen die Ca++ Ionen aus dem Bereich der Sarkomeren in das endoplasmatische Retikulum herausgepumpt werden.

Muskeldekontraktion
(Entspannung)

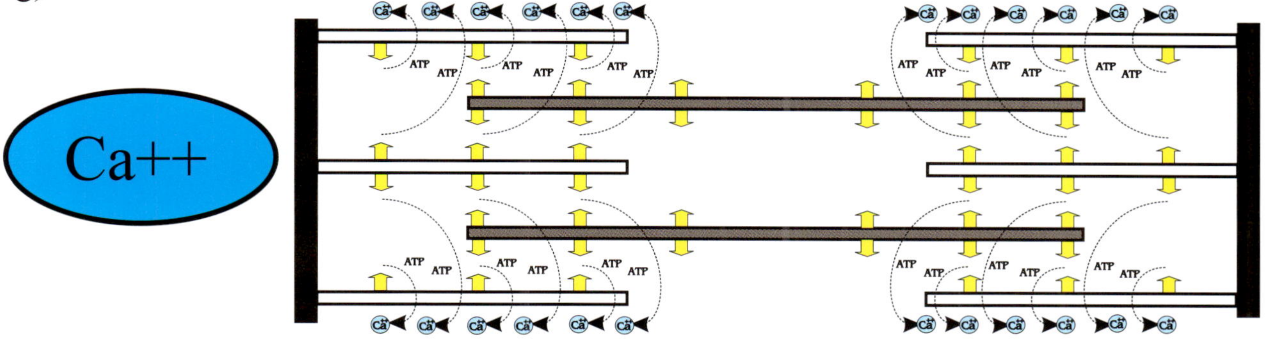

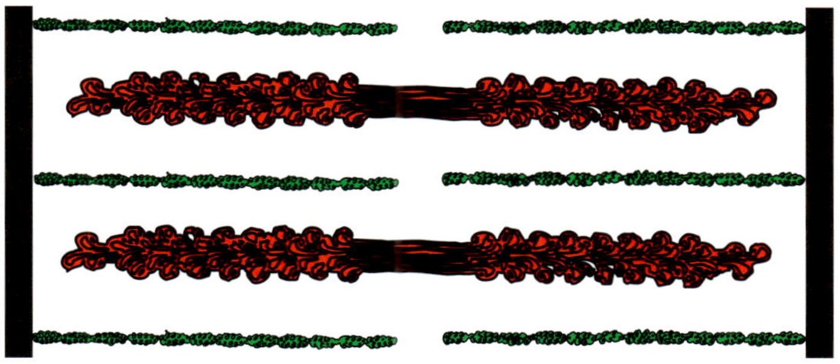

Muskelkontraktion
(Zusammenziehung)

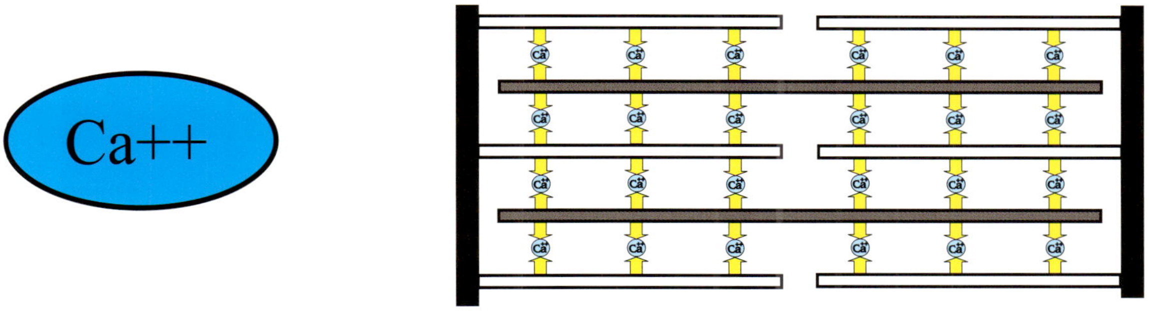

Die Muskelkontraktion wird durch die aus dem endoplasmatischen Retikulum in den Raum zwischen Aktin und Myosin ausgechütteten Ca++ Ionen verursacht und wird nicht als energetisch ansspruchvoller Vorgang betrachtet.
Die Muskeldekontraktion wird durch herauspumpen der Ca++Ionnen aus dem Bereich zwischen Aktin und Myosin in das endoplasmatische Retikulum verursacht. Dieser aktive Vorgang verbraucht sehr viel Energie und wird auch Kalziumpumpe genannt.

Ein Beispiel: Nach einem intensiven oder langen Lauf ist der Sportler meistens erschöpft und verfügt nicht mehr über die Energie, die zur Dekontraktion benötigt wird. Seine Muskeln bleiben deswegen angespannt und dieser Zustand löst häufig Muskelkrämpfe aus.

Muskelkontraktion und Dekontraktion

Die Muskelkontraktion (Zusammenziehung) entsteht in den Sarkomeren durch die Annäherung der Z Streifen. Die Z Streifen nähern sich an, die im sarkoplasmatischen Retikulum gespeicherten Calciumionen werden ausgeschüttet und so kommt es zur chemischen Verbindung mit dem Aktin - und Myosin.

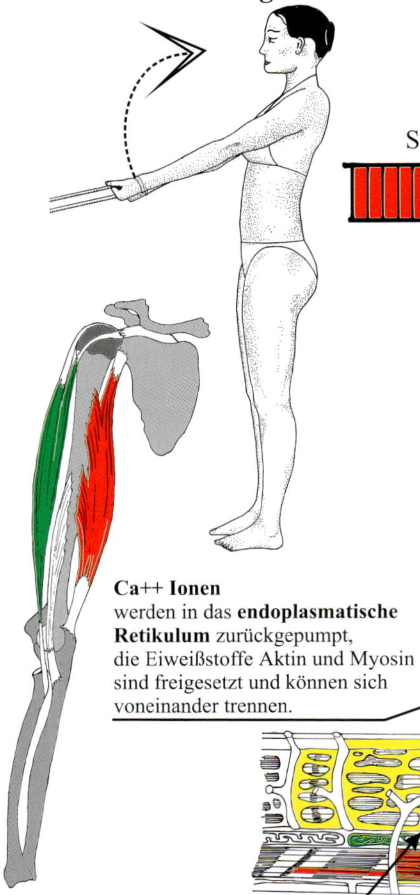

Entspannte und gedehnte Muskelfaser

Sarkomeren sind auseinandergezogen - Z Streifen (dunkele Streifen) sind weit auseinander.

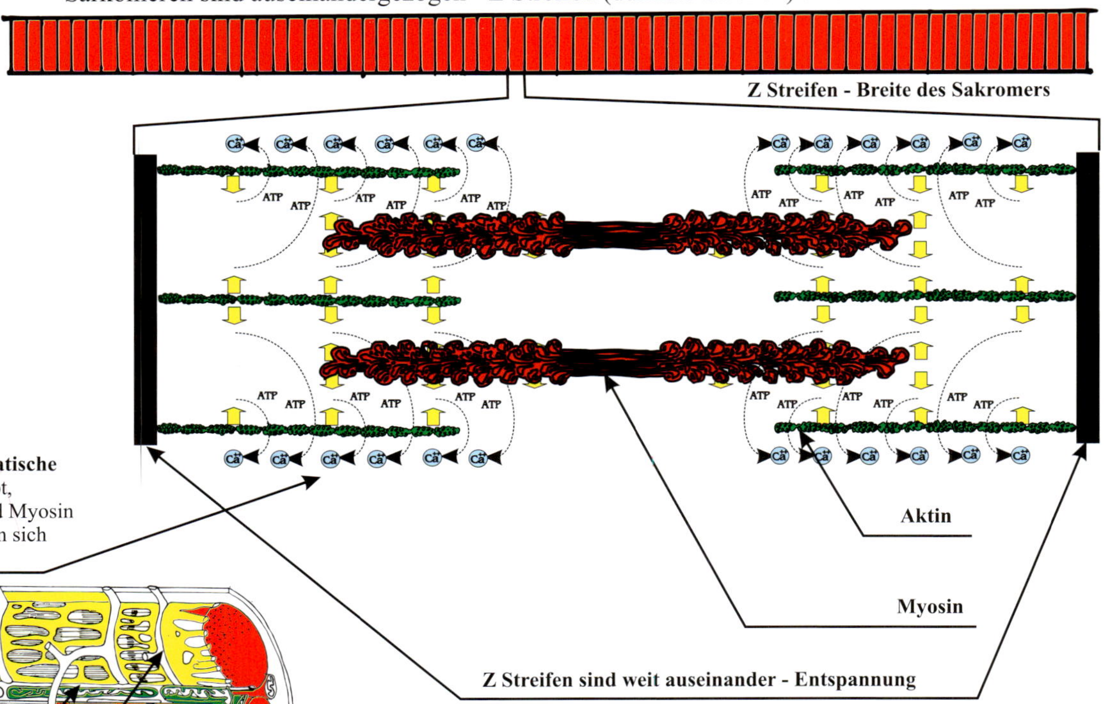

Ca++ Ionen
werden in das **endoplasmatische Retikulum** zurückgepumpt, die Eiweißstoffe Aktin und Myosin sind freigesetzt und können sich voneinander trennen.

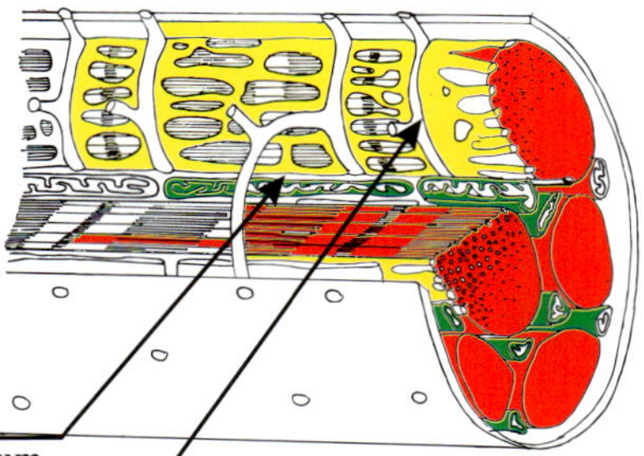

Mitochondrie
bilden die ATP Energie im Krebs-Zyklus.

Endoplasmatisches Retikulum
ist Speicherungsmedium für Calcium und Glykogen, Entgiftung der Zelle und Ort der Translation für die Ca++ Ionen.

Kontrahierte Muskelfasern

Sarkomeren sind zusammengezogen - Z Streifen (dunkele Streifen) sind nah beieinander. Bei der Muskelkontraktion verbinden die Calcium-Ionen ganz fest Aktin und Myosin. Bis zum aktiven Aufbrauchen von Ca-Ionen bleibt der Muskel kontrahiert (Muskelkrampf).

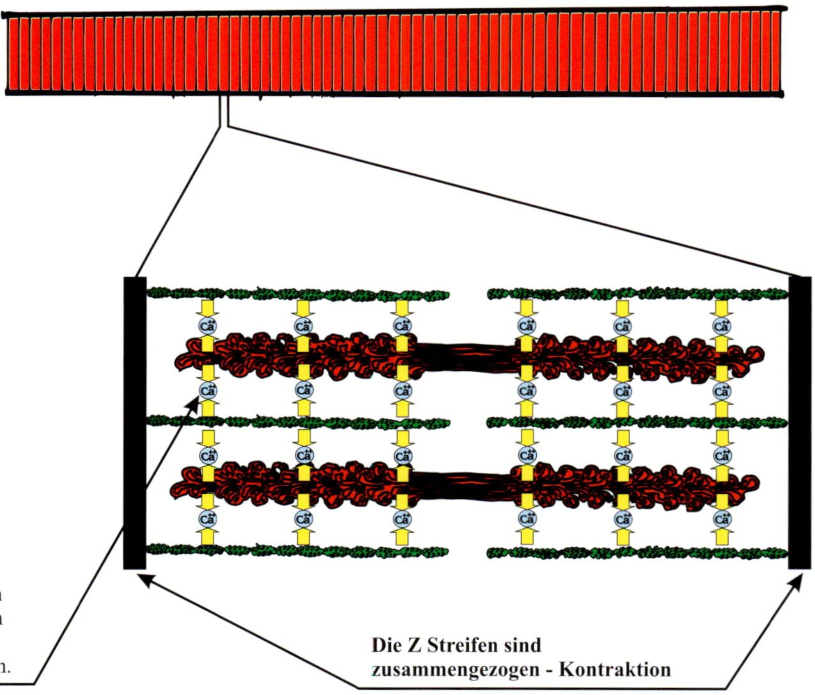

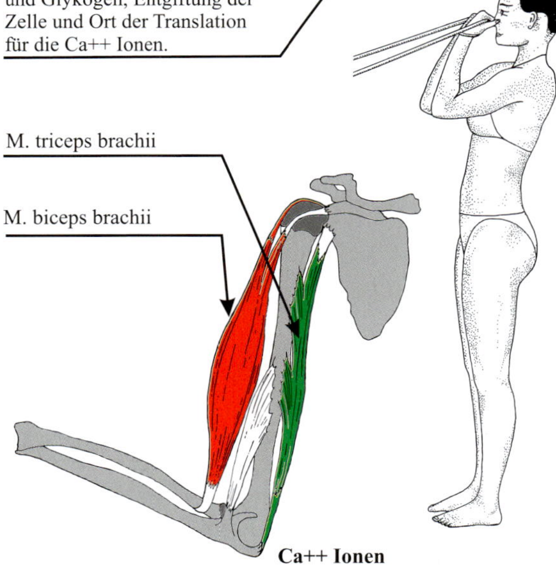

Ca++ Ionen
werden im endoplasmatischen Retikulum gespeichert. Beim Ausschütten verbinden fest Aktin, Myosin und Eiweißstoffe und dadurch kommt es zur Muskelkontraktion.

Die Muskelkontraktion (Zusammenziehung) entsteht in den Sarkomeren durch die Annäherung der Z Streifen. Kontraktion in Sarkomenen führt zum Ausschütten von Calcium-Ionen aus dem endoplasmatischen Retikulum zwischen Aktin und Myosin. Die Eiweißstoffe Aktin und Myosin werden durch die Calcium- Ionen chemisch fest verbunden.

Das Auseinanderziehen der Z Streifen führt zur Muskeldekontraktion. Die Calcium-Ionen werden durch die Kalciumpumpe aus dem Bereich zwischen Aktin und Myosin in das endoplasmatische Retikula wieder zurückgepumt. Dieser Vorgang ist energetisch sehr anspruchsvoll und braucht die ATP (Adenosintriphosphat) Energie, die in benachbarten Mitochondrien erzeugt wird. Um die ausreichende Zufuhr von Stoffen wie (Glukose, Lipide und Sauerstoff) sichern zu können, muss eine gute Durchblutung des Muskels gewährleistet werden.

Muskelzelle, Organell - Mitochondrien, endoplasmatisches Retikulum, Muskelfasern

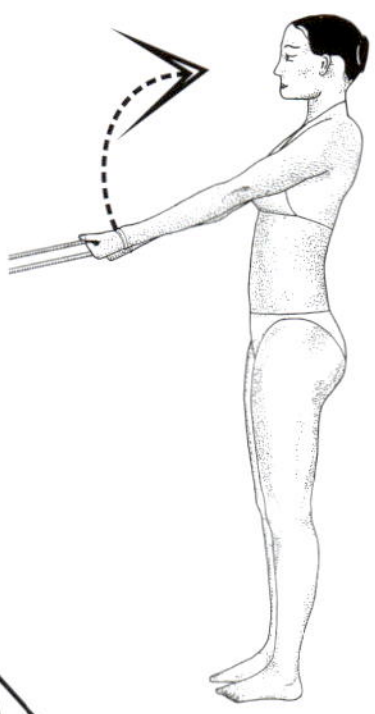

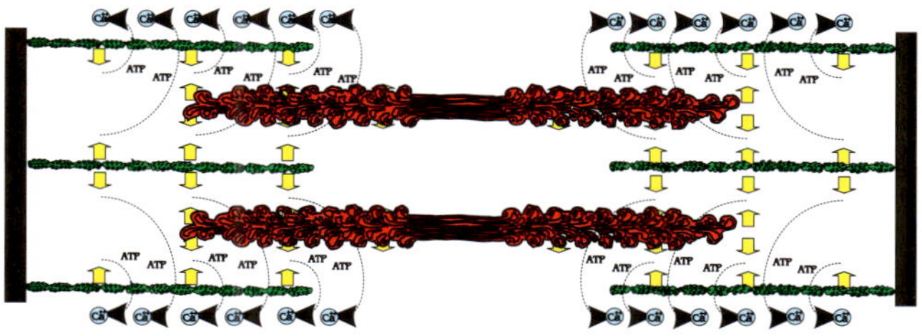

Endoplasmatisches Retikulum
ist ein Organell, es dient der Aufnahme und Speicherung von Ca++ Ionen. Ein Nervenimpuls von der motorischen Endplatte bewirkt die Ausschüttung von Calcium (Ca++). Ca++ Ionen zwischen Aktin und Myosin und verursacht die Kontraktion. Bei der Lockerung der Muskelkontraktion müssen die Ca++Ionen aus dem Muskel wieder in das endoplasmatische Retikulum zurückgepumt werden. Auf diese Weise werden Aktin von Myosin getrennt. Dieser Vorgang verbraucht sehr viel Energie, die von Mitochondrien in Form vom ATP geliefert wird.

Mitochondrie
ist ein Organell indem die ATP Energie durch den biochemischen Prozess im Krebs-Zyklus erzeugt wird. Die energetische Quelle (Zucker, Fette und Eiweiß) werden durch das Blut während der Muskelentspannung geliefert. ATP ist die Energiequelle für die Kalziumpumpe.

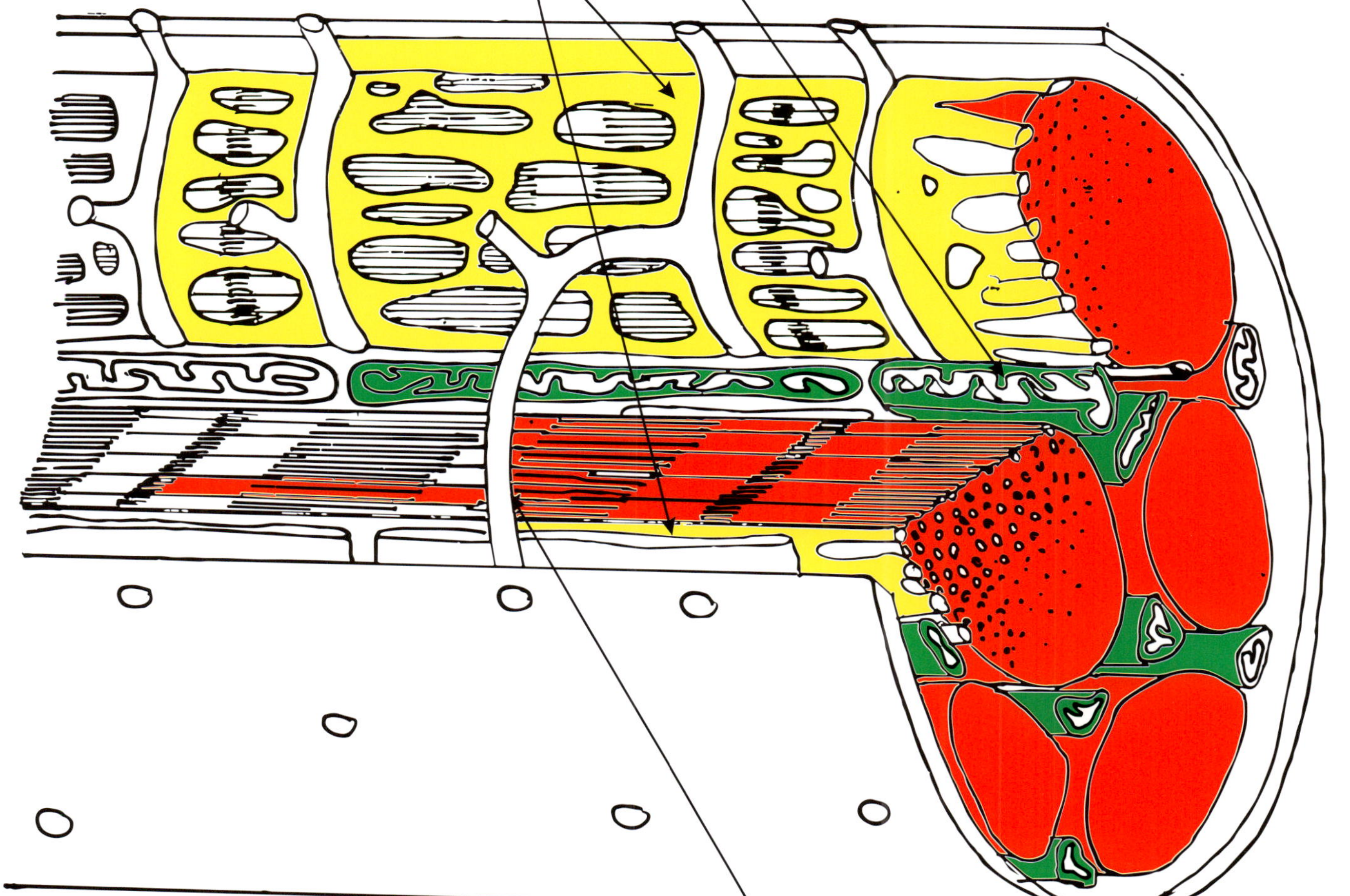

T Tubul
Durch eine Verschiebung der K+, Na+ Ionen im T Tubul kommt es zur Depolarisation der Membrane. Ein Reiz, der auf eine Nervenzelle trifft, verursacht eine Erregung, die vom Nerv zu Organellen weitergeleitet wird.

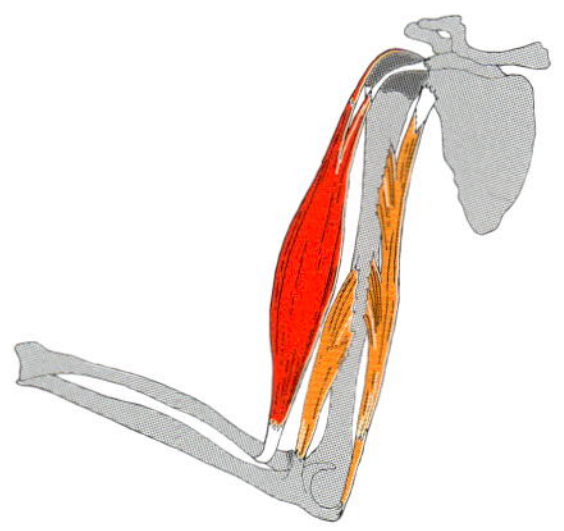

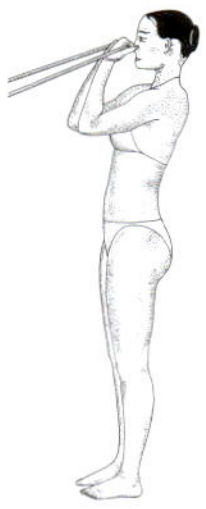

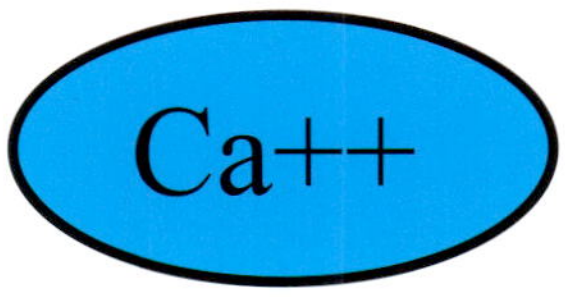

ATP

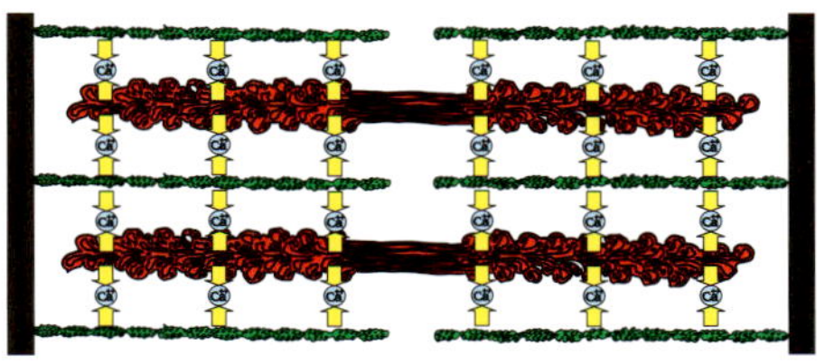

Die Muskelkontraktion (Zusammenziehung) entsteht in den Sarkomeren durch die Annäherung der Z Streifen. Kontraktion in Sarkomenen führt zum Ausschütten von Calcium-Ionen aus dem endoplasmatischen Retikulum zwischen Aktin und Myosin. Die Eiweißstoffe Aktin und Myosin werden durch die Calcium- Ionen chemisch fest verbunden.

Das Auseinanderziehen der Z Streifen führt zur Muskeldekontraktion. Die Calcium-Ionen werden durch die Kalziumpumpe aus dem Bereich zwischen Aktin und Myosin in das endoplasmatische Retikula wieder zurückgepumt. Dieser Vorgang ist energetisch sehr anspruchsvoll und braucht die ATP (Adenosintriphosphat) Energie, die in benachbarten Mitochondrien erzeugt wird. Um die ausreichende Zufuhr von Stoffen wie (Glukose, Lipide und Sauerstoff) sichern zu können, muss eine gute Durchblutung des Muskels gewährleistet werden.

TP - Trigger point (Auslösepunkt)

TP entsteht durch eine schlechte Durchblutung des Muskels und eine unzureichende Nährstoffzufuhr in die Muskelzelle. Aufgrund der gestörten Versorgung von Muskelblutgefäßen, kommt es auch zur Stoffwechselstörung und dies hat eine mangelhafte Muskelernährung zur Folge. Wenn die Mitochondrien nicht genug Energiequellen haben um ATP zu produzieren, wird der Muskel in eine energetische Krise geraten weil er über eine notwendige Energie, die zur Dekontraktion (Entspannung und Lockerung) benötigt wird nicht verfügt. Die Calcium-Ionen bleiben zwischen Aktin und Myosin, der Muskel bleibt deswegen kontrahiert (Kontraktion und Anspannung) und diese Anspannung verhindert seine richtige Durchblutung. Die restliche Muskelfaser bleibt extrem gestreckt und der Muskel könnte in dieser Situation durch eine starke und gewaltige Streckung beschädigt werden. Deshalb sind auch Stretchingübungen total ungeeignet.

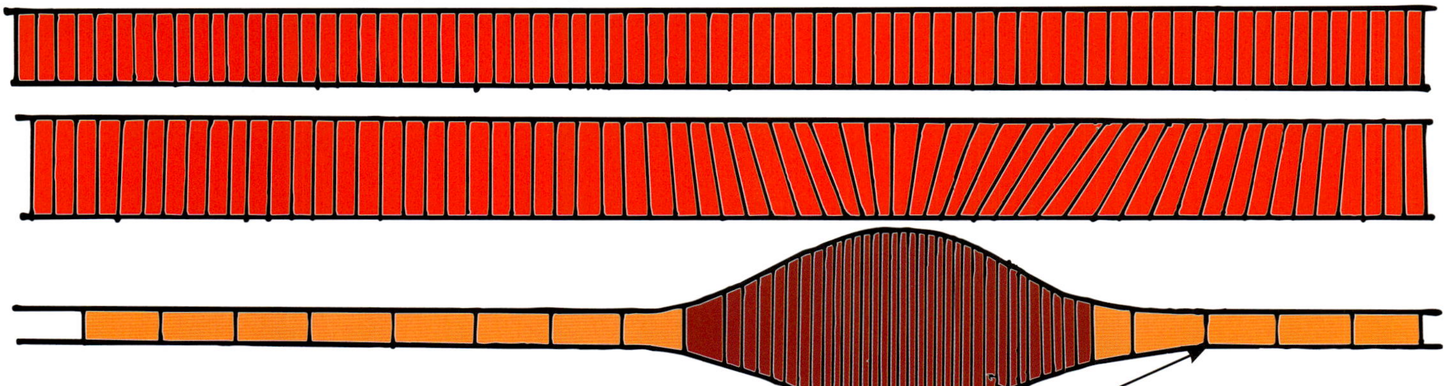

Auslösepunkt - Trigger point - TP
TP sind lokal begrenzte Muskelverhärtungen - Kontraktion Sarkomer.

Maximale Dehnung der End - Muskelfasern.
Beim TP bleibt die restliche Sarkomer Muskelfaser dauerhaft gestreckt und eine weitere Dehnung führt zur Beschädigung und zum Riss (Ruptura) der Fasern. Nicht strecken!!!

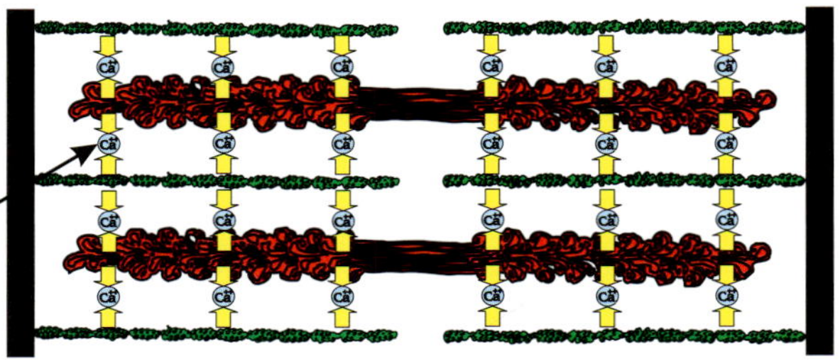

Auslösepunkt - Trigger point - TP
Aktin und Myosin bleiben zusammen und sind durch Calcium - Ionen verbunden.

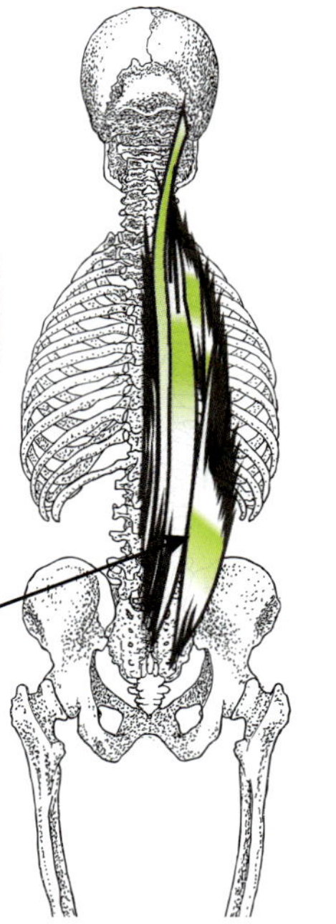

Mitochondrie
Wenn die Mitochondrien nicht genug Nährstoffe bekommen, sind sie deswegen nicht in der Lage, die zur Ausschüttung von Calcium-Ionen in das endoplasmatische Retikula die erforderliche Energie zu produzieren, so blockiert der Muskel und bleibt kontrahiert.

Anhaltende Muskelkontraktion, mit Ansammlung von TP.
Die Ursache für eine Muskelblockierung ist auf die durch eine Belastung entstehende andauernde Muskelkontraktion zurückzuführen. Die mangelhafte Antagonistentätigkeit führt zum unzureichenden Wechsel zwischen Anspannungs- und Entspannungsphasen und die langfristige statische Belastung durch:

- stundenlanges Arbeiten vor dem PC
- langes Sitzen in der Schule, im Auto
- Kraftsport ohne ausreichende Regeneration
- Bodybuilding, einseitigen Sport wie Eishockey, Florball, Tennis und Golf.

Durch die Ansammlung von TP bildet sich am Muskel eine schmerzhafte verhärtete Stelle und der Muskel verliert seine Dehnungs- und Kontraktionsfähigkeit. Die Mobilität des Menschen wird eingeschränkt und seine Arbeits- und Sportleistungen lassen nach. Die angespannten Stellen verursachen Schmerzen und wenn wir am gesamten Körper 18 schmerzhafte Stellen in verschiedenen Quadranten finden, wird diese Situation als Fibromyalgie Syndrom bezeichnet. Dieses Syndrom kennzeichnet zunächst nur die abnorme Schmerzempfindlichkeit der Muskulatur und benachbarter Faserstrukturen. Der Patient spürt zwar Schmerzen, hat aber nicht nur keine Labordiagnostik sondern auch kein Röntgen- oder MT Zeichen der Pathologie. So ein Patient wird oft als Simulant bezeichnet. Das längere Fortbestehen der Muskelanspannung und schlechte Zufuhr von Nährstoffen führt zur Atrophisierung des Muskels, die TP nekrotisieren und dies führt zur Myogelose.
Inaktive Muskelmasse wandelt sich in steife Bindegewebe um und überlastet nicht nur die Wirbelsäule sonder auch die Gelenke die sich zusammenziehen.
Im Bereich der Wirbelsäule kommt es zur Entstehung von Bandscheibenvorfällen, zur Deformation der Wirbelkörper (Spondylose) und der Zwischenwirbelgelenke (Spondylarthrose). Im Bereich der großen Gelenke kommt es zur Beschädigung des Knorpels. Die Oberfläche wird rau, die Funktion des betroffenen Gelenks wird mehr oder wenig bewegungseingeschränkt und dies führt zur Arthroseentwicklung. Die angespannten Muskeln sind nicht ausreichend durchblutet, die Mitochondrien können die Zucker und die Fette nicht verbrauchen und deswegen sammeln sie sich und gelangen in die Blutbahn. Durch eine Laboruntersuchung können die Blutzuckerwerte und die Blutfettwerte gemessen werden. Eine Erhöhung der Werte deutet auf Diabetes II, bzw auf Dyslipidämie.
Diese lebensbedrohliche Situation behandeln wir wie folgt: mit Hilfe eines sanften Bewegungsprogramms werden die Agonisten aktiviert, die Antagonisten entspannt und somit die Blutversorgung gewährleistet. Eine mäßige Dehnung der Muskeln kann aber erst nach ein paar Tagen der Entspannungsübungen beginnen.
Die Bewegungstherapie bildet die Hauptaufgabe der Physiotherapie und sollte regelmäßig (täglich) und langfristig (lebenslang) ausgeführt werden. Um die Bewegungstherapie zu erleichtern und zu ergänzen, empfehlen wir noch Entspannungsmassagen, die zur Lockerung und zur Durchblutung der Muskeln führen.

Ansammlung von TP Triggerpunkten - Fibromyalgie

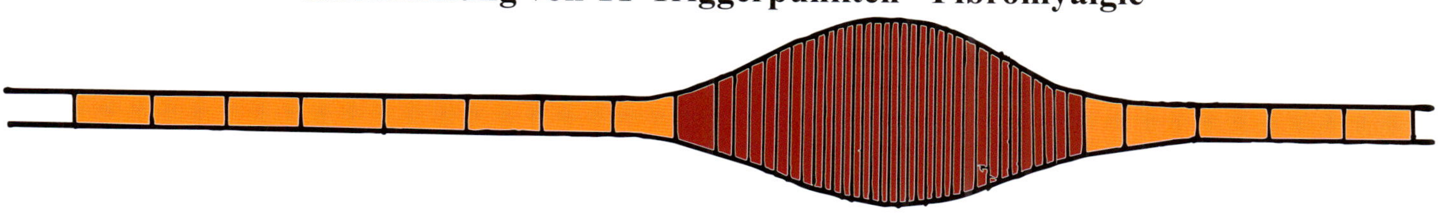

Bewegungsapparat - Muskeln, Gelenke und Wirbelsäule.
Auslösepunkt - Trigger point - TP

Einfluss auf die TP Muskelzelle.
Das längere Fortbestehen der Muskelkontraktion und Streckung führt zur Beschädigung von Sarkomeren und der betroffenen Muskelfaser.
Die TP verhindern in der Tätigkeit die gesunden nahegelegenen Muskelfaser und dies reduziert die Leistungsfähigkeit der Muskulatur. Entwicklung von Schmerzen.
Eine unangemessene, starke Dehnung der Muskelfasern und andauernde Kontraktion wird durch die Propriorezeptoren aufgezeichnet und die Information aus den Muskeln mit TP ins ZNS geleitet. Die Informationen werden integriert und dies führt zur Entwicklung von Schmerzen.
Wenn die Muskeln dauerhaft angespannt sind, drücken diese auf die Blutgefäße, was zu Durchblutungsstörungen führt. Wichtige Nährstoffe und Sauerstoff kommen schließlich nicht mehr im Gewebe an und es kommt zur Arterienverkalkung. Durch den Sauerstoffmangel entsteht in Muskelzellen anaerober Stoffwechsel und es kommt zur Bildung von sauren Stoffwechselprodukten. Die sauere Umgebung reizt die peripheren Nerven und dies führt zu Schmerzen.

Einfluss der TP auf Gelenke.
Die TP beschädigen die Gelenke indem die erhöhte Muskelspannung die Gelenke zusammendrückt, beeinträchtigt die Bewegung und stoppt sie in der Endphase, sodass ein intensives Zusammenziehen verursacht wird. Es kommt zur mechanischen Beschädigung des Gelenks und auftreten von Ischämie, die die Degeneration des Gelenks beschleunigt. Zunächst zeigt es sich durch die Weichteilverletzung (Menisken und Gelenkknorpel) und später durch die Knochendeformation und wachsen von Osteophyten. Asymetrische Muskelanspannungen am Gelenk benachteiligt seine optimale Position und verursacht seine Dezentration. Aufgrund seiner asymetrischen Position degeneriert das Gelenk mehr an der Seite wo es zusammengedrückt ist. Die Störung in einem Gelenk verursacht die Dezentration auch in anderen Gelenken.

Einfluss der TP auf die Wirbelsäule.
Die TP beschädigen die Zwischenwirbelscheiben. Die Kompression der Bandscheiben durch angespannte Muskeln, die neben, vorn und hinten der Wirbelsäule liegen, (paravertebrale Muskeln) verursacht mangelhafte Diffusion von Nährstoffen. Die Bandscheiben degenerieren, der äußere Faserring der Bandscheibe platz und dies hat einen Bandscheibenvorfall zur Folge. Später muß noch mit dem Auftreten von degenerativen Veränderungen der Zwischenwirbelgelenke (Spondylarthrose) und der Wirbelkörper (Spondylose) gerechnet werden.

Einfluss der TP auf Muskelleistung.
Durch die Blockierung des kontrahierten Muskels reduziert sich die Anzahl der kontraktionsfähigen Muskelfasern und dies verringert die sportliche Leistung. Die TP verhindern effektive Muskeltätigkeit, beeinträchtigen die Konzentration und verursachen die Muskelmüdigkeit.

Einfluss der TP auf Bewegungssteuerung.
Die TP beeinflussen die neuronale Übertragung im ZNS. Sie informieren das ZNS ständig über die Muskelkontraktion und dies führt zur Störung der propriozeptiven Information, die im Gehirn untergeordnetes Steuerungszentrum geleitet wird. Aufgrund von falschen Informationen kommt es im Gehirn zur Änderung der Bewegungsstereotypen und nach bestimmter Zeit kommt es zur Fixierung der pathologischen Stereotypie. Die zunehmende Reizbarkeit des Muskels durch die TP, verursacht einen vorzeitigen Schutzreflex der Muskelspindel und damit wird die Muskelentspannung, Dehnung, Durchblutung und Ernährung weiter verhindert. Nach und nach entsteht ein Teufelskreis.

Einfluss der TP auf gesamten Stoffwechsel.
Die TP haben eine negative Auswirkung auf die Ernährung des gesamten kontrahierten Muskels, der in seiner Bindegewebshülle zusammengedrückt wird. Dadurch entwickelt sich die Muskelischämie. Im Muskel sammeln sich Schadstoffe und durch den Einfluss von sauren Stoffwechselprodukten wachsen sowohl die Reizbarkeit als auch die Anspannung des Muskels.
Aufgrund der begrenzten Fähigkeit die Muskelblutgefäße mit Nährstoffen zu versorgen, kommt zur Akkumulation von Energiequellen im Blut - Hyperglykämie und Hyperlipoproteinämie. Dies ist die Grundlage für die Entwicklung von Diabetes II und Lipidstoffwechselstörungen, die auch als Risikofaktoren für die Entstehung von IHK- ischämische Herzkrankheit gelten.

Einfluss der TP auf kardiovaskuläres System.
Erhöhung der Muskelfestigkeit führt zur Erhöhung des Füllungsdrucks und zur Entstehung von Hypertension.
Um die angespannten Muskel mit Blut zu versorgen wird ein höherer Füllungsdruck benötigt. Das vegetative System aktiviert Sympathikus - und die entstehende Sympathikotonie ist gekennzeichnet durch u.a. erhöhten Blutdruck und führt zur Erhöhung der Kontraktionskraft des Herzens.
Das Gehirn ist ein hochempfindliches Organ. Es ernährt sich fast ausschließlich von Glukose und jeder Zuckermangel führt somit rasch zur Unterernährung. Die ersten Symptome können Konzentratiosstörungen und Zeichen einer allgemeinen Nervosität sein. Außerdem reagiert das Gehirn äußerst empfindlich auf Sauerstoffmangel. Tension der Nackenmuskulatur und eine vorgeneigte Kopfhaltung verhindern den zerebralen Blutfluss in der A. vertebralis und A. carotis. Der zerebrale Blutfluss ist die Grundlage für die Sauerstoff- und Nährstoffversorgung der Nervenzellen des Gehirns und um die ausreichende Blutmenge ins Gehirn zu liefern wird ein höherer Blutdruck notwendig, der nur mittels stärkeren Herzkontraktionen erzeugt wird. Dies ist ein weiterer Grund für die Entwicklung von Bluthochdruck.

Einfluss der TP auf pulmonales System.
Aufgrund der Muskelanspannung wird die Lunge im einem unbeweglichen Brustkorb zusammengedrückt. Die beschränkte Mobilität des Brustkorbs ist verursacht durch die Anspannung des M. iliocostalis, M. semispinalis capitis und des M. pectoralis minor. Durch die TP verschlechtert sich auch die vitale Lungenkapazität und die Folge sind zu niedrige Blutsauerstoff- und Sauerstoffsättigungswerte.
Die zusammengedrückte Lunge verlangt eine erhöhte Tätigkeit der rechten Herzseite und überlastet sie.

Einfluss der TP auf Zentralnervensystem.
Eine unzureichende Blutversorgung des ZNS führt zum Müdigkeitsgefühl, zu Depressionen, zum Burnout-Syndrom und zu Kopfschmerzen.
Das Gehirn wird ständig über angespannte Muskeln, die sich in ganzem Körper befinden, informiert und dieser erhöhte Informationsfluss führt zum Informationsstress. Die Bearbeitung der vielen Informationen verlangt eine gute Gehirnfunktion und um sie zu gewährleisten, wird eine gute Durchblutung des Gehirns notwendig. Es kommt zur Überlastung des gesamten Organismus.

Beschluß: IHK
Die Haupursache der Entstehung von Diabetes mellitus Typ 2, Hypertension, Arteriosklerose, - IHK - ischämische Herzkrankheit, Obesität und metabolisches Syndrom ist auf die Entstehung von TP - Trigger - punkte zürückzuführen. Die richtige Lösung besteht darin, ein langfristiges Bewegungsprogramm zu bieten in dem die Muskeltätigkeit ganzkörperlich wieder aktiviert wird.

TP trigger points - Fibromyalgie - kausale Therapie

Auslösepunkt - Trigger point - TP: Die Störung der Blutversorgung, eine Stoffwechselstörung und unzureichende Nährstoffzufuhr verursachen einen Mangel an Energie, die zur Dekontraktion (Entspannung, Lockerung) des Muskels gebraucht wird.

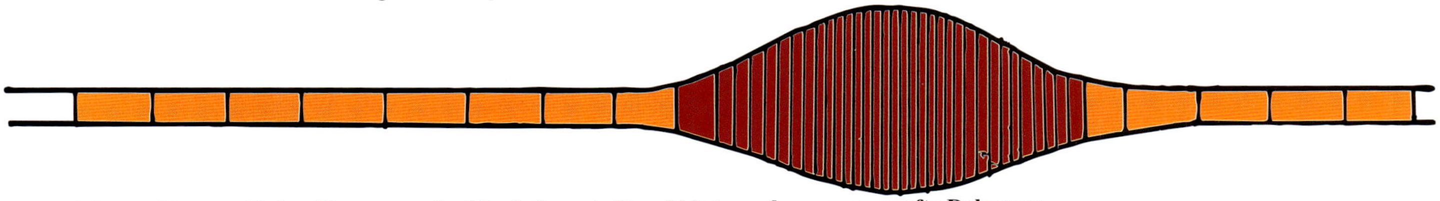

Therapielösunglösung: Aktive Hemmung des Muskels, gute Durchblutung, langsame, sanfte Dehnung.

- **Reziproke Inhibition** im Bereich:
  - des Gelenks
  - des Gürtels
  - des gesamten Körpers - der Muskelketten - es muß im Stehen geübt werden
- **Gewährleistung der Durchblutung:**
  - Der Wechsel zwischen leichter Anspannung (Kontraktion) und Entspannung (mäßige Dehnung)
  - Aktivierung des Muskels mit geringer Kraft, um die energetische Erschöpfung zu vermeiden.
- **Dehnung:**
  - Jede Dehnung muss langsam und am Übungsende noch langsamer ausgeführt werden. Sonst wird über die Erregung der Muskelspindeln der Muskeleigenreflex ausgelöst, der die Verlängerung des Muskels verhindert.
  - Eine konsequente Muskeldehnung. Der Muskel muß aktiv aufgewärmt werden und wird mit geringer Kraft in die eingeschränkte Richtung geführt, bis die höchstmögliche Dehnung erreicht wird - eine weit ausholende Bewegung.
  - Fließende nach vorn und nach hinten führende Bewegungen ohne Ausdauerübungen, die die Durchblutung nicht unterstützen, müssen im Falle der Muskeldysbalancen mit größtem Krafteinsatz ausgeführt werden.

Die wichtigsten reziproken Beziehungen in den Muskelketten

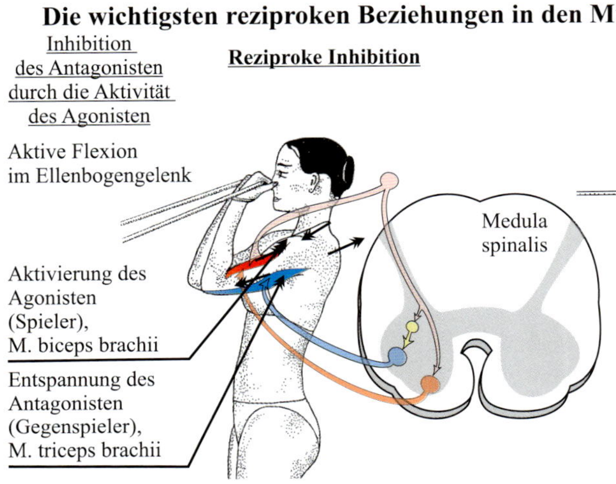

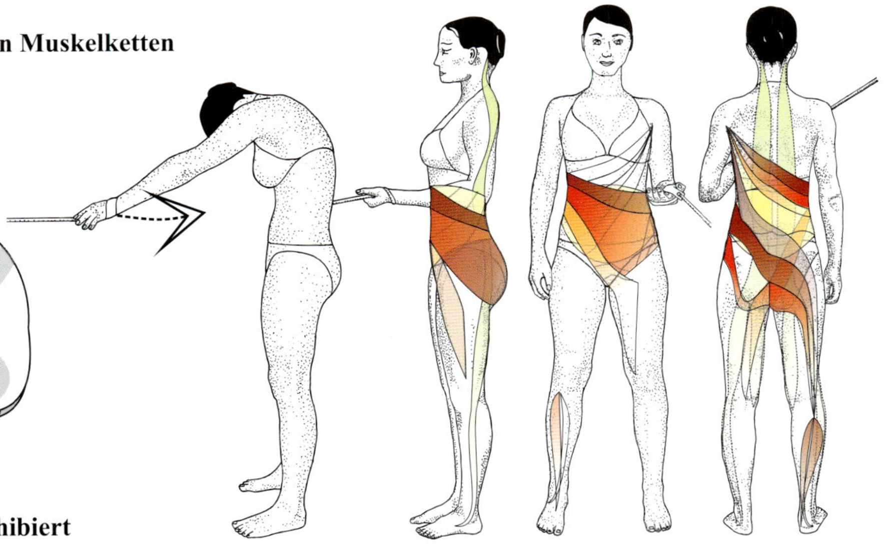

Die Muskelkette SA - serratus anterior inhibiert die Muskelkette ES - erector spinae und IP - iliopsoas

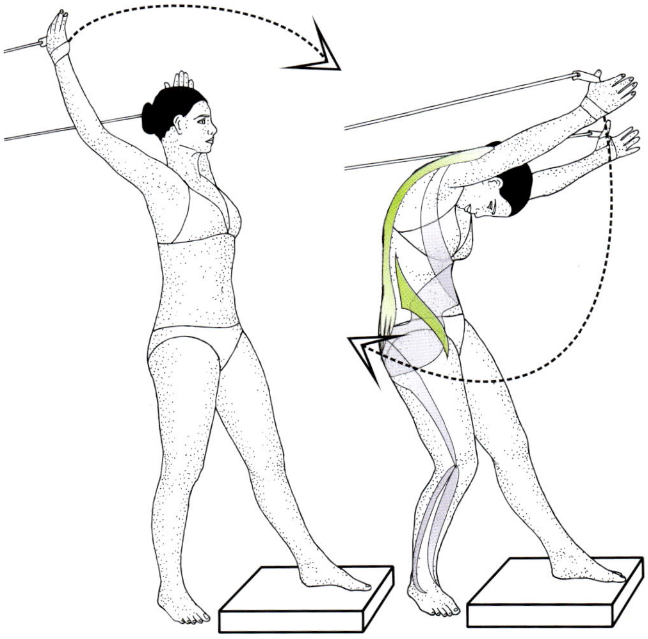

Die Muskelkette LD - latissimus dorsi inhibiert die Muskelkette ES - erector spinae und IP - iliopsoas

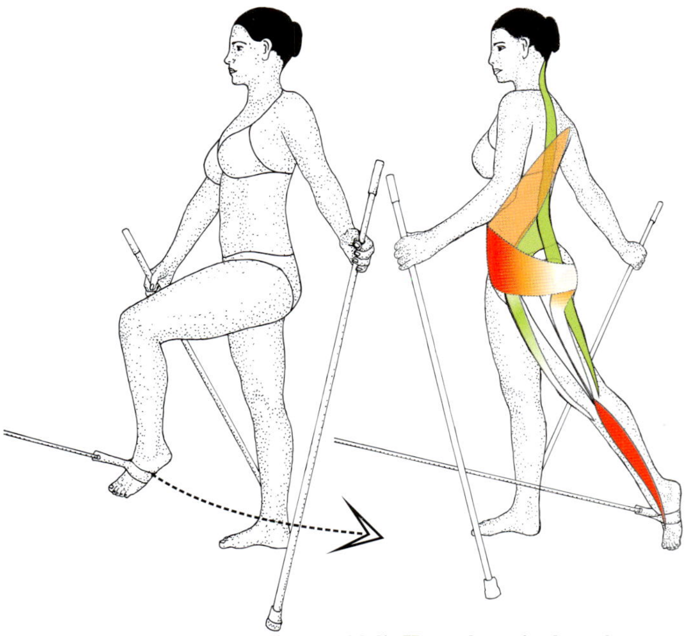

Beschluß:

Das optimal gewählte Konditionstraining, regeneriert das Muskelgewebe, beseitigt die TP - Triggerpunkte und ist sowohl die Haupttherapie als auch Prävention von Diabetes mellitus 2, Hypertension, Arteriosklerose, IHK - ischämische Herzkrankheit, Obesität und metabolisches Syndrom.
In Deutschland wird dieses Trainingsprogramm als Prävention (Rückenschule) oder als Therapie (Rehabilitationssport), bei Patienten mit Fibromyalgie und kardiovaskulären Erkrankungen verwendet.

STÖRUNG DER SPIRALSTABILISATION
FBS - failed back surgery syndrome
Beschwerden nach einer Operation der Zwischenwirbelscheibe

Behandlung des FBS
Beseitigung der negativen Faktoren die zur Entwicklung des FBS führen.

FB syndrom - failed back surgery syndrome
Verschlechterung der Rückenschmerzen nach einer Wirbelsäulenoperation

Das klinische Bild von Rückenschmerzen nach einer Wirbelsäulenoperation zeigt eine schwache und schlecht funktionierende Bauchmuskulatur an der vorderen Körperseite und einen Ausfall der Wirbelsäulenfunktion an der hinteren Körperseite. Eine kräftige Bauchmuskulatur kann mithilfe von Übungen aufgebaut werden aber nicht durch eine OP. Kausale Therapie des Ausfalls der Wirbelsäulenfunktion ist daher klar. Die Bauchmuskulatur muss in Zusammenarbeit mit anderen Muskeln, die im stabilisierenden Muskelkorsett eingegliedert sind, gekräftigt werden - Spiralstabilisation der Wirbelsäule. Die Anspannung der Rückenmuskulatur muss gelockert werden und die Bauchmuskeln d.h. der quere Muskel, die schrägen Muskeln außer die geraden Muskeln müssen gekräftigt werden. Dies kann nur in stehender Position, durch die Verbindung zwischen der Arm- und Beinaktivität und die Bauchmuskulatur erreicht werden. Verknüpfung der Aktivität zwischen den einzelnen Muskeln an der Körperoberfläche nennen wir Spiralstabilisation, weil die in Ketten eingegliederten Muskeln eine absteigende Spirale formen. Diese Spirale zieht den Körperumfang zusammen und bildet eine Auftriebskraft, die die Zwischenwirbelräume vergrößert und sowohl die Bandscheiben als auch die Zwischenwirbelgelenke entlastet und regeneriert.

Da dieses Prinzip für viele Therapeuten noch unbekannt ist, und deshalb nicht angewendet wird, kommt es immer wieder nach einer Wirbelsäulenoperation zur Entwicklung von postoperativen Beschwerden.

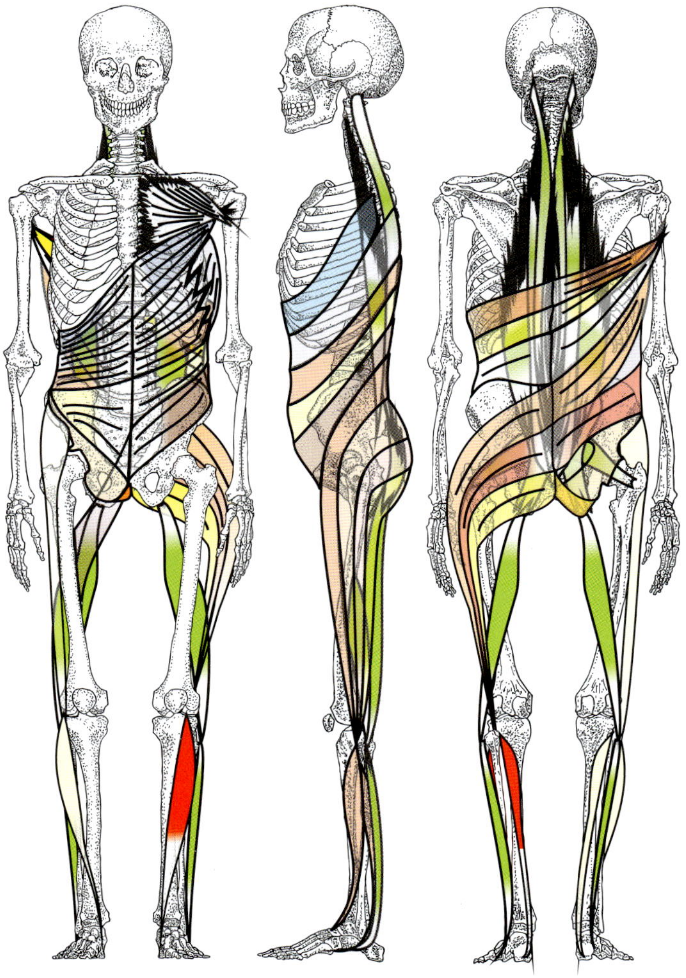

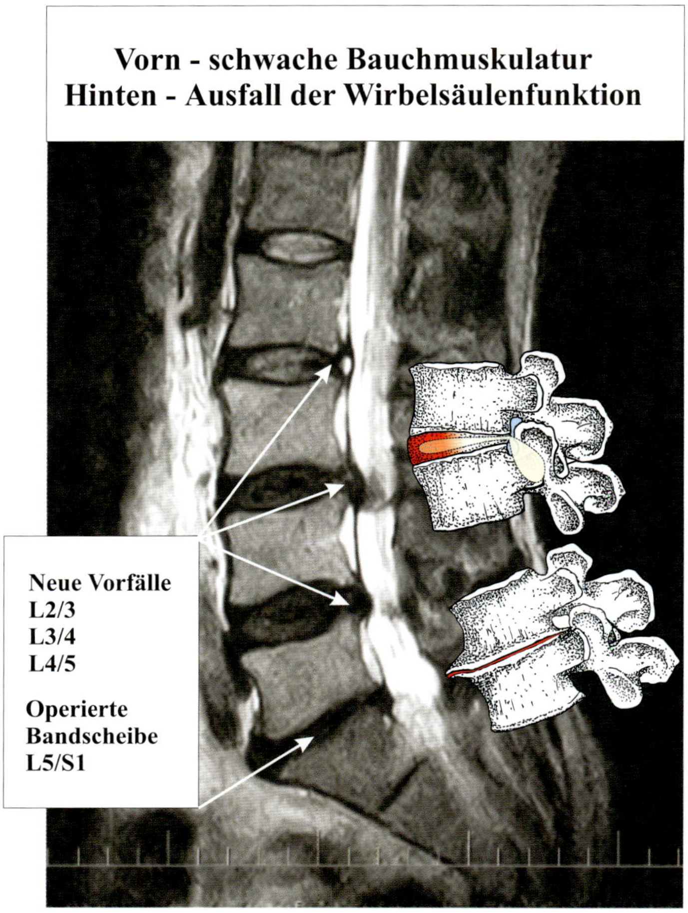

FB Syndrom ist die Zusammenfassung einer ganzen Reihe von Beschwerden nach einer Wirbelsäuleoperation, die keine einheitliche Ursache haben. Mit der zunehmenden Anzahl der operierten Patienten steigt auch die Anzahl von misslungenen Operationen. Mit den bisherigen Behandlungsvorgängen kann diese Erkrankung nicht bekämpft werden und so kommt es in gleichem Bereich zu wiederholten OP. In der Regel ist es so, daß sich der Gesundheitszustand des Patienten nach weiteren Operationen noch weiter verschlechtert. Das Handicap wird immer größer und die Ursache der Beschwerden bleibt.

Bei den betroffenen Patienten finden wir eine ganze Reihe von negativen Faktoren, die zu einer Überlastung der Wirbelsäule nach operativen Eingriffen führen. Wenn wir diese negativen Faktoren beseitigen, kommt es meistens auch zu einer deutlichen Verbesserung oder sogar zur vollständigen Kompensierung des klinischen Zustands.

Die RTG und MR Untersuchungen haben im gleichen Segment Folgendes bestätigt: das Wiederauftreten des Bandscheibenvorfalls, Überlastung der Zwischenwirbelgelenke, Schließung des Foramen, verursacht durch den wegen Arthrose vergrößerten Gelenkfortsatz, Überlastung des Wirbelkörpers und seine produktive Veränderungen - Spondylose, eine Verdickung des Ligamentum flavum, die eine Schließung des Foramen verursacht, Zusammendrücken des Nervenwurzels durch die Narbe und Berührung der Dornfortsätze.

Die OP. beschädigt die Muskelstruktur und die enstehende Narbenbildung verursacht Muskelfunktionsstörungen. In benachbarten Segmenten, aufgrund des durch die OP. blockierten Segments kommt es zum deutlich steigendem Funktionsanspruch. Dies verursacht eine Überlastung und beschleunigt die Degeneration. Die benachbarten Segmente wurden schon vor der OP. zum Teil von einer Degeneration betroffen und können deshalb relativ rasch weiter degenerieren.

Fast immer wird eine Störung in der Spiralstabilisation der Wirbelsäule durch die schlechte Funktion der Muskelketten TR - trapezius, der LD - latissimus dorsi A, B, C und eine gestörte Funktion der reziproken Inhibition der vertikalen Muskelketten ES - erector spinae, QL - quadratus lumborum, IP - iliopsoas festgestellt.

Spiralstabilisation der Wirbelsäule ermöglicht die Durchführung der therapeutischen Übungen auf allen Körperebenen und dadurch können viele negative Faktoren auf einmal beseitigt werden. Die Spiralstabilisationstherapie eröffnet daher neue Möglichkeiten, die multifaktoriell verursachten Erkrankungen zu behandeln.

In unserem Artikel werden wir versuchen, Sie über die einzelnen negativen Faktoren, die die Wirbelsäule überlasten und zur Entwicklung des FB-Syndroms führen, zu informieren. Gleichzeitig zeigen wir den Weg, wie man durch die richtige OP-Vorbereitung und den postoperativen Rehabilitatiosplan, die negativen Faktoren beseitigen kann.

1. negativer Faktor
- verkürzte Muskeln an der vorderen Schultergürtelseite

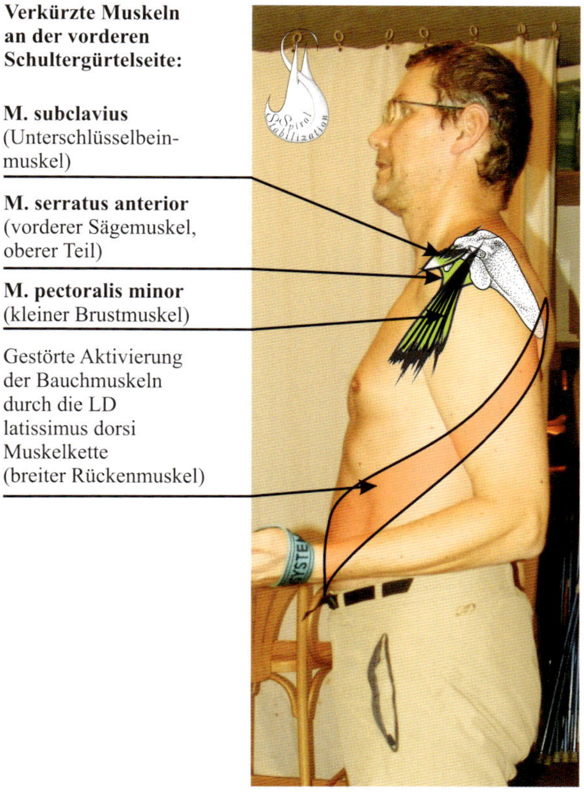

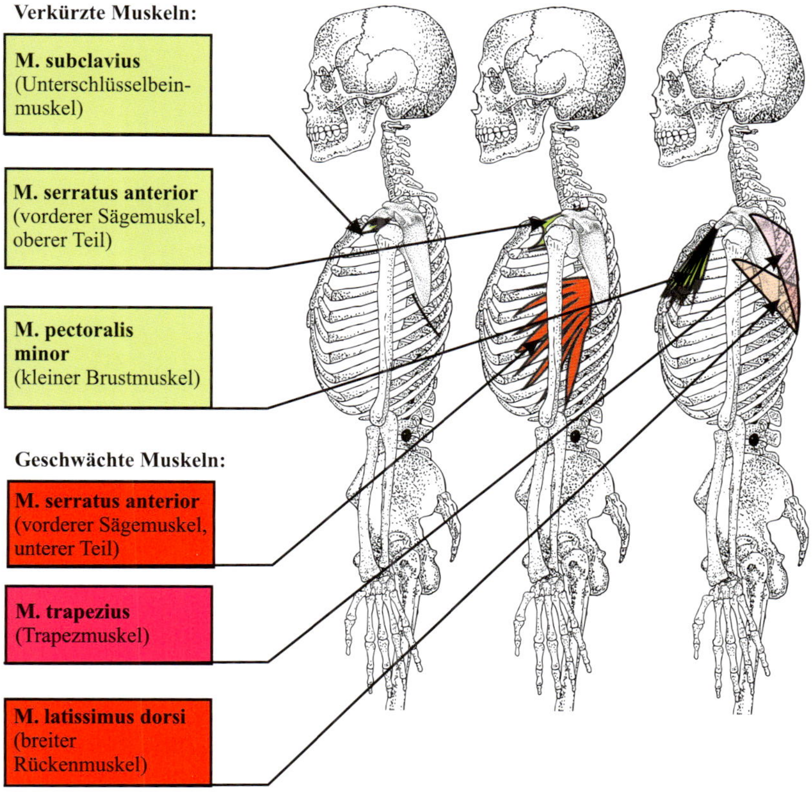

Falsche Übungsausführung am Anfang:
Das Schulterblatt kippt nach vorn - Protraktion und ist nach oben angehoben - Elevation. Dies verhindert eine Aktivierung des Bauchs durch die TR und LD Muskelketten. Um die Überlastung des Rückens im Lenden- und Halsbereich verhindern zu können, muss diese Bewegung des Schulterblatts gestoppt werden.

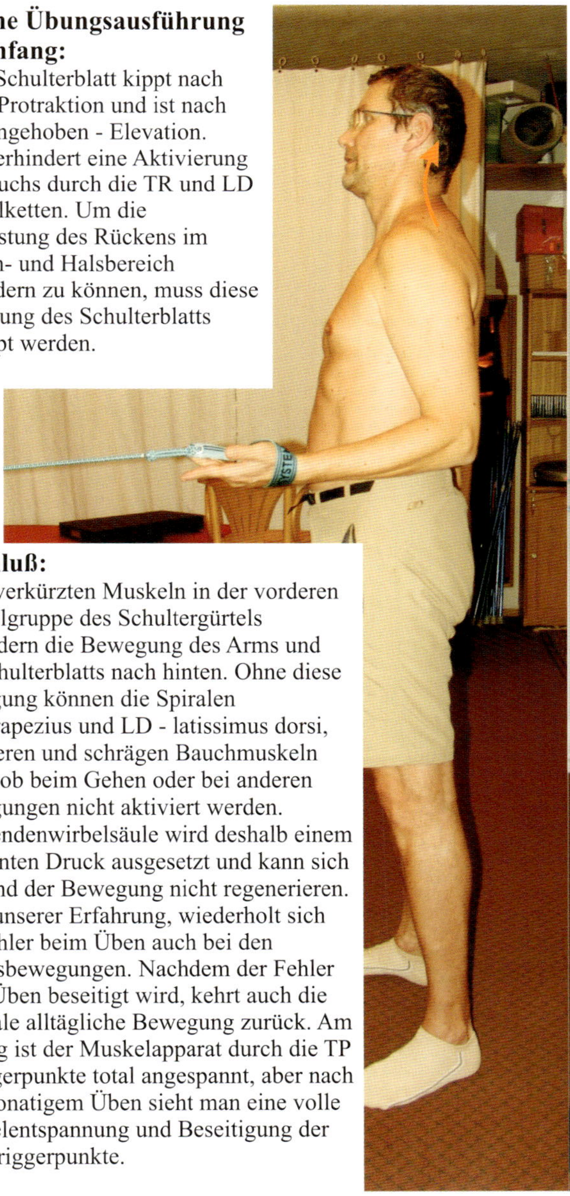

Optimale Übungsausführung:
Mithilfe der Übung werden die Muskeln an der vorderen Schultergürtelseite entspannt und gedehnt und die schrägen Bauchmuskeln durch die TR und LD Muskelketten aktiviert.

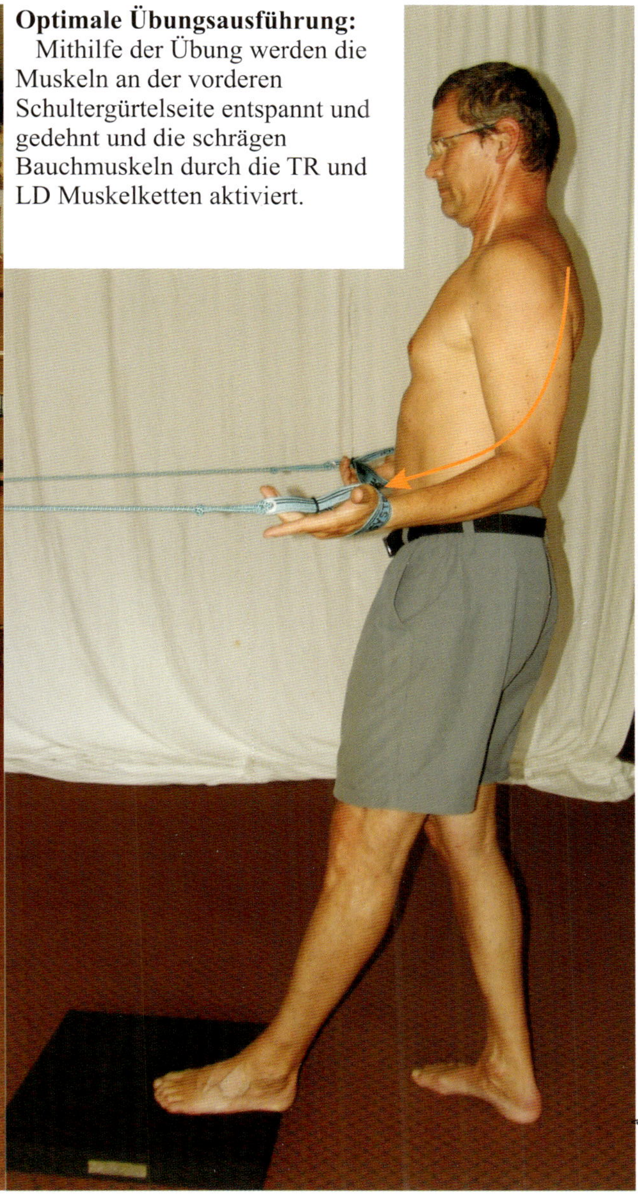

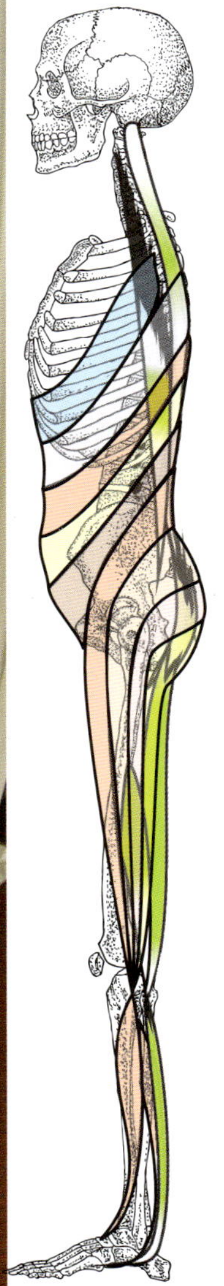

Beschluß:
Die verkürzten Muskeln in der vorderen Muskelgruppe des Schultergürtels verhindern die Bewegung des Arms und des Schulterblatts nach hinten. Ohne diese Bewegung können die Spiralen TR - trapezius und LD - latissimus dorsi, die queren und schrägen Bauchmuskeln gleich ob beim Gehen oder bei anderen Bewegungen nicht aktiviert werden.
Die Lendenwirbelsäule wird deshalb einem konstanten Druck ausgesetzt und kann sich während der Bewegung nicht regenerieren. Nach unserer Erfahrung, wiederholt sich der Fehler beim Üben auch bei den Alltagsbewegungen. Nachdem der Fehler beim Üben beseitigt wird, kehrt auch die optimale alltägliche Bewegung zurück. Am Anfang ist der Muskelapparat durch die TP - Triggerpunkte total angespannt, aber nach achtmonatigem Üben sieht man eine volle Muskelentspannung und Beseitigung der TP - Triggerpunkte.

2. negativer Faktor
- verkürzte Muskeln im vorderen Teil des Beckengürtels

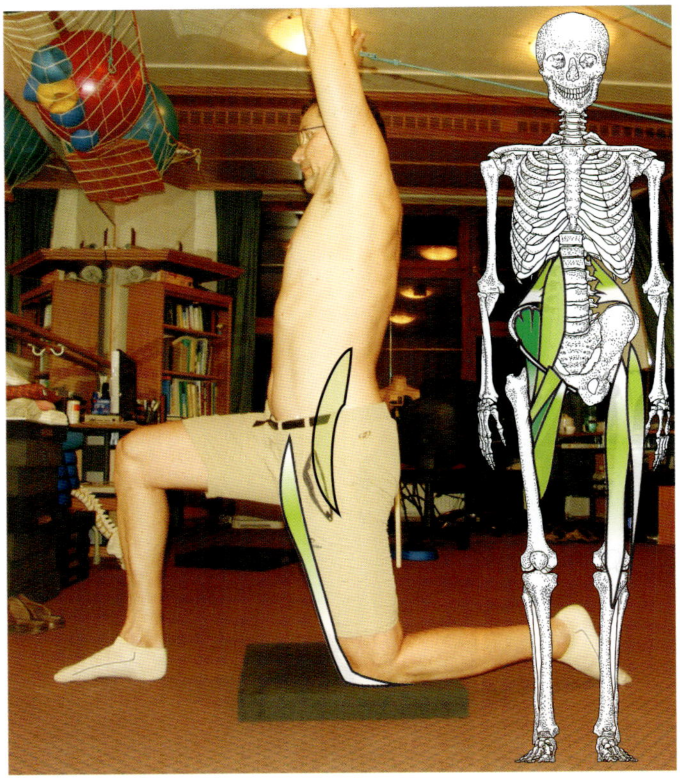

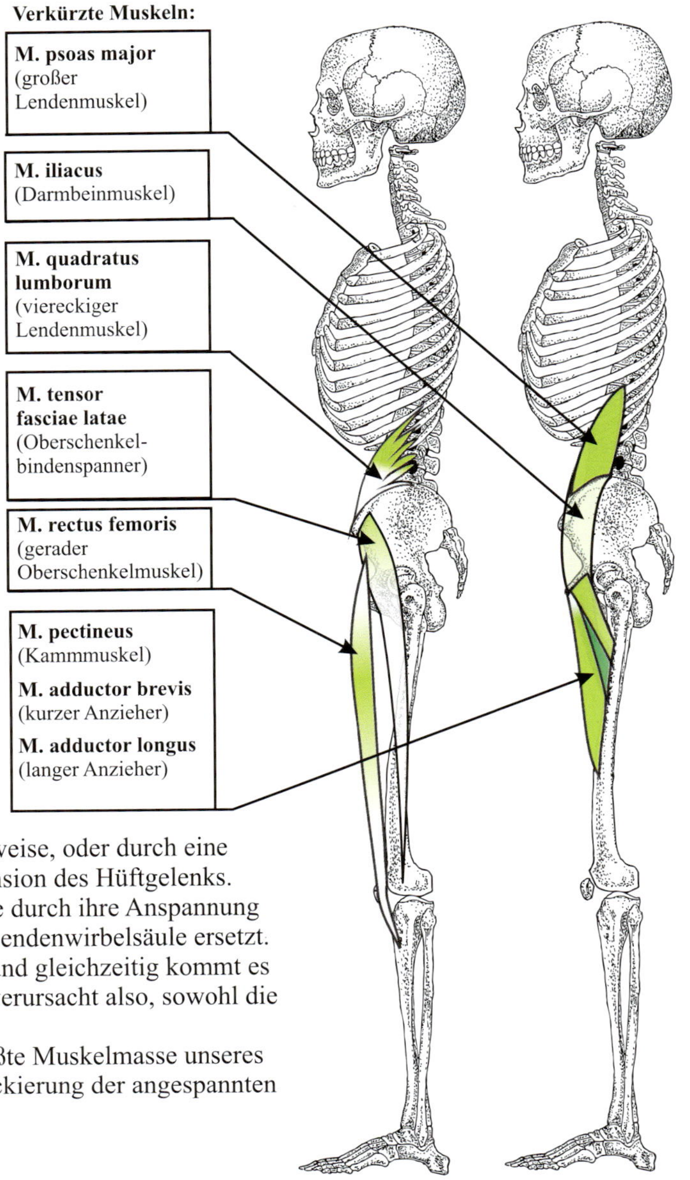

Beschluß:

Anspannung der Hüftbeuger entsteht durch eine sitzende Lebensweise, oder durch eine ungeeignete Sportart. Angespannte Flexoren beschränken die Extension des Hüftgelenks. Beim Gehen wird die Bewegung des Beins nach hinten in der Hüfte durch ihre Anspannung gestoppt und weiter durch eine Durchbiegung (Hyperlordose) der Lendenwirbelsäule ersetzt. Demzufolge wird die Wirbelsäule zusammengedrückt, beschädigt und gleichzeitig kommt es zur Überlastung des Hüftgelenks. Die Verkürzung der Hüftbeuger verursacht also, sowohl die Diskopathie als auch die Arthrose des Hüftgelenks.

Die Muskeln des Beckengürtels und die der Beine stellen die größte Muskelmasse unseres Körpers dar. Die Ansammlung der TP - Triggerpunkte und die Blockierung der angespannten Muskeln stören den Stoffwechsel im ganzen Körper.

Falsche Übungsausführung am Anfang:

Aufgrund des unzureichenden Bewegungsumfangs wird die Extension im Hüftgelenk nicht möglich. Die Bewegung muss gestoppt werden, da sie sonst durch das Kippen des Beckens und eine Hyperlordose ersetzt wird. Das Knie ist nicht hinter der Körperachse und um das Handicap kompensieren zu können, sollte die OP verschoben werden, weil sie in diesem Fall fast total ohne eine Erfolgschance ist.

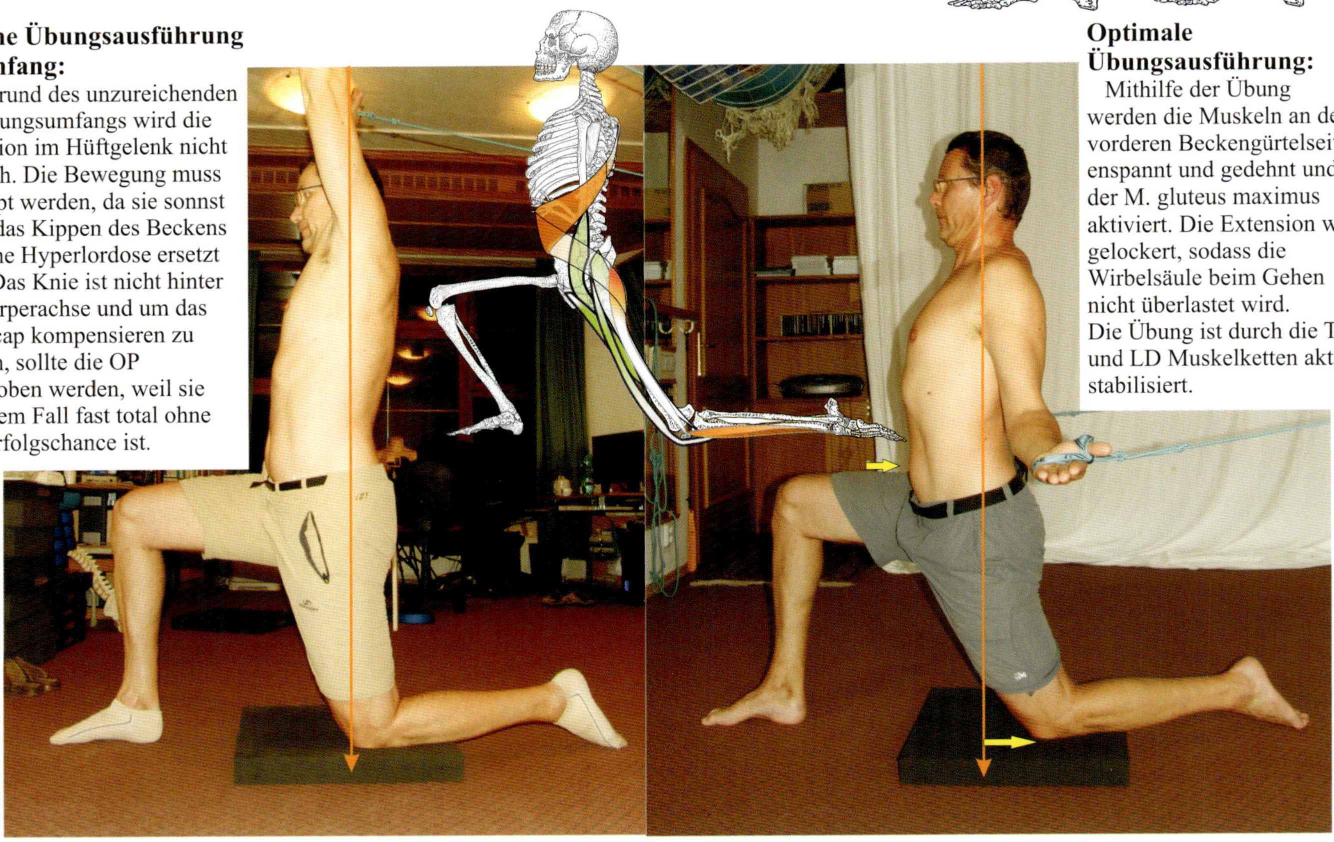

Optimale Übungsausführung:

Mithilfe der Übung werden die Muskeln an der vorderen Beckengürtelseite enspannt und gedehnt und der M. gluteus maximus aktiviert. Die Extension wird gelockert, sodass die Wirbelsäule beim Gehen nicht überlastet wird.
Die Übung ist durch die TR und LD Muskelketten aktiv stabilisiert.

3. negativer Faktor - verkürzte vertikale Rückenmuskeln

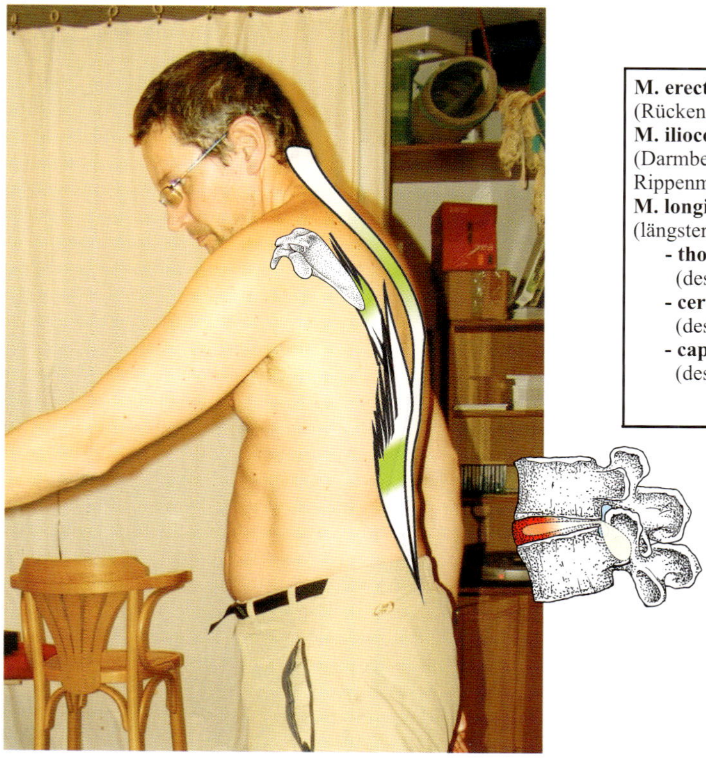

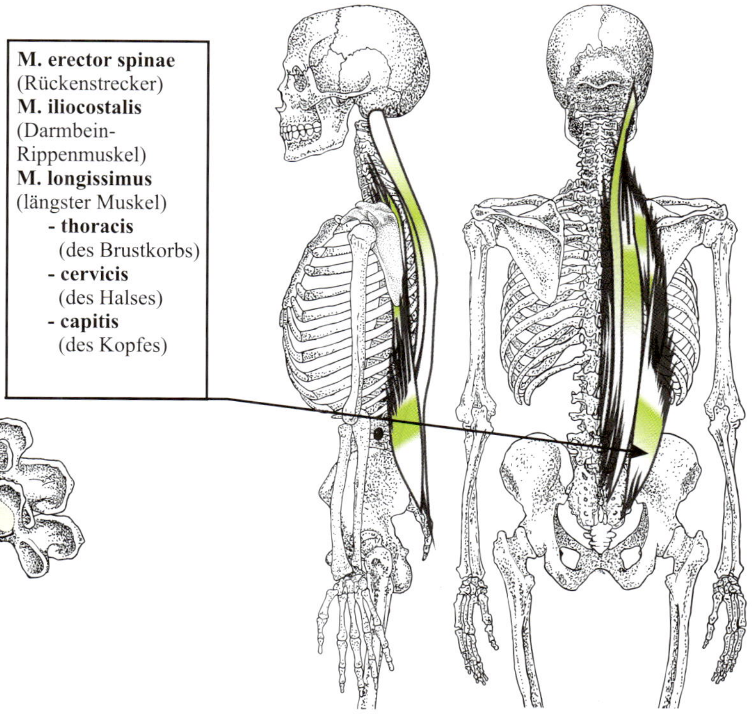

Beschluß:

Die erhöhte Anspannung des M. erector spinae drückt die Wirbelsäule zusammen und verhindert ihre Regeneration. In den meisten Fällen wird dieser Muskel für die Rückenschmerzen verantwortlich gemacht und deshalb muss er konsequent entspannt und gedehnt werden. Manche Therapeuten versuchen irrtümlicherweise den Muskel zu kräftigen, wodurch der Gesundheitszustand des Patienten verschlechtert wird. Wir haben festgestellt, dass die Sit-up-Übungen den Muskel zwar kräftigen aber gleichzeitig auch reduzieren und damit die Wirbelsäule beschädigen.

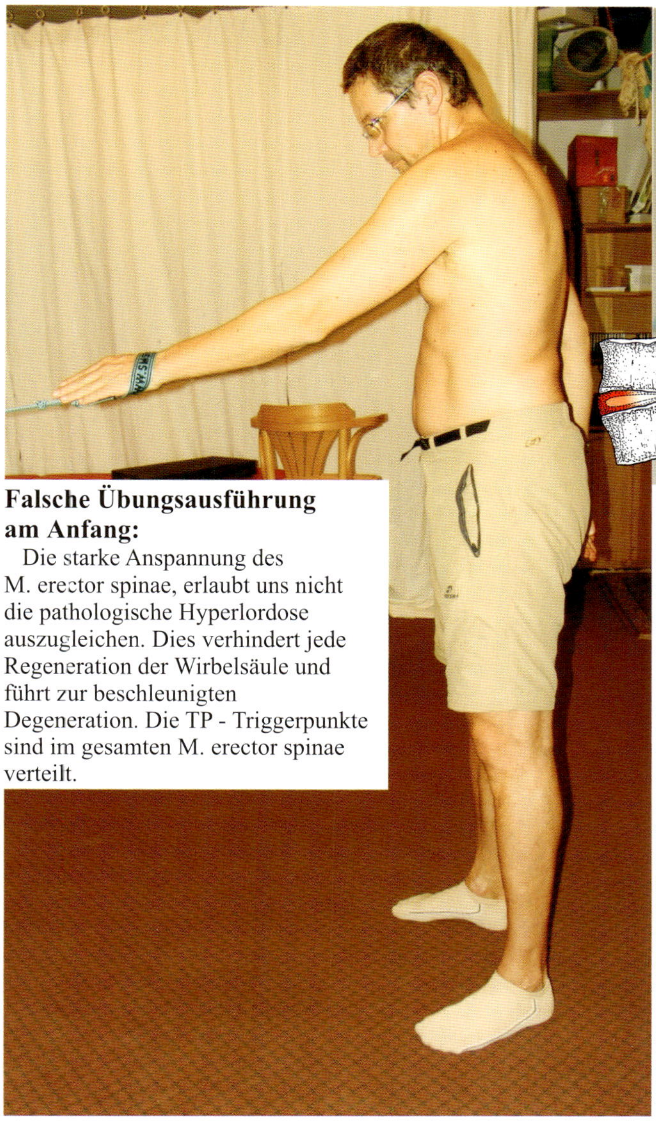

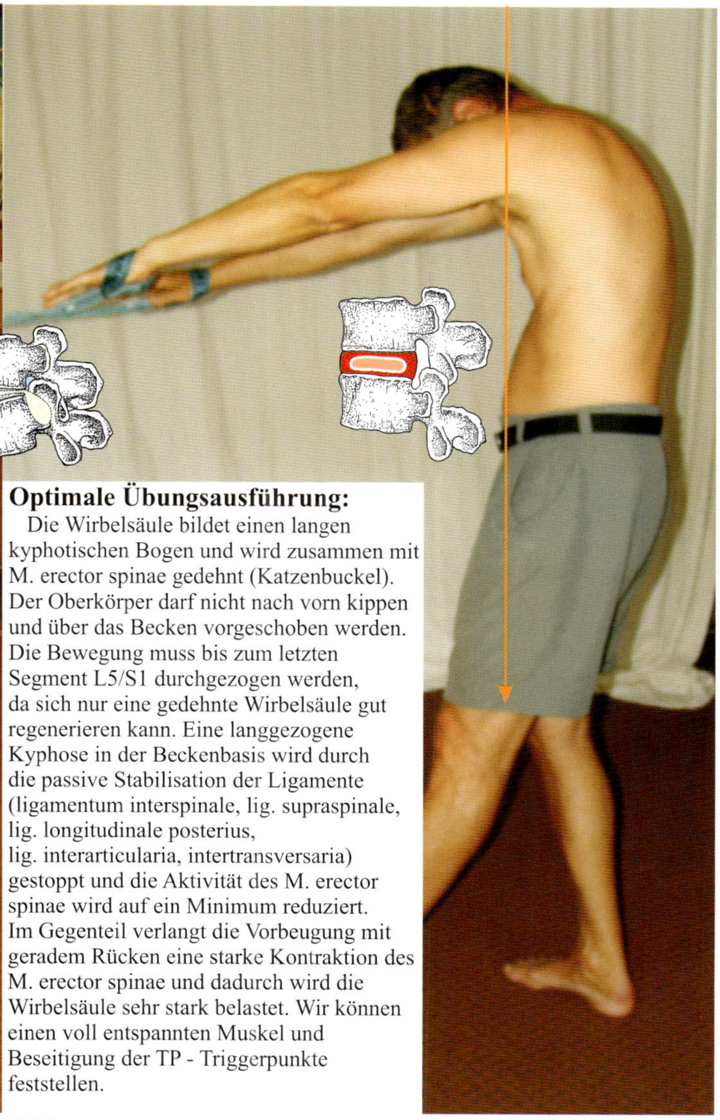

Falsche Übungsausführung am Anfang:

Die starke Anspannung des M. erector spinae, erlaubt uns nicht die pathologische Hyperlordose auszugleichen. Dies verhindert jede Regeneration der Wirbelsäule und führt zur beschleunigten Degeneration. Die TP - Triggerpunkte sind im gesamten M. erector spinae verteilt.

Optimale Übungsausführung:

Die Wirbelsäule bildet einen langen kyphotischen Bogen und wird zusammen mit M. erector spinae gedehnt (Katzenbuckel). Der Oberkörper darf nicht nach vorn kippen und über das Becken vorgeschoben werden. Die Bewegung muss bis zum letzten Segment L5/S1 durchgezogen werden, da sich nur eine gedehnte Wirbelsäule gut regenerieren kann. Eine langgezogene Kyphose in der Beckenbasis wird durch die passive Stabilisation der Ligamente (ligamentum interspinale, lig. supraspinale, lig. longitudinale posterius, lig. interarticularia, intertransversaria) gestoppt und die Aktivität des M. erector spinae wird auf ein Minimum reduziert. Im Gegenteil verlangt die Vorbeugung mit geradem Rücken eine starke Kontraktion des M. erector spinae und dadurch wird die Wirbelsäule sehr stark belastet. Wir können einen voll entspannten Muskel und Beseitigung der TP - Triggerpunkte feststellen.

4. negativer Faktor
- verkürzte Muskeln im hinteren Beckengürtelteil

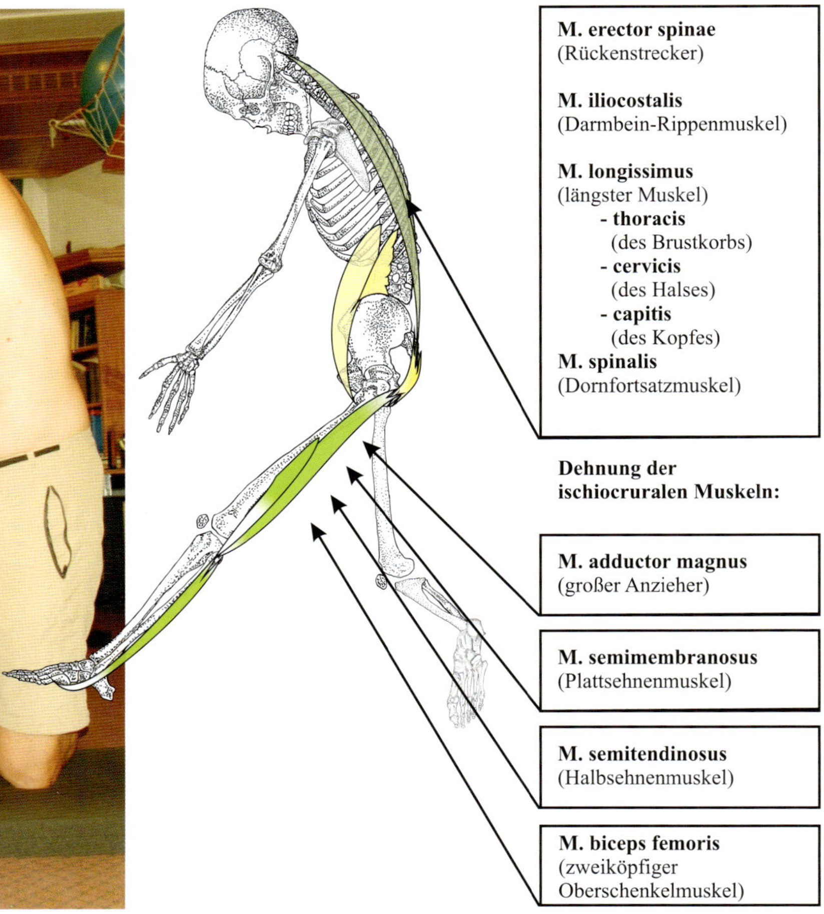

Falsche Übungsausführung am Anfang:
Die Anspannung der ischiokruralen Muskeln und des M. erector spinae - hinteren Vertikale, drückt beim Vorbeugen und bei der Bewegung des Beins nach vorn die Wirbelsäule zusammen und dies verhindert die Regeneration der Wirbelsäule und wird zur beschleunigten Degeneration führen. Die Dehnungsübungen sollten sehr vorsichtig und langsam ausgeführt werden.
Die TP - Triggerpunkte liegen im gesamten Muskel.

Beschluß:
Die erhöhte Anspannung an der hinteren Vertikalen entsteht z. B. aufgrund einer vorwiegend sitzenden Tätigkeit. Die durch Übungen erreichte Entspannung der Muskeln in der hinteren Vertikalen ermöglicht eine Regeneration sowohl beim Gehen als auch beim Laufen.

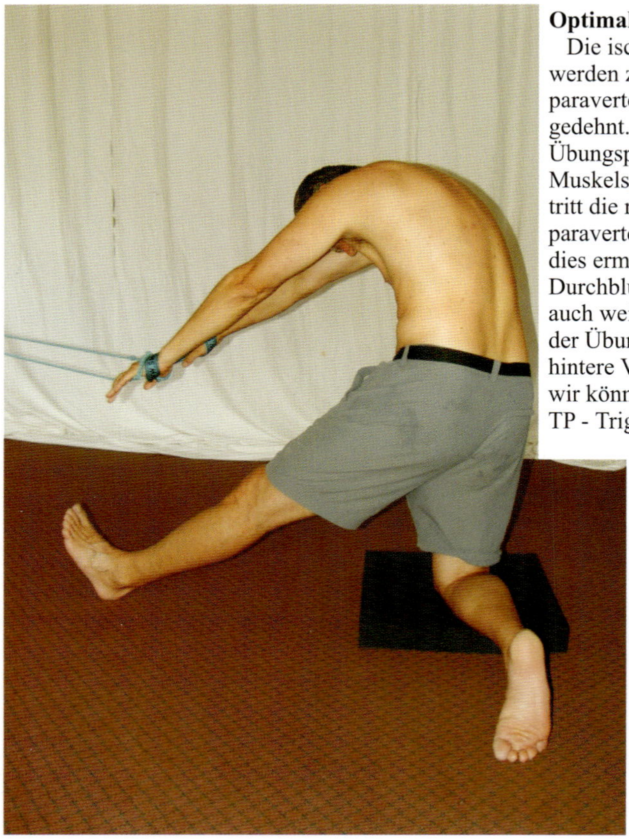

Optimale Übungsausführung:
Die ischiokruralen Muskeln werden zusammen mit den paravertebralen Muskeln gedehnt. Während der aktiven Übungsphase, die mithilfe der Muskelspiralen stabilisiert wird, tritt die reziproke Inhibition der paravertebralen Muskeln ein und dies ermöglicht eine gute Durchblutung und demzufolge auch weitere Dehnung. Mithilfe der Übung wird die gesamte hintere Vertikale gelockert und wir können eine Beseitigung der TP - Triggerpunkte feststellen.

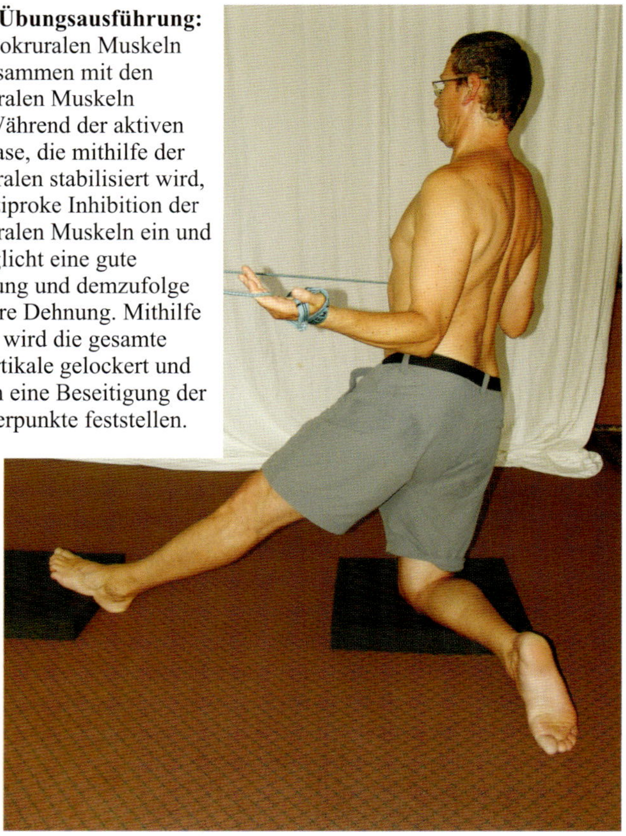

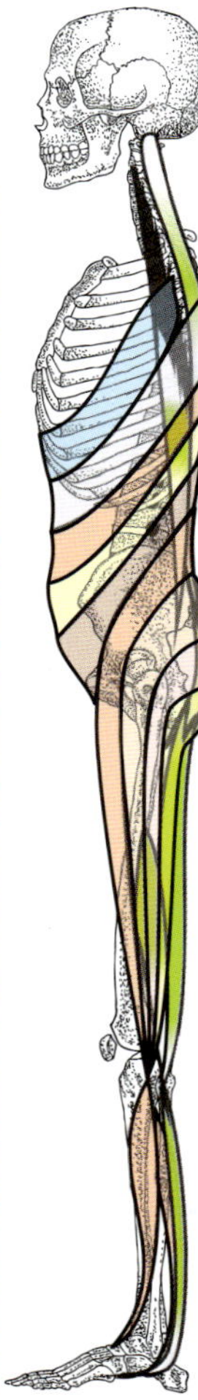

5. negativer Faktor - verkürzte Muskeln in der hinteren und vorderen Muskelgruppe des Halses und im Schultergürtel

Vordere Muskelgruppe des Halses:

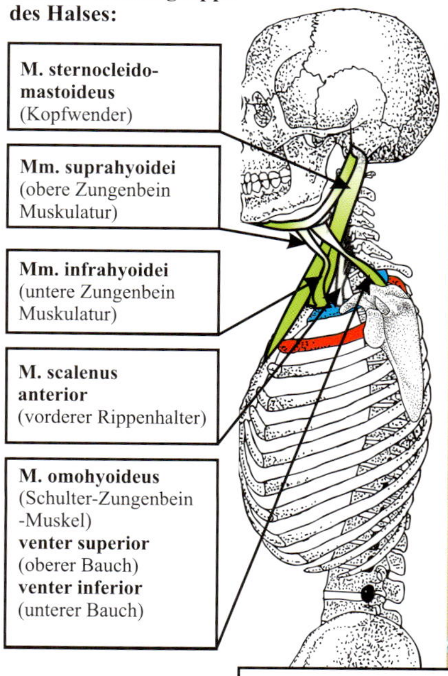

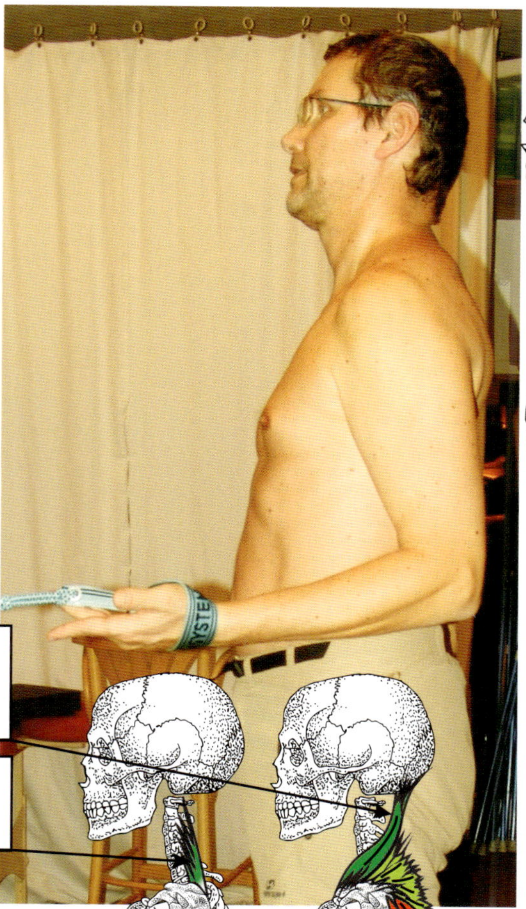

Hintere Muskelgruppe des Halses:

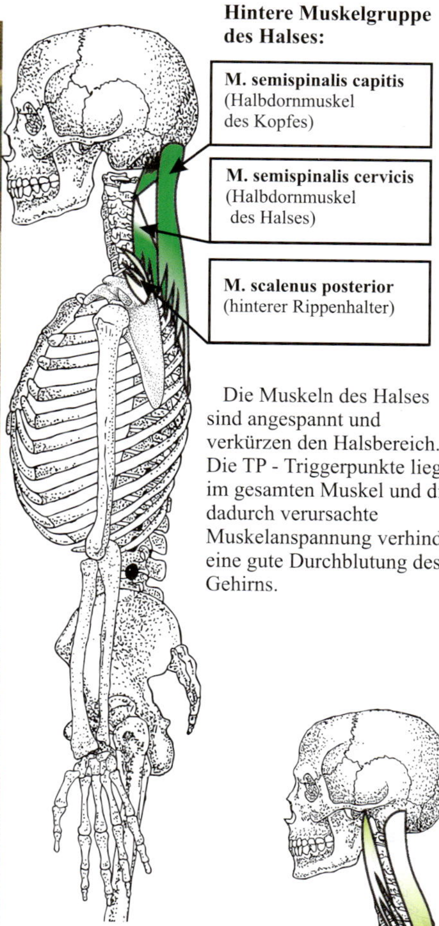

Die Muskeln des Halses sind angespannt und verkürzen den Halsbereich. Die TP - Triggerpunkte liegen im gesamten Muskel und die dadurch verursachte Muskelanspannung verhindert eine gute Durchblutung des Gehirns.

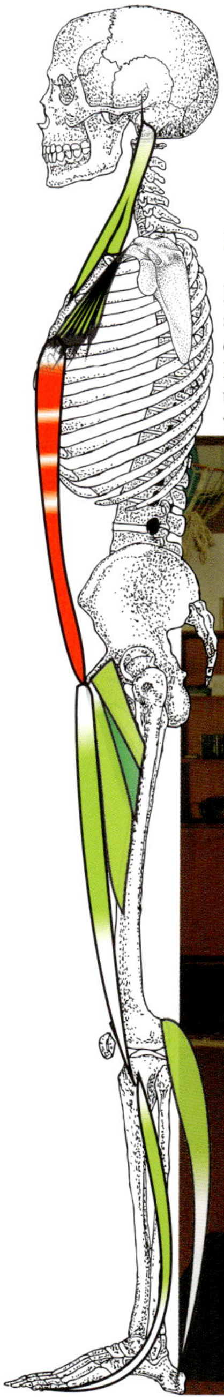

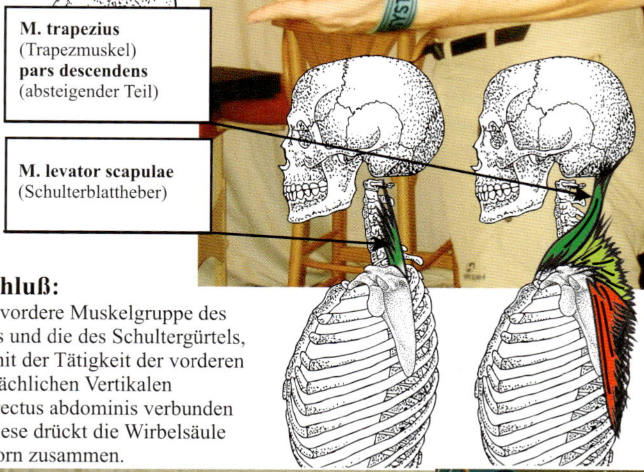

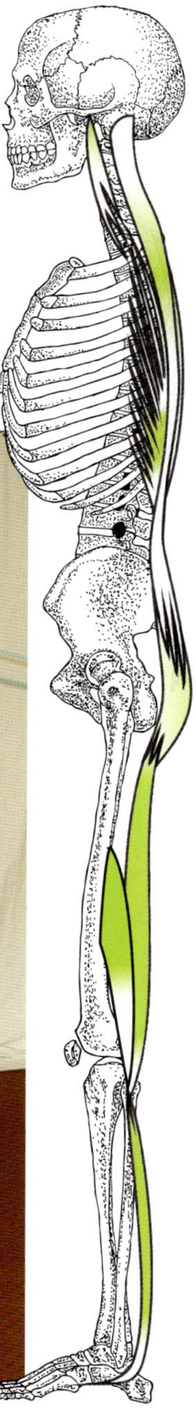

Beschluß:

Die vordere Muskelgruppe des Halses und die des Schultergürtels, sind mit der Tätigkeit der vorderen oberflächlichen Vertikalen RA - rectus abdominis verbunden und diese drückt die Wirbelsäule von vorn zusammen.

Die hintere Muskelgruppe des Halses und die des Schultergürtels, sind mit der Tätigkeit der hinteren Vertikalen ES - erector spinae verbunden und diese drückt die Wirbelsäule von hinten zusammen.

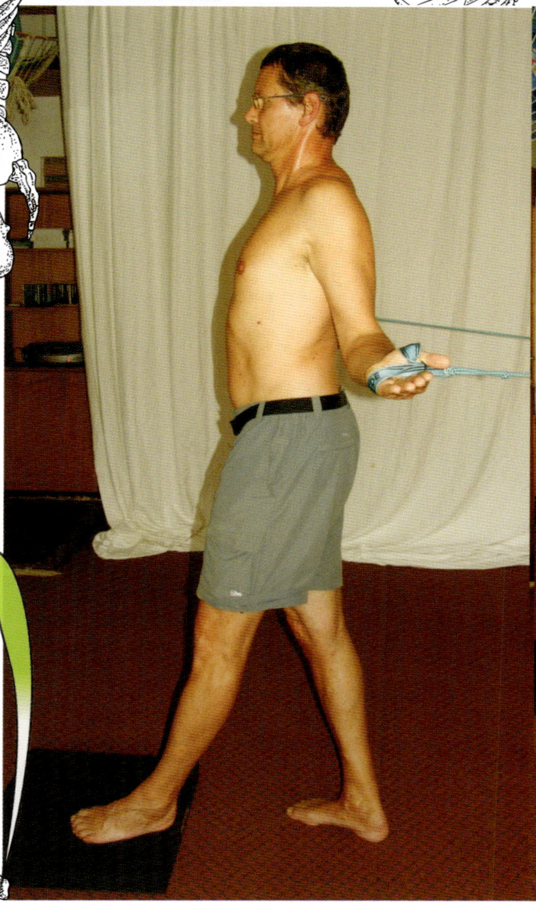

6. negativer Faktor
- Störung der reziproken Inhibition zwischen den LD und ES

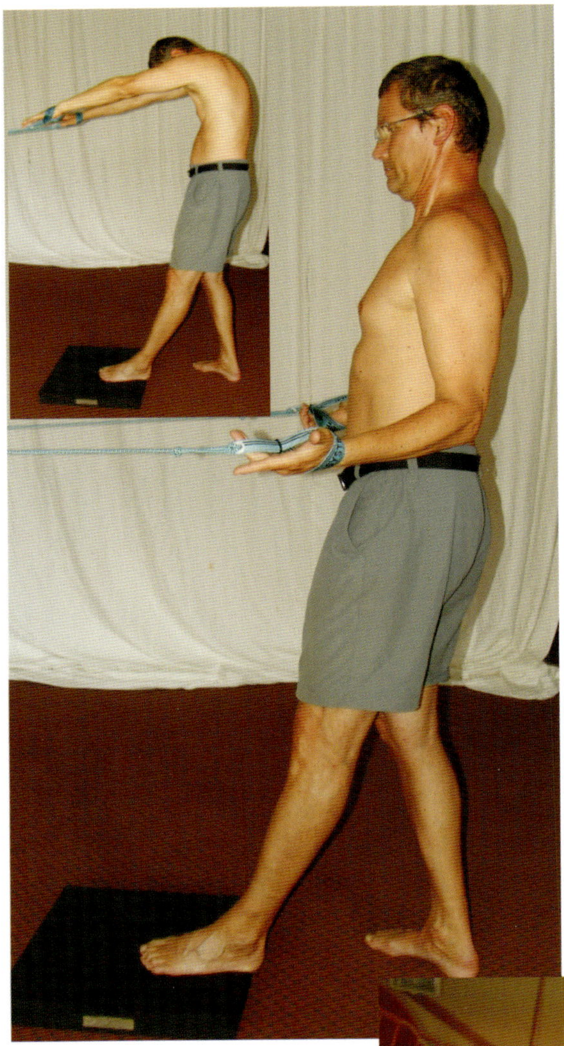

Der Zustand des Patienten am Anfang der Therapie
die verkürzte Rückenmuskeln verhindern das Vorbeugen

Der Zustand des Patienten nach der Therapie
die Rückenmuskeln sind vollständig entspannt und gedehnt

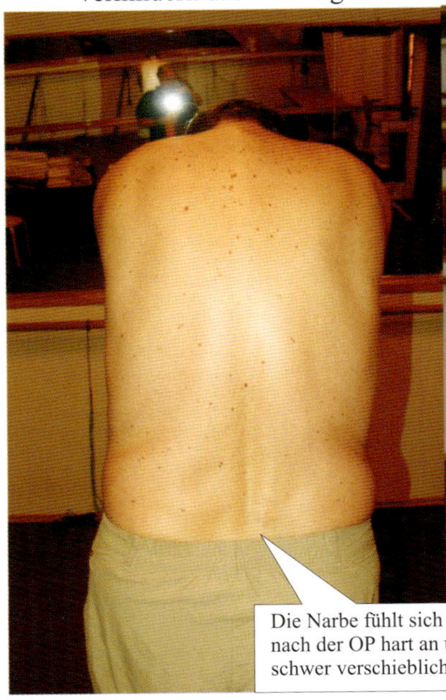

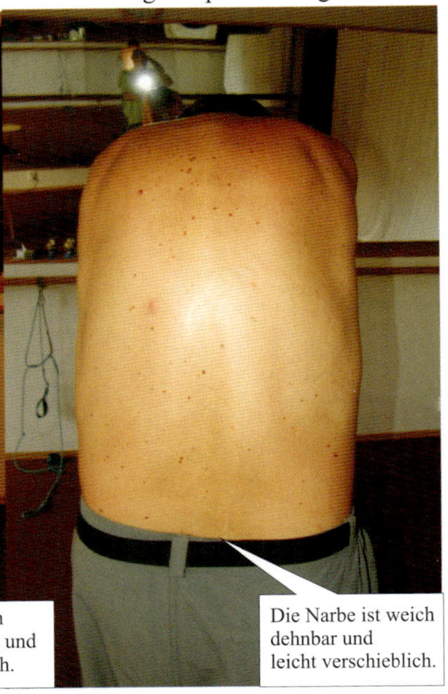

Beschluß :

Das Hervorrufen der reziproken Inhibition zwischen den Muskelketten LD - latissimus dorsi - Agonist und ES - erector spinae - Antagonist ist ein sehr wichtiger Teil der Behandlung. Die aktive LD Spirale hemmt die Aktivität der ES Vertikale und somit kann sie den Körper nach oben dehnen und durch diese Traktion die gesamte Wirbelsäule regenerieren.
Die Traktion ermöglicht uns eine Rotation in allen Segmenten und eine, auf alle Segmente verteilte Bewegung, die wir auch beim Gehen weiter als Regeneration gut nutzen können.

Auf dem Bild sehen wir die vollständige Beseitigung von TP - Triggerpunkte und komplette Entspannung der in reziproken Inhibition durch die Aktivität von LD Spirale gehemmten ES Vertikale.

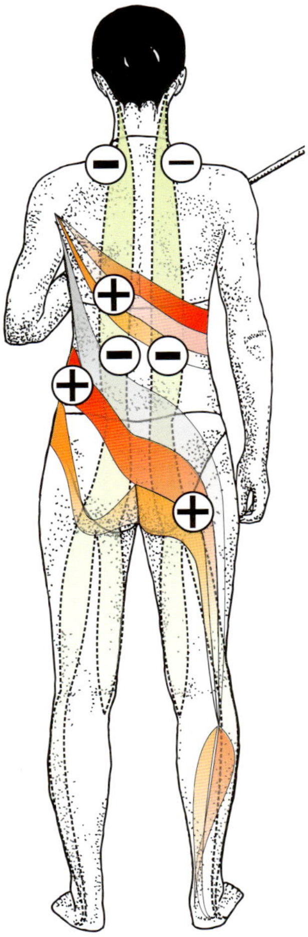

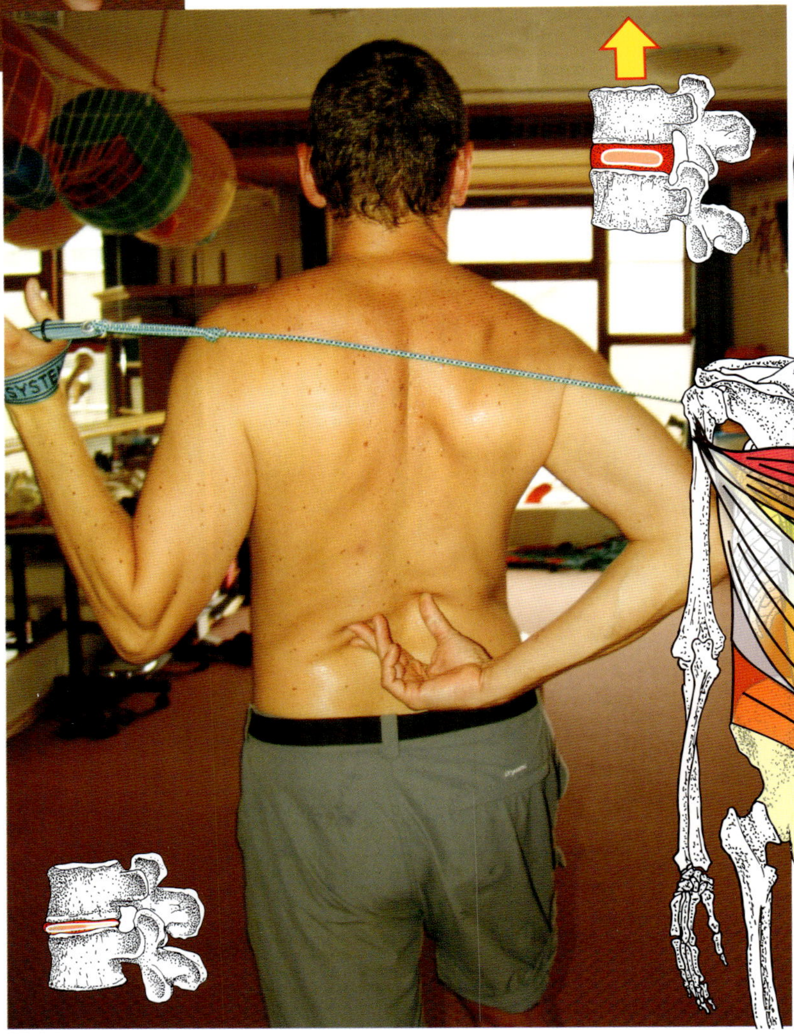

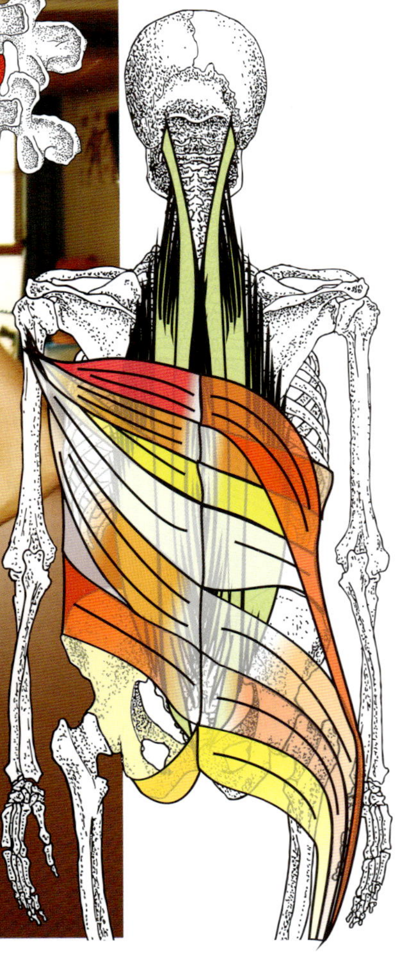

7. negativer Faktor
- Störung der Koordination und Stabilisation des Gangs

Mm. rotatores breves, longi (kurze und lange Drehmuskeln), **Mm. semispinales** (Halbdornmuskeln), **Mm. multifidi** (vielgeteilte Muskeln)

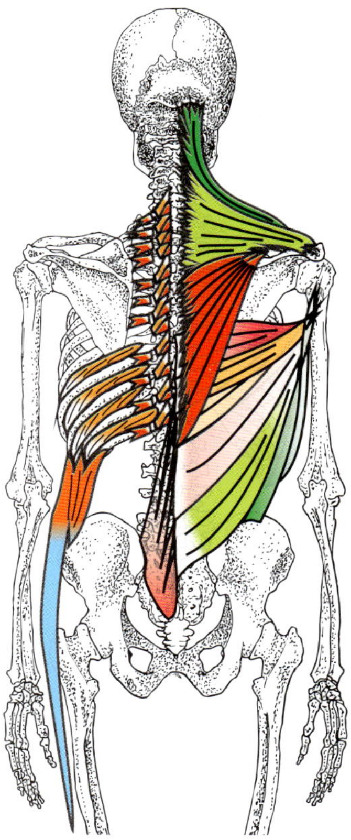

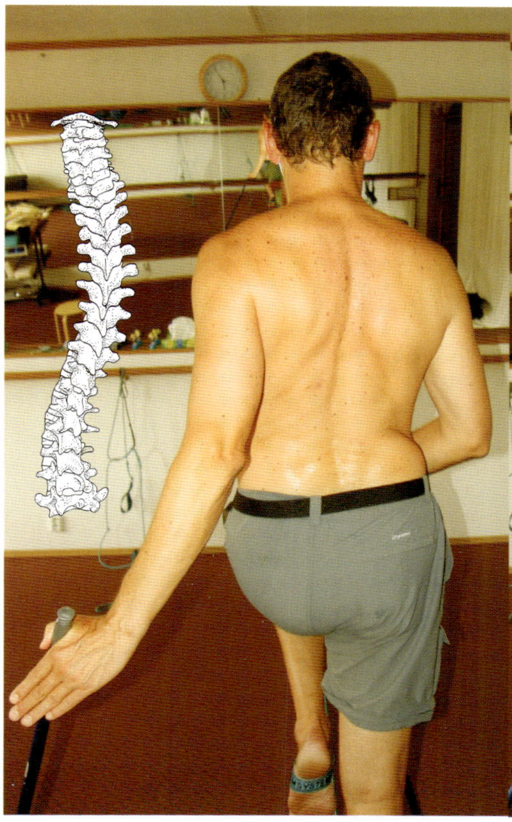

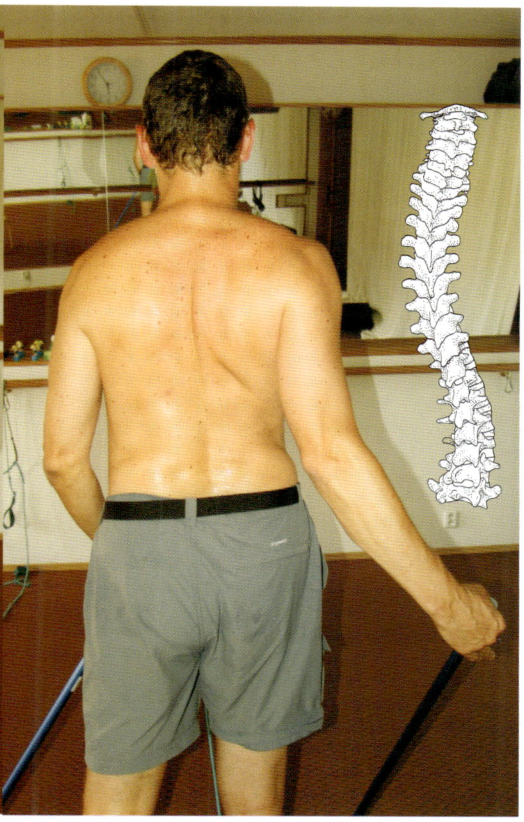

Beschluß:

Die Achsestellung des Körpers ist die Vorraussetzung für eine optimale Koordination des Gangs. Im Schultergürtel wird die Extension des Arms, ca. 30 cm hinter der Körpermitte mit der Bewegung des Schulterblatts nach hinten und unten und der Mitbewegung der Wirbelsäule die der Bewegung des Schulterblatts folgt verbunden. Im Beckengürtel wird die Extension im Hüftgelenk mit der Bewegung im SI Gelenk und Mitbewegung der Wirbelsäule, die der Bewegung des Beins und des Beckens folgt, verbunden. Demzufolge bildet die Wirbelsäule zwei S Kurven, die sich bei der Wirbelsäulentraktion, die mithilfe der TR, LD, SA und PM spiralen stabilisierenden Muskelketten ausgeübt wird, abwechselnd fließend gegeneinander bewegen und zusammen mit der kurzen autochtonen Muskulatur die Rotationsbewegung gleichmäßig auf die gesamte Wirbelsäulensegmente verteilen. Gleichzeitig werden auch die Rippen und der Brustkorb mobilisiert.

Optimale Stabilisation der Wirbelsäule ist durch die Bewegung des Arms nach hinten, die die LD - latissimus dorsi spirale Muskelkette aktiviert, gewährleistet. Die Bewegung des Schulterblatts nach hinten aktiviert die TR - trapezius Muskelkette, die Bewegung des Arms nach vorn aktiviert die PM - pectoralis major Muskelkette und die Bewegung des Schulterblatts nach vorn aktiviert die SA - serratus anterior Muskelkette.
Beim Gehen werden die gesamten Muskelketten gleichzeitig aktiviert.

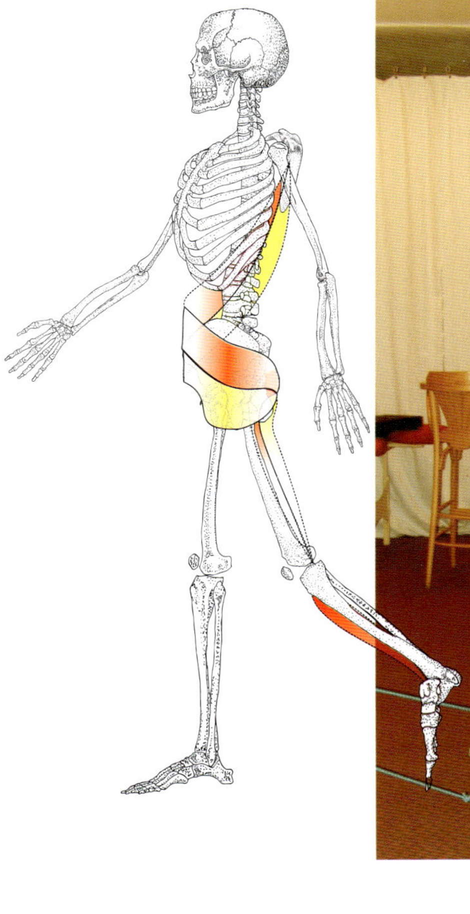

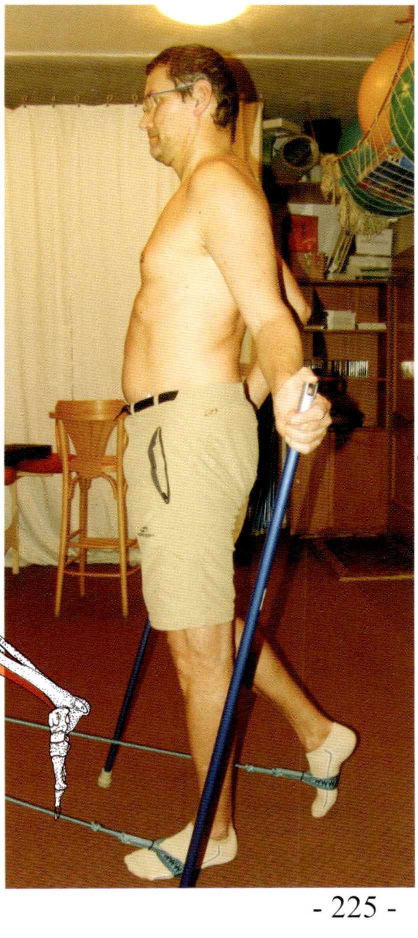

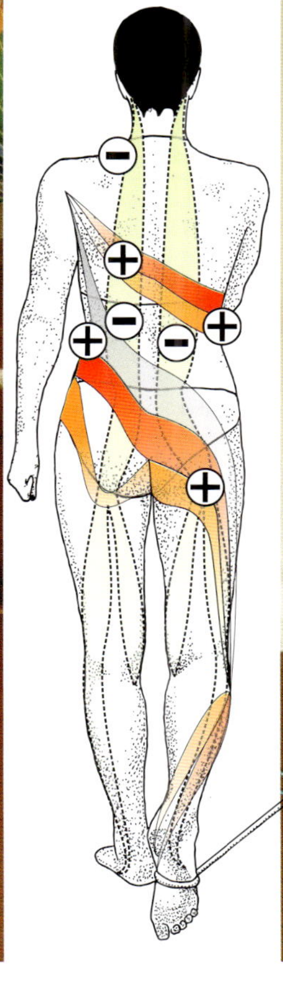

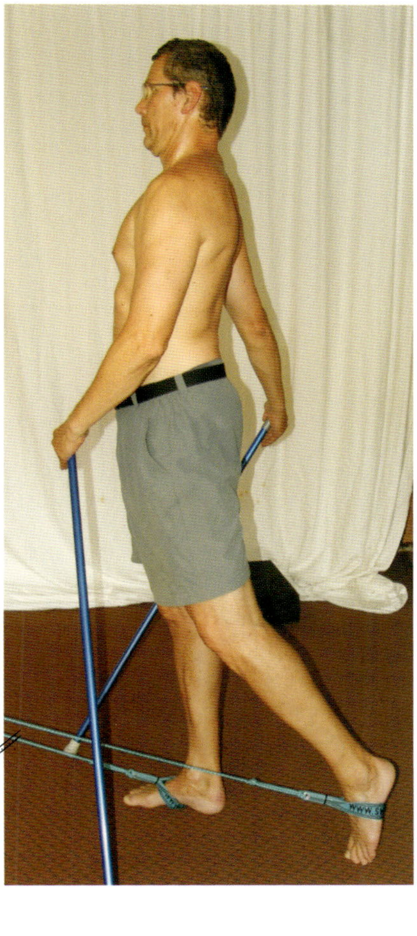

Klinisches Bild unseres Patienten

Anamnese:

Allmählich bekam ich immer mehr Rückenschmerzen, die bis in die unteren Extremitäten ausstrahlten. Die Diagnose lautete auf einen L5/S1 Bandscheibenvorfall. Nach der Operation war ich ein Jahr beschwerdenfrei, aber dann kehrten die Schmerzen wieder zurück und sind noch wesentlich intensiver geworden. Die Schmerzen strahlten seitlich wie schon damals in die unteren Extremitäten aus und ich bekam noch zusätzlich neue Schmerzen, die sich an der vorderen und hinteren Oberschenkelseite ausbreiteten. Eine neue OP wurde mir nicht empfohlen, die Rehabilitation half mir auch nicht und ich konnte nicht mehr sitzen oder stehen. Bei jedem Schritt strahlten die Schmerzen immer heftiger bis in die unteren Extremitäten, sodass jede Tätigkeit unmöglich war.

Untersuchung - Befund:

Die Anspannung in der vorderen Muskelgruppe des Schultergürtels verhindert die Bewegung des Schulterblatts nach hinten. Das Schulterblatt bleibt deswegen in der vorderen Position blockiert und kann den Bauch mithilfe der LD - latissimus dorsi Muskelkette (breiter Rückenmuskel) nicht aktivieren. Aufgrund des passiven Bauchs kann die Anspannung der vertikalen Rückenmuskulatur, die die Bandscheiben im Lendenbereich zusammendrückt, nicht beseitigt werden. Der Druck auf die Bandscheiben führt sowohl zu ihrer Degeneration als auch zum Bandscheibenvorfall. Durch den operativen Eingriff wird die Höhe der Bandscheibe L5/S1reduziert und dies blockiert das Segment in seiner Mobilität. Die Bewegung wird durch die anderen Segmente, die schon von der Degeneration angegriffen sind, ersetzt. Dadurch kommt es zu einer vermehrten Belastung und schließlich zur Entstehung von neuen Vorfällen. Die Ärzte und Physiotherapeuten sind oft ratlos. Eine neue Operation würde die Situation weiter verschlechtern, die klassische Physiotherapie hat versagt und verursacht sogar Schmerzen. Der Patient ist nicht mehr in der Lage zu arbeiten.
Das Prinzip der Spiralstabilisation d.h. Traktion - (Dehnung der Wirbelsäule) ist gestört. Zur Wirbelsäulentraktion kommt es durch die Extensionsbewegungen des Arms nach hinten, die durch die aktivierte LD - Latissimus - dorsi (großer Rückenmuskel) Muskelkette die schrägen Bauchmuskeln weiter aktiviert. Jedoch ist dieses Vorgehen durch die Muskelanspannung und Ansammlung von TP (Triggerpunkte) sehr beschränkt.

Eine neue Therapie, die die Ursache der Krankheit beseitigt und zu voller Gesundheit führt, heißt Spiralstabilisation:

Der Bandscheibenvorfall kann gut behandelt werden, wenn wir die Ursache der Krankheit d.h. die gestörte Spiralstabilisation der Bewegung behandeln können. Durch die Übungen und Massagen wird die Anspannung an der vorderen Muskelgruppe des Schultergürtels gelockert und die Bewegung des Schulterblatts nach hinten und unten eingeübt. Durch die LD - Latissimus - dorsi Muskelkette werden die Bauchmuskeln aktiviert und diese fördern die Aktivität des M. gluteus maximus, der das Becken stabilisiert und die Wirbelsäule aufrichtet. Die spirale stabilisierende Muskelkette LD zieht den Körperumfang zusammen, dadurch werden die Bandscheiben erhöht und die Wirbelsäule kann somit regeneriert und intensiv behandelt werden.

Der gesundheitliche Zustand des Patienten hat sich schon nach einer Woche intensiver Übungstherapie und manuellen Traktionstechniken verbessert. Nach 3 Monaten des regelmäßigen Übens war er schmerzfrei und nach 6-8 Monaten hat er seine volle Leistungsfähigkeit wieder zurückgewonnen. Jetzt kann er sogar wieder Golf spielen. Ähnliche Erfahrungen machten wir schon bei anderen Patienten, die an dieser aktiven Therapie teilnahmen.

Beschluß:

Unser Beispiel zeigt, daß die allmähliche Beseitigung von negativen Faktoren, die sich an der Entwicklung des FB-Syndroms beteiligen zu einer Situation führt, wo die Wirbelsäule nach oben gestreckt wird und damit eine Entlastung und demzufolge auch eine Regeneration der Bandscheiben, Wirbelgelenke und anderen komprimierten Strukturen ermöglicht. Der Patient wird schmerzfrei, kann ein normales Leben führen, arbeiten und Sport treiben.
Wir berichten über negative Faktoren, die zur Entwicklung des FB-Syndrom führen.

Gesellschaftliche Faktoren:

- Vernachlässigung - Auswirkungen auf die Entwicklung des Muskelapparats Koordination und Stabilisation der Bewegung während des Wachstums - verantwortlich sind: Eltern, Mitarbeiter von Kindergärten, Schulen, Sportvereine - Trainer
- Vernachlässigung der Regeneration des Bewegungsapparats bei der Arbeit und Sport - Kondition, Erholung, Kompensation der einseitigen Überlastung.

Die wichtigsten negativen Faktoren:

- Muskeldysbalance im Schultergürtel
- Muskeldysbalance im Beckengürtel
- Muskeldysbalance im Rumpf
- Muskeldysbalance im Bereich des Halses und des Kopfes
- Muskeldysbalance im Bereich der Beine u. der Fußsohlen
- Muskeldysbalance im Bereich der Arme
- die o.g. Muskeldysbalancen verursachen Störung der Körperhaltung während der Ruheposition

- Störung in der Funktion der spiralen stabilisierenden Muskelkette TR - trapezius, LD - latissimus dorsi, SA - serratus anterior, PM - pectoralis major
- erhöhte Aktivität der vertikalen stabilisierenden Muskelkette ES - erector spinae, QL - quadratus lumborum, IP - iliopsoas, RA - rectus abdominis

- Störung der reziproken Inhibition im Bereich der Gelenke, der Gürtel, des Rumpfs und der Muskelketten
- Störung der posturalen Reaktion und der sensomotorischen Antwort

- Störung der Koordination und Stabilisation des Gangs und des Laufs
  - Störung der Körperachse
  - Störung der Koordination im Schultergürtel und im Brustkorb
  - Störung der Koordination im Beckengürtel und im Bereich der Lendenwirbelsäule

- Falsche Koordination und Stabilisation beim Üben und beim Sport

Die oben genannten Störungen führen zum Ansammlen der negativen Faktoren, die einen schlechten Einfluss auf die Funktion von Spiralstabilisation der Wirbelsäule haben und die daraus fehlende Zugkraft verursacht ihre unausreichende Regeneration. Darüber hinaus begünstigt die Regeneration eine Rückverlagerung des Vorfalls vor der OP. und selbst nach der OP. sollte weiter regeneriert werden um eventuelle Rückfälle zu vermeiden. Die wirksamste Prävention zur Vermeidung des FB-Syndroms ist natürlich eine aktive konservative Behandlung des Bandscheibenvorfalls ohne OP. Während der 32 Jahre wurden bei uns ca. 4000 Patienten mit Bandscheibenvorfall behandelt und von dieser Zahl, mußten nur 4 Patienten zu einer OP. ins Krankenhaus geschickt werden.

Empfohlener Behandlungsvorgang

Aktivierung der schrägen Bauchmuskeln, Entspannung der paravertebralen Rückenmuskeln

1. Bildung eines Muskelkorsetts TR, LD

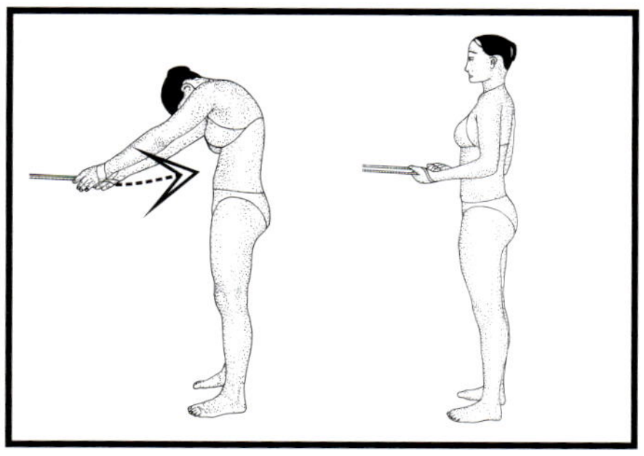

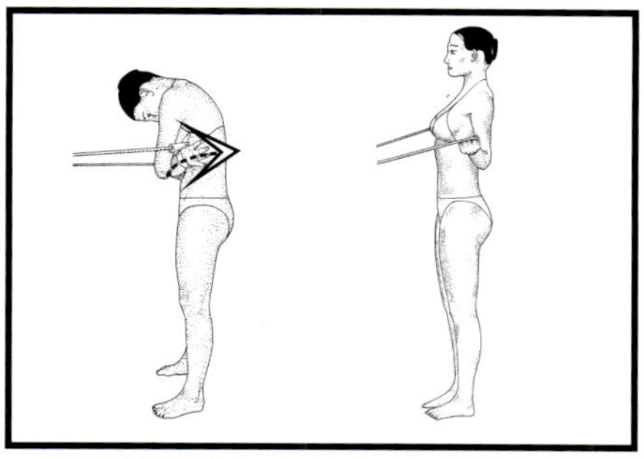

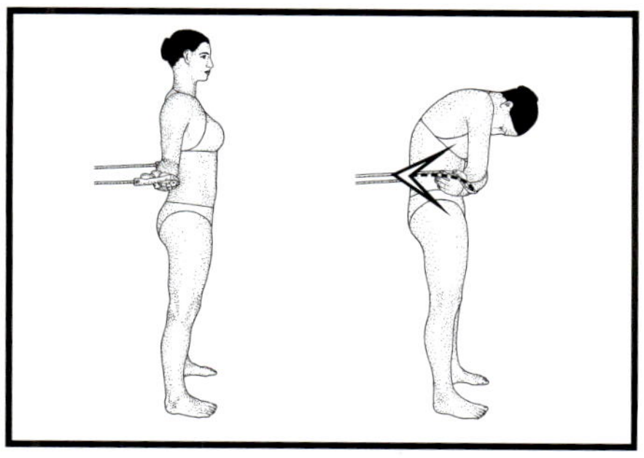

2. Dehnung der Muskeln im Schulter- und Beckengürtel sowie der Rumpfmuskeln bei TR, LD Stabilisation

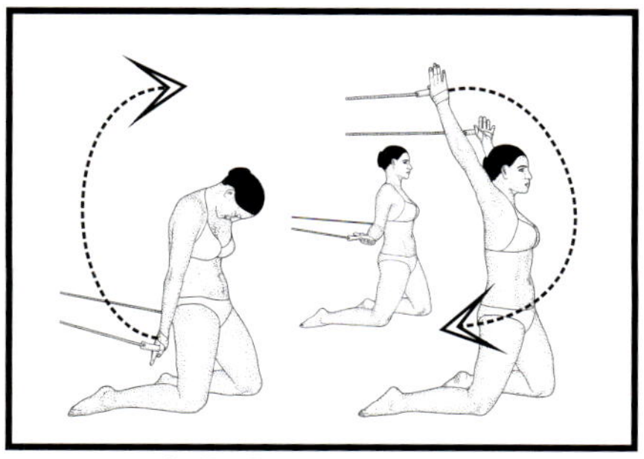

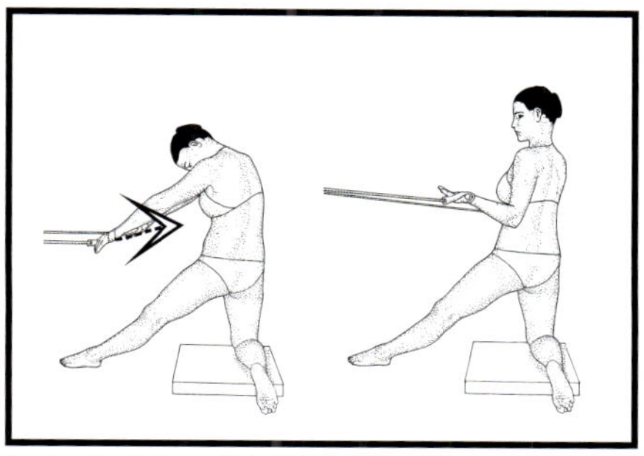

3. Dehnung der paravertebralen Muskeln bei der SA Stabilisation

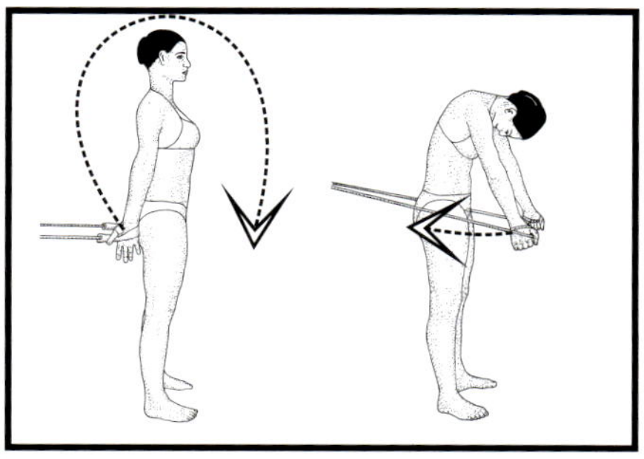

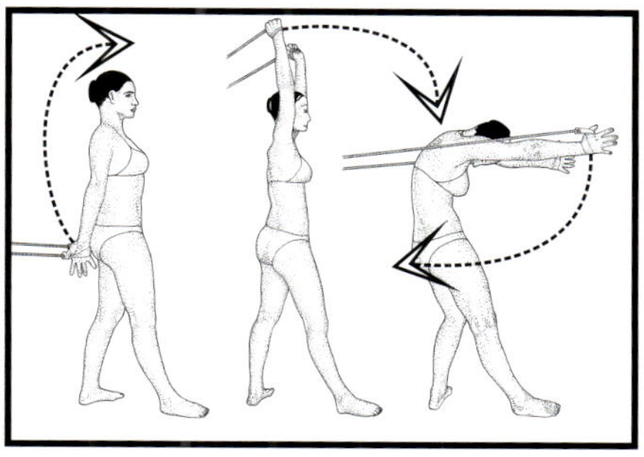

4. Mobilisation der Wirbelsäule und Aktivierung der autochtonen Drehmuskeln bei der TR, LD Stabilisation

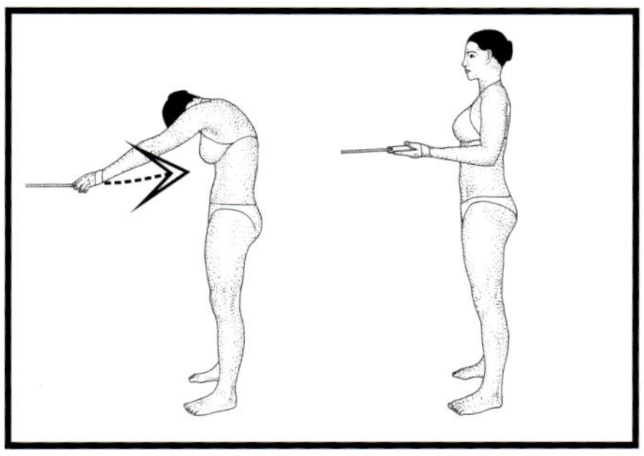

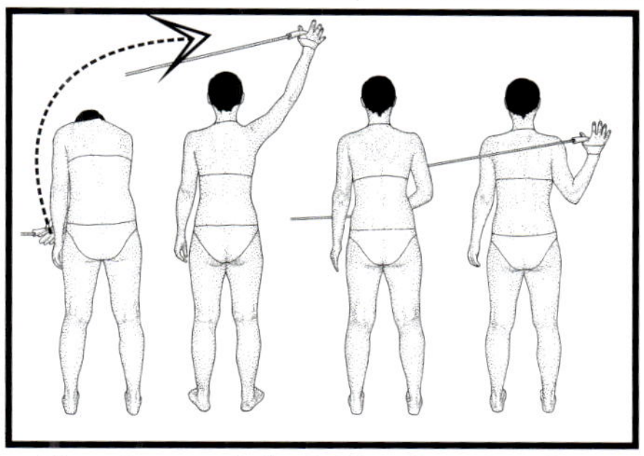

5. Kräftigung des M. gluteus maximus und Wiederherstellung der Koordination und Stabilisation des Gangs bei der TR, LD, SA, PM Stabilisation

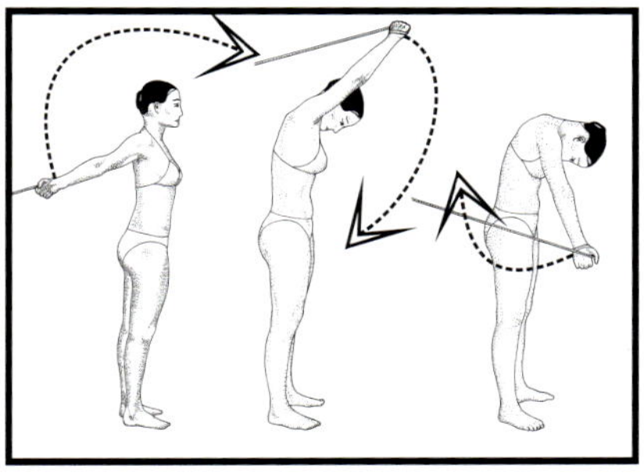

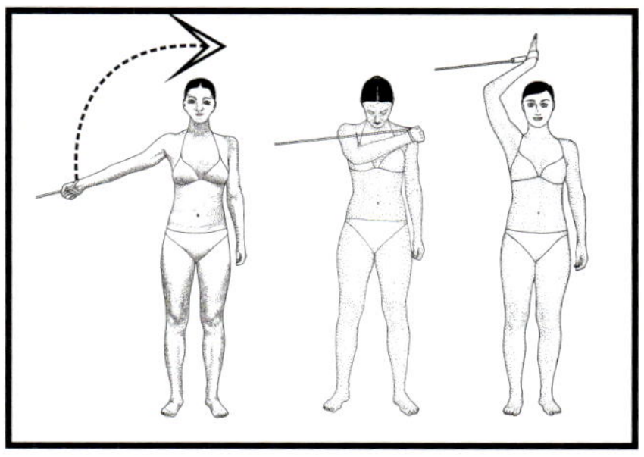

6. Der Gang ist durch TR, LD, SA, PM stabilisiert

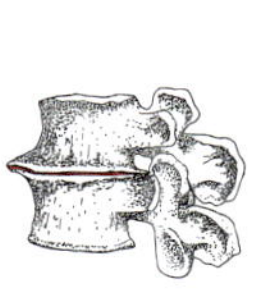

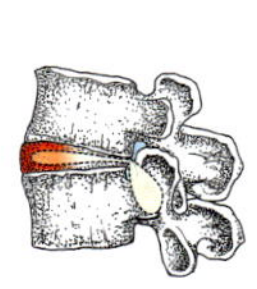

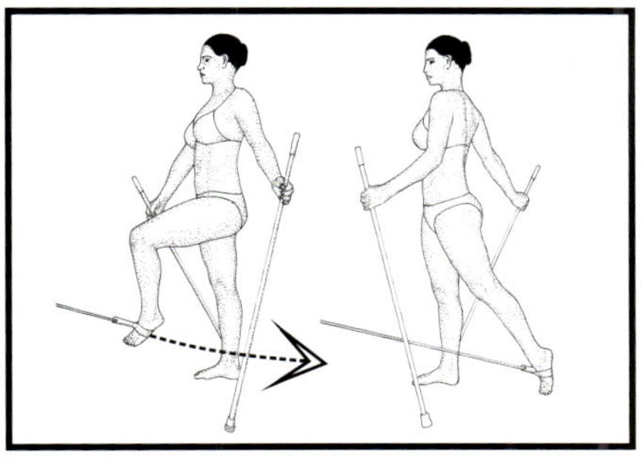

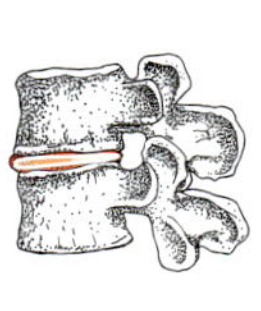

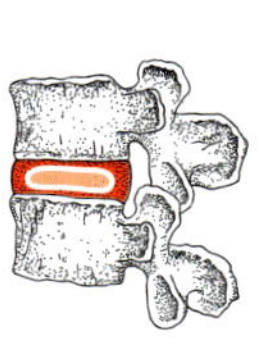

STÖRUNG DER SPIRALSTABILISATION

Beseitigung von Störungen der Spiralstabilisation

Beseitigung der Muskeldysbalancen
Beseitigung der pathologischen Muskelanspannung
Beseitigung der TP - Triggerpunkte

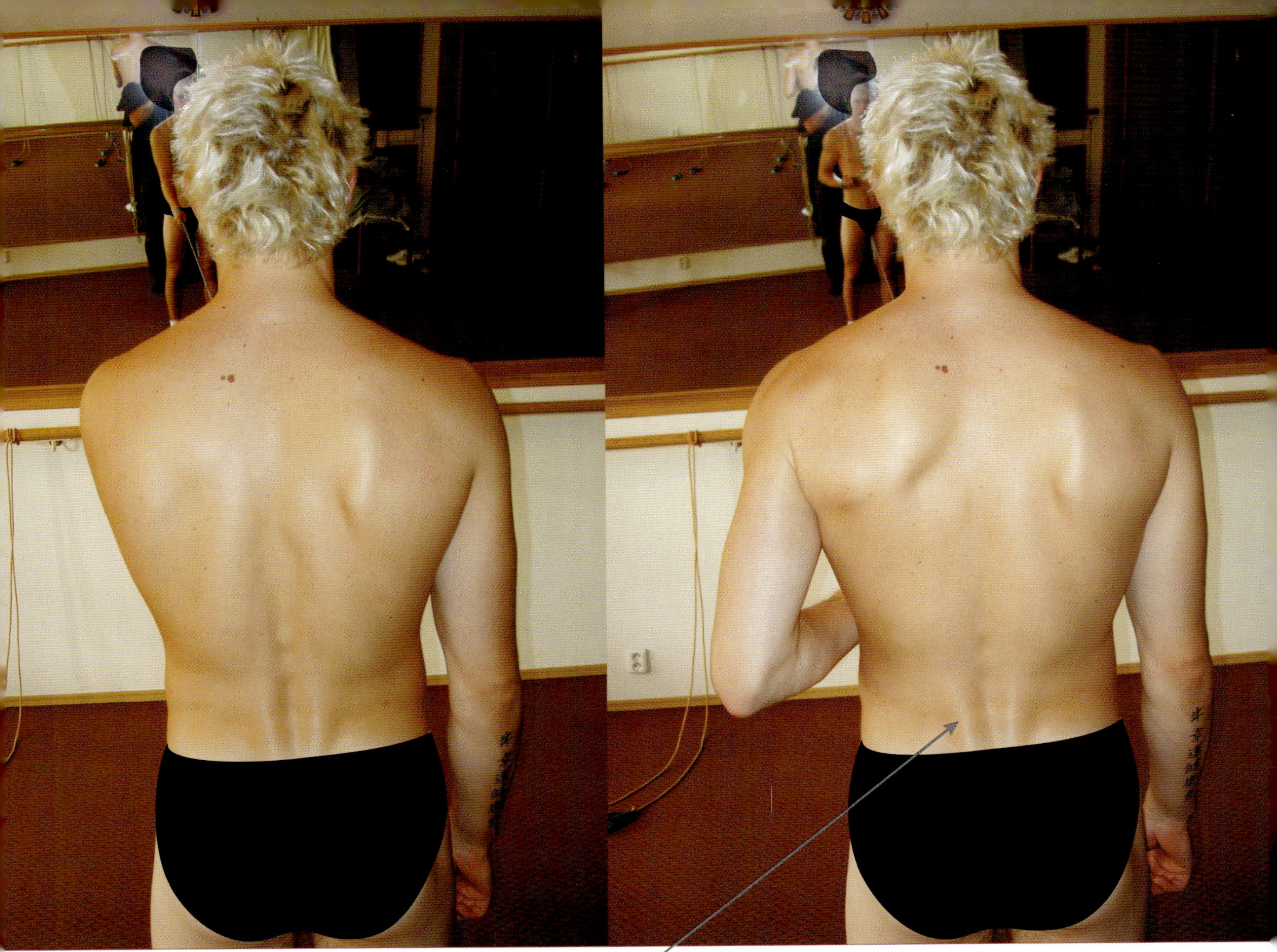

Störung der Spiralstabilisation, die Muskelkette TR und LD werden nicht aktiviert, anhaltende Anspannung des M. erector spinae (vertikale Stabilisation ES).

Nach 3 Monaten des Übens wird die Spiralstabilisation vollständig aktiviert, die Muskelketten TR, LD und M. erector spinae werden völlig entspannt.

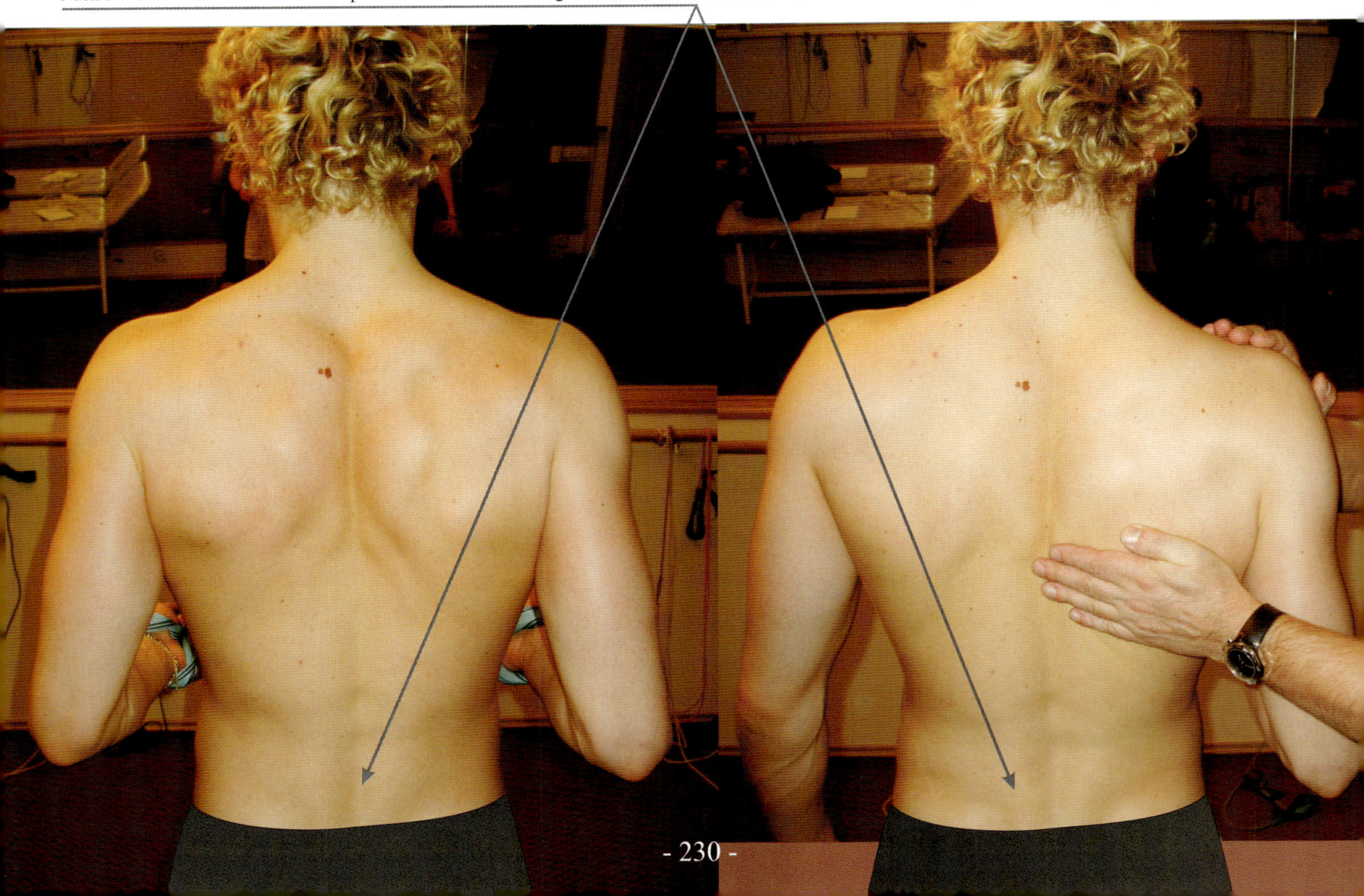

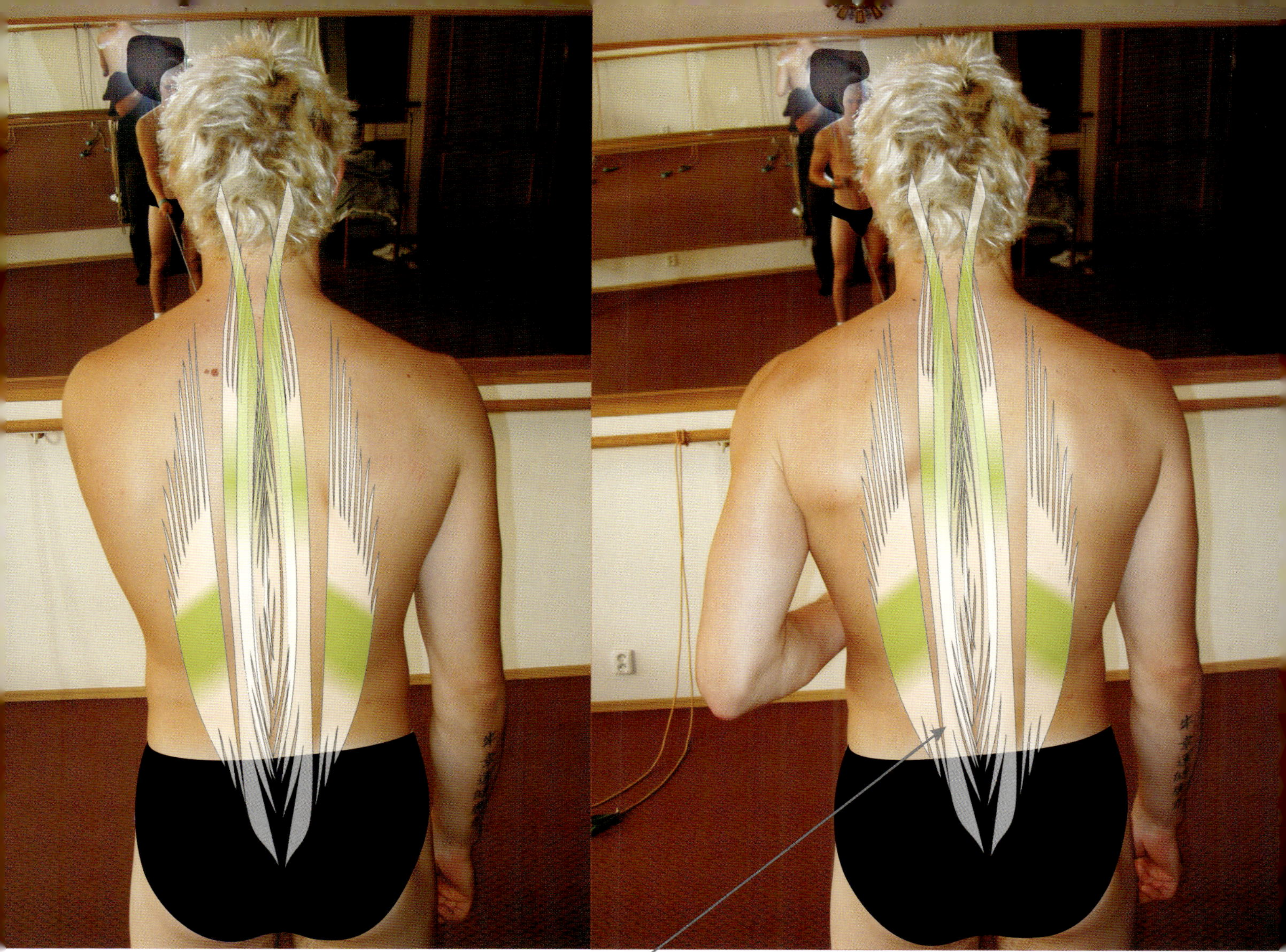

Störung der Spiralstabilisation, die Muskelkette TR und LD werden nicht aktiviert, anhaltende Anspannung des M. erector spinae (vertikale Stabilisation ES).

Nach 3 Monaten des Übens wird die Spiralstabilisation vollständig aktiviert, die Muskelketten TR, LD und M. erector spinae werden völlig entspannt.

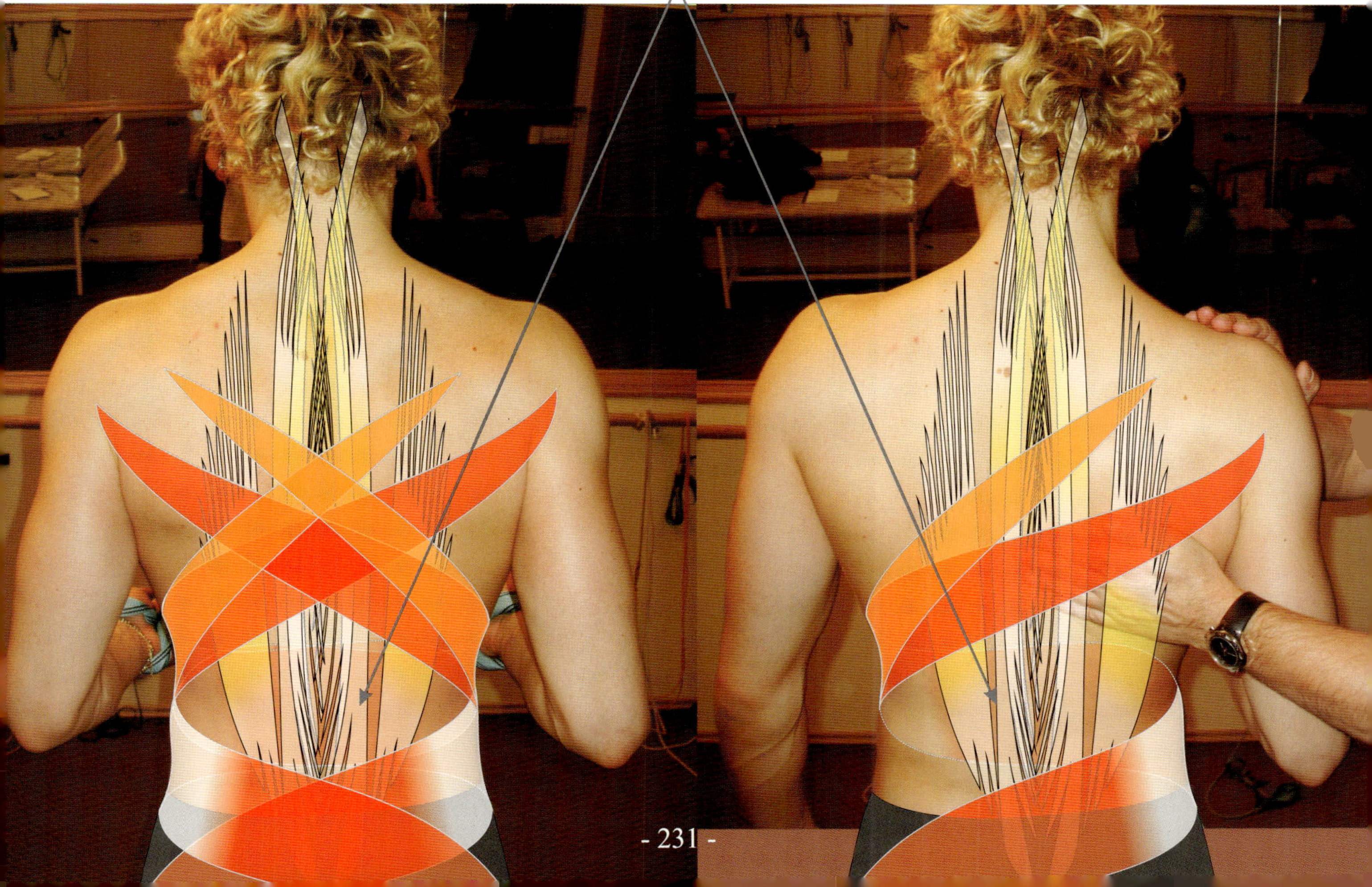

Am Anfang
Schlaffe Körperhaltung, schwere Muskeldysbalancen

Nach 3 Monaten des Übens
Ausgeglichene Körperhaltung, Erreichung des Muskelgleichgewichts

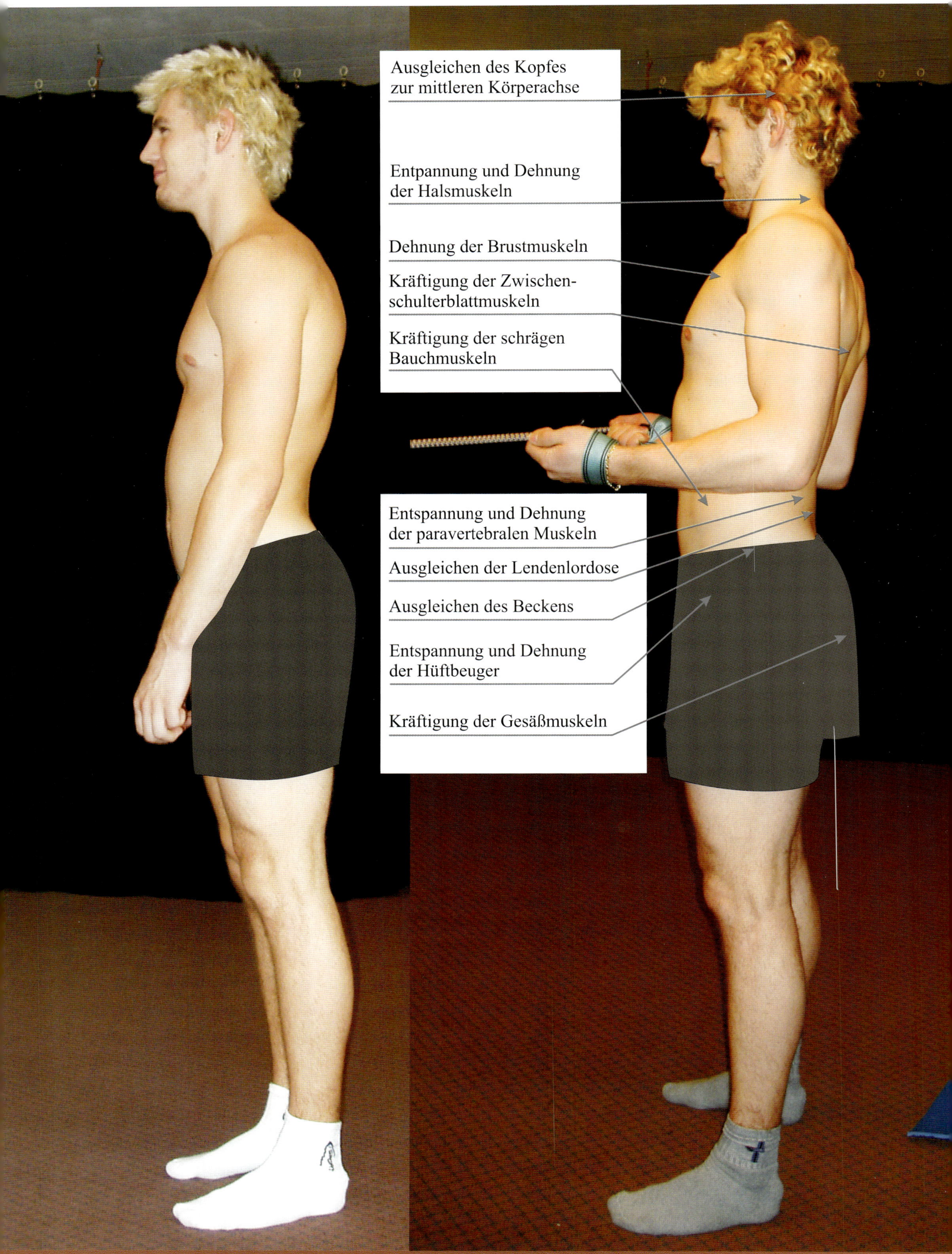

Am Anfang
vertikale Stabilisation

Nach 3 Monaten des Übens
Spiralstabilisation der Bewegung, aktive Entspannung der vertikalen Muskelketten

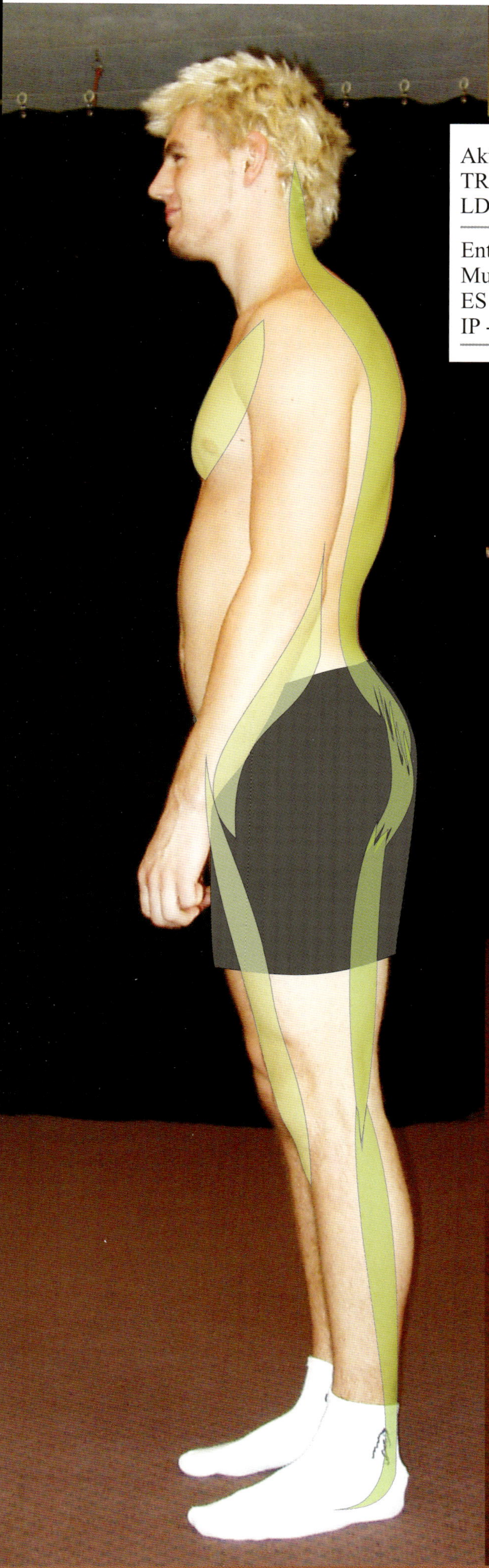

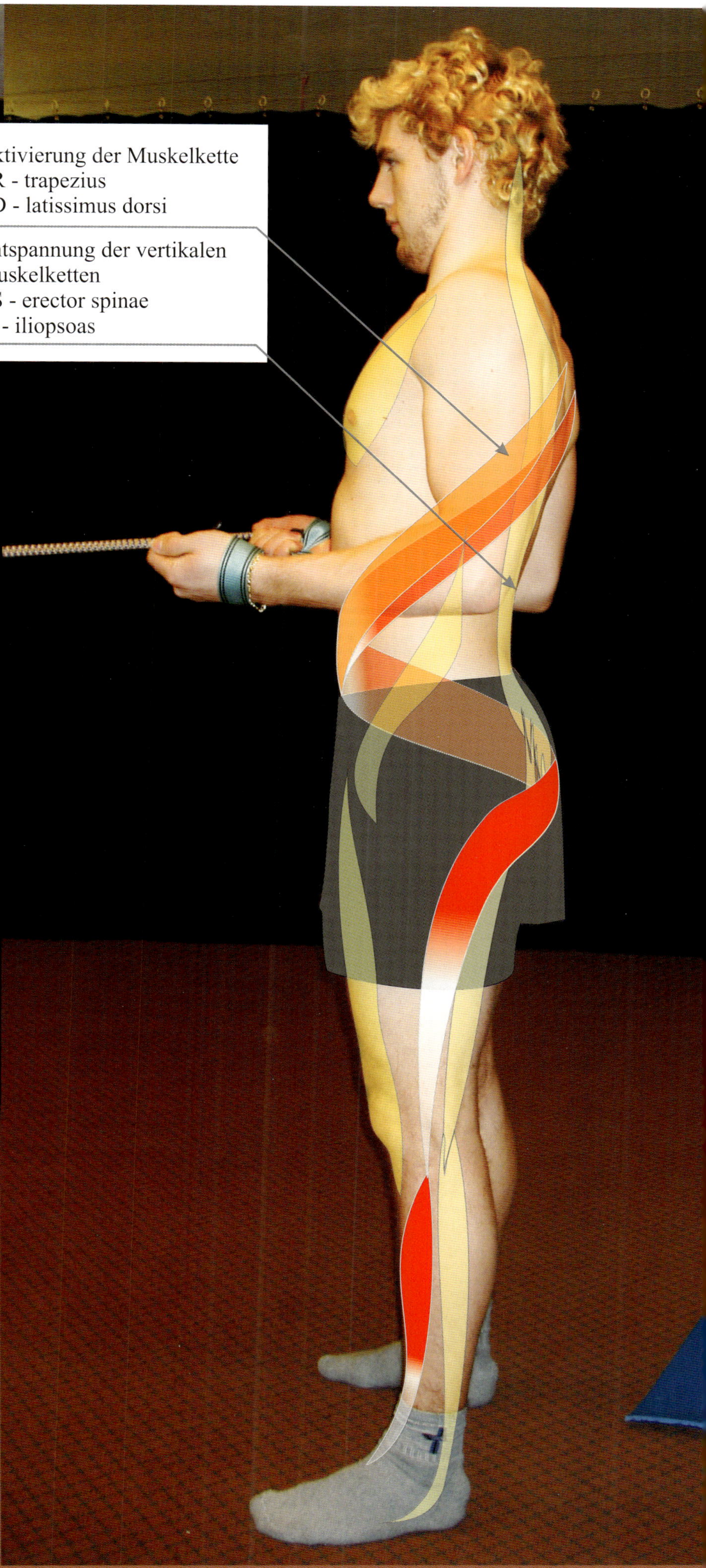

Parameter für die Messung des Bewegungsumfangs und der Bewegungskoordination.

Optimal koordinierte Bewegung aktiviert die Muskelspiralen und hemmt die Muskelvertikale.

Die Wirbelsäule und die grossen Gelenke werden durch die Tätigkeit der Muskelspiralen regeneriert.

Der wichtigste Parameter

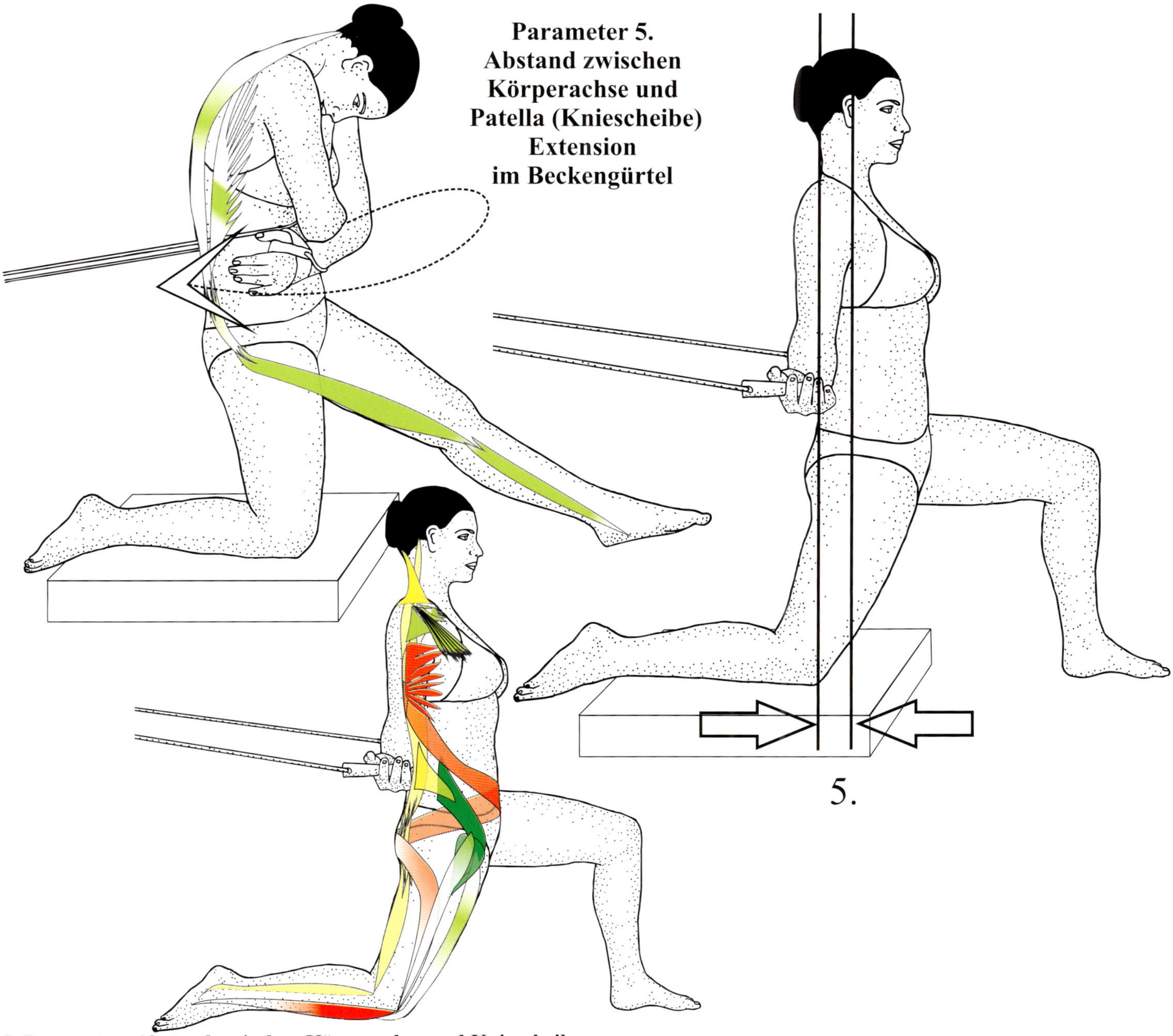

5. Parameter: Abstand zwischen Körperachse und Kniescheibe.
Bewegung: Extension im Beckengürtel auf dem durch die Spiralen stabilisierten Körper.
Norm: + 20 cm

Abstand zwischen Körperachse und Kniescheibe.
Die Körperachse verläuft kranial nach kaudal (oder umgekehrt) durch den äußeren Gehörgang senkrecht zum Boden (Lotlinie) und unten durch die Mitte des Beckens.
Der an der hinteren Körperseite angelegte Stab kontrolliert die Lordosentiefe, die die 2,5 cm, eine Daumenbreite, nicht übersteigen darf.
Der Parameter zeigt die Extension in der Hüfte und im SI-Gelenk an und deren Fähigkeit die Schrittlänge zu beeinflussen.

Gedehnte Muskeln

Beckengürtel:
- M. iliopsoas (Lenden-Darmbeinmuskel)
- M. gluteus medius (mittlerer Gesäßmuskel vorderer Teil)
- M. tensor fasciae latae (Oberschenkelbindenspanner)
- M. rectus femoris (gerader Oberschenkelmuskel)

Schultergürtel:
- M. subclavius (Unterschlüsselbeinmuskel)
- M. pectoralis minor (kleiner Brustmuskel)
- M. pectoralis major (großer Brustmuskel)
- M. serratus anterior (vorderer Sägemuskel)

Die an der oberen Seite des Schultergürtels entspannten Muskeln:
- M. trapezius pars descendens (Kappenmuskel absteigender Teil)
- M. levator scapulae (Schulterblattheber)
- Mm. scaleni (Rippenhalter)
- M. semispinalis capitis, cervicis (Halbdornmuskel des Kopfes und des Halses)

und andere Muskeln.

Aktivierte Muskeln

Zwischenschulterblattmuskeln werden gekräftigt:
- M. trapezius (Kappenmuskel)
- M. latissimus dorsi (breiter Rückenmuskel)
- Mm. rhomboidei (Rautenmuskel)

Muskelketten

Die Übung wird durch die folgenden spiralen Muskelketten stabilisiert:
TR-B, C - trapezius (Kappenmuskel)
LD-A, B - latissimus dorsi (breiter Rückenmuskel).
Vertikale Muskelkette ES - erector spinae entspannt sich durch die reziproke Inhibition.
Die schrägen Bauchmuskeln und der große Gesäßmuskel bilden einen Teil der TR und LD Muskelkette.
Der große Gesäßmuskel hemmt in reziproker Inhibition die Hüftflexoren.

Parameter 1.
Der Abstand zwischen äußerem Gehörgang und vorderer Akromionkante (vordere Kante der Schulterhöhe) wird durch die Dehnung vergrößert
Extension im Schultergürtel

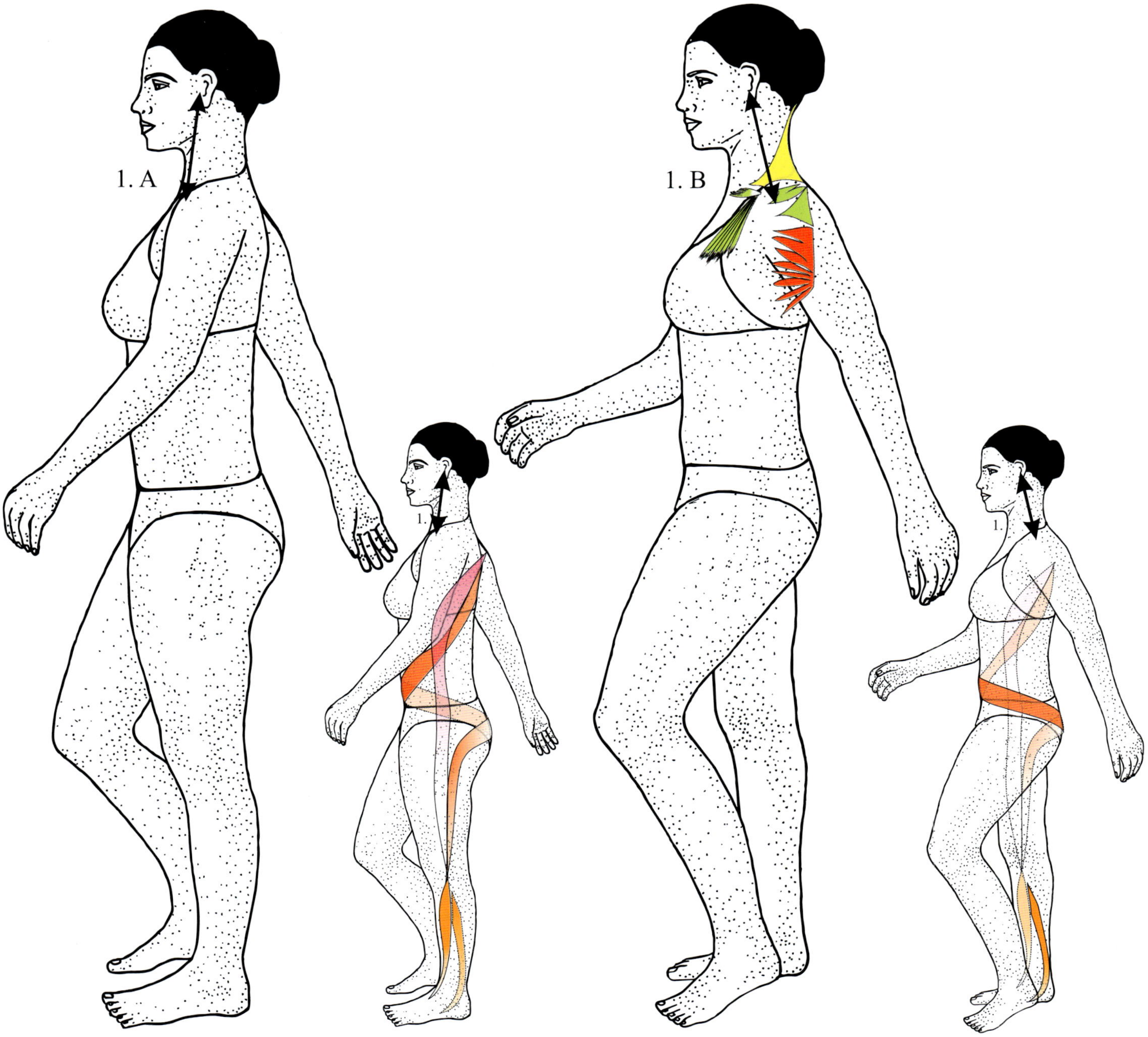

1. Parameter: Der Abstand zwischen äußerem Gehörgang und vorderer Akromionkante (vordere Kante der Schulterhöhe) wird durch die Dehnung vergrößert.

Bewegung: Extension im Schultergürtel mit unterer Schulterblattfixation, Gehen auf der Stelle.

Norm: + 5 cm

Abstand zwischen äußerem Gehörgang und vorderem Teil des Akromion (Schulterhöhe) (Hakenfortsatz).
Wir bewerten die Abstandsänderung während der sowohl vorderen als auch hinteren Armposition.
Der Parameter bewertet die Fähigkeit der unteren Fixation des Schulterblatts und Aktivierung der TR - trapezius, LD - latissimus dorsi Spiralen. Gleichzeitig wird die Halswirbelsäule gedehnt.

Gedehnte Muskeln

Wir dehnen die Muskeln an der vorderen Seite des Schultergürtels:
- M. subclaviuus (Unterschlüsselbeinmuskel)
- M. pectoralis minor (kleiner Brustmuskel)
- M. pectoralis major (großer Brustmuskel)
- M. serratus anterior (vorderer Sägemuskel)

Die an der oberen Seite des Schultergürtels entspannten Muskeln:
- M. trapezius, pars descendens (Kappenmuskel absteigender Teil)
- M. levator scapulae (Schulterblattheber)
- Mm. scaleni (Rippenhalter)
- M. semispinalis capitis, cervicis (Halbdornmuskel des Kopfes und des Halses)

und andere Muskeln.

Aktivierte Muskeln

Zwischenschulterblattmuskeln werden gekräftigt
- M. trapezius (Kappenmuskel)
- M. latissimus dorsi (breiter Rückenmuskel)
- Mm. rhomboidei (Rautenmuskel)

Muskelketten

Die Übung wird durch die folgenden spiralen Muskelketten stabilisiert:
TR-B, C - trapezius (Kappenmuskel)
LD-A, B - latissimus dorsi (breiter Rückenmuskel).
Vertikale Muskelkette ES - erector spinae entspannt sich durch die rezproke Inhibition.

Parameter 1.
Der Abstand zwischen äußerem Gehörgang und vorderer Akromionkante (vordere Kante der Schulterhöhe) wird durch die Dehnung vergrößert
Extension im Schultergürtel

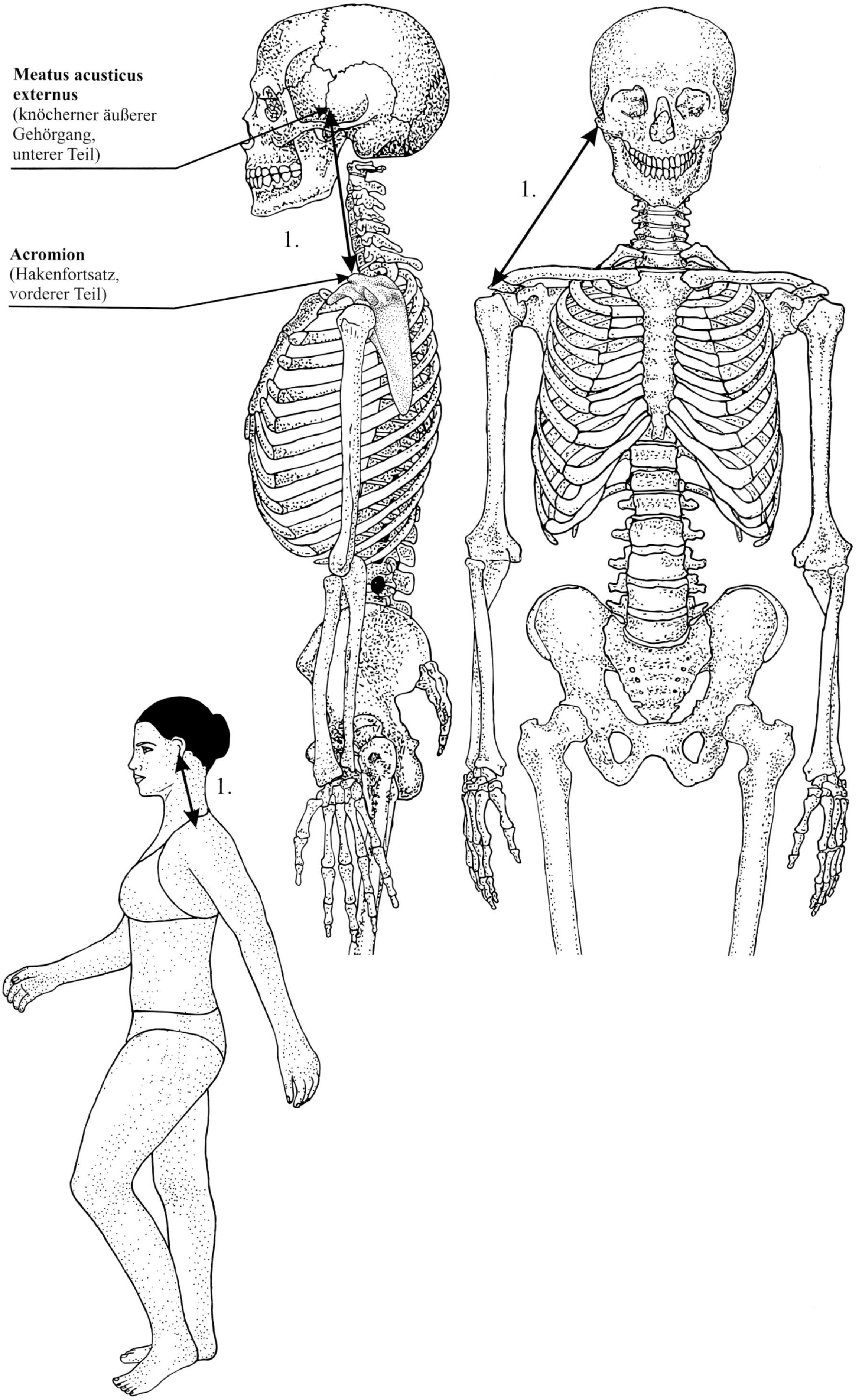

Parameter 2.
Der Abstand zwischen Hand und Rückenlinie
Extension im Schultergürtel mit äußerer Rotation

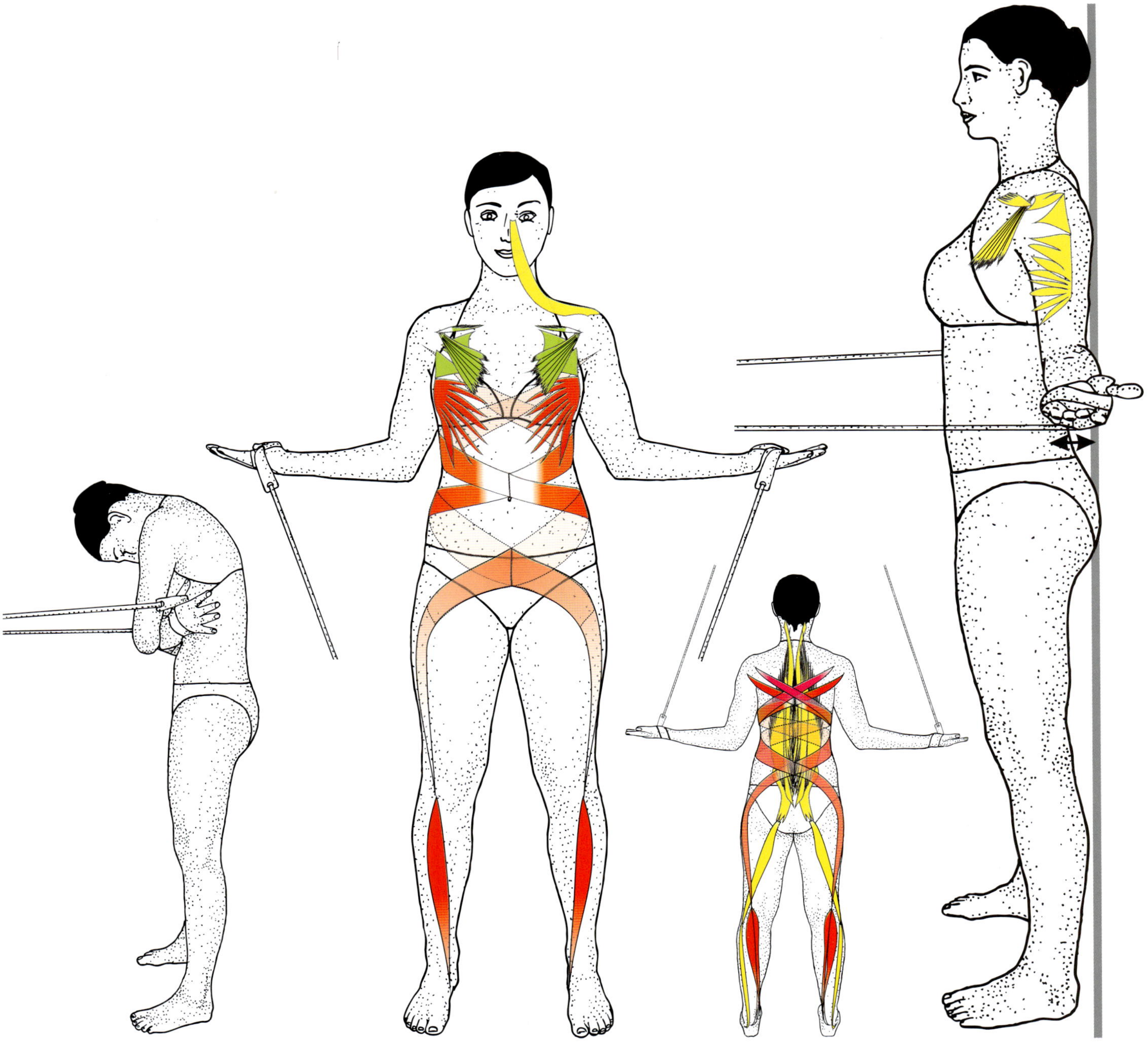

2. Parameter: der Abstand zwischen Hand und Rückenebene.
Bewegung: Extension im Schultergürtel mit äußerer Rotation.
Norm: 0 cm. der Abstand zwischen Hand und Rückenebene.
Wir bewerten die Abstände während der hinteren Armposition.
Der Parameter bewertet die Fähigkeit, die vordere Muskelgruppe des Schultergürtels zu dehnen.

Gedehnte Muskeln
Wir dehnen die Muskeln an der vorderen Seite des Schultergürtels:
- M. subclaviuus (Unterschlüsselbeinmuskel)
- M. pectoralis minor (kleiner Brustmuskel)
- M. pectoralis major (großer Brustmuskel)
- M. serratus anterior (vorderer Sägemuskel)
- M. subscapularis (Unterschulterblattmuskel)

Die an der oberen Seite des Schultergürtels entspannten Muskeln:
- M. trapezius, pars descendens (Kappenmuskel absteigender Teil)
- M. levator scapulae (Schulterblattheber)
- Mm. scaleni (Rippenhalter)
- M. semispinalis capitis, cervicis
  (Halbdornmuskel des Kopfes und des Halses)

und andere Muskeln.

Aktivierte Muskeln
Zwischenschulterblattmuskeln werden gekräftigt
- M. trapezius (Kappenmuskel)
- M. latissimus dorsi (breiter Rückenmuskel)
- Mm. rhomboidei (Rautenmuskel)

Muskelketten
Die Übung wird durch die folgenden spiralen Muskelketten stabilisiert:
TR-B, C - trapezius (Kappenmuskel)
LD-A, B - latissimus dorsi (breiter Rückenmuskel).
Vertikale Muskelkette ES - erector spinae entspannt sich durch die rezproke Inhibition.

Parameter 3.
Verringerung des Taillenumfangs
Extension im Schultergürtel, Aktivierung der schrägen Bauchmuskeln, Ausatmung

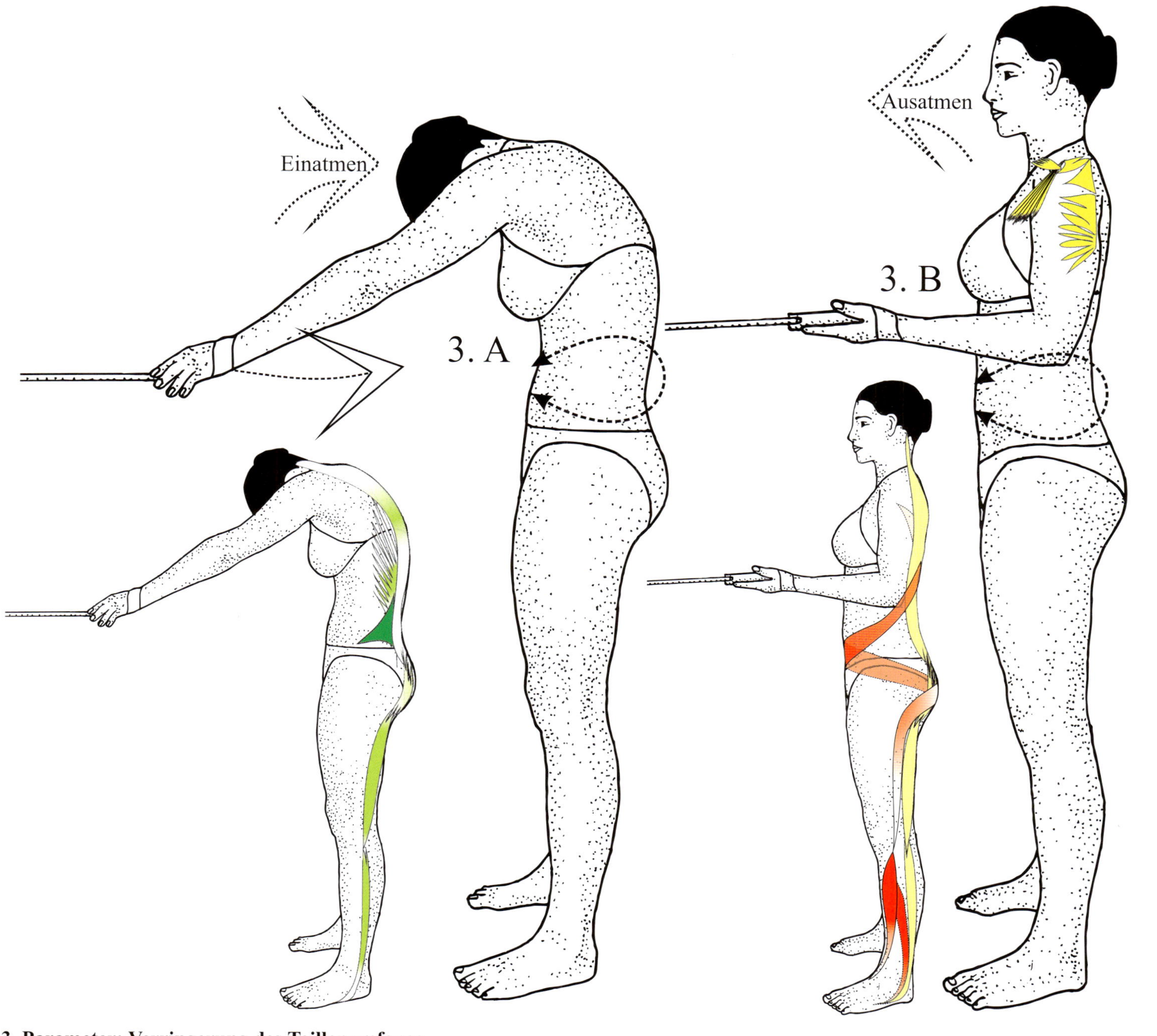

3. Parameter: Verringerung des Taillenumfangs.
Bewegung: Extension im Schultergürtel mit unterer Schulterblattfixation.
Norm: 5 cm
Änderung des Taillenumfangs im Bereich des Bauchnabels.
Der Parameter bewertet die Fähigkeit, der Zusammenziehung des Taillenumfangs durch die Aktivierung der schrägen Bauchmuskeln und des queren Bauchmuskels, die in TR - trapezius und LD - latissimus dorsi Spiralen eingereiht sind.

Gedehnte Muskeln
Wir dehnen die Muskeln an der vorderen Seite des Schultergürtels:
- M. subclaviuus (Unterschlüsselbeinmuskel)
- M. pectoralis minor (kleiner Brustmuskel)
- M. pectoralis major (großer Brustmuskel)
- M. serratus anterior (vorderer Sägemuskel)

Die an der oberen Seite des Schultergürtels entspannten Muskeln:
- M. trapezius, pars descendens (Kappenmuskel absteigender Teil)
- M. levator scapulae (Schulterblattheber)
- Mm. scaleni (Rippenhalter)
- M. semispinalis capitis, cervicis
(Halbdornmuskel des Kopfes und des Halses)
und andere Muskeln.

Aktivierte Muskeln
Zwischenschulterblattmuskeln werden gekräftigt
- M. trapezius (Kappenmuskel)
- M. latissimus dorsi (breiter Rückenmuskel)
- Mm. rhomboidei (Rautenmuskel)

Muskelketten
Die Übung wird durch die folgenden spiralen Muskelketten stabilisiert:
TR-B, C - trapezius (Kappenmuskel)
LD-A, B - latissimus dorsi (breiter Rückenmuskel).
Vertikale Muskelkette ES - erector spinae entspannt sich durch die rezproke Inhibition.
Die schrägen Bauchmuskeln, bilden einen Teil der TR und der LD Muskelkette, die den Teillenumfang zusammenziehen.

Parameter 4.
Traktion zwischen Becken und Brustkorb
Extension im Schultergürtel, Aktivierung der schrägen Bauchmuskeln und des großen Gesäßmuskels

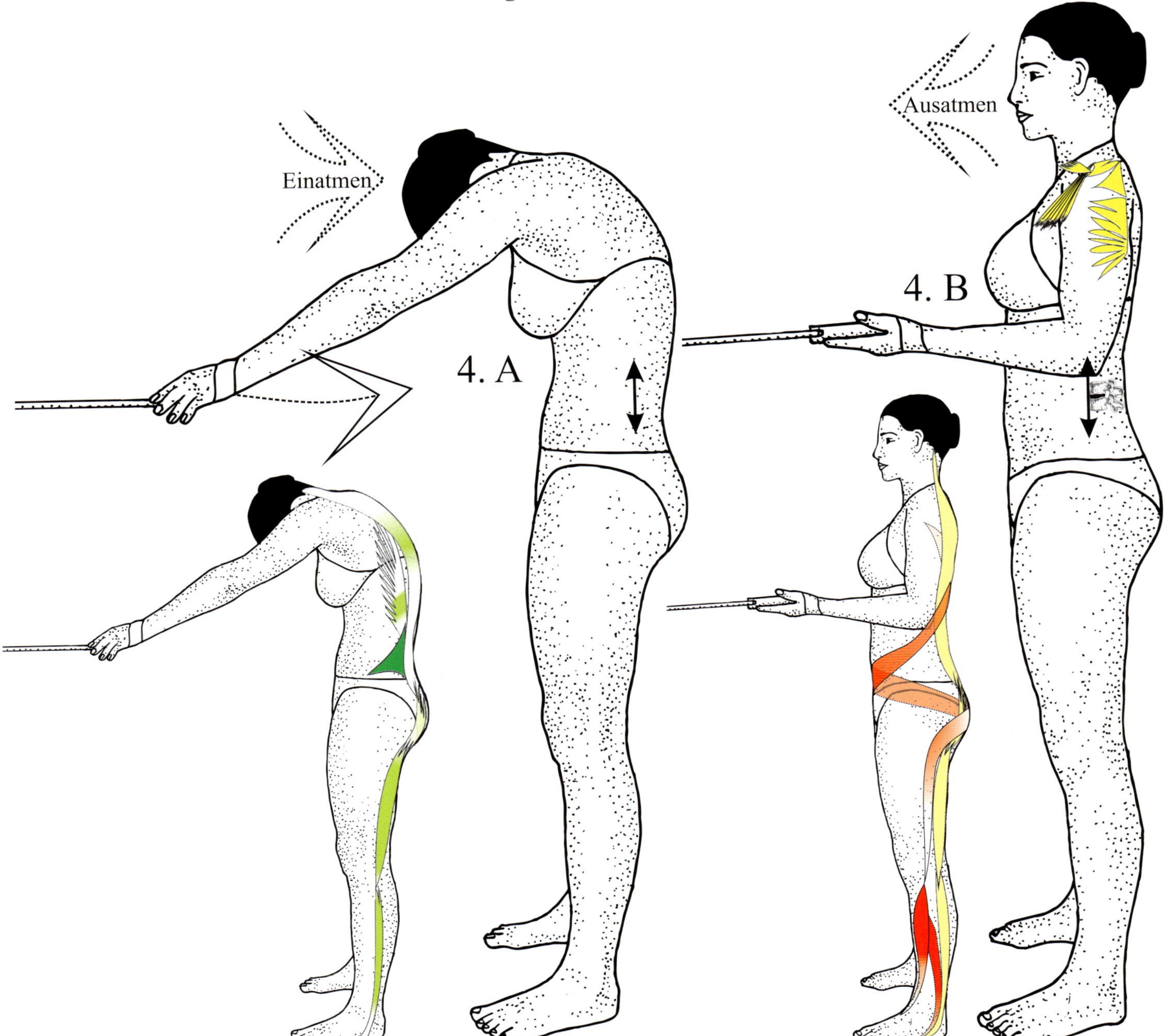

4. Parameter: Traktion der Lendenwirbelsäule.
Bewegung: Extension im Schultergürtel mit unterer Schulterblattfixation.
Norm: 1-2 cm

Anhieb zwischen Becken und 10. Rippe. Wir messen 8 cm ab hinterer Körperoberfläche, d.h. an vorderer Seite der Wirbelkörper. Der Parameter bewertet die Fähigkeit, die Lordose auszugleichen und die Zwischenwirbelscheiben und Gelenke zu dehnen.

Gedehnte Muskeln

Wir dehnen die Muskeln an der vorderen Seite des Schultergürtels:
- M. subclaviuus (Unterschlüsselbeinmuskel)
- M. pectoralis minor (kleiner Brustmuskel)
- M. pectoralis major (großer Brustmuskel)
- M. serratus anterior (vorderer Sägemuskel)

Die an der oberen Seite des Schultergürtels entspannten Muskeln:
- M. trapezius, pars descendens (Kappenmuskel absteigender Teil)
- M. levator scapulae (Schulterblattheber)
- Mm. scaleni (Rippenhalter)
- M. semispinalis capitis, cervicis (Halbdornmuskel des Kopfes und des Halses)

und andere Muskeln.

Aktivierte Muskeln

Zwischenschulterblattmuskeln werden gekräftigt:
- M. trapezius (Kappenmuskel)
- M. latissimus dorsi (breiter Rückenmuskel)
- Mm. rhomboidei (Rautenmuskel)

Muskelketten

Die Übung wird durch die folgenden spiralen Muskelketten stabilisiert:
TR-B, C - trapezius (Kappenmuskel)
LD-A, B - latissimus dorsi (breiter Rückenmuskel).
Vertikale Muskelkette ES - erector spinae entspannt sich durch die rezproke Inhibition.
Die schrägen Bauchmuskeln und der große Gesäßmuskel bilden einen Teil der TR und LD Muskelkette und es ist hauptsächlich der große Gesäßmuskel, der den Brustkorb nach oben hebt.

Parameter 4.
Traktion zwischen Becken und Brustkorb
Extension im Schultergürtel, Aktivierung der schrägen Bauchmuskeln und des großen Gesäßmuskels

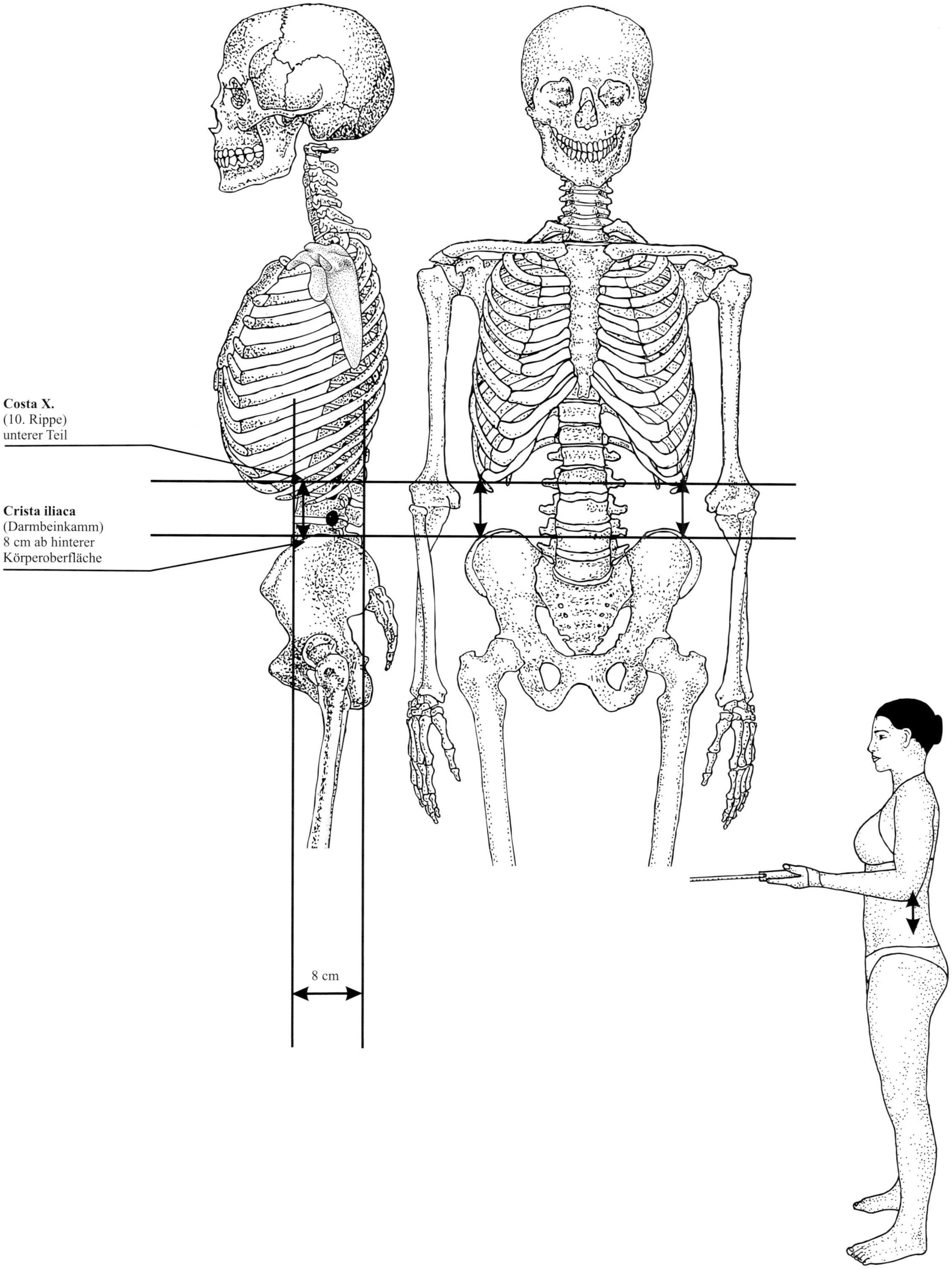

Parameter 5.
Abstand zwischen Körperachse und Patella (Kniescheibe)
Extension im Beckengürtel

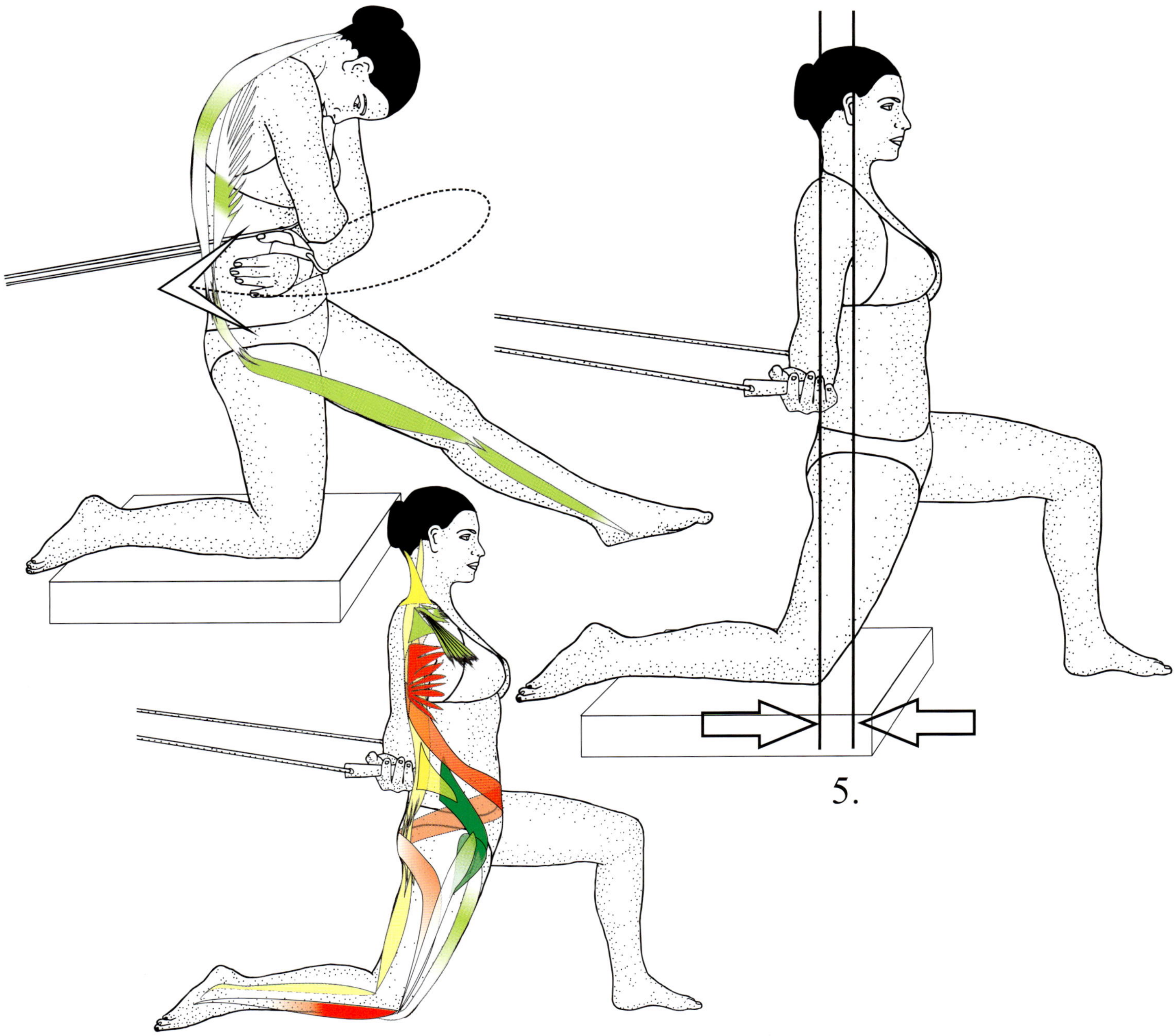

5. Parameter: Abstand zwischen Körperachse und Kniescheibe.
Bewegung: Extension im Beckengürtel auf dem durch die Spiralen stabilisierten Körper.
Norm: + 20 cm

Abstand zwischen Körperachse und Kniescheibe.
Die Körperachse verläuft kranial nach kaudal (oder umgekehrt) durch den äußeren Gehörgang senkrecht zum Boden (Lotlinie) und unten durch die Mitte des Beckens.
Der an der hinteren Körperseite angelegte Stab kontrolliert die Lordosentiefe, die die 2,5 cm, eine Daumenbreite, nicht übersteigen darf.
Der Parameter zeigt die Extension in der Hüfte und im SI-Gelenk an und deren Fähigkeit die Schrittlänge zu beeinflussen.

Gedehnte Muskeln
Beckengürtel:
- M. iliopsoas (Lenden- Darmbeinmuskel)
- M. gluteus medius (mittlerer Gesäßmuskel, vorderer Teil)
- M. tensor fasciae latae (Oberschenkelbindenspanner)
- M. rectus femoris (gerader Muskel des Oberschenkels)

Schultergürtel:
- M. subclaviuus (Unterschlüsselbeinmuskel)
- M. pectoralis minor (kleiner Brustmuskel)
- M. pectoralis major (großer Brustmuskel)
- M. serratus anterior (vorderer Sägemuskel)

Die an der oberen Seite des Schultergürtels entspannten Muskeln:
- M. trapezius pars descendens (Kappenmuskel absteigender Teil)
- M. levator scapulae (Schulterblattheber)
- Mm. scaleni (Rippenhalter)
- M. semispinalis capitis, cervicis (Halbdornmuskel des Kopfes und des Halses)

und andere Muskeln.

Aktivierte Muskeln
Zwischenschulterblattmuskeln werden gekräftigt
- M. trapezius (Kappenmuskel)
- M. latissimus dorsi (breiter Rückenmuskel)
- Mm. rhomboidei (Rautenmuskel)

Muskelketten. Die Übung wird durch die folgenden spiralen Muskelketten stabilisiert:
TR-B, C - trapezius (Kappenmuskel)
LD-A, B - latissimus dorsi (breiter Rückenmuskel).
Vertikale Muskelkette ES - erector spinae entspannt sich durch die reziproke Inhibition.
Die schrägen Bauchmuskeln und der große Gesäßmuskel bilden einen Teil der TR und LD Muskelkette.
Der große Gesäßmuskel hemmt in reziproker Inhibition die Hüftflexoren.

Parameter 6.
Abstand zwischen Nasenwurzel und Kniescheibe
Flexion des Rumpfs mit nach vorn gestrecktem Bein

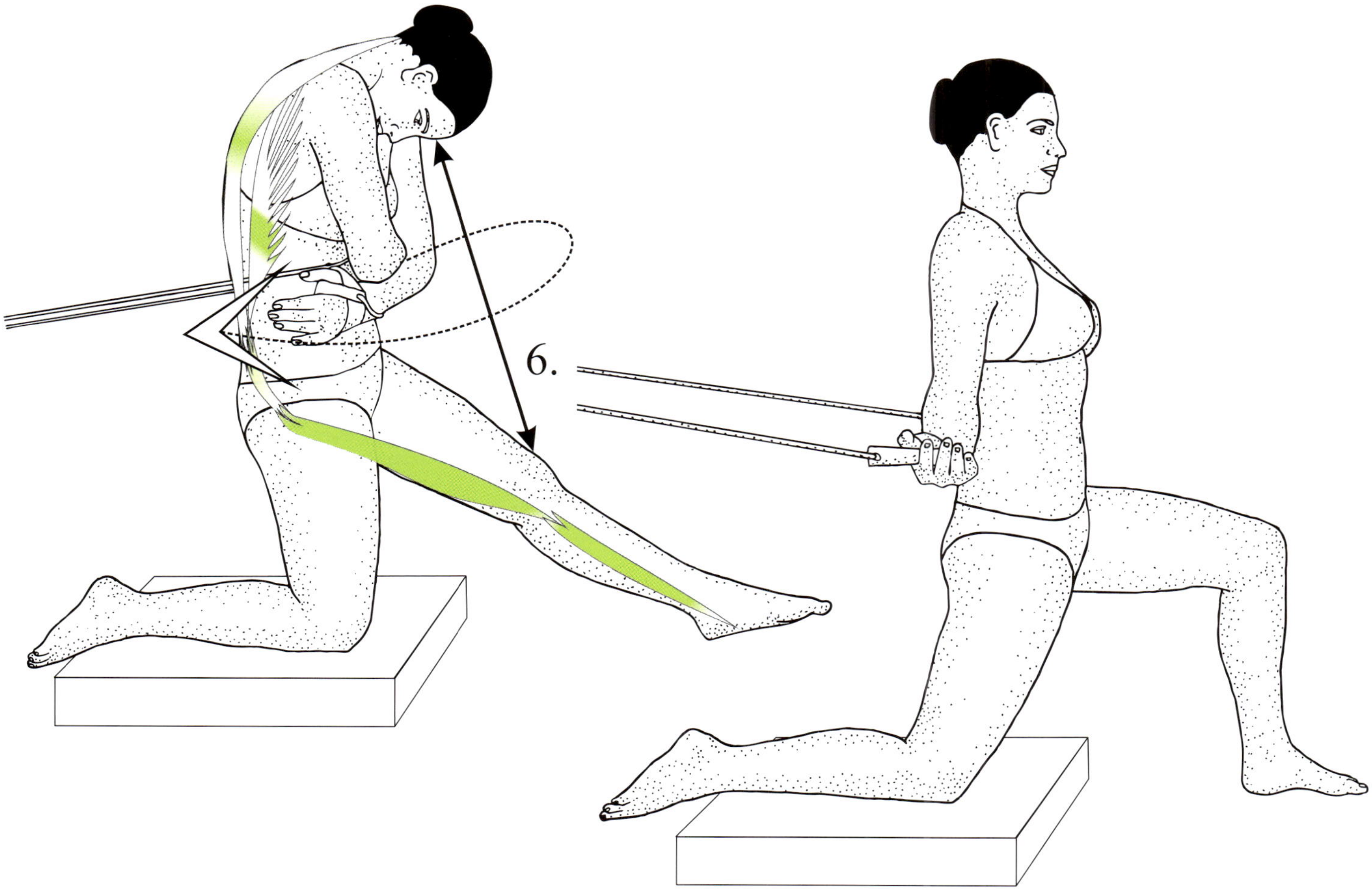

6. Parameter: Abstand zwischen Nasenwurzel und Patella (Kniescheibe).
Bewegung: Flexion des Rumpfs im Kniestand mit nach vorn gestrecktem Bein.
Norm: + 30 cm
Abstand zwischen Nasenwurzel und Kniescheibe.
Der Parameter bewertet die Fähigkeit, die Rückenmuskulatur und die ischiocrurale Muskulatur zu dehnen.

Gedehnte Muskeln
Rückenmuskulatur:
- M. erector spinae (Rückenstrecker)
- M. quadratus lumborum (viereckiger Lendenmuskel)
- M. multifidus (vielgeteilter Muskel)

Ischiocrurale Muskulatur (Muskeln an der hinteren Oberschenkelseite):
- M. biceps femoris (zweiköpfiger Oberschenkelmuskel)
- M. semitendinosus (Halbsehnenmuskel)
- M. semimembranosus (Plattsehnenmuskel)
- M. adductor magnus (großer Anzieher)

Parameter 7.
Dehnung des Abstands zwischen den Dornfortsätzen C7 und S1
Dehnung des Rückens

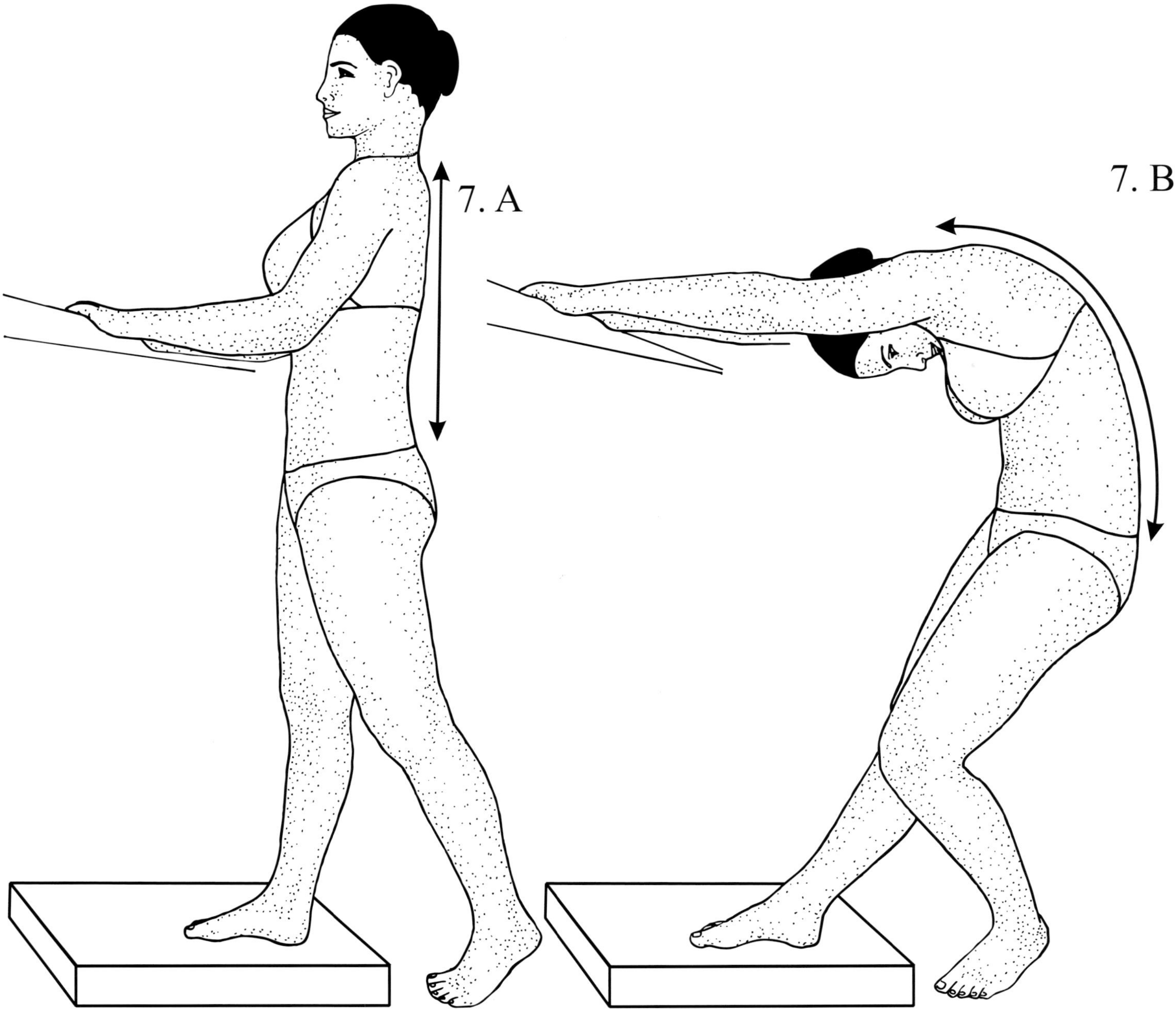

7. Parameter: Dehnung des Abstands zwischen den Dornfortsätzen C7 und S1.
Bewegung: Flexion des Rumpfs im Stehen mit nach vorn gestrecktem Bein.
Norm: + 10 cm
Der Abstand zwischen den Dornfortsätzen C7 und S1 - oberer Teil des Kreuzbeins.
Der Parameter zeigt die Fähigkeit an, die Rückenmuskulatur und zum Teil auch die ischiocrurale Muskulatur zu dehnen.

<u>Gedehnte Muskeln</u>
Rückenmuskulatur:
- M. erector spinae (Rückenstrecker)
- M. quadratus lumborum (viereckiger Lendenmuskel)
- M. multifidus (vielgeteilter Muskel)

Ischiocrurale Muskulatur (Muskeln an der hinteren Oberschenkelseite):
- M. biceps femoris (zweiköpfiger Oberschenkelmuskel)
- M. semitendinosus (Halbsehnenmuskel)
- M. semimembranosus (Plattsehnenmuskel)
- M. adductor magnus (großer Anzieher)

Parameter 7.
Dehnung des Abstands zwischen den Dornfortsätzen C7 und S1
Dehnung des Rückens

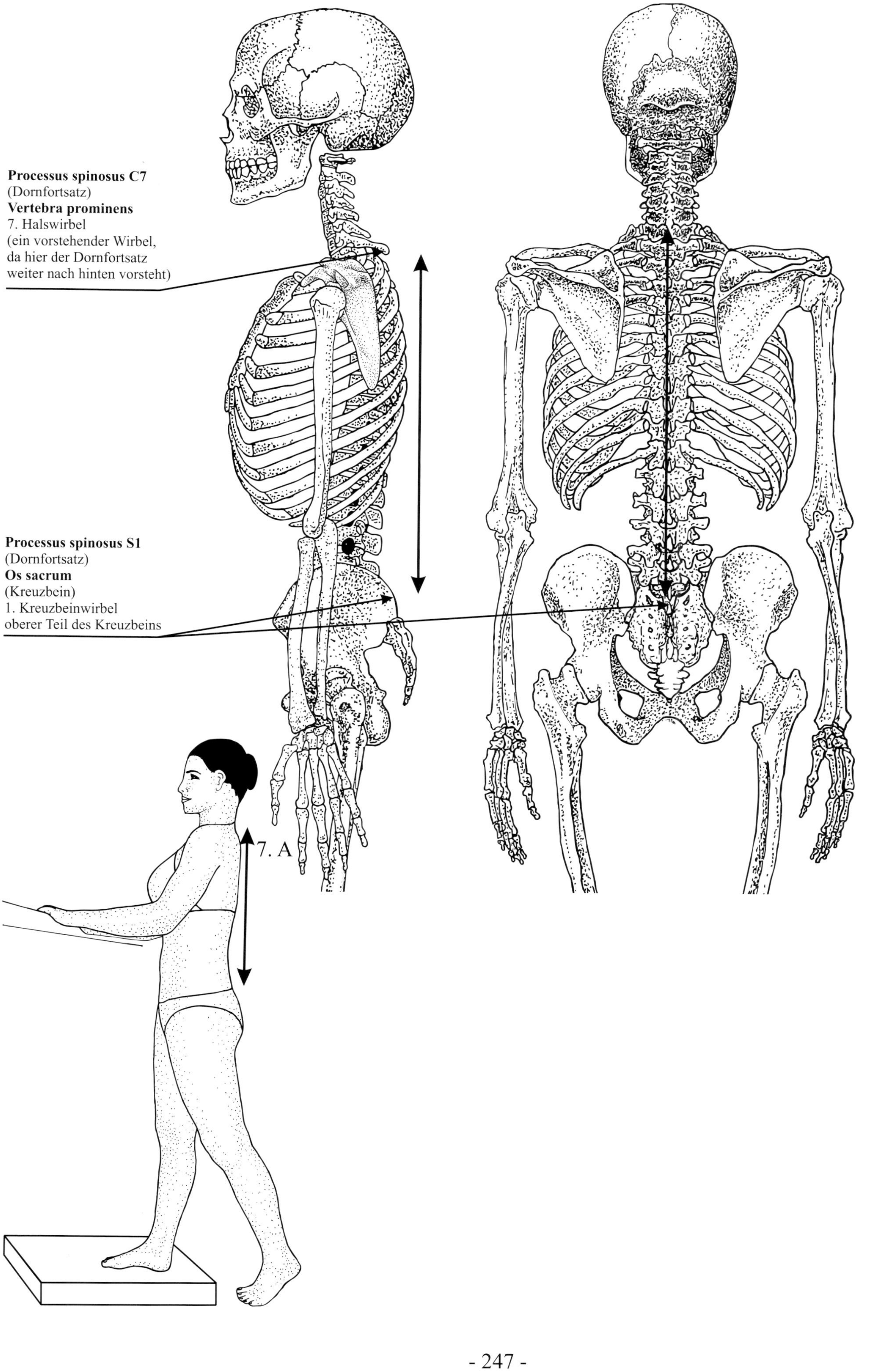

Parameter 8.
Beidseitige Beweglichkeit des Th5 Dornfortsatzes
Bewegung des Brustkorbs beim Gehen auf der Stelle

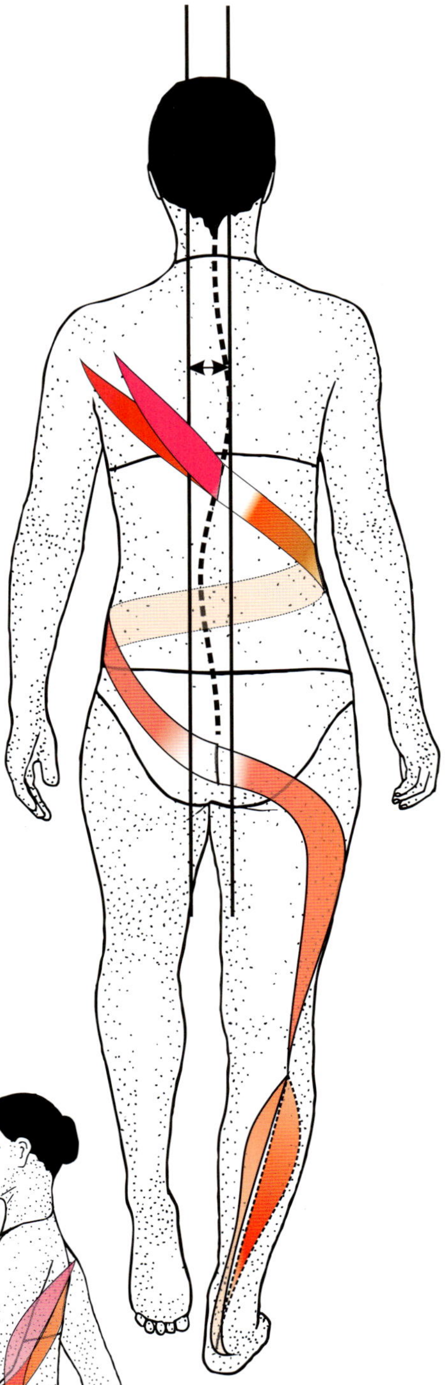

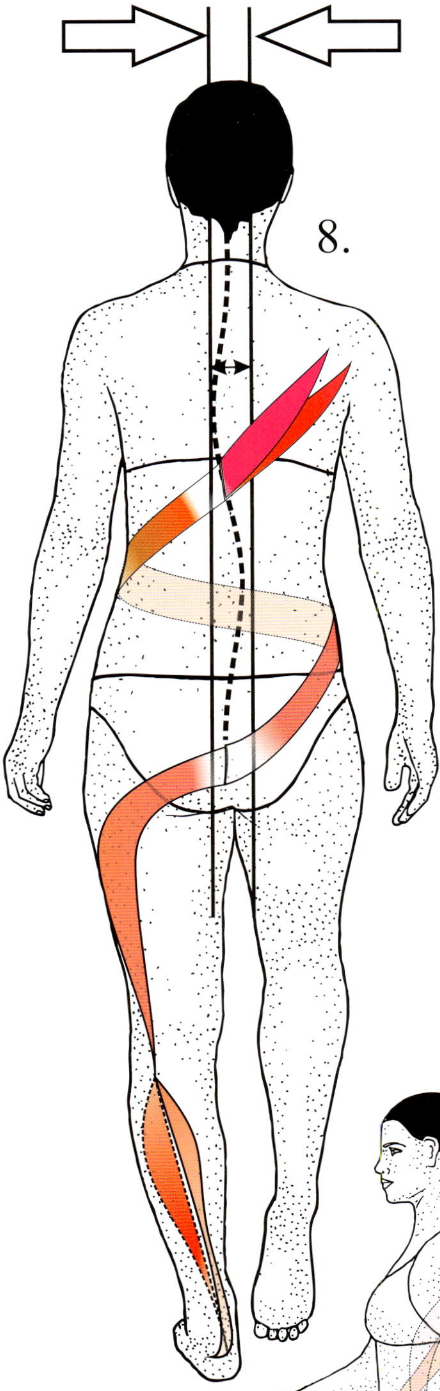

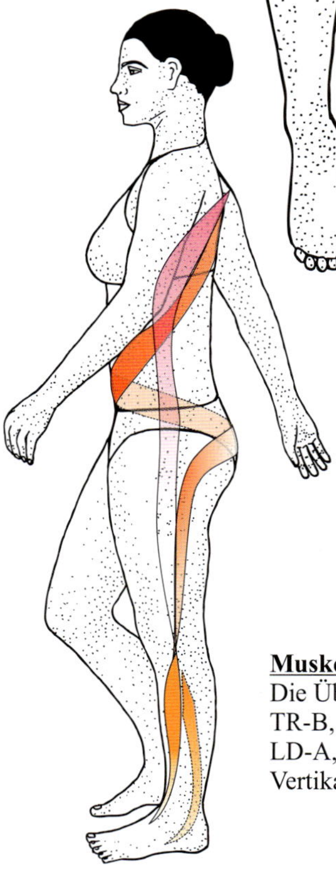

8. Parameter: Beidseitige Bewegung des Th5 Dornfortsatzes.
Bewegung: Extension im Schultergürtel mit unterer Fixation des Schulterblatts und Gehen auf der Stelle.
Norm: 5 cm zu einer Seite
Rotation des Th5 Dornfortsatzes ist an der Oberfläche durch seine Verschiebung zu sehen. Wir bewerten die Verschiebung des Th5 Dornfortsatzes von rechts nach links. Der Parameter zeigt die Bewegungskoordination zwischen dem Arm, dem Schulterblatt und der Wirbelsäule an.
Die Bewegung beginnt an den unteren Schulterblattfixatoren.
Die TR - trapezius, LD - latissimus dorsi Spiralen werden aktiviert.

Muskelketten

Die Übung wird durch die folgenden spiralen Muskelketten stabilisiert:
TR-B, C - trapezius (Kappenmuskel)
LD-A, B - latissimus dorsi (breiter Rückenmuskel).
Vertikale Muskelkette ES - erector spinae entspannt sich durch die rezproke Inhibition.

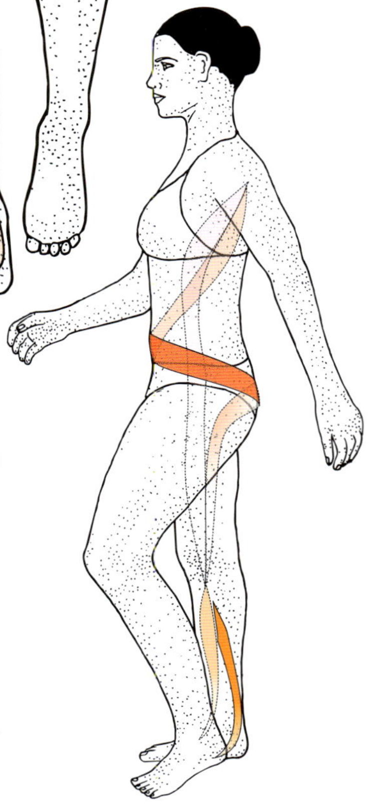

Parameter 9.
Gegenrotation des Brustkorbs und des Beckens.
Beweglichkeit des Brustkorbs und des Beckens bei den Übungen zur Extension der Arme und Beine

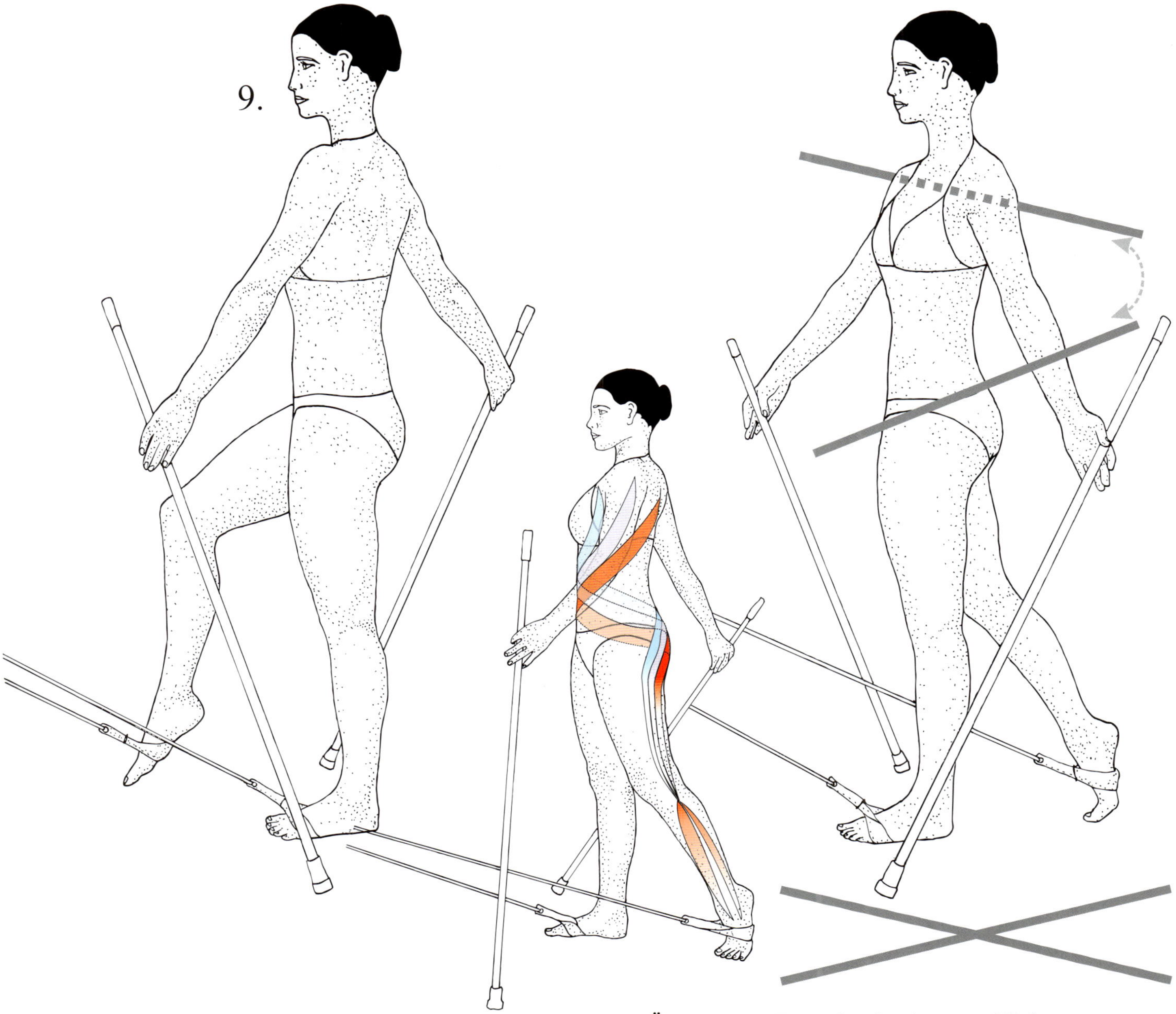

9. Parameter: Beweglichkeit des Brustkorbs und des Beckens bei den Übungen zur Extension der Arme und Beine.
Bewegung: Gegenrotation des Brustkorbs und des Beckens.
Norm: 90°

Winkel zwischen dem Schulter- und Beckengürtel.
Wir schauen den Schulter- und Beckengürtel von oben an und messen den Winkel zwischen den Stäben.
Der Parameter bewertet die Fähigkeit, den Schritt durch die Rotation des Beckens zu verlängern. Die Aktivierung der TR, LD, SA, PM Spiralen und Inhibition der vertikalen Muskelketten ist die Bedingung für eine richtig ausgeführte Rotation.

Gedehnte Muskeln

Beckengürtel:
- M. iliopsoas (Lenden-Darmbeinmuskel)
- M. gluteus medius (mittlerer Gesäßmuskel, vorderer Teil)
- M. tensor fasciae latae (Oberschenkelbindenspanner)
- M. rectus femoris (gerader Oberschenkelmuskel)

Schultergürtel:
- M. subclavius (Unterschlüsselbeinmuskel)
- M. pectoralis minor (kleiner Brustmuskel)
- M. pectoralis major (großer Brustmuskel)
- M. serratus anterior (vorderer Sägemuskel)

Die an der oberen Seite des Schultergürtels entspannten Muskeln:
- M. trapezius pars descendens (Kappenmuskel absteigender Teil)
- M. levator scapulae (Schulterblattheber)
- Mm. scaleni (Rippenhalter)
- M. semispinalis capitis, cervicis (Halbdornmuskel des Kopfes und des Halses)

und andere Muskeln.

Aktivierte Muskeln

Die Zwischenschulterblattmuskeln werden gekräftigt
- M. trapezius (Kappenmuskel)
- M. latissimus dorsi (breiter Rückenmuskel)
- Mm. rhomboidei (Rautenmuskel)

Muskelketten

Die Übung wird durch die folgenden spiralen Muskelketten stabilisiert:
TR-B, C - trapezius (Kappenmuskel)
LD-A, B - latissimus dorsi (breiter Rückenmuskel)
SA - B - serratus anterior (vorderer Sägemuskel)
PM - B - pectoralis major (großer Brustmuskel).
Vertikale Muskelkette ES - erector spinae entspannt sich durch die reziproke Inhibition.
Die schrägen Bauchmuskeln und der große Gesäßmuskel bilden einen Teil der TR und LD Muskelkette.
Der große Gesäßmuskel hemmt in reziproker Inhibition die Hüftflexoren.

Kardiovaskuläres Training

Das komplexe ganzkörperliche und globale Bewegungsprogramm
Vertebroviszerale Beziehungen und die Psychosomatik

1. Reduktion des erhöhten Muskeltonus.
Senkung des Durchblutungswiderstands der Muskeln und eine Verbesserung sowohl der Muskelernährung als auch des Stoffwechsels in Muskelmitochondrien. Senkung der propriozeptiven Informationen aus den angespannten Muskeln. (Erhöhte Propriorezeption beschäftigt unnötig den Analysator, der dem ZNS Informationen liefert - Stress.)

2. Erhöhte Beweglichkeit des Brustkorbs und der abdominalen Gegend.
Erhöhung der Zwerchfellbeweglichkeit.
Steigerung der vitalen Lungenkapazität. Verbesserung der Sauerstoffsättigung im Blut.
Entstehung des negativen einsaugenden Drucks im Brustkorb. Förderung der Rückkehr des Venenbluts und der Lymphdrainage.

3. Ausgleichen des Kopfes zur Achsenstellung.
Senkung des erhöhten Muskeltonus im Nackenbereich.
Erhöhung des Blutdurchflusses ins ZNS.

4. Mobilisierung des Sympathikus in der Zone des Herzens, Th1-5 und im Halsbereich.
(Ganglion cervicale superior, medius inferior).
Entspannung der Muskeln, die diesen Bereich überspannen.
Einnehmen der Achsestellung des Körpers und des Kopfes.
Mobilisierung des Nackens in Rotation.

5. Wechsel zwischen Phasen der Aktivierung und Phasen der Entspannung der großen Muskelgruppen.
Verbesserte Stoffwechsel und Durchblutung der Muskeln. Muskelpumpe.

6. Die Muskulatur des Nackens, des Rumpfs sowie die der oberen und unteren Gliedmaßen schaltet sich im Wechsel ein.
Unterstützung für die Tätigkeit der Muskelpumpe.
Unterstützung der Rückkehr des Venenblutes und der Lymphdrainage.

7. Übungen in ausgeglichener Stehposition.
Öffnen der Gefäße für den freien Blutdurchfluss im Leistenbereich und im Bereich der Achselhöhle.

8. Angemessene, kontrolierte und langfristige komplexe Anstrengung.
Kontrolle der Kraft, des Bewegungsumfangs und der kardiovaskulären Belastung, (Pulsfrequenz).

9. Regeneration der Wirbelsäule und der großen Gelenke.
Wirbelsäule: Traktion, Zentrierung, Stabilisation, Mobilisierung.
Gelenke: - Kräftigung und Dehnung der Muskeln, die an der Gelenkfunktion beteiligt sind.
- Stabilisation der Gelenke durch das schnelle Eintreten von Kontraktion der stabilisierenden Muskeln.
- Mobilisierung der Gelenke in einer unbelasteten Bewegung.

10. Beseitigung des Schmerzes und der Einnahme von Analgetika.
Schmerzen im Bereich der Muskeln, Gelenken und Bandscheiben.
Seelischer (psychischer) Schmerz und Bewegungsmangel.

11. Positiver Einfluß auf die Psyche. Prävention von degenerativen Hirnerkrankungen.
Beseitigung von Risiken, die zur Entstehung von psychosomatischen Erkrankungen führen.
Ausschwemmung von Endorphinen.
Gute arterielle Blutversorgung des Gehirns. Zufuhr von Nährstoffen und von Sauerstoff. Unterstützung des Stoffwechsels.
Regeneration des ZNS und PNS.
Beseitigung von Stress, Depressionen, Ausgebranntsein (ein Zustand ausgesprochener emotionaler Erschöpfung mit reduzierter Leistungsfähigkeit). Es ist wichtig, über ein klares Konzept zu informieren und eine Problemlösung zu präsentieren.

Hauptziel:
Verbesserung des Stoffwechsels der Mitochondrien in Muskeln

Beseitigung von ICHS Risiken
Hypertension
Hyperglykämie
Dyslipoproteinämie
Obesität

Positiver Einfluß auf den Bewegungsapparat
Der Weg zum Ziel:
Durch die reziproke Beziehungen werden die ganzkörperlichen dynamischen spiralen Muskelketten aktiviert und die vertikalen Muskelketten, die die Ruhephase stabilisieren, entspannt und gedehnt. Ein lebenslang regelmässig durchgeführtes Bewegungsprogramm.

MANUELLE THERAPIE IM SCHLINGENTISCH

DIE ÜBUNGEN VOR EINEM GROßEN SPIEGEL KONTROLIEREN

Durch die überwiegend sitzende Tätigkeit bereits während der Schulzeit, der Ausbildung oder des Studiums und später beim Arbeiten vor dem PC, treten Fehlhaltungen vor dem PC, stellen sich schon seit der Schulzeit zum Teil schwerwiegende gesundheitliche Beeinträchtigungen ein.

Die einseitigen Belastungen, sowie ständiges und meist noch falsches Sitzen, führen zwangsweise zu Nackenverspannungen und zur Entstehung von Bandscheibenvorfälle im Hals- und Lendenbereich. Dies kann neben den Kopfschmerzen auch noch Schwindel, skoliotische Verkrümmungen und chronische Rückenschmerzen verursachen...

HON move®

Der ergonomisch und elektrisch höhenverstellbare Steh-Sitz- Arbeitstisch ermöglicht eine für die Körpergröße optimale Einstellung der Arbeitsplatte. Dies ist die notwendige Vorraussetzung für richtiges Sitzen. Dank dem runden Ausschnitt der Tischplatte, werden die Arme unterstützt und dadurch können die Trapez- und Nackenmuskeln die richtige Entspannung erreichen.

Die Sitzposition ist eine unnatürliche Stellung des Menschen. Die höhenverstelbare Tische EXPANDER ERGO ermöglichen Ihnen im Stehen zu arbeiten und damit eine angenehme Abwechslung nach den vielen Stunden der Sitzarbeit zu schaffen. Die Unterarme bleiben bequem auf der Tischplatte gestützt und im Gegenteil zur Sitzposition können die Beine gestreckt werden. Der Blutkreislauf verbessert sich und Sie werden sich auf jeden Fall besser fühlen.

www.hon-move.de

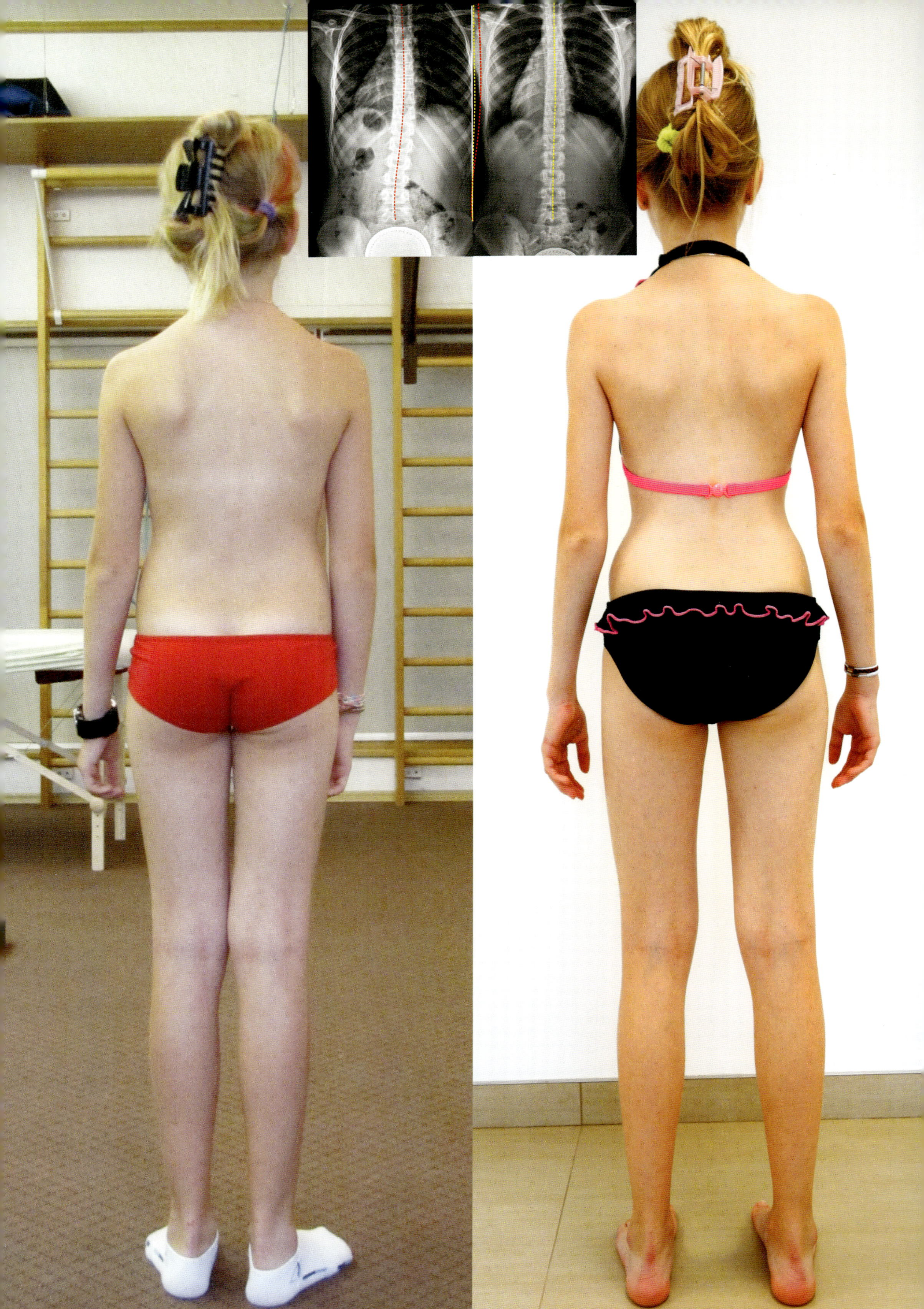

제3차 SSM 척추측만증 국제워크샵
2016
Method
Spiral Stabilizati
Workshop for
Scoliosis
2016/01/29 - 02/03

Method Spiral Stabilization of the spine Workshop

Seoul, Korea, 29 January ~ 3 February, 2016

주최 이화여자대학교 건강과학대학 체육과학부 · 사회체육교육센터 주관 다빈치아카데미